KB152273

anual of Drug Therapy
in **Vascular Disease**

혈관질환의 약물치료 매뉴얼

공동편저 **김덕경 · 김영욱**

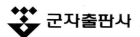

군자출판사

혈관질환의 약물치료 매뉴얼

첫째판 1쇄 인쇄 | 2020년 8월 20일
첫째판 1쇄 발행 | 2020년 8월 31일

편　　　저　김덕경, 김영욱
발 행 인　장주연
출 판 기 획　김도성
책 임 편 집　안경희
편집디자인　조원배
표지디자인　김재욱
일 러 스 트　유시연
제 작 담 당　신상현
발 행 처　군자출판사(주)
　　　　　등록 제4-139호(1991. 6. 24)
　　　　　본사 (10881) **파주출판단지** 경기도 파주시 회동길 338(서패동 474-1)
　　　　　전화 (031) 943-1888　　　팩스 (031) 955-9545
　　　　　홈페이지 | www.koonja.co.kr

ISBN 979-11-5955-600-5

정가 40,000원

Manual of Drug Therapy
in Vascular Disease

혈관질환의
약물치료
매뉴얼

서문

    단행본 의학서적을 만드는 목적은 어느 한두사람이 가진 탁월하게 많은 지식을 다른 사람들에게 나누어 주는 것이라기보다는 우리들의 다소 부족하고 불확실한 지식을 여러 사람들이 보완하여 조금 더 명료하게 정리하여 한 권의 책에 모아둠으로 이 지식이 필요한 사람들에게 도움을 주는 것이라 생각합니다.

    최근 고령환자의 증가와 함께 혈관 질환 환자가 우리 사회에서도 증가하고 있고, 혈관질환에 관련한 약물치료는 새로 개발된 신약의 등장, 지금까지 사용되어 오던 약제의 새로운 부작용 발견, 이들 약제의 용량 혹은 치료 기간의 변화에 대한 새로운 정보 또는 다른 약제와의 병용투여 효과 등이 꾸준히 소개되고 있습니다. 따라서 이 분야의 의학은 다소 가변적이라고도 할 수 있으며, 심혈관 질환에 대한 약물치료의 대단위 임상연구가 지금 이 시간에도 국내외에서 활발히 진행되고 있습니다.

    혈관질환 환자의 특징인 고령, 다양한 동반질환, 이에 따른 다양한 약제의 사용, 그리고 환자 개개인에 따른 약재사용의 적응증 및 금기사항, 시술 혹은 수술 등으로 인해 이들 환자에서는 약물치료를 단순화, 일반화 시키기에는 어려운 점이 있다는 점들을 고려하여, 혈관 질환 환자를 위해서 적절한 약물치료의 지침서를 만들기로 하였습니다. 책의 내용은 근거 중심(evidence-based)의 현대의학에서 최근에 추천되고 있는 약물치료법들을 소개하고자 하였습니다.

    이 책은 여러 의학 분야의 전문가들을 집필진으로 모시고, 다양한 환자의 상황을 미리 설정하여 그 상황에 맞는 적절한 약물치료를 소개한 책이기 때문에 어느 한 전공 분야의 책이라기보다는 학생 그리고 전공과목에 관계없이 전공의, 전문의 모두에게 도움을 줄 수 있는 책으로 생각합니다.

    별다른 대가도 없이 원고를 청탁하는 일이 염치 없는 일인 줄은 잘 알지만 집필진 모두의 노력이 궁극적으로는 혈관질환 환자의 치료 결과를 향상시킬 수 있기를 바라는 마음으로 이 책을 출간합니다. 다시 한 번 모든 집필진께 심심한 감사의 뜻을 전합니다.

2020. 8. 12
성균관의대 강북삼성병원 혈관외과 김 영 욱
삼성서울병원 순환기내과 김 덕 경

목차

PART III

대동맥질환의 약물치료

PART IV

정맥혈전색전증의 약물치료

PART

혈관질환 위험인자의 약물치료

Pharmacotherapy of vascular risk factors

1

CHAPTER

고혈압의 진단과 약물치료

Diagnosis and pharmacotherapy of hypertension

| 성지동 | 성균관의대 삼성서울병원 순환기내과

배경

고혈압은 많은 역학 연구를 통하여 심뇌혈관질환의 주요 위험요인으로써 확립되어 있으며 심뇌혈관질환의 예방에 있어서 혈압 조절의 중요성은 약물치료의 효과에 대한 임상시험 결과를 바탕으로 잘 확립되어 있다. 따라서 혈관질환의 약물치료에 있어서 고혈압과 관련된 논의는 기본적으로 필요하다. 2018년도 대한고혈압학회는 세계 각국 고혈압진료지침을 참고하고 국내 전문가들의 의견을 종합하여 고혈압진료지침을 발간하였으므로 본 장에서는 이를 기본으로 하여 실제 진료에 있어 필수적인 내용을 정리하되, 필요한 부분에서는 유럽 및 미국 등의 고혈압진료지침의 내용과 비교 설명을 추가하도록 하겠다.

고혈압의 정의 및 진단기준

혈압 수준의 상승과 심뇌혈관질환의 위험도 간에는 연속적인 관계가 있으므로 혈압을 정상-비정상 또는 건강-질병 상태로 정확히 양분한다는 것은 불가능하나, 실제 임상 및 공중보건에 있어서 판단을 내리기 위해서는 혈압을 분류하는 것이 필요하므로 현존하는 모든 고혈압 임상진료지침에서는 혈압 수치 기준으로 범주화하고 있다. 최근 국내 진료지침에서는 표 1-1과 같은 진단기준을 제시하고 있다.

이러한 기준을 적용함에 있어서 몇 가지 점들을 반드시 고려하여야만 한다. 첫째로 혈압은 수시로 변동하며 그 폭이 매우 클 수도 있는 지표이며 측정하는 상황과 방법에 따라 달라지기도 하므로 다양한 변수를 고려하여 정확한 측정이 이루어져야 하며 여러번 측정한 평균값으로 그 수준을 파악하여야 한다. 최근의 진료지

표 1-1. Classification of blood pressure

혈압분류		수축기 혈압(mmHg)		이완기 혈압(mmHg)
정상혈압 *		< 120	그리고	< 80
주의혈압		120-129	그리고	< 80
고혈압전단계		130-139	또는	80-89
고혈압	1기	140-159	또는	90-99
	2기	≥ 160	또는	≥ 100
수축기 단독고혈압		≥ 140	그리고	< 90

*심뇌혈관질환의 발생 위험이 가장 낮은 최적혈압
(출처: 2018 고혈압진료지침, 대한고혈압학회)

침들은 백의고혈압과 가면고혈압의 진단, 보다 정확한 치료효과 판정, 예후의 보다 정확한 예측 등 목적을 위하여 진료실밖(out-of-office) 혈압의 측정을 이용할 것을 높은 권고수준으로 권고하고 있고 이를 위한 방법으로 가정혈압 측정과 활동혈압 모니터링이 있다. 또한, 진료실에서 자동혈압계를 이용하여 의료진이 없는 방에서 1분 간격으로 연속 3회 측정하여 평균한 진료실 자동혈압(automated office blood pressure,

AOBP) 측정을 임상에서 이용하는 것을 고려하는 권고도 최근 등장하고 있다. 혈압의 적절한 측정을 위하여 고려해야 할 점이 매우 많으나 본 장의 범위를 벗어나므로 자세한 내용은 기존의 진료 지침을 참고하기 바란다.

두 번째 고려사항은 혈압을 측정하는 상황에 따라 혈압이 달라지므로 진단 기준도 그에 따라 달라져야 한다는 것이다. 표 1-1의 기준은 진료실 측정 혈압이며, 가정혈압, 24시간 활동혈압,

표 1-2. Diagnostic criteria according to the measurement method

측정 방법	수축기 혈압(mmHg)	이완기 혈압(mmHg)
진료실혈압	≥ 140	≥ 90
24시간 활동혈압 　일일 평균혈압 　주간 평균혈압	≥ 130 ≥ 135	≥ 80 ≥ 85
야간평균혈압	≥ 120	≥ 70
가정혈압	≥ 135	≥ 85
진료실 자동혈압	≥ 135	≥ 85

(출처: 2018 고혈압진료지침, 대한고혈압학회)

표 1-3. Treatment plan for hypertensive patients

위험도 \ 혈압(mmHg)	고혈압전단계 (130-139/80-89)	1기 고혈압 (140-159/90-99)	2기 고혈압 (≥ 160/100)
위험인자 0개	생활요법	생활요법* 또는 약물치료	생활요법과 약물치료
위험인자 1-2개	생활요법	생활요법과 약물치료	생활요법과 약물치료
위험인자 3개 이상, 당뇨병, 무증상장기손상	생활요법 또는 약물치료†	생활요법과 약물치료	생활요법과 약물치료
	생활요법 또는 약물치료‡	생활요법과 약물치료	생활요법과 약물치료

*생활요법의 기간은 수주에서 3개월 이내로 실시한다. †무증상장기손상 또는 임상적 심뇌혈관질환을 동반한 당뇨병. ‡설정된 목표혈압에 따라 추가적인 약물치료를 시행할 수 있다.
10년간 심뇌혈관질환 발생률:
■ 5% 미만 ■ 저위험(5-10% 미만) ■ 중위험(10-15% 미만) ■ 고위험(15% 이상)
(출처: 2018 고혈압진료지침, 대한고혈압학회)

진료실자동혈압 등 측정 방법(또는 상황)에 따른 진단기준은 표 1-2와 같다.

미국의 2017년 ACC/AHA 진료지침은 이와는 좀 다른 고혈압의 진단 기준을 제시하고 있는데, 1기 고혈압을 수축기 혈압 130 mmHg 이상 또는 이완기 혈압 80 mmHg 이상으로 정의하고 있다. 국내의 진료지침은 이를 그대로 받아들이지 않고 이전 진료지침과 2018년 유럽 진료지침(ESC/ESH guideline)의 기준을 수용하여 진단기준 혈압 수준을 낮추지 않았다. 이는 SPRINT (Systolic Blood Pressure Intervention Trial) 연구의 결과를 얼마나 일반화하여 받아들일 것인가, 고혈압 진단 기준을 낮춤으로써 생길 수 있는 공중보건 상의 문제(고혈압 환자 수의 급증 등) 등을 고려한 국내 전문가 집단의 합의에 따른 것이다. 실제로 임상에서 치료 계획을 결정할 때에는 각 환자의 상황에 따른 유연성있는 대처가 필요하겠으며 이에 대해서는 다음 절에서 다루도록 하겠다.

고혈압 치료 원칙 및 목표

고혈압 치료의 원칙은 환자의 혈압 수준과 심혈관질환 위험도를 고려하여 혈압 수준이 높고 위험도가 높을수록 약물치료를 포함한 보다 적극적인 치료를 한다는 것으로 요약될 수 있으며 표 1-3에 요약된 바와 같다. 2기 고혈압(160/100 mmHg 이상)의 경우에는 생활요법과 동시에 약물치료 시작을 권고한다. 저위험군인 1기 고혈압의 경우는 생활요법을 우선 시행해보고 혈압 상태에 따라 약물치료를 고려하게 되고 일반적으로 고혈압 전단계에서는 약물치료를 권고하지 않지만, 경우에 따라서 목표 혈압이 낮게 설정된 경우가 있으므로 선택적으로 약물치료를 고려할 수 있다.

표 1-3에서 고려하는 심뇌혈관 위험인자, 무증상장기손상, 임상적 심뇌혈관질환 및 콩팥질환은 다음과 같다.

심뇌혈관 위험인자

1) 연령(남성 ≥ 45세, 여성 ≥ 55세)
2) 조기 심뇌혈관질환의 가족력(남성 < 55세, 여성 < 65세)
3) 흡연
4) 비만(체질량지수 ≥ 25 kg/m^2) 또는 복부비만(복부둘레 남성 ≥ 90 cm, 여성 ≥ 85 cm)
5) 지질 인자(총콜레스테롤 ≥ 220 mg/dL, LDL-콜레스테롤 ≥ 150 mg/dL, HDL-콜레스테롤 < 40 mg/dL, 중성지방 ≥ 200 mg/dL)
6) 당뇨병전단계[공복혈당 장애(100 ≤ 공복혈당 < 126 mg/dL) 또는 내당능 장애]
7) 당뇨병(공복혈당 ≥ 126 mg/dL, 경구 당부하 2시간 혈당 ≥ 200 mg/dL 또는 당화혈색소 ≥ 6.5%)

무증상 장기손상

1) 뇌 – 뇌실주위백질 고신호강도(periventricular white matter hyperintensity, PWMH), 미세출혈(microbleeds), 무증상 뇌경색
2) 심장 – 좌심실비대
3) 콩팥 – 알부민뇨, eGFR 감소
4) 혈관 – 죽상경화반, 목동맥-대퇴동맥 간 맥파전달속도 >10 m/sec, 위팔동맥-발목동맥 간 맥파전달속도 >18 m/sec, 관상동맥석회화 점수 400점 이상
5) 망막 – 3~4단계 고혈압성 망막증

임상적 심뇌혈관질환 및 콩팥질환

1) 뇌 – 뇌졸중, 일과성 허혈발작, 혈관성 치매
2) 심장 – 협심증, 심부전, 심방세동
3) 콩팥 – 만성콩팥병 3, 4, 5기

표 1-4. Target blood pressure in the treatment of hypertension

측정 방법	수축기 혈압(mmHg)	이완기 혈압(mmHg)
합병증이 없는 고혈압	< 140	< 90
노인 고혈압	< 140	< 90
당뇨병 심혈관질환 없음* 심혈관질환 있음*	< 140 < 130	< 85 < 80
고위험군†	≤ 130	≤ 80
심혈관질환*	≤ 130	≤ 80
뇌졸중	< 140	< 90
만성콩팥병 알부민뇨 없음 알부민뇨 동반됨†	< 140 < 130	< 90 < 80

* 50세 이상의 관상동맥질환, 대동맥질환, 심부전, 좌심실비대. † 고위험군 노인은 노인 고혈압 기준을 따름. ‡ 미세알부민뇨 포함
(출처: 2018 고혈압진료지침, 대한고혈압학회)

4) 혈관 – 대동맥확장증, 대동맥박리증, 말초혈관질환

치료시의 목표 혈압은 표 1-4에서 보는 바와 같다. 대체로 수축기 혈압 140 mmHg 미만 그리고 이완기 혈압 90 mmHg 미만을 목표로 하되, 고위험군 및 심혈관질환을 동반한 경우, 알부민뇨를 동반한 만성 콩팥병의 경우 130/80 mmHg 미만의 보다 철저한 조절을 권고하고 있다.

고혈압의 진단 뿐 아니라 조절 상태를 파악함에 있어서도 진료실 밖 혈압을 이용하여 평균치를 정확히 파악하도록 하여야 하며, 진단 시와 마찬가지로 진료실 밖 혈압이 진료실 혈압보다 낮은 경향이 있는 것을 감안하여 진료실 혈압 140/90 mmHg 미만을 목표로 혈압을 조절한다면 평균가정혈압, 주간 또는 24시간 활동혈압을 각각 135/85 mmHg, 130/80 mmHg 미만으로 조절한다. 혈압 측정 방법과 상황에 따른 변동 폭이 개개인의 특성에 따라 편차가 크므로 개인차를 고려하여 목표혈압을 환산하여야 한다.

주요 혈압강하제

강압 작용에 효과적이며 안전성이 입증되고 부작용도 비교적 경미하여 일차약제로 사용되고 있는 고혈압 약은 크게 5가지로 분류한다.
1) 안지오텐신수용체차단제(angiotensin receptor blocker, ARB)
2) 안지오텐신전환효소억제제(angiotensin converting enzyme inhibitor, ACEI)
3) 베타차단제(알파-베타차단제 포함, beta-blocker, BB)
4) 칼슘차단제(calcium channel blocker, CCB)
5) 티아지드(thiazide)계 또는 티아지드 유사 이뇨제

일차 약제가 아닌 기타 약물로는 루프 이뇨제, 알도스테론길항제, 알파차단제, 혈관확장제 등이 있다.

전체 고혈압 환자 중 한 가지 약만으로 충분히 혈압조절이 되는 경우는 일부에 불과하며 많은 경우에 병합요법이 필요하다. 약물치료 시작 시에 2기 혈압에 해당될 정도의 비교적 심한 고혈압이라면 처음부터 두 가지 약제의 병합요법을 고려할 수도 있다. 병합요법의 원칙은 상호보완적인 기전의 약제를 병합하는 것이며, 레닌-안지오텐신 시스템(renin-angiotensin system, RAS)을 억제하는 약제인 ARB와 ACEI (A), 베타차단제(B), 그리고 이에 반하여 혈압 강하에 따라 RAS를 활성화할 수 있는 칼슘차단제(C)와 이뇨제(D)로 둘로 대별하고 A또는 B로 시작했다면 C 또는 D를 추가하는 방식으로(또는 반대로) 병합요법을 하는 것이 권장된다. 이에 준하여 두 가지 이상의 약제가 한 알로 만들어진 single-pill combination이 많이 이용되고 있다.

이차성 고혈압

이차성 고혈압은 전체 고혈압의 5% 미만을 차지할 정도이며, 이중 비교적 흔하다고 볼 수 있는 만성콩팥병에 따른 고혈압 경우를 빼면 그

표 1-5. Major classes of antihypertensive medications. Selected list of first line agents (exception, spironolactone, potassium-sparing diuretics) by class - ABC order

작용기전	약제명	용량 & 용법	Contraindication 혹은 약물 사용시 주의해야 할 환자	약물치료의 부작용
Angiotensin receptor blockers (ARB)	Azilsartan Candesartan Fimasartan Irbesartan Losartan Olmesartan Telmisartan Valsartan	40 - 80 mg qd 8 - 16 mg qd 30 - 120 mg 150 - 300 mg 50 - 100 mg 20 - 40 mg 40 - 80 mg 80 - 160 mg	임신 유전성혈관부종 중등도 - 중증 신장애 고칼륨혈증 중증 간장애	고칼륨혈증, 혈중 크레아티닌 증가, (드물게) 혈관부종
Angiotensin converting enzyme inhibitors (ACEI)	Captopril Enalapril Lisinopril Perindopril Ramipril	25 - 100 mg * 10 - 40 mg 20 - 40 mg 4 - 8 mg 5 - 10 mg	ARB 경우와 유사	(흔하게) 마른 기침 (드물게) 백혈구 감소 그 밖에는 ARB 와 유사
Beta-blockers (BB)	Atenolol Bisoprolol Carvedilol Labetalol (IV) Metoprolol Nebivolol	50 - 100 mg 5 - 10 mg 12.5 - 50 mg ** 100 - 200 mg 5 mg	서맥, 급성심부전, 중증 저혈압 또는 쇽, 중증 말초순환장애, 중증 기관지 천식 또는 만성폐색성폐질환	금기 또는 주의사항의 상태 악화
Calcium channel blockers (CCB), dihydropyridine 계열	Amlodipine Cilnidipine Felodipine Lacidipine Lercanidipine Manidipine Nicardipine Nicardipine (IV) Nifedipine (SR)	5 - 10 mg 5 - 10 mg 5 - 10 mg 2 - 6 mg 5 - 10 mg 10 - 20 mg 20 - 40 mg 2-10 μg/kg/min 30 - 60 mg	중증 간기능장애, 중증 대동맥판협착증, 쇽	홍조, 하지 부종, 두통, (드물게) 잇몸 증식
Diuretics, thiazide and thiazide-like	Chlorthalidone Hydrochlorothiazide Indapamide	12.5 - 50 mg 12.5 - 50 mg 1.5 mg	중증 간부전 및 신부전, 저칼륨혈증, 저나트륨혈증, 통풍	저칼륨혈증, 저나트륨혈증, 통풍악화, 혈당 상승
Aldosterone antagonist	Spironolactone	25 mg - 100 mg	중증 간부전 및 신부전, 고칼륨혈증	고칼륨혈증, 여성형 유방

Route of administration: oral, if unspecified

Dosing frequency: x1/day if unspecified,

  * once or twice daily

  ** 2 mg/min or 20 - 50 mg over 2 min (repeated at 5 - 10 min interval), up to 300 mg total

Usual total daily dose is presented as usual starting - maximal dose. Half of the starting dose may be used for maintenance. Dose of IV agents varies according to the patient's state and should be closely monitored and titrated.

빈도는 더욱 낮다. 따라서 이차성 고혈압을 진단 또는 배제하기 위한 검사는 모든 고혈압 환자에게서 시행하지는 않으며 다음과 같은 조건이 있을 시에 고려하는 것이 적절하다.

1) 혈압이 약물치료에 잘 반응하지 않을 때,
2) 잘 조절되던 혈압이 뚜렷한 이유 없이 상승할 때,
3) 연령과 고혈압의 병력으로 보아 고혈압의 정

표 1-6. Secondary hypertension: clinical clues and diagnostic work-up

| 원인 | 임상적 적응증 | | 진단 | | |
	과거력	신체진찰	생화학 검사	초기 검사	추가 검사
콩팥 실질병	요로감염 또는 요로폐쇄의 과거력, 진통제 남용, 다낭 콩팥병의 가족	복부종양 (다낭콩팥병)	소변 내 단백질, 적혈구 및 백혈구, 사구체 여과율 감소	콩팥초음파	콩팥질환에 대한 세부 정밀검사
콩팥동맥 협착	섬유근육 형성이상: 고혈압의 조기발현 (여성) 죽상동맥경화증: 갑자기 발병, 악화 및 치료저항성; 반복적인 폐부종	복부 잡음	양측 콩팥 크기 차이 > 1.5 cm, 콩팥 기능의 빠른 악화 (자발적 또는 레닌·안지오텐신계 억제제 투여후)	Duplex 도플러 콩팥초음파, 컴퓨터 단층 촬영	자기공명 혈관조영, 방사선 혈관조영
원발성 알도스테론증	근력 저하; 고혈압 조기 발병과 40세이하의 연령에서 뇌혈관 질환 발생의 가족력	부정맥 (매우 심한 저칼륨혈증인 경우)	저칼륨혈증 (자발적 또는 이뇨제 유발); 부신의 우연히 발견된 종양	알도스테론·레닌 활성도 비 (저칼륨혈증 교정과 레닌 안지오텐신계 억제제 효과 소실 후)	확진 검사 (경구 나트륨 부하, 식염수 주입, fludrocortisone억제, Captopril test): 부신정맥혈 채취
크롬·친화세포종	발작적인 고혈압 또는 지속적인 고혈압에 합병된 응급 상황: 두통, 발한, 창백; 크롬 친화세포종의 가족력	신경섬유종증의 피부병변 (cafe-au-lait 반점, 신경 섬유종)	부신의 우연희 발견된 종양 (일부에서는 부신 외부에서 발견)	24시간 소변 내 메타네프린 및 노르·메타네프린 검사	복부와 골반에 대한 CT 또는 MRI: meta-iodobenzyl-guanidine 스캔
쿠싱증후군	빠른 체중 증가, 다뇨, 다음, 심리적 불안정	중심성 비만, 달덩이 얼굴 들소형 육봉, 적색 선조, 남성형 다모증	고혈당	24시간 소변 내 코티솔 검사	덱사메타손 억제 검사

(출처: 2018 고혈압진료지침, 대한고혈압학회)

도가 심하다고 판단될 때,

4) 신체진찰과 기본 검사에서 이차성 고혈압을 의심케 하는 소견이 있을 때.

각 이차성 고혈압에 대한 주요 임상 양상 및 진단을 위해 필요한 검사는 **표 1-6**와 같다.

요약 🔒

1) 고혈압은 혈압 수치를 기준으로 진단·평가하며, 이때 상황에 따라 측정치가 달라지므로 측정 상황에 따라 진단 및 치료 목표가 다르다는 점에 유의하여야 한다.
2) 평균적인 혈압의 수준과 동반된 위험요인, 무증상 장기손상, 심뇌혈관 및 콩팥 질환 유무에 따라 위험 수준을 평가하고 약물요법의 즉각적인 시작 여부 등을 판단하되, 중등도 위험군 이상인 경우 적극적으로 약물요법을 시작한다.
3) 약물요법에는 안지오텐신수용체차단제, 안지오텐신전환효소억제제, 베타차단제(알파-베타차단제 포함), 칼슘차단제, 티아지드계 또는 티아지드 유사 이뇨제의 다섯 가지 범주의 약제가 일차 약제로 간주된다.
4) 이차성 고혈압의 선별검사는 모든 환자에게서 시행할 필요는 없으며, 혈압의 정도가 심하고 약물치료에 반응이 불량할 때 고려하며, 각 환자가 가진 임상적 특징을 고려하여 시행한다.

참고문헌 ///

1. Kotchen TA. Hypertensive vascular disease (chapter 298) in Harrison's principle of internal medicine, 19th ed. 2015 McGraw-Hill, New York
2. The Task Force for the management of arterial hypertension of the European Society of Cardiology (ESC) and the European Society of Hypertension (ESH) 2018 ESC/ESH Guidelines for the management of arterial hypertension. Eur Heart J. 2018;39:3021-3104
3. Whelton PK, et al. 2017 ACC/AHA/AAPA/ABC/ACPM/AGS/APhA/ASH/ASPC/NMA/PCNA Guideline for the Prevention, Detection, Evaluation, and Management of High Blood Pressure in Adults: A Report of the American College of Cardiology/American Heart Association Task Force on Clinical Practice Guidelines. Hypertension. 2018;71:e13-e115
4. 대한고혈압학회. 2018년 고혈압진료지침

2
CHAPTER

이상지질혈증의 약물치료

Pharmacotherapy of dyslipidemia

| **이상철** | 성균관의대 삼성서울병원 순환기내과

이상지질혈증의 개요

이상지질혈증(dyslipidemia)은 모든 혈관질환의 중요한 위험인자 중 하나로, 혈중 콜레스테롤의 증가는 죽상동맥경화반의 발생을 유발, 촉진시키며 이에 따라 심뇌혈관질환의 발생과 진행에 중요한 역할을 한다. 이상지질혈증과 동맥경화증의 연관성은 20세기 후반부터 다양하게 연구되어 왔으며 혈중 콜레스테롤 합성 억제제의 효과가 각종 대규모 연구를 통해 입증되면서 이상지질혈증의 약물요법은 동맥경화성 혈관질환의 예방과 치료에 있어 핵심적인 역할을 하게 되었다. 동시에 이상지질혈증의 기준과 관리 방법이 의학계 여러 그룹에 의해 발표, 개정되어 왔으며 최근까지도 그 개정작업이 지속되어 2018년 이후에도 새로운 이상지질혈증 관리 지침이 미국과 유럽, 그리고 국내에서 발표된

바 있다. 이상지질혈증 관리에 가장 핵심적인 역할을 하는 약물은 혈중 콜레스테롤 저하제로 간에서 콜레스테롤의 합성을 억제하는 스타틴 제제이고 장내 콜레스테롤 흡수를 억제하는 약제들이 보조적인 역할을 한다. 최근에는 콜레스테롤 결합을 방지하는 항체가 개발되어 심한 이상지질혈증이나 중증 가족성 고지혈증 환자에 권고되고 있다.

이상지질혈증은 혈중 콜레스테롤의 과도한 증가를 의미하기도 하나 혈관질환과 가장 밀접한 관계를 보이는 것은 LDL-콜레스테롤의 상승이며 이에 대한 조절이 이상지질혈증 관리의 가장 핵심적인 목표가 된다. 이상지질혈증의 다른 정의로 중요한 것이 HDL-콜레스테롤의 유의한 저하이나, 현재까지 이를 효과적으로 증가시켜 장기적인 예후를 호전시킨 연구들이 부족한 까닭에 일반적으로 이상지질혈증의 약물요법 지

침에는 HDL-콜레스테롤의 증가를 목표로 하는 방침이 보고되고 있지는 않다. 한편, 이상지질혈증의 또 다른 한 축을 구성하는 성분이자 혈중 지질의 다른 형태인 중성지방(triglyceride) 역시 다양한 연구를 통해 그 중요성이 시험되었으나 현재까지는 콜레스테롤에 비해 의미 있는 연구 결과들이 부족한 상태로 일부 이상지질혈증 관리 지침에 중성지방의 심한 상승이 동반되거나 다른 여러 위험인자들이 동반되어 있을 때에 약물적인 관리를 하도록 권고되어 있을 뿐이다.

이상지질혈증의 약물요법 지침은 다양한 기타 위험인자들의 동반 여부를 가늠하여 개시 여부와 선택, 그리고 사용 용량 등을 권고하고 있다. 여기에 해당하는 위험 인자들로는

1) 연령(남자 45세 이상, 여자 55세 이상)
2) 심혈관질환 조기 발병의 가족력(부모, 형제자매 중 남자 55세 미만, 여자 65세 미만에서 심혈관질환이 발생한 경우)
3) 고혈압
4) 당뇨병
5) 만성 신장병
6) 흡연
7) 저 HDL-콜레스테롤혈증

등이 있다. 이를 위하여 여러 가지 위험도 평가 기준들이 마련되어 있으며 지속적인 개정을 통해 약물요법의 대상을 세분화하고 가능한 한 치료 대상을 개별화하려는 노력이 이어져 왔다. 최근 발표된 미국과 유럽의 기준과 2018년에 발표된 한국 지질-동맥경화학회의 이상지질혈증 치료지침을 정리하여 소개한다.

이상지질혈증의 약물치료 기준

(1) 2018년 미국 심장학회 관리지침

2018년 American Heart Association과 American College of Cardiology에서는 2013년 발표하였던 이상지질혈증 관리 지침을 개정한 내용을 발표하였다. 앞서 발표된 2013년 지침에서 지정하였던 이상지질혈증 관리 대상에 대한 정의는 스타틴 사용으로 효과를 볼 수 있는 군을 4개로 나눈 것이었고, 이는 그대로 유지하였으며 여기에 추가적인 이상지질혈증 관리 목표 수치를 추가하였고 스타틴 외에 기타 약제의 사용 지침을 더해 조금 더 포괄적인 약물요법 지침을 지정하였다. 즉, 스타틴 사용으로 효과를 볼 수 있는 4개의 군(4 statin benefit group)은

1) 현재 동맥경화성 심혈관질환(Atherosclerotic Cardiovascular Disease; ASCVD, 허혈성 뇌졸중, 일과성 뇌허혈, 안정 협심증, 급성 관동맥질환, 혈관 중재시술 또는 수술 피시행자, 말초혈관질환, 대동맥류)에 이환되어 있는 환자군,
2) 혈중 LDL-콜레스테롤치가 190 mg/dL (4.9 mmol/L) 이상인 군,
3) 40-75세의 당뇨병 환자로 혈중 LDL-콜레스테롤치가 70 mg/dL (1.8 mmol/L) 이상인 환자군,
4) 40-75세의 성인으로 당뇨병은 없으며 혈중 LDL-콜레스테롤치가 70 mg/dL (1.8 mmol/L) 이상이고 향후 10년간의 심혈관질환 발생 위험도가 7.5% 이상인 군 등이다.

특히 4번째 군의 1차 예방을 위해서는 AS-

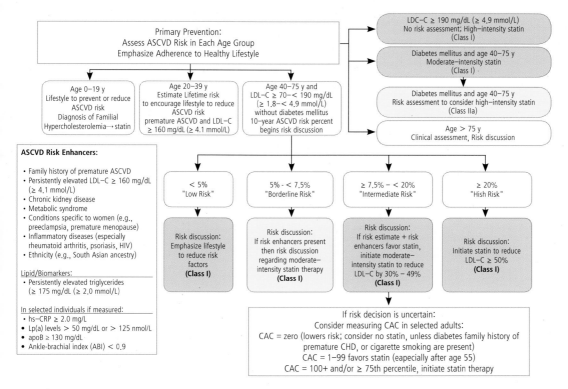

그림 2-1. 미국 심장학회에서 제공하는 심혈관질환 위험도(ASCVD risk analysis) 평가표

(from Grundy et al. AHA/ACC/AACVPR/AAPA/ABC/ACPM/ADA/AGS/APhA/ASPC/NLA/PCNA Guideline on the Management of Blood Cholesterol: A Report of the American College of Cardiology/American Heart Association Task Force on Clinical Practice Guidelines. Circulation. 2019;139:e1082-e1143)

CVD 위험도 평가표를 활용하여 10년 심혈관질환 발생 위험도를 평가하도록 권고하고 있다 (그림 2-1).

각 환자군별로 권고되는 스타틴의 강도 또는 용량도 지정한 것이 특징적이다. 1)군에 해당하는 심혈관질환 환자에게는 고강도 스타틴 또는 감당할 수 있는(maximally tolerated) 최대 용량의 스타틴을 사용하도록 권고하고 있으며, 그 목표치는 약물 사용 전에 비해 LDL-콜레스테롤치를 50% 이상 떨어뜨리는 것으로 권고하였다. 심혈관질환 환자 중 특히 초고위험군에 대해서는 LDL-콜레스테롤치의 목표를 70 mg/dL (1.8 mmol/L) 미만으로 설정하도록 하였고, 스타틴만으로 이 목표치에 도달하지 못하는 경우에는 에제티미브 또는(한정된 경우에) PCSK9 억제제를 추가하도록 권고하였는데, 이는 2018년 지침에서 2013년의 지침과 가장 크게 달라진 점이라 할 수 있다. 여기에서 초고위험군에 해당하는 환자들은 최근 12개월 내에 반복적으로 심혈관질환이 발생한 환자를 이야기한다. 2)군에 대해서는 혈중 LDL-콜레스테롤의 목표치를 100 mg/dL로 설정하였고, 역시 고강도 스타

SCORE Cardiovascular Risk Chart
10-year risk of fatal CVD

High-risk regions of Europe

Systolic blood pressure (mmHg)

Age	SBP	WOMEN Non-smoker				WOMEN Smoker				MEN Non-smoker				MEN Smoker			
70	180	12	13	14	15	17	19	20	21	24	26	30	33	33	36	40	45
	160	10	11	12	13	14	15	16	18	22	22	25	28	27	31	34	39
	140	8	9	10	10	12	13	14	15	16	18	21	24	23	26	29	33
	120	7	7	8	9	10	10	11	12	13	15	17	20	19	22	25	28
65	180	7	8	8	9	11	12	13	15	15	17	20	23	23	26	30	34
	160	5	6	6	7	9	9	10	11	12	14	16	18	18	21	24	27
	140	4	4	5	5	7	7	8	9	9	11	13	14	14	16	19	22
	120	3	3	4	4	5	5	6	7	7	8	10	11	11	13	15	17
60	180	4	4	5	5	7	8	9	10	10	11	13	15	16	19	22	25
	160	3	3	3	4	5	5	6	7	7	8	10	11	12	14	16	19
	140	2	2	2	3	4	4	4	5	5	6	7	8	9	10	12	14
	120	1	1	2	2	3	3	3	3	4	4	5	6	7	7	9	10
55	180	2	2	3	3	5	5	6	7	6	7	9	10	11	13	16	18
	160	1	2	2	2	3	3	4	4	4	5	6	7	8	9	11	13
	140	1	1	1	1	2	2	2	3	3	3	4	5	5	6	7	9
	120	1	1	1	1	1	1	2	2	2	2	3	3	4	4	5	6
50	180	1	1	2	2	3	3	4	4	4	5	6	7	8	9	11	13
	160	1	1	1	1	2	2	2	3	2	3	3	4	5	6	7	9
	140	0	0	1	1	1	1	1	2	2	2	2	3	3	4	5	6
	120	0	0	0	0	1	1	1	1	1	1	1	2	2	2	3	4
40	180	0	0	1	1	1	1	2	2	2	2	3	3	4	4	5	7
	160	0	0	0	0	1	1	1	1	1	1	1	2	2	2	3	4
	140	0	0	0	0	0	0	0	1	0	1	1	1	1	1	2	2
	120	0	0	0	0	0	0	0	0	0	0	0	1	1	1	1	1

Total cholesterol (mmol/L): 4 5 6 7

Legend: < 3%　3-4%　5-9%　≥ 10%

■ 그림 2-2. 유럽 고위험 지역 대상 SCORE (Systematic Coronary Risk Estimation) 평가표

틴을 사용하도록 권고하였다. 그리고 역시 목표치에 도달하지 못한 경우에는 에제티미브를 추가하도록 하였고, 기타 추가 위험인자들이 공존하는 경우에 PCSK9 억제제를 고려하도록 권고하였다. 3)군, 즉 40-75세의 당뇨병 환자군에서는 혈중 LDL-콜레스테롤의 목표치는 70 mg/dL이며, 이 경우에 초기 치료는 중간 강도의 스타틴을 시작하도록 권고하고 있다. 1), 2), 3) 군에

SCORE Cardiovascular Risk Chart
10-year risk of fatal CVD

Low-risk regions of Europe

Systolic blood pressure (mmHg)

Age 70

	WOMEN Non-smoker				WOMEN Smoker				MEN Non-smoker				MEN Smoker			
180	7	8	8	9	11	11	12	13	12	14	15	17	18	20	22	24
160	6	6	7	7	9	9	10	11	10	11	13	14	15	16	18	20
140	5	5	6	6	7	8	8	9	8	9	10	12	12	13	15	17
120	4	4	5	5	6	6	7	7	7	8	9	10	10	11	12	14

Age 65

	WOMEN Non-smoker				WOMEN Smoker				MEN Non-smoker				MEN Smoker			
180	4	4	5	5	7	7	8	9	8	9	10	12	12	14	16	18
160	3	3	4	4	5	6	6	7	6	7	8	9	9	11	12	14
140	2	3	3	3	4	4	5	5	5	5	6	7	7	8	9	11
120	2	2	2	2	3	3	3	4	3	4	5	5	5	6	7	8

Age 60

	WOMEN Non-smoker				WOMEN Smoker				MEN Non-smoker				MEN Smoker			
180	2	3	3	3	4	5	5	6	5	6	7	8	8	10	11	13
160	2	2	2	2	3	3	4	4	4	4	5	5	6	7	8	9
140	1	1	1	2	2	2	3	3	3	3	3	4	4	5	6	7
120	1	1	1	1	2	2	2	2	2	2	2	3	3	4	4	5

Age 55

	WOMEN Non-smoker				WOMEN Smoker				MEN Non-smoker				MEN Smoker			
180	1	1	2	2	3	3	3	4	3	4	4	5	6	7	8	9
160	1	1	1	1	2	2	2	3	2	2	3	3	4	4	5	6
140	1	1	1	1	1	1	1	2	1	2	2	2	3	3	3	4
120	0	0	0	1	1	1	1	1	1	1	1	2	2	2	2	3

Age 50

	WOMEN Non-smoker				WOMEN Smoker				MEN Non-smoker				MEN Smoker			
180	1	1	1	1	2	2	2	3	2	2	3	3	4	5	5	6
160	0	0	1	1	1	1	1	2	1	1	2	2	2	3	3	4
140	0	0	0	0	1	1	1	1	1	1	1	1	1	2	2	3
120	0	0	0	0	0	0	0	1	0	1	1	1	1	1	1	2

Age 40

	WOMEN Non-smoker				WOMEN Smoker				MEN Non-smoker				MEN Smoker			
180	0	0	0	0	1	1	1	1	1	1	1	1	2	2	3	3
160	0	0	0	0	0	0	0	1	0	0	1	1	1	1	1	2
140	0	0	0	0	0	0	0	0	0	0	0	0	1	1	1	1
120	0	0	0	0	0	0	0	0	0	0	0	0	0	0	0	1

Total cholesterol (mmol/L): 4 5 6 7

Legend: < 3% 3-4% 5-9% ≥ 10%

■ 그림 2-3. 유럽 저위험 지역 대상 SCORE (Systematic Coronary Risk Estimation) 평가표
(from: Mach et al. 2019 ESC/EAS Guidelines for the management of dyslipidaemias: lipid modification to reduce cardiovascular risk: The Task Force for the management of dyslipidaemias of the European Society of Cardiology (ESC) and European Atherosclerosis Society (EAS). Eur Heart J 2019; epub doi:10.1093/eurheartj/ehz455)

서는 ASCVD 위험도 평가가 선행될 필요 없이 스타틴 사용이 권고되는 반면, 4)군의 경우에는 ASCVD 위험도 평가표를 통해 위험도 평가를 시행하고 대상이 되는 경우에 중간 강도 스타틴

을 사용하도록 권고하였다. 추가로 40-75세 환자에서 10년 위험도가 5-19.9%에 해당하는 경우 심혈관질환의 가족력(젊은 연령), LDL-콜레스테롤치 160 mg/dL (4.1 mmol/L) 이상, 대사성 증후군, 만성 신장병 등의 기타 위험요인들이 동시에 존재하는 경우 스타틴 사용을 고려할 수 있다고 권고하였다.

본 관리지침에서는 2013년도에 제시한 ASCVD 위험도 평가표를 적극적으로 활용하도록 권고하였으며, 특히 많은 수의 대상자가 포함되는 4군의 경우에는 위험도 평가가 필수적이라고 제시하고 있다. 한편, 이러한 위험도 평가 외에도 심장 CT 영상을 통해 관상동맥 석회화(coronary artery calcification, CAC)의 정도를 평가하여 스타틴 사용 여부를 결정하도록 권고하고도 있다. 즉, 40-75세 환자군에서 LDL-콜레스테롤치가 70 mg/dL 이상이면서 10년 위험도가 7.5-19.9%에 해당하는 경우 CAC를 평가하여 그 점수가 (Agatston score) 1에서 99 사이라면 스타틴 사용을 권고하였으며 그 외의 경우도 CAC 점수가 100 이상이면 스타틴 사용이 권고되었다.

(2) 2019년 유럽 심장학회 관리지침

유럽 심장학회에서는 2016년에 이어 2019년에 새로운 이상지질혈증 관리 지침을 발표하였다. 유럽 심장학회의 가이드라인에 따르면 LDL-콜레스테롤의 위험한 하한선은 없으며 가능한 최저 수치로 LDL-콜레스테롤을 감소시키는 것이 장기적인 심혈관질환 예방 효과를 극대화한다고 정리하였다. 이 지침에서도 환자를 초고위험군, 고위험군, 중등도 위험군, 그리고 저

위험군으로 위험도에 따라 나누어 목표 LDL-콜레스테롤치를 설정하였다. 위험도 평가를 위해서는 SCORE 심혈관질환 위험도 평가 차트를 사용하도록 하였는데, 유럽인 중 고위험 지역과 저위험 지역을 나누어 표를 구성하였기에 동양인에서 어떤 것을 활용하여야 할지에 대한 정설은 없다(그림 2-2, 2-3). 초고위험군에는 급성관동맥증후군, 안정 협심증, 관동맥 시술 또는 수술, 뇌졸중, 일과성 뇌허혈 등이 해당하며 관상동맥 조영술 또는 CT 조영술 상에서 2개 이상의 혈관이 50% 이상의 협착을 보이는 경우와 경동맥 초음파에서 유의한 협착이 확인되는 경우도 초고위험군에 해당한다. 또한 당뇨병에서 기관 손상이 동반된 경우나 3개 이상의 추가 위험인자가 있는 경우와 20년을 초과한 1형 당뇨병도 초고위험군으로 분류되며 30 mL/min/1.73 m² 미만의 GFR을 보이는 만성 신장병, 심혈관질환이나 다른 위험 인자가 동반된 가족성 고콜레스테롤혈증, 그리고 SCORE 계산법으로 계산된 10년 심혈관질환 사망 위험도가 10% 이상인 경우도 초고위험군에 해당한다. 여기서는 LDL-콜레스테롤치를 기저치의 50% 이하나 55 mg/dL 이하로 떨어뜨리고 스타틴 비사용자들에게는 고강도 스타틴을, 그리고 스타틴 기사용자들에게는 스타틴 강도 증가를 권고하고 있다. 고위험군에는 총콜레스테롤 310 mg/dL 이상, LDL-콜레스테롤 190 mg/dL 이상, 또는 혈압 180/100 mmHg 이상 등 위험 인자의 측정치가 심하게 증가되어 있는 경우와 기타 위험 인자가 없는 가족성 고콜레스테롤혈증, 기관 손상이 동반되지 않은 당뇨병이나 10년 이상 경

과된 당뇨병 또는 한 개의 위험 인자가 추가로 동반된 경우, eGFR 30-59 mL/min/1.73 m^2 의 중등도 만성 신장병, 그리고 SCORE 계산상 10년 심혈관질환 사망 위험도 5-10%가 해당된다. 이들에게는 목표 LDL-콜레스테롤을 기저치의 50% 이하 또는 70 mg/dL 미만으로 설정하였다. 중등도 위험군은 비교적 젊은 당뇨병 환자(1형 < 35세, 2형 < 50세)로서 당뇨병 병력이 10년 미만인 경우로 기타 위험 인자가 동반되지 않은 경우와 SCORE 차트상 10년 심혈관질환 사망 위험 1-5%가 해당되며, 이들에게 LDL-콜레스테롤 목표치는 100 mg/dL 미만으로 설정하였고, SCORE 점수상 10년 심혈관질환 사망 위험이 1% 미만인 경우인 저위험군에게는 목표치를 116 mg/dL 미만으로 설정하였다. 아울러 2차 목표치로 non-HDL-콜레스테롤의 목표치와 apoB 목표치도 제시하였는데, non-HDL-콜레스테롤은 초고위험군, 고위험군, 중등도 위험군에서 각각 85, 100, 130 mg/dL, 그리고 apoB 농도는 각각 65, 80, 100 mg/dL 미만이다. 추가로 중성지방의 경우 목표치를 설정하지는 않았으나 150 mg/dL 미만이 저위험도에 해당하며 그 이상인 경우 기타 위험 인자를 확인하도록 권고하였다. 특히 기존의 심혈관질환 환자에서 이미 스타틴을 복용하고 있으면서도 2년 이내에 어떤 종류든 심혈관질환이 재발하는 경우 LDL-콜레스테롤을 40 mg/dL 미만으로 떨어뜨리도록 권고하였다.

(3) 2018년 한국 지질-동맥경화학회 관리지침

　　미국과 유럽 등지에서 관리지침이 발표된 후 한국 지질/동맥경화학회에서도 2018년 개정된 이상지질혈증 관리지침을 발표하였다. 미국, 유럽의 관리지침과 마찬가지로 환자의 위험도를 평가하여 초고위험군, 고위험군, 중등도 위험군, 저위험군 등으로 나누고 그에 따른 치료 목표를 설정하였다. 초고위험군에는 기존의 관상동맥질환, 허혈성 뇌졸중 또는 일과성 뇌허혈, 말초동맥질환 환자 등이 해당되며, LDL-콜레스테롤의 목표치는 70 mg/dL 미만 또는 기저치의 50% 미만이다. 특히 급성심근경색증의 경우 기저치의 LDL- 콜레스테롤 농도와 상관없이 바로 스타틴을 투여하도록 권고하였다. 고위험군에는 유의한 경동맥 협착을 보이는 경동맥질환, 복부동맥류, 당뇨병 환자 등이 해당되며, LDL-콜레스테롤 목표치는 100 mg/dL 미만이다. 중등도 위험군에 해당하는 환자는 LDL-콜레스테롤 외에 2개 이상의 위험 인자가 동반된 경우이며, 목표치는 130 mg/dL 미만이고 주요 위험인자 1개 이하인 저위험군에서는 160 mg/dL 미만을 목표치로 하여 생활요법 또는 약물요법을 개시하도록 권고하였다. 한편, non-HDL 콜레스테롤의 치료 목표도 각각 100, 130, 160, 190 mg/dL 미만으로 제시하였다. 또한, LDL-콜레스테롤 농도가 190 mg/dL 이상인 경우 위험 정도와 상관없이 스타틴 투약을 시작하도록 하였다. 중성지방의 경우 지속적으로 500 mg/dL 이상인 경우 피브린산 또는 오메가-3 지방산을 시작할 수 있다고 권고하였으며, 200-400 mg/dL 일 경우 LDL-콜레스테롤이 동반 상승되어 있는 경우 스타틴을 사용하고, 초고위험군 및 고위험군 환자에서 스타틴 투약 이후에도 200 mg/dL

표 2-1. 2018 한국 지질-동맥경화학회 이상지질혈증 약물요법 지침

내용	권고등급	근거수준
이상지질혈증 치료의 일차 목표는 LDL-콜레스테롤이다.	I	A
LDL-콜레스테롤을 목표 수치로 조절 후 이차 목표로 non-HDL-콜레스테롤을 조절할 수 있다.	IIa	A
고위험군, 초고위험군에서는 치료기준에 따라 LDL-콜레스테롤의 목표 수치에 도달할 수 있도록 스타틴 용량을 적절하게 조절하여 투약한다.	IIa	B
저위험군 또는 중등도 위험군에서는 수주 또는 수개월간 생활교정 요법 후에도 목표치 이하로 LDL-콜레스테롤이 감소하지 않으면 스타틴을 사용해야 한다.	IIa	B
스타틴 내약성이 없는 경우 에제티미브, 담즙산 결합수지를 사용할 수 있다.	IIa	B
최대 가용 용량의 스타틴을 투여해도 LDL-콜레스테롤 목표 수치 미만으로 감소하지 않으면 에제티미브를 병용한다.	IIa	B
초고위험군에서 최대 가용 용량의 스타틴 단독 또는 에제티미브를 병용하여도 LDL-콜레스테롤 목표에 도달하지 않으면 PCSK9 억제제를 병용하여 사용할 수 있다.	IIb	A
스타틴을 투여해도 LDL-콜레스테롤 목표 수치 미만으로 감소하지 않으면 담즙산 결합수지를 병용할 수 있다.	IIb	C
LDL-콜레스테롤 목표에 도달하기 위하여 스타틴과 니코틴산의 병용투여는 추천되지 않는다.	III	A
초고위험군에서 스타틴 단독 또는 병용요법에도 불구하고 목표치에 도달하지 못하는 경우, 기저 LDL-콜레스테롤 수치에 비하여 50% 이상 감소시키는 것이 효과적이다.	I	A
급성심근경색증의 경우에는 기저 LDL-콜레스테롤 농도와 상관없이 바로 스타틴을 투약한다.	I	A
중성지방이 500 mg/dL 이상인 경우 급성췌장염의 예방을 위한 즉각적인 약물치료와 생활습관 개선이 중요하다.	I	A
중성지방이 200-499 mg/dL인 경우, 먼저 일차적인 치료목표는 계산된 심혈관계 위험도에 기반하여 LDL-콜레스테롤을 목표치까지 낮추는 것이다.	I	A
중성지방이 200-499 mg/dL인 경우, LDL-콜레스테롤 목표 달성 후에, 중성지방이 200 mg/dL 이상이고 심혈관 위험인자가 있거나, non-HDL 콜레스테롤이 목표치 이상이면, 중성지방을 저하시키기 위한 약물치료를 고려할 수 있다.	IIa	B
적응이 되는 경우 중성지방 조절을 위한 약제는 피브린산 유도체를 사용한다.	I	B
적응이 되는 경우 중성지방 조절을 위한 약제는 오메가-3 지방산을 사용할 수 있다.	IIa	B
단일 약제 투여에도 중성지방이 목표치에 도달하지 않는 경우에는 병용요법을 고려할 수 있다.	IIa	C
저HDL 콜레스테롤혈증의 일차 치료목표는 LDL-콜레스테롤을 목표 수치 이하로 조절하는 것이다.	I	A

이상의 고중성지방혈증이 지속될 때에도 피브린산 또는 오메가-3 지방산을 추가할 수 있다고 하였다(표 2-1).

이상지질혈증 치료 약물의 종류(표 2-2, 표 2-3)

(1) 스타틴(Statins)

이상지질혈증 개선제 중 가장 대표적이며 중심이 되는 약물로, 콜레스테롤 합성이 일어나는 mevalonate 경로의 HMG-CoA 환원효소를 억제하여 간에서 콜레스테롤 합성을 억제하는 역할을 한다. 콜레스테롤 합성이 억제되면 간세포에서는 LDL 수용체가 활성화되어 혈중의 LDL 흡수가 증가되고 이에 따라 혈중 콜레스테롤 농도가 떨어지게 된다. 1990년대의 대규모 임상시험으로부터 시작하여 콜레스테롤 억제를 통해 심혈관질환의 발생과 그로 인한 사망을 감소시킨다는 다양한 연구 결과들이 발표되어 현재는 이상지질혈증 개선제의 주축 역할을 하고 있다. 한편으로는 이상지질혈증 개선 외에도 혈관 내 염증 개선이나 경화반 안정 효과 등의 다면(pleiotropic) 효과도 있는 것으로 인식하는 연구자들도 있다. 대표적인 약물로 simvastatin, atorvastatin, rosuvastatin, pitavastatin 등이 있다. 약물의 부수적인 효과로 일시적인 간기능검사 수치의 변화, 근육통, 그리고 심한 경우에는 근육염과 횡문근 융해증 등이 있으나 그 빈도는 매우 낮다. 한편, 10년 이상의 장기 사용시 혈중 포도당 농도의 증가와 당뇨병 발병 빈도가 증가한다고 보고된 바 있는데 이는 대사증후군이나 과체중 환자 등 기타 위험 인자를 가진 환자들에 국한되는 것으로 알려져 있다. 경과 관찰을 위해 스타틴 사용을 시작한 후 간기능 검사를 추적하여 간효소 수치가 투약 전에 비해 3배 이상 상승되면 투약을 중지하도록 권고되고 있으며, 근육효소(CK) 수치가 10배 이상 증가하는 경우에도 투약을 중지하도록 권고되어 있다.

(2) 에제티미브(Ezetimibe)

소장벽 내에 콜레스테롤 흡수 매개 물질로 존재하는 Niemann-Pick C1-like 1 단백을 억제하여 혈중 콜레스테롤의 농도를 저하시키는 효과를 가진 약제로 단독으로는 효과가 미미하나 스타틴과 함께 사용하였을 때에 매우 효과적인 콜레스테롤 저하 효과를 보인다. 최근의 연구 결과를 통해 스타틴과 병용하여 혈중 콜레스테롤 농도를 적극적으로 감소시켰을 때에 심혈관질환의 2차 예방에 유의한 효과를 보였다.

(3) Proprotein convertase subtilisin/kexin type 9 (PCSK9) 억제제

PCSK9은 전구단백질 전환효소의 하나로 지질 대사 과정에서는 간세포의 LDL 수용체에 결합하여서 혈중 LDL이 수용체에 결합하여 간세포로 흡수, 대사되는 것을 방해하는 역할을 하게 된다. 특히 PCSK9 유전자의 gain-of-function 돌연변이에 의한 가족성 고콜레스테롤혈증은 PCSK9 단백질이 비정상적으로 많아 심한 고콜레스테롤혈증이 발생하는 질환이다. 현재 개발되어 있는 PCSK9에 대한 억제제는 단클론 항체로서, PCSK9과 결합함으로써 PCSK9이 LDL 수용체에 결합하여 LDL 수용체-PCSK9 complex가 생성되는 것을 차단하고 혈중 LDL-콜레스테롤이 LDL 수용체와 결합하여 간세포 내로 유입, 제거되는 것을 촉진한다. 그 결과 혈중 콜레스테롤 농도를 강력하게 낮출 수 있다. 이에 대한 연구는 2010년대에 접어들어 활발히 결과가 발표되고 있으며, 특히 급성관상동맥증후군 환자들과 가족성 고콜레스테롤혈증 환자들에서 유의한 예후 개선 효과가 입증되어 사용이 권고되고 있다. 대표적인 약물로 evolocumab, alirocumab 등이 있으며, 현재까지는 경구용 약물은 개발된 바 없이 피하주사로 사용하여야 한다는 단점이 있다.

(4) 피브린산 유도체

혈중 콜레스테롤 감소보다는 주로 혈중 중성지방의 감소를 위해 사용되는 약제로 peroxisome proliferator-activated receptor (PPAR)-alpha를 자극하여 중성지방의 대사를 조절하는 유전 물질에 영향을 주고 이를 통해 중성지방과 VLDL 생성을 억제하고 중성지방의 이화 작용을 촉진한다. 초기에는 혈중 콜레스테롤 저하와 장기적인 심혈관질환 발생 억제를 위해 사용되

었으나 스타틴 계열 약물의 임상시험 결과에 비해 장기 성적이 떨어져 콜레스테롤 조절 목적으로는 많이 사용되지 않는다. 일부 피브린산 제제에서 스타틴과 병용하였을 때에 횡문근 융해증이 발생할 수 있으므로 병용 시 주의를 요한다.

(5) 오메가-3 지방산

다중 불포화 지방산(polyunsaturated fatty acid)의 일종으로 α-linolenic acid (ALA), eicosapentaenoic acid (EPA), docosahexaenoic acid (DHA) 등을 일컬으며, 주로 혈중 중성지방의 감소 효과를 보인다. 이들의 작용 기전에 대해서는 아직까지 확실히 밝혀진 바는 없으나 PPAR과의 상호작용과 apoB 유리 감소 효과 등이 주요 기전으로 생각되고 있다. 혈중 중성지방 감소를

표 2-2. 이상지질혈증 치료 약제

약제명	작용 기전	용법	Monitoring 필요성여부	Contraindication 혹은 약물 사용시 주의해야 할 환자	약물치료의 부작용
스타틴	콜레스테롤 합성 억제	경구	일부에서 필요	간질환, 근육질환 환자	근육염, 근육통, 간기능 이상, 횡문근융해
에제티미브	콜레스테롤 흡수 억제	경구	불필요	간질환, 흡수장애, 약제과민성	근육염, 근육통, 간기능 이상, 과민반응
PCSK9 억제제	LDL 수용체 활성 억제	간헐적 피하주사	일부에서 필요	약제과민성	인플루엔자양 반응, 주사 부위 염증
피브린산	중성지방의 생성 억제/ 이화 활성화	경구	일부에서 필요	중증 신장병, 간질환	근육염, 근육통, 담석, 횡문근융해
오메가-3 지방산	중성지방 생성 억제	경구	불필요	약제과민성	출혈성 경향, 설사 등 위장장애, 고혈당
담즙산 결합수지	담즙산 체외 배출을 통한 담즙산 생성 자극	경구	불필요	중성지방 과다	복통, 변비 등 위장장애
니코틴산	지방세포의 리파아제 억제 등	경구	필요	간질환, 위궤양, 장출혈	홍조, 저혈압, 혈당불내성, 시각장애, 간기능 이상, 간염 등

표 2-3. 강도별 스타틴 요법 비교표

고강도 스타틴	중강도 스타틴	저강도 스타틴
LDL-콜레스테롤 감소 ≥ 50%	LDL-콜레스테롤 감소 30-50%	LDL-콜레스테롤 감소 < 30%
Atorvastatin 40-80 mg Rosuvastatin 20-40 mg	Atorvastatin 10-20 mg Rosuvastatin 5-10 mg Simvastatin 20-40 mg Pravastatin 40-80 mg Lovastatin 40 mg Fluvastatin 40 mg bid Pitavastatin 2-4 mg	Simvastatin 10 mg Pravastatin 10-20 mg Lovastatin 20 mg Fluvastatin 20-40 mg Pitavastatin 1 mg

위해 사용되는 용량은 일반적으로 일일 2-4 g 정도이며, 현재까지의 대규모 임상 시험에서는 장기적인 심혈관계 사망률을 감소시키는 효과가 일부에서만 입증되었으며 현재도 지속적으로 장기적인 효과가 연구되고 있는 약물이다.

(6) 기타

담즙산과 결합하여 담즙산을 체외로 배출시키고 이를 통해 간에서 담즙산의 추가 생산을 자극하는 담즙산 결합수지와 니코틴산 등이 과거에 사용되었으나 현재는 불편감, 부작용, 장기적인 효과 불명 등으로 인해 널리 사용되고 있지 않으며 HDL-콜레스테롤 상승제인 CETP (Cholesteryl ester transfer protein) 억제제는 현재도 그 효과가 연구되고 있는 상황이다.

요약 🔒

1) 이상지질혈증은 장기적으로 동맥경화성 심혈관질환을 일으키는 중요한 위험인자 중 하나이다.
2) 최근까지의 다양한 대규모 임상 시험을 통해 이상지질혈증을 적극적으로 조절하는 것이 심혈관 질환의 예방과 장기 예후를 호전시킬 수 있는 것으로 확인되었다.
3) 이상지질혈증 중 특히 고콜레스테롤혈증이 가장 중요한 위험인자이다.
4) 고콜레스테롤혈증의 조절에서 목표가 되는 것은 일차적으로 LDL-콜레스테롤이다.
5) LDL-콜레스테롤은 가능한 최저 수치로 낮추는 것이 장기적인 예후 호전에 도움이 된다.
6) LDL-콜레스테롤 조절에서 가장 중요한 약물은 스타틴 제제이다.
7) 스타틴 제제의 사용은 환자 개개인의 위험인자를 평가하여 개별화하여야 하며, 이에 대한 관리 지침이 미국과 유럽, 그리고 한국에서도 최근까지 계속 개정하고 발표되고 있다.
8) 스타틴만으로 조절이 잘 되지 않는(목표치에 도달하지 못하는) 경우, 에제티미브 또는 PCSK9 억제제 등의 추가적인 요법을 사용하여 적극적인 고콜레스테롤혈증 조절을 시도하여야 한다.
9) 고중성지방혈증의 경우 장기 예후에 대한 논란은 지속되고 있으나, 관리지침에 따르면 과다하게 높은 경우 피브린산 또는 오메가-3 지방산 등을 추가하여 중성지방혈증의 수치를 낮출 필요가 있다.

참고문헌 //

1. Alenghat FJ, Davis AM. Management of blood cholesterol. JAMA 2019;321(8):800-1.

2. Grundy SM, Stone NJ, Bailey AL, et al. AHA/ACC/AACVPR/AAPA/ABC/ACPM/ADA/AGS/APhA/ASPC/NLA/PCNA Guideline on the Management of Blood Cholesterol: A Report of the American College of Cardiology/American Heart Association Task Force on Clinical Practice Guidelines. Circulation. 2019;139(25):e1082-e1143

3. Law MR, Wald NJ, Rudnicka, AR. Quantifying effect of statins on low density lipoprotein cholesterol, ischaemic heart disease, and stroke: systematic review and meta-analysis. BMJ 2003;326(7404):1423-1427

4. Mach F, Beigent C, Catapano AL, et al. 2019 ESC/EAS Guidelines for the management of dyslipidaemias: lipid modification to reduce cardiovascular risk: The Task Force for the management of dyslipidaemias of the European Society of Cardiology (ESC) and European Atherosclerosis Society (EAS). Eur Heart J 2019; epub doi:10.1093/eurheartj/ehz455

5. Rodriguez F, Maron DJ, Knowles JW, et al. Association Between Intensity of Statin Therapy and Mortality in Patients With Atherosclerotic Cardiovascular Disease. JAMA Cardiol 2017;2(1):47-54

6. 한국 지질-동맥경화학회 진료지침위원회. 이상지질혈증 치료지침. 제 4판. 서울: 도서출판 아카데미아. 2018;73-81.

7. 한국 지질-동맥경화학회 진료지침위원회. 이상지질혈증 치료지침. 제 4판. 서울: 도서출판 아카데미아. 2018;31-46.

3
CHAPTER

제2형 당뇨병의 진단과 약물치료

Diagnosis and pharmacotherapy of type 2 diabetes mellitus

| 허규연 | 성균관의대 삼성서울병원 내분비대사내과

본 chapter의 내용은 2019 대한당뇨병학회 진료지침의 요약이다.

당뇨병 및 당뇨병 전단계 진단

(1) 정상 혈당

정상혈당은 최소 8시간 이상 음식을 섭취하지 않은 상태에서 공복혈장포도당 100 mg/dL 미만, 75 g 경구당부하 후 2시간 혈장포도당 140 mg/dL 미만으로 한다.

(2) 당뇨병의 진단기준

1) 당화혈색소 6.5% 이상 또는
2) 8시간 이상 공복혈장포도당 126 mg/dL 이상 또는
3) 75 g 경구당부하 후 2시간 혈장포도당 200 mg/dL 이상 또는
4) 당뇨병의 전형적인 증상(다뇨, 다음, 설명

되지 않는 체중감소)이 있으면서 무작위 혈장포도당 200 mg/dL 이상

당뇨병 진단을 위한 당화 혈색소 검사, 공복 시 혈당, 경구 당부하 검사는 서로 다른 날 검사를 반복해서 확진해야 하지만 같은 날 동시에 두 가지 이상 기준을 만족한다면 바로 확진할 수 있다.

(3) 당뇨병전단계

1) 공복혈당장애는 공복혈장포도당 100-125 mg/dL로 정의한다.
2) 내당능장애는 75 g 경구당부하 후 2시간 혈장포도당 140-199 mg/dL로 정의한다.
3) 당화혈색소 5.7-6.4%에 해당하는 경우 당뇨병전단계로 정의한다.
4) 당화혈색소는 표준화된 방법으로 측정해야 한다.

표 3-1. 정상혈당, 당뇨전단계, 당뇨병의 진단 기준

	정상혈당	당뇨전단계			당뇨병
		공복혈당장애 (Impaired fasting glucose tolerance, IFG)	내당능장애 (Impaired glucose tolerance, IGT)	고위험군	
공복혈장혈당 (mg/dL)	< 100	100-125			≥ 126
식후혈장혈당 (mg/dL)	< 140		140-199		≥ 200
당화혈색소(%)	≤ 5.6			5.7 - 6.4	≥ 6.5
무작위혈장혈당 (mg/dL)					≥ 200 이면서 당뇨병의 전형적인 증상이 있거나 고혈당 위기가 있을 때

성인 당뇨병 환자의 혈당조절 목표

제2형 당뇨병환자의 이상적인 혈당조절 목표는 당화혈색소 6.5% 미만으로, 제1형 당뇨병 환자의 혈당조절 목표는 당화혈색소 7.0% 미만으로 할 것을 권고한다. 미세혈관 또는 대혈관 합병증 발생의 위험을 낮추기 위해 적극적인 혈당조절을 권고하지만 환자의 상태나 목표의식을 고려하여 개별화하도록 한다. 중증저혈당의 병력 또는 진행된 미세혈관 및 대혈관합병증을 갖고 있거나, 기대 여명이 짧거나, 나이가 많은 환자에게서는 저혈당 등 부작용 발생 위험을 고려하여 혈당조절목표를 개별화한다.

당뇨병 약물요법

당뇨병 진단 초기부터 적극적인 생활습관 개선과 적절한 약물치료를 고려한다. 약제는 작용기전, 효능, 부작용, 환자의 특성, 순응도, 비용을 고려해 약제를 선택한다.

경구약제의 첫 치료법으로 메트포르민 단독요법을 일차적으로 고려하나, 환자 상태에 따라 메트포르민이 아닌 다른 약제를 일차약제로 선택할 수도 있다. 단독요법으로 혈당조절이 충분하지 않으면 2제 혹은 3제 요법을 시행할 수 있다. 글루카곤유사펩타이드(glucagon-like peptide, GLP-1) 수용체 작용체는 단독으로, 혹은 디펩티딜펩티다아제(dipeptidyl peptidase, DPP)-4 억제제를 제외한 경구약제와 병합하여 사용할 수 있으며 기저인슐린과 병용할 수 있다.

약제 선택시 혈당강하 효과, 저혈당 위험, 체중 증가, 심혈관질환에 대한 효과를 고려하여 약제를 선택한다. 특히 죽상경화성 심혈관 질환을 동반한 환자에게서는 sodium-glucose cotransporter (SGLT) 2 억제제나 GLP-1 수용체 작용제 중 심혈관질환 예방효과가 입증된 약제들을 우선적으로 고려할 수 있다.

적절한 경구혈당강하제 치료에도 불구하고

표 3-2. 혈당강하제의 종류와 특징(출처: 2019 당뇨병 진료지침 제6판)

	Sulfonylurea (gliclazide, glipizide, glimepiride, glibenclamide)	Metformin	Alpha-glucosidase inhibitors (acarbose, voglibose)	Meglitinide (repaglinide, nateglinide, mitiglinide)	Thiazolidinedione (pioglitazone, lobeglitazone)	DPP-4 linagliptin (sitagliptin, vildagliptin, saxagliptin, linagliptin, gemigliptin, alogliptin, teneligliptin, anagliptin, evogliptin)	SGLT2 inhibitors (dapagliflozin, ipragliflozin, empagliflozin, etugliflozin)	GLP-1 receptor agonists (exenatide, lixisenatide, liraglutide, dulaglutide)
작용기전 및 복용법	- 췌장 베타세포에서 인슐린 분비 증가 - 식전 복용	- 간에서 당생성 감소 - 말초 인슐린 감수성 개선 - 저용량으로 투여를 시작하여 증량 - 식사와 함께 투약	- 상부 위장관에서 다당류 흡수 억제 - 식후 혈당 개선 - 하루 3회 식전 복용	- 췌장 베타세포에서 인슐린 분비 증가 - 식후 혈당 개선 - 하루 2-4회 식사 전 복용 또는 매 식사 직전 복용	- 근육, 지방 인슐린 감수성 개선 - 간에서 당 생성 감소 - 식사에 관계없이 1일 1회 복용	- Incretin(GLP-1,GIP)증가 - 포도당 의존 인슐린분비 증가 - 식후 글루카곤 분비감소 - 식후 혈당 개선 - 식사에 관계 없이 복용	- 신장에서 포도당 재 흡수 억제 - 소변으로 당 배설 증가 - 식사에 관계없이 복용	- 포도당 의존 인슐린 분비 증가 - 식후 글루카곤 분비 감소 - 위배출 억제 - 식후 혈당 개선 - 식사와 관계없이 피하주사(일 1-2회 또는 주1회)
체중변화	증가	없음 또는 감소	없음	증가	증가	없음	감소	감소
저혈당(단독)	있음	없음	없음	있음	없음	없음	없음	없음
당화혈색소 감소(단독)	1.0-2.0%	1.0-2.0%	0.5-1.0%	0.5-1.5%	0.5-1.4%	0.5-1.0%	0.5-1.0%	0.8-1.5%
부작용	관절통.,요통,기관지염	젖산산증,소화장애(설사,구역,구토,복부팽만,식욕부진,소화불량,변비,복통),vitamin B$_{12}$ 결핍	소화장애(복부팽만감, 방귀 증가, 묽은변,배변 횟수 증가 등)	상기도 감염, 변비	부종,체중증가,골절,심부전	- 비인두염, 상기도감염, 혈관부종 - 아나필락시스, 스티븐스-존슨증후군을 포함한 박리성 피부질환, 수포성 유사천포창,중증의 관절통(sitagliptin) - 유사천포창(linagliptin, vildagliptin)	요로감염,생식기 감염,배뇨 증가,사구체여과율 감소, 헤마토크리트 증가, 케톤산증	위장관 장애
주의점	- 금기: 중증 간, 신장애 (사용경험 없음) - 2차 실패	- 금기: 중증 간, 신장애 (eGFR < 45), 탈수,심각한 감염,심혈관계 허탈(쇼크), 급성심근경색증, 패혈증,저산소증 상태급성 및 불안정형 심부전 - 안정형 만성 심부전 사용 가능 - 중지: 48 시간 이내 중등도 이상의 수술이나,중등도 신장애 (사구체여과율 45-60 mL/min/1.73 m²) 환자가 요오드 조영제를 사용하는 검사시)	- 금기: 소화흡수 장애를 동반한 만성 장질환, 간경화,중증 신장애 (eGFR <25), 중증 감염	- 금기: 중증 간기능 장애 - 젬피브로질과 병용 투여 금기 (repaglinide) - 투석을 필요로 하는 중증 신기능 장애 (nateglinide) - 주의: 중증 신기능 장애 (repaglinide/mitiglinide)	- 금기: 심부전, 요당불내성, 활동성 방광암 및 방광암 병력 (pioglitazone), 중등도-중증 신장애 등,심부전으로 인한 입원의 위험 요소가 있는 환자 (saxagliptin) 심부전 NYHA III-IV: 임상경험이 없어 권장되지 않음(alogliptin, teneligliptin, evogliptin, anagliptin, linagliptin, gemigliptin) 심부전 NYHA IV: 임상경험이 없어 권장되지 않음(vildagliptin)	- 금기: eGFR 45 미만(약제별 다름) - 주의: 고령자, 신장애(용량 조절), 중증 간장애(연구되지 않아 권장되지 않음	- 금기:갑상선수질암의 과거력 또는 가족력, 다발성내분비선종증 - 주의: 췌장염,중증 간장애,신장애, 중증 위마비를 포함한 중증 위장관 질환에서 권장되지 않음

표 3-3. 신기능에 따른 약제조절 (출처: 2019 당뇨병 진료지침 제6판)

e-GFR			Meglitinide			DPP-4 inhibitors					
		Metformin	Repaglinide	Mitiglinide	Nateglinide	Sitagliptin	Vildagliptin	Saxagliptin	Linagliptin	Gemigliptin	Teneligliptin
CKD1-2	≥ 60					100 mg	100 mg	5 mg	5 mg	50 mg	20 mg
CKD3a	45-59	최대용량 1,000 mg/일 이하				100 mg	50 mg*	2.5 mg	5 mg	50 mg	20 mg
CKD3b	30-44	금지				50 mg	50 mg	2.5 mg	5 mg	50 mg	20 mg
CKD4	15-29	금지				25 mg	50 mg	2.5 mg	5 mg	50 mg	20 mg
ESRD	< 15	금지	주의	주의	금지	25 mg	50 mg	2.5 mg	5 mg	50 mg	20 mg

e-GFR		DPP-4 inhibitors			SGLT2 inhibitors				Sulfonylurea		
		Alogliptin	Evogliptin	Anagliptin	Dapagliflozin	Empagliflozin	Ertugliflozin	Ipragliflozin	Gliclazide	Glimepiride	Glipizide
CKD1-2	≥ 60	25 mg	5 mg	200 mg	10 mg	10 mg/25 mg	5 mg	50 mg			
CKD3a	45-59	12.5 mg*	5 mg	200 mg	금지	주의¶	주의¶	금지			
CKD3b	30-44	12.5 mg	5 mg	200 mg	금지	금지	금지	금지	주의	주의	주의
CKD4	15-29	6.25 mg	5 mg	100 mg	금지	금지	금지	금지	주의	주의	주의
ESRD	< 15	6.25 mg	자료 없음	100 mg	금지	금지	금지	금지	주의	주의	주의

e-GFR		Alpha-glucosidase inhibitors		Thiazolidinedione		GLP-1 receptor agonists		
		Acarbose	Voglibose	Pioglitazone	Lobeglitazone	Lixisenatide	Liraglutide	Dulaglutide
CKD1-2	≥ 60			15/30 mg	0.5 mg			
CKD3a	45-59			15/30 mg	0.5 mg			
CKD3b	30-44			15/30 mg	0.5 mg			
CKD4	15-29	금지**	자료 없음	15/30 mg	0.5 mg	자료 없음		
ESRD	< 15	금지	자료 없음	15/30 mg	0.5 mg	자료 없음	자료 없음	

*e-GFR ≥ 50, 용량 조절 불필요; ¶ e-GFR < 60, 시작 금지; **e-GFR < 25, 금지; ▇▇▇ 용량 조절 불필요

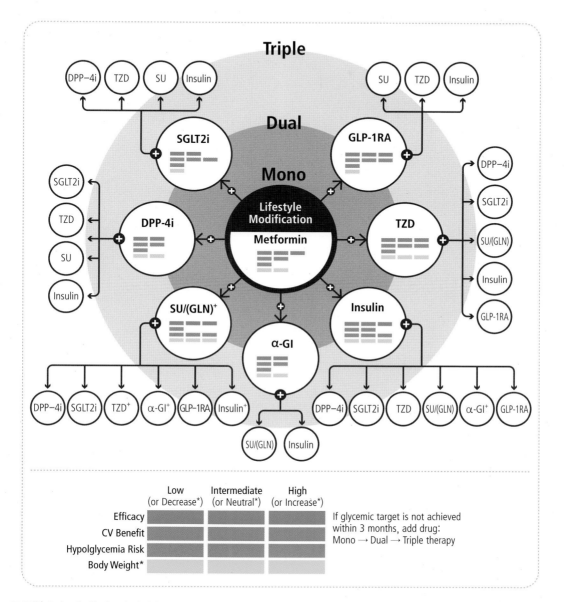

■ 그림 3-1. 제2형 당뇨병 약제치료 알고리즘(출처: 2019 당뇨병진료지침 제 6판)

DPP-4i, DPP-4 inhibitor; SGLT2i. SGLT2 inhibitor; TZD, thiazolidinedione; GLP-1RA, glucagon-like peptide 1 receptor agonist; SU, sulfonylurea; GLN, glinide (meglitinide); α-Gi, alpha-glucosidase inhibitor.

+GLN can be used as dual therapy with metformin, α-Gi, TZD, or insulin can be used as triple therapy with metformin and α-Gi or metformin and insulin or metformin and TZD.

표 3-4. 인슐린 종류

Insulins	Time of action		
	Onset, h	Peak, h	Effective duration, h
Rapid-acting			
Aspart (Novorapid)	< 0.25	0.5-1.5	2-4
Glulisine (Apidra)	< 0.25	0.5-1.5	2-4
Lispro (Humalog)	< 0.25	0.5-1.5	2-4
Short-acting			
Human regular (Humulin R)	0.5-1.0	2-3	3-6
Intermediate acting			
Human NPH (Humulin N)	2-4	4-10	10-16
Long-acting			
Determir (Levemir)	1-4	minimal	12-24
Glargine (Lantus)	2-4	minimal	20-24
Degludec (Tresiba)	1-9	minimal	42
Gla-300 (Toujeo)	6	minimal	36
Mixed insulins	Premeal insulin products contain both a basal and prandial insulin component to cover both basal and prandial glucose levels with a single injection		
NPH/Regular 70/30 (Humulin 70/30)			
Aspart 70/30 (Novomix 30)			
Degludec/aspart 70/30 (Ryzodec)			
Lispro 75/25 (Humalog mix 25)			
Lispro 50/50 (Humalog mix 50)			
Combination of long-acting insulin and GLP-1RA			
Glargine+Lixisenatide (Soliqua 10-40) 100 IU/mL+50 μg/mL			
Glargine+Lixisenatide (Soliqua 30-60) 100 IU/mL+33 μg/mL			

혈당조절목표에 도달하지 못하면 인슐린요법 (기저 인슐린요법, 혼합형 인슐린요법 및 다회 인슐린주사법)을 시행한다. 대사 이상을 동반하고 고혈당이 심할 경우 당뇨병 진단초기에도 인슐린을 사용할 수 있다. 급성심근경색증 또는 뇌졸중, 급성질환, 수술 시에는 인슐린요법을 시행한다. 환자 상태에 따라 인슐린과 타계열 약제의 병합요법이 가능하다.

PART I 합병증 위험인자의 약물치료

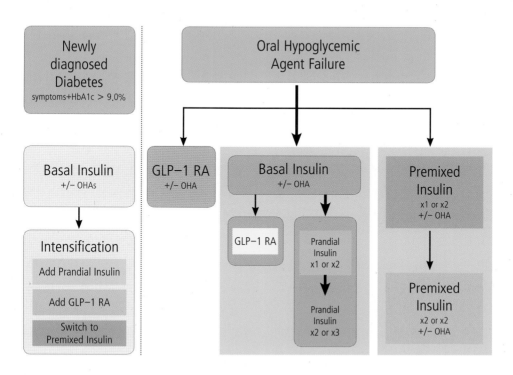

If HbA1c target is not achieved, consider other regimen at any step
HbA1c, hemoglobin A1c; GLP-1 RA, glucagon-like peptide-1 receptor agonist;
OHA, oral hypoglycemic agent

(좌측) 새로 진단된 제2형 당뇨병환자에서 인슐린치료를 시작할 경우. 진단 시 당화혈색소가 9.0%를 초과하면서 고혈당에 의한 증상 또는 대사적 이상이 동반된 경우, 경구혈당강하제와 병합 또는 단독으로 인슐린 치료를 시작함. 기저인슐린치료로 당화혈색소가 목표에 도달하지 못할 경우 GLP-1 RA, 초속효성인슐린의 추가, 또는 혼합형인슐린으로 변경하여 강화인슐린 요법으로 전환함.
(우측) 충분한 경구혈당강하제 치료로도 혈당조절 목표에 도달하지 못한 제2형 당뇨병환자에서(경구요법 실패), 경구혈당강하제와 병합 또는 단독으로 기저인슐린을 시작하고, 더 적극적인 혈당조절을 위해서는 초속효성인슐린을 식사 시 추가함. 환자 상태에 따라 GLP-1 RA를 추가하거나 혼합형인슐린으로 전환할 수 있음.

■ 그림 3-2. 제2형 당뇨병 인슐린치료 알고리즘(출처: 2019 당뇨병 진료지침 제6판)

수술 전 혈당 조절

입원 중 적절한 혈당조절은 질병의 경과를 호전시키므로 중요하다. 모든 당뇨병환자는 입원 중 혈당검사가 요구되며, 최근 당화혈색소 결과가 없는 경우 검사를 시행한다. 당뇨병 기왕력이 없더라도 고혈당을 유발하는 상황(고용량 스테로이드 치료, 장관 및 비경구영양법, 옥트레오티드나 면역억제제 사용 등)에서는 혈당검사와 치료를 고려한다.

입원 중 고혈당이 지속될 경우 피하 인슐린 다회주사를 우선 고려한다. 집중치료가 필요한 환자에서는 인슐린 정맥주사를 고려한다.

저혈당(70 mg/dL 미만)에 대한 주의가 필요하며 미리 저혈당 대처요령을 마련한다. 혈당 목표는 일반적으로 140-180 mg/dL로 하되, 저혈당 위험이 낮고 혈당조절이 수월하면 110-180 mg/dL로 할 수 있다. 무작위혈당이 70 mg/dL이하이면 기존의 혈당조절 방법을 조정한다.

입원 중 혈당조절 치료를 받은 환자가 퇴원 시 향후 치료계획의 검토와 조정이 필요하다.

신기능에 따른 메트포르민 사용과 요오드 조영제 사용 검사 전 메트포르민 주의 사항

(1) 신기능에 따른 메트포르민 사용 주의

중증 간장애나 신장애(사구체여과율 45 mL/min/1.73 m^2 미만인 경우 주의하여 사용하고, 30 mL/min/1.73 m^2 미만인 경우 금기), 중증 감염, 탈수, 급성심근경색증, 패혈증과 같은 신기능에 영향을 줄 수 있는 급성 상태, 심폐부전 시에 사용하지 않는 것이 좋다.

(2) 요오드 조영제 사용 전 메트포르민 주의 사항

요오드 조영제를 사용하는 검사 시에 신기능 저하가 발생할 수 있으며, 이때 기존에 메트포르민을 복용하던 환자에게서 유산혈증이 발생할 수 있음이 일부 보고된 바 있다. 메트포르민은 신장을 통해 배설되므로 신기능 장애 시 유산혈증의 위험때문에 조영제 사용 전 중단 또는 금기하는 것으로 되어 있으나, 실제 유산혈증은 극히 드물게 발생하였으므로 최근 FDA에서도 사구체여과율 30 mL/min/1.73 m^2 이상인 당뇨병 환자에서도 비교적 안전하게 사용할 수 있도록 허가사항을 변경하였다. 그러나 eGFR 기준이 더 낮을 때에 메트포르민을 중단하도록 권고하는 최신의 FAD 권고와 달리, 국내 허가사항으로 아직까지도 요오드 조영제를 사용하는 검사 시 사구체여과율이 < 60 mL/min/1.73 m^2 일 경우 검사 시 메트포르민을 중지하고, 검사 48시간 이후에 신기능이 나빠지지 않았을 때 다시 사용하도록 허가되어 있는 상태이다.

요약 🔒

1) 당뇨병 진단 초기부터 적극적인 생활습관 개선과 적절한 약물치료가 필요하다.
2) 약제 작용기전, 효능, 부작용, 환자의 특성, 순응도, 비용을 고려해 약제를 선택한다.
3) 경구약제의 첫 치료법으로 메트포르민 단독요법을 우선적으로 고려한다.
4) 단독요법으로 혈당조절 목표에 도달하지 못할 경우 작용기전이 다른 약제를 병합한다.
5) 당화혈색소는 2-3개월마다 측정하나, 환자 상태에 따라 시행주기를 조정할 수 있다.

참고문헌 //

1. 2019 당뇨병 진료지침(제6판). 대한당뇨병학회
2. Garber AJ, Abrahamson MJ, Barzilay JI, et al. CONSENSUS STATEMENT BY THE AMERICAN ASSOCIATION OF CLINICAL ENDOCRINOLOGISTS AND AMERICAN COLLEGE OF ENDOCRINOLOGY ON THE COMPREHENSIVE TYPE 2 DIABETES MANAGEMENT ALGORITHM - 2019 EXECUTIVE SUMMARY. Endocrine practice : Official journal of the American College of Endocrinology and the American Association of Clinical Endocrinologists. 2019;25(1):69-100.
3. Standards of Medical Care in Diabetes. Diabetes care. 2019;42(Supplement 1)

PART I

혈관질환 위험인자의 약물치료

CHAPTER

과응고성 질환의 진단과 약물치료

Diagnosis and pharmacotherapy of hypercoagulable disease

| 김덕경, 김희진 | 성균관의대 삼성서울병원 순환기내과, 진단검사의학과

과응고성질환(hypercoagulable disease)의 원인에는 여러 가지가 있으나 비교적 흔하고 임상적으로 중요한 선천성과응고증(유전성혈전증)과 후천성과응고증 중 항인지질증후군, JAK2 돌연변이의 진단과 치료, 이들 환자의 임신시 항응고제 치료에 대하여 서술하고자 한다.

유전성 혈전증(Hereditary thrombophilia)

(1) 빈도

유전성혈전증의 원인이 되는 대표적인 유전적 결함은 응고인자(procoagulant)의 gain-of-function 돌연변이와 항응고인자(anticoagulant)의 loss-of-function 돌연변이로 나뉜다. 이 중 전자에 속하는 factor V Leiden 변이에 의한 활성 C단백 내성과 프로트롬빈 유전자의 G20210A 변이는 서양인에서 가장 흔하지만 한국인에게는 없는 것으로 알려져 있다. 후자는 한국인에

서 가장 흔한 유전성혈전증의 원인으로, 각각 PROC, PROS1, SERPINC1 유전자의 돌연변이에 의한 C단백, S단백, 항트롬빈 결핍증 등 자연항응고인자(natural anticoagulant)의 결핍이 있으며, 한국인의 약 1%가 이들 결핍증 중 하나를 가지고 있는 것으로 보고되었다(항트롬빈 결핍증 0.49%, C단백 결핍증 0.35%, S단백 결핍증 0.16%). 정맥혈전증(venous thromboembolism, VTE)의 발생 위험도는 항트롬빈 결핍증은 16배, C단백 결핍증은 7배, S단백 결핍증은 5배 정도이다. VTE 환자군에서의 이들 결핍증의 빈도는 대상질환 및 진단을 위한 검사의 범위와 종류에 영향을 받는데, 특히 유전자검사까지 시행하여 돌연변이 확진 단계까지 포함하느냐에 따라 다를 수 있다. 본원의 자료에 의하면 unprovoked VTE 환자의 약 25%에서 응고검사상 유전성혈전증이 의심되었으며 이들 중 60% 정도에서 돌연변이가 검출되어 확진되었다. 확

진 증례들에서의 유전성혈전증의 분포를 보면, C단백 결핍증(전체 VTE의 2-5%)과 항트롬빈 결핍증(전체 VTE의 3-4%)이 S단백 결핍증(전체 VTE의 < 1%) 보다 흔하였다. 유전성혈전증을 의심하여야 하는 임상적인 소견은 젊은 나이(< 45세), VTE의 재발, 가족력, 흔하지 않은 부위의 정맥혈전증(splanchnic vein thrombosis [portal vein thrombosis, mesenteric vein thrombosis], cerebral vein thrombosis) 등으로 알려져 있으나, 이에 해당하지 않는 unprovoked VTE 환자에서도 원인규명, 항응고제 치료기간 결정, 재발의 위험성, 가족관리 등을 고려하여 스크리닝하는 것이 필요하다. 성별로 보았을 때, 비유전성혈전증의 남녀 비는 1:1이나 유전성혈전증은 남자에서 더 흔히 진단되었다(7:3).

(2) 진단

1) 응고검사

C단백 결핍증과 항트롬빈 결핍증은 1형(항원과 활성도가 모두 감소)과 2형(항원은 정상이며 활성도만 감소)으로 나뉘고, S단백 결핍증의 경우에는 항원 중 유리 항원(free Ag)을 따로 측정할 수 있어, 1형(총 단백, 유리 단백, 활성도 모두 감소), 2형(총 단백 정상, 유리 단백 정상, 활성도 감소), 3형(총 단백 정상, 유리 단백 감소, 활성도 감소)으로 나뉜다(표 4-1). 유전성혈전증의 진단을 위하여 일차적으로는 혈전증 위험도 평가를 위한 응고 패널 검사를 실시하게 되는데, C단백과 항트롬빈은 활성도 검사가, S단백은 유리 항원 검사가 1차 스크리닝 검사로 추천되며, 유의한 감소 소견을 보여 결핍증이 의심되는 경우, 1차 스크리닝 검사를 한 번 더 시행하여 수치를 확인하며 C단백과 항트롬빈의 경우 항원 검사를, S단백의 경우 총 단백과 활

표 4-1. Diagnostic tests for common hereditary thrombophilias of natural anticoagulants in Korea

Deficiency	Type	Coagulation tests		Molecular genetic tests	
		1st-line (RR*)	2nd-line	1st-line	2nd-line
Protein C deficiency	Act/Ag ↓/↓ : type I ↓/N: type II	Act (80-161%)	Act & Ag	PROC sequencing	-
Protein S deficiency	Free Ag/total Ag/Act ↓/↓/↓ : type I N/N/↓ : type II ↓/N/↓ : type III	Free Ag (M: 62-154%, F: 50-130%)	Free Ag, total Ag & activity	PROS1 sequencing	PROS1 MLPA
Antithrombin deficiency	Act/Ag ↓/↓ : type I ↓/N : type II	Act (83-123%)	Act & Ag	SERPINC1 sequencing	SERPINC1 MLPA

Act, activity; Ag, antigen; def, deficiency; MLPA, multiplex ligation-dependent probe amplification.
*Reference range at Samsung Medical Center.

성도를 추가로 검사한다. 원칙적으로 항응고제를 사용하기 전에 검사를 시행하여야 하며, 혈전증 자체, 전신질환, 특히 간질환 등이 검사 결과에 영향을 주므로 판독시 이를 고려하여야 한다. 특히, 비타민 K 길항제인 와파린을 복용중에는 비타민 K-의존 항응고인자인 C단백과 S단백이 감소할 수 있어, 주의를 요한다. 이 경우 경구 항응고제를 적어도 2주 이상 중단한 상태에서 검사를 실시하여야 하나, 현실적으로 급성 혈전증의 경우 항응고제의 중단이 위험할 수 있어 항응고제를 사용하면서 검사를 하기도 한다. 그림 4-1은 각 선천성 자연항응고인자 결핍증을 진단하기 위한 각 응고 스크리닝 검사가 참고범위(R)에 비하여 결핍증일 때 와파린을 복용하지 않는 상태에서 감소하는 정도(D) 및 와파린을 복용하는 상태에서 추가적으로 감소하는 정도(D+W)를 나타낸 것이다. 또한, 헤파린 투여 시에는 항트롬빈 수치가 감소할 수 있다. 따라서, 혈전증 위험도 응고 패널 검사 결과를 해석할 때에는 항응고제의 사용 유무와 기저질환, 그리고 prothrombin time (PT), activated partial thromboplastin time (aPTT) 등의 환자의 전반적인 응고상태를 반영하는 결과들을 함께 고려하여야 한다. 한편, 최근 사용이 증가하고 있는 경구 항응고제인 DOAC (direct-acting oral anticoagulant)에는 트롬빈 억제제인 argatroban, dabigatran과 factor Xa 억제제인 apixaban, edoxaban, rivaroxaban 등이 있는데, 이들 DOAC 복용은 C단백, S단백, 항트롬빈의 결과에 진단적으로 의미 있는 영향을 주지 않는 것으로 알려져 있다.

2) 유전자 검사

유전성혈전증 패널 검사에서 특정 유전성혈전증이 의심되면 해당 유전자에 대한 검사를 시행할 수 있다. C단백 결핍증은 PROC 유전자를, S단백 결핍증은 PROS1 유전자를, 그리고 항트롬빈 결핍증은 SERPINC1 유전자를 검사한다

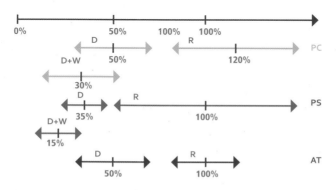

■ 그림 4-1. Ranges of coagulation test results for hereditary thrombophilia
선천성 자연항응고인자 결핍증을 진단하기 위한 각 응고 스크리닝 검사의 결과가 참고범위(R)에 비하여 결핍증일 때 와파린을 복용하지 않는 상태에서 감소하는 정도(D) 및 와파린을 복용하는 상태에서 추가적으로 감소하는 정도(D+W)
PC, protein C; PS, protein S; AT, antithrombin; R, reference range; D, deficiency; D+W, deficiency + warfarinization effect

(표 4-1). PROC 유전자의 경우, 원인 돌연변이의 95%가 염기서열분석으로 검출이 되는 점돌연변이이므로, 염기서열분석에서 음성이면 일단 C단백 결핍증의 가능성은 떨어진다고 판단하고 추적 관찰을 한다. PROS1과 SERPINC1의 경우, 원인 돌연변이로 점돌연변이 외에 염기서열분석에서 검출이 되지 않는 copy number (혹은 dosage) 돌연변이가 비교적 흔하므로, 염기서열분석에서 음성인 경우 dosage 돌연변이를 검출할 수 있는 MLPA (multiplex ligation-dependent probe amplification)를 2차 검사로 추가로 실시하는 것이 필요하다. 흔히 임상에서 경험할 수 있는 자연항응고인자 결핍증은 2개의 유전자 중 1개의 돌연변이에 의한 상염색체 우성으로 유전된다. 따라서, 환자의 부모 중 어느 한 쪽에서 물려받았을 가능성이 높으며, 형제나 자녀의 경우 50%의 확률로 동일한 유전자의 돌연변이를 보유하여 유전성혈전증을 가지고 있을 가능성이 있다. 가족 검사는 이러한 가능성을 포함한 검사의 의미를 충분히 설명한 후 진행하게 된다. 특히 환자나 가족이 매우 심한 혈전증의 소견을 보이거나, VTE의 가족력이 있을 때 필요하며, VTE가 아직 발병되지 않은 유전성혈전증 돌연변이 보유자의 경우 미리 예방 목적의 항응고제를 투여하지는 않으나, VTE의 고위험 상황(복부나 골반의 큰 수술, 고관절/무릎 수술, 7일 이상의 부동(immobilization), 임신, 여성호르몬 복용 등)에는 의료진에게 본인이 유전성혈전증을 갖고 있음을 미리 이야기하고 적절한 예방조치를 취하는 것이 가능하다.

한편, 최근 많은 유전자를 동시에 검사할 수 있는 high-throughput sequencing platform이 도입되어, 응고질환에서도 혈전증이나 출혈질환 관련 유전자가 패널 검사로 개발되고 있다. 이러한 새로운 유전진단기술이 임상에 적용되면, 기저 질환이나 항응고제 등의 영향으로 응고검사 결과의 해석이 어려운 경우나, 2개 이상의 유전자 돌연변이에 의한 유전성결핍을 가지는 경우의 진단, 그리고 자연항응고인자 결핍증 외 드문 혹은 새로운 유전성혈전증의 진단에 도움을 줄 것으로 기대된다.

(3) 치료

1) 항트롬빈 결핍증

항트롬빈은 헤파린 작용 시 헤파린의 cofactor 이므로 항트롬빈 결핍증 시 헤파린을 투여하여도 aPTT 가 적절하게 길어지지 않으며, 헤파린저항성(heparin resistance: >35,000 unit/24시간)을 보이게 된다. 목표 aPTT를 유지하는 unfractionated heparin (UFH) 사용이 가능하나, 헤파린저항성의 경우 가급적이면 UFH을 사용하지 않는 것이 좋다. UFH 사용이 필수적인 ECMO, 혈액투석 시에는 항트롬빈(AT concentrate)을 헤파린과 같이 투여하거나 argatroban으로 대체한다. Low molecular weight heparin (LMWH)은 투여가 가능하나, LMWH도 그 작용에 항트롬빈을 cofactor로 필요로 하므로, 평소보다 더 고용량을 투여하여야 하며, 용량 결정을 위하여 anti-Xa를 모니터링하여야 한다. 경구치료제는 와파린과 DOAC 전부 사용 가능하다. 항트롬빈 결핍증 환자에서 DOAC 의 유용성에 대한 연구결과는 적지만 이론적으로

DOAC의 약리작용에 항트롬빈이 관여하지 않고, 작용 시간이 빨라 최근 항트롬빈 결핍증시 DOAC의 사용이 우선적으로 고려된다.

항트롬빈은 수술이나, 임신과 같이 VTE의 위험성이 아주 높은 경우, 항트롬빈 결핍을 교정하기 위하여 사용되며, UFH 투여가 꼭 필요한 경우 헤파린 저항성을 교정하기 위하여 사용된다. 항트롬빈은 인체혈장 추출 항트롬빈과 recombinant DNA 기법에 의하여 인공생산된 recombinant 항트롬빈 두 종류가 있고 국내에는 현재 혈장 추출 항트롬빈만 사용 가능하다.

혈장 추출 항트롬빈은 체중 kg당 항트롬빈 III 1단위를 투여할 경우, 항트롬빈 III 활성이 통상 정상치의 1 % 이상 증가한다. 항트롬빈 III의 생물학적 반감기는 약 2.5일이다. 항트롬빈 투여는 아래 공식과 사용 제품의 약전을 참고로 한다.

- Initial dose (in units) = ([desired percent activity – baseline percent activity] x body weight in kilograms) ÷ 1.4
- Maintenance dose (in units, given once every 24 hours): Approximately 60 percent of the initial dose
- Dose adjustments: The dose or interval is adjusted to keep activity levels between 80 and 120 percent

2) C단백 결핍증

C단백 결핍증 환자의 항응고제 치료는 다른 VTE의 치료와 유사하나, 와파린관련-피부괴사(warfarin-induced skin necrosis)가 발생할 수 있음을 유의하여 와파린을 투여한다. 초기 용량을 적게 투여하고(첫 3일간 2 mg qd 투여 후 서서히 증량) UFH 또는 LMWH과 overlap을 하고 overlap 기간을 길게 하며, 피부괴사가 발생하는지 면밀히 관찰하여야 한다. 따라서 와파린 대신 DOAC을 사용하는 것이 안전하다.

C단백 결핍증 시 유의 사항인 와파린관련-피부괴사는 비타민K-의존성 응고인자(factor II, VII, IX, X)와 항응고인자(C단백, S단백) 중 C단백의 반감기가 짧아 먼저 감소하므로 C단백 결핍증 환자는 더 빨리 C단백이 소멸되어 일시적으로 과응고상태가 되어 미세혈관혈전폐색이 발생하기 때문이다. 피부괴사는 주로 팔다리, 유방, 가슴, 페니스 등에 purpura와 더불어 나타난다. 피부괴사는 와파린 치료 첫 수일 내에 발생하며, 초기 용량이 10 mg 이상인 경우, 헤파린 overlap 시 헤파린 중단 직후 발생한다. 와파린관련-피부괴사는 항인지질증후군, 전신성혈관내응고증(disseminated intravascular coagulation, DIC), 헤파린관련-혈소판감소증(heparin-induced thrombocytopenia, HIT) 시 나타나는 혈전성 피부괴사와 유사하다. 와파린관련-피부괴사가 발생하면 즉시 와파린을 중단하고, 비타민K를 투여하고, 항응고제는 헤파린으로 대체하고, C단백을 공급하기 위하여 fresh frozen plasma (FFP) 를 투여한다. 국내에는 C단백 농축제(protein C concentrate)가 가용하지 않는다.

3) S단백 결핍증

다른 일반적인 VTE의 치료와 동일하다.

(4) 항응고제 치료 기간

Unprovoked VTE의 경우 idiopathic VTE과 마찬가지로 특별히 항응고제의 금기증이 없는 한 일평생 투여를 한다. 특히 아주 심한 VTE이 발생하였거나, 재발하였거나, 가족력이 강하거나, 흔하지 않는 부위 정맥혈전증(splanchnic vein thrombosis, cerebral vein thrombosis)의 경우 지속적인 항응고제 투여가 권장된다.

항인지질증후군 (Antiphospholipid syndrome, APLS)

APLS는 항인지질항체에 의하여 정맥혈전증, 동맥혈전증, 임신합병증이 발생하는 질환이다. 임신합병증은 정상태아의 임신 10주 이내 사망, 심한 preeclampsia, eclampsia, placental insufficiency에 의한 조산, 임신 10주 이내의 수차례 조산 등이다. APLS는 1차성과 다른 질환 특히 전신홍반루푸스(SLE)에 동반되는 2차성으로 분류한다.

(1) 진단

후천성혈전증의 대표적인 원인이 되는 APLS의 진단을 위해서는 진단검사로 항인지질항체의 존재를 확인하여야 한다. 검사 대상이 되는 항인지질항체에는 lupus anticoagulant (LA), anti-cardiolipin Ab (IgG, IgM), anti-beta2-glycoprotein inhibitor (GPI) Ab (IgG, IgM) 3가지 종류가 있으며, 이들 중 적어도 하나가 최소 12주 간격을 두고 시행한 검사에서 2회 이상 양성일 때 검사실 기준(laboratory criteria)을 충족하게 된다. LA는 인지질 의존 응고시간의 연장 여부를 확인하기 위하여 2가지의 다른 원리를 이용한 응고 선별검사를 시행하는데, dilute Russell's viper venom time (dRVVT) 검사와 sensitive aPTT 검사가 사용된다. 이 때, aPTT 검사는 인지질 양을 줄이고, silica 활성인자를 사용하여 LA의 검출 민감도를 높인 검사이다. 선별검사에서 양성인 경우, 정상혈장과 혼합 검사를 시행하여 응고시간이 단축되지 않으면 LA의 존재를 의심한다. 확인검사는 충분한 양의 인지질 첨가로 연장되었던 응고시간이 짧아지면 인지질 의존성이 있는 것으로 판단하여, LA 양성으로 판정한다. 이들 LA 검사들은 항응고제의 영향을 받을 수 있으므로 해석에 주의를 기울여야 하는데, 헤파린 사용 시 선별 검사에서 연장 소견을 보일 수 있지만, 이 경우 대개 혼합 검사나 확진 검사에서 음성으로 판정된다. 최근 사용이 증가하고 있는 DOAC 약물 복용 중에 검사를 시행하는 경우, dRVVT 검사에서 위양성 결과를 보일 수 있는 것으로 알려져 있다. Anti-cardiolipin Ab (IgG, IgM)와 anti-beta2 GPI Ab (IgG, IgM)는 효소면역법 검사로 측정하게 되며, 각 임상검사실에서 설정한 양성 판정기준을 적용하여 판정한다. 이들 3종 중 두 개 이상의 항체가 동시에 양성일 수 있으며, 특히 3종 모두 양성인 경우, "triple-positive APLS"라고 하여, 혈전 발생 위험도가 높고, 재발 위험이 높은 것으로 알려져 있다.

(2) 치료

1) 급성혈전증 치료

UFH 또는 LMWH과 와파린의 overlap 치

료(적어도 4-5일)를 시작하고 와파린 유지요법 (INR 2-3)을 시행한다. 와파린 대신 DOAC의 사용은 현재로는 APLS에서 DOAC 이 와파린에 비하여 재발의 위험성이 높다는 보고가 있어 권고되지 않는다. 급성기에 혈소판 감소증이 동반되어도 혈소판 >50,000/μL 이상이면 항응고제를 투여하면서, 혈소판 감소증 자체도 치료한다.

2) 혈전증의 예방

급성기가 지난 후 2차 예방을 위한 와파린 (INR 2-3) 치료를 계속한다. APLS는 항응고제 치료 중단시 약 50-70%에서 재발하고 APLS 항체가 음전(seroconversion) 되는 경우는 < 30% 로서 적고, 음전되어도 혈전발생의 위험성이 증대되어 있어, 일평생 항응고제 투여가 요구된다. 특히 동맥혈전증, APLS 항체 titer가 높을 때, "triple positive APLS" 시 재발의 위험성이 높다. 반대로 provoked deep vein thrombosis (DVT)로서 유발인자가 더 이상 존재하지 않는 APLS 환자, 진단검사 기준 중 한 개만 양성이었다가 2년 이상 음전일 경우, 환자의 혈전 vs 출혈 위험성을 고려하여 항응고제를 중단해 볼 수 있다.

3) 동맥혈전증

APLS는 과응고질환 중 동맥혈전증 위험성이 높은 질환으로 약 30%에서 동맥혈전증을 유발한다. 고용량 와파린(INR 3-4) 또는 일반용량 와파린(INR 2-3) 과 아스피린 병용투여의 방법이 있는데 후자가 선호된다.

4) 항응고제 투여하는데도 재발하는 경우

와파린 고용량(INR 3-4)을 투여하거나, LMWH으로 대체하거나, 아스피린, hydroxy chloroquine, 스타틴을 병용 투여한다.

5) aPTT 모니터링의 어려움

APLS 환자의 약 20%에서 aPTT가 연장되어 있고 약 5-10%에서 PT/INR 이 연장되어 있으므로, 항응고제 투여 전 aPTT, PT/INR 기저치를 확인하여야 한다. aPTT가 너무 높아 모니터링이 불가한 경우 LMWH으로 대체한다. 유지요법으로 와파린 사용시 기저 INR이 너무 높아 모니터링이 불가능한 경우 유효성이 입증 안 된 DOAC으로 대체를 고려할 수 있다.

6) Immunomodulatory agents

APLS가 자가면역질환이지만 면역억제제 치료의 효과가 확실히 증명되어 있지 않다. 항응고제만으로 치료가 어려운 경우 hydroxychloroquine, statin 이 같이 사용되며, 혈소판감소증, thrombotic microangiopathy (TMA) 시 rituximab 이 사용되기도 한다.

7) Catastrophic APLS

응고성향이 매우 강하여 전신장기에 혈전이 생기는 경우로 드물지만, 일단 발생하면 약 30%의 사망률을 보이므로, 헤파린, 스테로이드 투여, rituximab 투여, 혈장교환(plasma exchange), 면역글로불린 정맥내 투여 등을 시행한다.

JAK2 V617F 돌연변이

(1) 배경

JAK2 (janus kinase 2)는 JAK/STAT signaling pathway 단백으로 세포의 성장과 분열에 관여하며, 그 돌연변이는 gain-of-function을 유발하는 후천적인 체세포돌연변이(somatic mutation)이다. 가장 흔한 돌연변이는 617번째 아미노산인 발린이 페닐알라닌으로 바뀌는 V617F 돌연변이다.

JAK2 돌연변이는 Philadelphia (BCR-ABL1)-음성 골수증식질환(myeloproliferative neoplasm, MPN)인 polycythemia vera (PV), essential thrombocythemia (ET), primary myelofibrosis (PMF)의 질환유발 돌연변이이며, PV 환자의 약 95%, ET 및 PMF 환자의 약 50-60%에서 JAK2 V617F가 발견된다. 한편, JAK2 돌연변이는 임상적으로 과응고상태를 유발하는데, 때로는 상기 MPN 질환 없이 혈전질환을 먼저 일으키고, 2-3년 후 상기 질환이 발생하기도 하며("latent" 또는 "occult MPN"), 순환기내과나 혈관외과에 혈전질환으로 진료를 받는 과정에서 혈전 발생의 원인을 규명하다가 JAK2 돌연변이를 찾게 되는 경우가 있다. JAK2 돌연변이에 의한 혈전증의 빈도는 전체 동맥/정맥혈전증 환자의 < 1%로서 매우 낮다. 따라서 일반적인 동맥혈전증, 정맥혈전증 환자나 cryptogenic stroke 환자에서 JAK2 V617F 돌연변이의 routine screening은 권고되지 않으나 흔하지 않은 부위 정맥혈전증인 splanchnic vein thrombosis (portal vein thrombosis, mesenteric vein thrombosis, Budd-Chiari syndrome), cerebral vein thrombosis의 경우에는 MPN을 동반하지 않더라도 JAK2 mutation의 가능성을 고려하여 검사를 시행한다. Splanchnic vein thrombosis의 10-30%, cerebral vein thrombosis의 5-10%에서 JAK2 V617F 돌연변이가 발견되며, 특히 혈소판이 >450,000/mm^3로 증가되어 있거나 헤모글로빈이 >16.5 g/dL로 증가한 경우 강력히 의심한다.

(2) 진단

JAK2 V617F 돌연변이를 민감하게 검출하기 위하여 다양한 검사법들이 개발되어 있다. 양성 여부를 판단하는 정성적 방법과 mutant allele burden 정보를 함께 확인할 수 있는 정량적 방법이 있는데, JAK2 V617F 돌연변이의 경우, mutant allele burden이 임상적으로 중요하므로, 정량적 검사로 real-time quantitative PCR (polymerase chain reaction)이나 pyrosequencing 방법 등을 이용한 검사가 널리 시행되고 있다. JAK2 V617F allele burden이 50% 이상이면 혈전증의 발생이나 재발이 높은 것으로 알려져 있으며, allele burden이 낮은 경우에도 혈전증이 발생이 보고되어 있다.

(3) 치료

정맥혈전증의 경우 일반적인 항응고제(와파린, DOAC, UFH, LMWH)를 사용하고, 동맥혈전증의 경우 항혈소판제(아스피린, 클로피도그렐)를 사용하며, MPN이 동반되어 있으면, MPN 치료인 cytoreductive therapy (hydroxyurea 등)를 시행한다. Splanchnic vein thrombosis, cerebral vein thrombosis, VTE이 재발하거나, 아주 심한 VTE이 발생하였거나, MPN이 진행하거나, 출혈의 위험성이 낮은 경우 항응고치료를 계속한다. 동맥혈전증의 경우 심혈관 위험인자가 있거나, MPN이 동반되어 있으면 항혈소판제를 계속 사용한다.

과응고성질환 환자의 피임 및 임신 중 항응고 치료

과응고질환 환자는 경구용 호르몬제의 사용을 금하도록 한다. 유전성혈전증 및 항인지질증

후군의 임신에 따른 혈전발생 위험도를 구분하고 위험도에 따라 LMWH, UFH의 용량을 결정한다(표 4-2,3,4). 고위험군 환자의 임신중 항응고제 사용의 일반적인 원칙은 다음과 같다.

1) 임신 6주 이전까지 와파린은 안전하다.
2) 임신 6주-12주에 와파린 사용은 태아기형을 유발할 수 있으므로 LMWH 또는 피하용 UFH로 변경한다.
3) 13주-36주는 와파린 사용이 가능하나, 어떤 항응고제를 쓸지는 환자의 특성을 고려하여 결정한다.
4) 36주 이후에는 LMWH 또는 UFH SC injec-

표 4-2. Approach to VTE prophylaxis in pregnant women with inherited thrombophilias

Clinical setting	Antepartum management	Postpartum management
Lower-risk thrombophilia* with previous VTE or Higher-risk thrombophilia** without previous VTE	Anticoagulation therapy (intermediate dose)	Anticoagulation therapy (intermediate dose)
Lower-risk thrombophilia* without previous VTE	Surveillance for VTE without anticoagulation therapy. Anticoagulation may be warranted for individual patients with additional factors that place them at greater risk of thrombosis (eg, prolonged immobility, first degree relative with unprovoked VTE at age < 50 years).	Anticoagulation therapy (prophylactic dose) for women who deliver by cesarean
Higher-risk thrombophilia** with previous VTE on chronic anticoagulation	Anticoagulation therapy (therapeutic dose)	Anticoagulation therapy (therapeutic dose)

Postpartum anticoagulation can generally be started 4 to 6 hours after vaginal delivery or 6 to 12 hours after cesarean delivery, unless there is significant bleeding or risk for significant bleeding. Previous neuraxial anesthesia is also a consideration (e.g., anticoagulation may be resumed 4 or more hours after catheter removal unless traumatic placement).
VTE, venous thromboembolism.
* Lower-risk thrombophilia: deficiencies of protein C or protein S and heterozygotes for factor V Leiden (FVL) or prothrombin G20210A gene mutation (PGM).
** Higher-risk thrombophilia: antithrombin (AT) deficiency, homozygotes for the FVL mutation, homozygotes for the PGM mutation, and double heterozygotes for FVL and PGM.
Modified from UpToDate

표 4-3. Approach to treatment of pregnant women with antiphospholipid syndrome

	Antepartum	Postpartum
APLS with previous thrombosis, with or without APLS-defining pregnancy morbidity	Therapeutic dose LMWH and ASA*	Warfarin for an indefinite period of time.
APLS based on laboratory criteria and APLS-defining pregnancy morbidity (≥ 1 fetal losses ≥ 10 weeks of gestation or ≥ 3 unexplained consecutive spontaneous pregnancy losses < 10 weeks of gestation) and NO previous thrombosis	Prophylactic dose LMWH and ASA	Prophylactic dose LMWH and ASA for six weeks regardless of route of delivery.
APLS based on laboratory criteria and APLS-defining pregnancy morbidity (≥ 1 preterm deliveries of a morphologically normal infant before 34 weeks of gestation due to severe preeclampsia, eclampsia, or other findings consistent with placental insufficiency) and NO previous thrombosis	Most cases: ASA	Vaginal delivery: Intermittent pneumatic compression and ASA while in the hospital. Graduated compression stockings and ASA for six weeks. Cesarean delivery: Prophylactic dose LMWH and ASA for six weeks.
	In cases of ASA failure or when placental examination shows extensive decidual inflammation and vasculopathy and/or thrombosis, prophylactic-dose LMWH with ASA	Prophylactic dose LMWH and ASA for six weeks regardless of route of delivery.
Laboratory criteria for APLS but NO clinical criteria for APLS (i.e. NO previous thrombosis and NO history of APLS-defining pregnancy morbidity)	ASA	Vaginal delivery: Intermittent pneumatic compression and ASA while in the hospital. Graduated compression stockings and ASA for six weeks. Cesarean delivery: Prophylactic-dose LMWH and ASA for six weeks.

Anticoagulation can generally be resumed 4 to 6 hours after vaginal delivery or 6 to 12 hours after cesarean delivery, unless there is significant bleeding or risk for significant bleeding. Previous neuraxial anesthesia is also a consideration (e.g., anticoagulation may be resumed 4 or more hours after catheter removal unless traumatic placement). APLS, anti-phospholipid syndrome; ASA, aspirin; LMWH, low molecular weight heparin; SC, subcutaneous.

*: ASA 100 mg qd

Modified from UpToDate

표 4-4. Use of heparins during pregnancy

Heparin	Dose level	Dosage
LMW heparin*	Prophylactic	Enoxaparin 40 mg SC once daily
		Dalteparin 5,000 units SC once daily
	Intermediate**	Enoxaparin 40 mg SC once daily, increase as pregnancy progresses to 1 mg/kg once daily
		Dalteparin 5,000 units SC once daily, increase as pregnancy progresses to 100 units/kg once daily
	Therapeutic	Enoxaparin 1 mg/kg SC every 12 hours
		Dalteparin 100 units/kg SC every 12 hours
Unfractionated heparin	Prophylactic	5,000 units SC every 12 hours
	Intermediate	First trimester: 5,000 to 7,500 units SC every 12 hours
		Second trimester: 7,500 to 10,000 units SC every 12 hours
		Third trimester: 10,000 units SC every 12 hours
	Therapeutic	Can be given as a continuous IV infusion or a 17,500~20,000 units SC every 12 hours. Titrated to keep the aPTT in the therapeutic range (6hr post aPTT 46~70 seconds (1.5~2.3 x control).

Therapeutic dose level refers to doses used both for prophylaxis in individuals at especially high risk and for treatment of venous thromboembolism. This dosing table should not be used in women with prosthetic heart valves.
aPTT, activated partial thromboplastin time; IV, intravenous; LMW, low molecular weight; SC, subcutaneous.
* If LMW heparin is used in an individual with renal insufficiency, dose-reduction and/or adjustment based on anti-factor Xa levels (therapeutic dose: 4hr post anti-Xa 0.5~1.0 units/mL). Prescribing information should be consulted for each product. For those with a creatinine clearance (CrCl) ≤ 30 mL/min, use of unfractionated heparin avoids the problems associated with impaired renal clearance of LMW heparin.
** Our "intermediate" dose level differs from that used in society guidelines (e.g., ACCP, ACOG). Some clinicians prefer to use a different "intermediate" dose level such as enoxaparin 40 mg SC every 12 hours; however, this entails a significant increase in the number of injections over the course of the pregnancy.
Modified from UpToDate

tion을 사용하며 적어도 출산 48시간 이전에 입원하여 UFH intravenous (IV) injection으로 변경한다.

5) 출산 또는 제왕절개 6시간 전 UFH IV를 중단한다.

6) 출산 후 지혈되면 다시 UFH IV를 시작하고 동시에 평소 용량의 와파린 투여를 재개 한다. 13-36주에 어느 항응고제를 사용할 지는 아래 사항을 고려한다.

1) 와파린은 혈전 예방에는 가장 효과적이나 태아기형을 유발할 수 있다. 그러나 하루 5 mg 이하 복용 시에 위험성은 낮다. 와파린은 임신 6주까지는 사용 가능하다.

2) LMWH이 UFH 보다 효과적이다. LMWH은 enoxaparin의 경우 1 mg/kg 로 시작하여 4시간 후 anti-Xa 1.0 내외 유지(0.7-1.2 유

지) 하도록 한다. UFH의 사용 경우 17,500-20,000 unit SC q 12hr로 시작하여 6hr post aPTT가 46-70초(1.5-2.3 x control) 유지하도록 한다. 아스피린은 고위험군에서 사용 가능하며 임신 2기, 3기에 항응고제에 추가 가능하다. 임신과 수유 시 DOAC은 사용하지 않는다.

요약 🔒

1) 유전성혈전증, 항인지질증후군, JAK2 돌연변이는 VTE의 임상양상이 젊은 나이(< 45세), 재발, 가족력(유전성혈전증 시), 흔하지 않은 부위의 정맥혈전증(예, splanchnic vein thrombosis, cerebral vein thrombosis)시 의심한다.

2) 한국인에게 대표적인 유전성혈전증은 C단백, S단백, 항트롬빈 결핍증이며, 서양인에게 흔한 factor V Leiden 변이, 프로트롬빈 변이는 한국인에게는 없다. 이들은 각각 PROC, PROS1, SERPINC1 유전자 돌연변이에 기인한다.

3) 한국인의 약 1%가 이들 결핍증 중 하나를 갖고 있으며, unprovoked venothromboembolism (VTE)의 약 25%에서 유전성혈전증이 의심된다.

4) 와파린의 사용으로 C단백, S단백 수치가 감소하며, 헤파린의 사용으로 항트롬빈 수치가 감소하므로, 이들 항응고제 사용 시 시행한 검사는 검사 결과 해석에 주의를 요한다. Direct-acting oral anticoagulant (DOAC)는 이들 검사 수치에 의미있는 영향을 주지 않는다.

5) 유전성혈전증에 의한 VTE의 치료는 일반적인 VTE 치료와 유사하나, 항트롬빈결핍증시 헤파린 저항성이 있을 수 있고, C단백 결핍증시 와파린에 의한 피부괴사가 발생할 수 있음을 유념한다.

6) 항인지질증후군(antiphospholipid syndrome, APLS)은 항인지질 항체에 의하여 정맥혈전증, 동맥혈전증, 임신합병증이 발생하는 질환이다. 항응고제를 사용 하지 않았는데도 aPTT가 연장 (APLS 20%에서 연장) 되어 있으면 의심한다.

7) 동맥 침범, 높은 재발의 위험성 등 과응고성이 높은 질환으로 일평생 항응고제 치료를 고려한다. VTE는 일반적인 항응고제를 사용하며, 동맥침범, 임신 시에는 아스피린+항응고제를 사용하고, 일반적으로 DOAC의 사용은 권고되지 않는다.

8) JAK2 V617F 돌연변이는 후천성 체세포돌연변이이다. 골수증식 질환(myeloproliferative neoplasm [MPN]: polycythemia vera, essential thrombocythemia, primary myelofibrosis) 유발 돌연변이로서 MPN 발생 2-3년 전에 혈전질환을 먼저 일으키기도 한다("latent" 또는 "occult MPN")

9) Splanchnic vein thrombosis의 10-30%, cerebral vein thrombosis의 5-10%에서 JAK2 V617F 돌연변이가 발견되며 정맥혈전증의 경우 일반적인 항응고제를 사용하고, 동맥혈전증의 경우 항혈소판제를 사용하며, MPN은 cytoreductive therapy를 시행한다.

10) 과응고질환 환자는 경구용호르몬제의 사용을 금한다. 유전성혈전증 및 항인지질증후군은 임신에 따른 혈전발생 위험도를 구분하고 위험도에 따라 LMWH, UFH의 용량을 결정한다.

참고문헌 //

1. Cervera R. Antiphospholipid syndrome. Thromb Res. 2017 Mar;151 Suppl 1:S43-S47

2. Connors JM. Thrombophilia Testing and Venous Thrombosis. N Engl J Med. 2017 Sep 21;377(12):1177-1187

3. Espinosa G, Cervera R. Current treatment of antiphospholipid syndrome: lights and shadows. Nat Rev Rheumatol. 2015 Oct;11(10):586-96

4. Kim HJ, Seo JY, Lee KO, Bang SH, Lee ST, Ki CS, Kim JW, Jung CW, Kim DK, Kim SH. Distinct frequencies and mutation spectrums of genetic thrombophilia in Korea in comparison with other Asian countries both in patients with thromboembolism and in the general population. Haematologica. 2014 Mar;99(3):561-9

5. Lamy M, Palazzo P, Agius P, Chomel JC, Ciron J, Berthomet A, Cantagrel P, Prigent J, Ingrand P, Puyade M, Neau JP. Should We Screen for Janus Kinase 2 V617F Mutation in Cerebral Venous Thrombosis? Cerebrovasc Dis. 2017;44(3-4):97-104

6. Lee M, No HJ, Jang SY, Kim N, Choi SH, Kim H, Kim SH, Kim HJ, Kim DK. Hereditary thrombophilia in Korean patients with idiopathic pulmonary embolism. Yonsei Med J. 2012 May;53(3):571-7

7. Lee SY, Kim EK, Kim MS, Shin SH, Chang H, Jang SY, Kim HJ, Kim DK. The prevalence and clinical manifestation of hereditary thrombophilia in Korean patients with unprovoked venous thromboembolisms. PLoS One. 2017 Oct 17;12(10):e0185785

8. Yoo EH, Jang JH, Park KJ, Gwak GY, Kim HJ, Kim SH, Kim DK. Prevalence of overt myeloproliferative neoplasms and JAK2 V617F mutation in Korean patients with splanchnic vein thrombosis. Int J Lab Hematol. 2011 Oct;33(5):471-6

PART I

혈관질환 위험인자의 약물치료

5
CHAPTER

금연 약물치료

Pharmacotherapy of smoking cessation

| 송윤미 | 성균관의대 삼성서울병원 가정의학과

흡연과 심혈관계 질환

(1) 흡연이 심혈관계 질환 발생에 미치는 영향

흡연은 심혈관질환 발생 및 사망의 주요 위험요인으로, 흡연의 관상동맥질환에 대한 상대위험도는 35-64세의 경우 남성 2.8배, 여성 3.1배이며, 65세 이상에서는 남성 1.5배, 여성 1.6배 정도로 남성보다는 여성에서, 젊은 연령일수록 미치는 영향이 더 크다. 대동맥류와 연관된 상대위험도는 더욱 높으며 남성에서 6.2배, 여성에서 7.1배 정도이다. 한국인의 흡연율은 2016년도에 19세 이상 성인 남성에서 40.7%, 여성에서 6.4%로 매우 높다. 그 결과 30세 이상에서 발생하는 심혈관질환 사망에 대한 흡연의 기여율은 한국인에서(남자, 23%; 여자, 15%) 세계평균(남자, 14%; 여자, 6%)에 비해 매우 높으며, 30-44세 젊은 남성에서는 더욱 높아서 50%이상에 이른다.

(2) 흡연이 심혈관계 질환의 예후에 미치는 영향

관상동맥질환을 앓는 사람이 흡연을 하면 낮은 부하에서도 협심증 증상이 발생하기 쉽고 협심증 치료약물과 혈전용해제의 효과를 감소시킨다. 하루 한 갑 흡연 시 하루 중 허혈 증상 발생빈도는 3배, 허혈발생시간은 66분 정도 증가한다. 흡연은 급사위험을 높이는데 기존에 관상동맥질환이 있었던 경우에는 6배 증가하며, 기존에 질환이 없었던 경우에도 2배 정도 증가한다. 흡연지속여부는 심근경색증을 앓은 환자에서 재발을 예측하는 가장 중요한 요인으로 흡연을 지속하면 비흡연자에 비해 심근경색증 재발률은 6.2% 증가한다.

(3) 흡연에 의한 심혈관질환 발생기전

흡연은 니코틴, 일산화탄소를 비롯한 약 4000종의 화학물질을 배출시키며, 이들 물질은 심혈관계에 악영향을 미쳐 심혈관질환 발생 위

47

표 5-1. Effect of cigarette smoking on atherosclerosis and cardiovascular diseases

병리적 영향	• 혈관내피 손상 • 평활근 세포 증식 • 죽상동맥경화증(atherosclerosis)의 유발과 진행 • 심근병증
생리적 영향	• 증가: 심박수, 혈압, 심박출량, 심근 산소 및 영양소 요구량, 말초혈관저항 • 관상동맥 및 말초혈관수축 • 부정맥 발생, 심실세동 역치 감소 • 관상동맥 혈류 자동조절 장애
혈액학적 영향	• 죽상동맥경화증 유발에 관여하는 혈소판 인자 분비 • 증가: 트롬복산(thromboxane) 분비, 혈소판 응집, 혈소판의 내벽 유착 • 섬유소원(fibrinogen), 혈액응고인자(factor) VII, 혈장 점도 • 감소: 프로스타사이클린(prostacycline) 분비, 혈소판 생존, 적혈구 변형력 • 출혈시간(bleeding time), 혈소판에 대한 아스피린의 효과
대사 효과	• 유리기(free radical) 생성 증가 • 증가: 혈청 자유지방산(free fat), 초저밀도지단백(VLDL) 콜레스테롤, 성장호르몬, 코티졸(cortisol), 혈당, 항이뇨호르몬, 글리세롤, 락테이트(lactate), 피루브산(pyruvate) • 감소: 고밀도지단백(HDL) 콜레스테롤, 에스트로겐 • 조기 폐경 • 약물대사 변화

험을 높이고, 기 발생한 심혈관질환의 경과와 예후를 악화시킨다(표 5-1).

(4) 금연의 심혈관질환에 대한 영향

금연을 하면 심장성 급사를 비롯한 심혈관질환 발생위험은 유의하게 감소한다. 한국인에서도 하루 한 갑 이상 흡연을 지속하는 경우에 비해 금연자의 심근경색증 발생 위험은 61% (47-72%) 감소함이 관찰된 바 있다. 하지만 흡연량을 줄이기만 한 경우에도 심혈관질환 발생위험이 감소하는가는 명확하지 않다. 이미 말초혈관질환을 가진 환자라 하더라도 금연을 하면 발생위험 감소는 물론 예후와 활동수행도가 증가한다.

흡연 상태 평가

(1) '흡연'의 정의

'흡연'은 담뱃잎을 주재료 또는 부재료로 하여 생산된 제품(궐련, 파이프 담배, 시가, 직접 말아 피우는 담배, 크레텍, 비디, 물담배, 코담배, 씹는 담배, 머금는 담배, 녹이는 담배 등)을 소비하는 행위이다.

(2) 흡연 평가

외래 및 입원 진료를 받는 모든 심혈관 질환 환자에서 "담배를 피우신 적이 있습니까?"와 같은 질문으로 흡연 여부를 평가해야 하며, 흡연 경험자에서는 현재 흡연 여부, 소비하는 담배 제품의 종류, 하루 평균 흡연량, 처음 흡연한 시

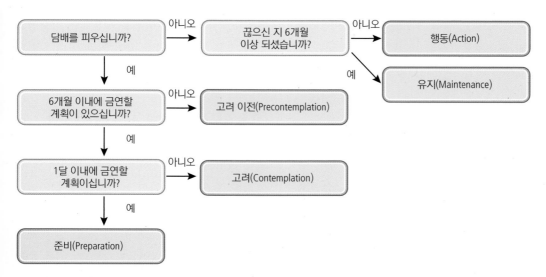

■ 그림 5-1. Five stages of behavioral change for quit smoking

표 5-2. Evaluation of nicotine dependence (Fagerström test)

■ 하루에 담배를 몇 개비나 피우십니까?
  ☐ ≤ 10개비(0점)   ☐ 11-20개비(1점)   ☐ 21-30개비(2점)   ☐ 30개비 이상(3점)

■ 아침에 일어나서 얼마 만에 첫 번째 담배를 피우십니까?
  ☐ 5분 이내(3점)   ☐ 6-30분(2점)   ☐ 31-60분(1점)   ☐ 61분 이후(0점)

■ 언제 피는 담배가 가장 좋습니까?
  ☐ 아침 첫 담배(1점)   ☐ 나머지(0점)

■ 아침에 일어나서 첫 몇 시간 동안에 하루 중 다른 시간보다 더 자주 담배를 피우십니까?
  ☐ 예(1점)   ☐ 아니오(0점)

■ 당신은 금연구역, 예를 들어 교회, 극장, 도서관 등에서 흡연을 참기가 어렵습니까?
  ☐ 예(1점)   ☐ 아니오(0점)

■ 아파서 하루 종일 누워 있는 날에도 담배를 피우십니까?
  ☐ 예(1점)   ☐ 아니오(0점)

기, 총 흡연 기간을 확인해야 한다.

(3) 금연단계 평가

현 흡연자에서는 금연을 어느 정도로 고려하고 있는지를 평가해야 하며 이를 바탕으로 금연 진료 계획을 수립한다. 금연단계는 그림 5-1과 같이 질문을 통해 평가하며 고려 전(precontemplation), 고려(contemplation), 준비(preparation), 행동(action), 유지(maintenance)의 다섯 단계로 나누어진다. 만일 환자가 금연 고려 전 단계에 있으면 흡연의 해독과 금연 필요성을 강조하고, 고려 단계라면 바로 금연을 시도할 수 있도록 추가 설득하는 것이 필요하며, 준비 단계나 행동 단계에 있다면 금연치료약 권고를 포함한 적극적인 금연치료를 시행할 수 있다(그림 5-1)(표 5-2).

(4) 니코틴 의존도 평가

담배의 주요 성분인 니코틴은 뇌의 도파민(dopamine) 보상회로를 활성화시켜 담배에 대한 중독을 일으키는 물질이다. 지속적인 흡연은 니코틴에 대한 의존도와 밀접한 관계가 있으며, 니코틴 의존도가 높을수록 금연 약물치료를 해야 할 필요성은 더 높아진다. 니코틴의존도는 표 5-2의 Fagerström 설문을 이용해서 평가하는데 각 항목의 점수를 합산하여 의존도점수를 계산한다. 니코틴의존도가 6점 이상이면 높은 편이고 8점 이상으로 매우 높으면 금연약물치료가 꼭 필요할 수 있다.

흡연의 약물치료

(1) 약물치료의 목적 및 효과

금연약물치료를 포함한 모든 흡연치료의 목표는 금연이다. 금연치료의 효과는 보통 6개월 또는 12개월 이상 금연을 지속하는가로 평가한다.

(2) 적응증

모든 흡연자가 금연진료의 대상이다. 비교적 적은 양(< 10개비/일)의 흡연자에서는 약물치료의 효과가 명확하지는 않지만 비약물요법만으로 금연 효과를 얻지 못하면 약물치료를 시행할 수 있다. 임산부, 씹는 담배 사용자, 청소년에서 금연약물치료는 안전성과 효과가 입증되지는

않았다. 하지만 다른 방법으로 금연에 성공하지 못한 경우 동기 부여가 되어 있다면 니코틴 대체제를 사용해볼 수 있다.

(3) 금연치료약 효과를 높이기 위한 준비

금연치료약은 개인이 처한 상황(질환, 가족력, 개인적 관심사, 사회적 역할, 흡연력 등)을 고려한 명확하고 강력한 금연권고 및 금연상담과 함께 처방하는 것이 효과적이다. 환자와 상의하여 가능하다면 금연시작일을 한 달 이내로 정하는 것이 좋다. 금연을 촉진하기 위해 주변 환경을 정리할 필요가 있는데, 라이터나 재떨이와 같이 흡연과 관련된 물건을 모두 버리고 주변 사람들에게 금연 결심을 알리고 이해와 협조를 요청하도록 한다. 음주는 금연 실패와 연관이 높으므로 음주를 피하도록 해야 한다. 과거에 금연을 시도했으나 실패한 경험이 있는 흡연자에게는 당시 상황을 돌아보아 전과 같은 실수를 반복하지 않도록 주의를 주어야 한다. 또한 흡연 욕구가 생기는 순간에 대한 대처방법을 알려주고 흡연을 대신할 다른 활동을 찾아보게 하는 것도 도움이 된다. 금연 후에 발생할 금단증상에 대한 두려움이 많은데, 미리 금단증상을 설명하고 금단증상의 지속 시간이 그리 길지 않으며 금연치료약이 금단증상을 약화시켜줄 수 있음을 알려주는 것은 도움이 된다.

(4) 약물치료 외 효과적인 금연 방법

3분 이내의 짧은 금연 상담도 아무런 금연 중재를 가하지 않는 것에 비해 금연 효과를 1.66배(95% 신뢰구간: 1.42, 1.94) 높일 수 있다. 또한

위약에 비해 전화상담은 1.47배(95% 신뢰구간: 1.15, 1.88), 개인대면상담은 1.64배(95% 신뢰구간: 1.17, 2.28) 정도 금연에 효과적이었다.

금연치료약

(1) 종류

1차 약물과 2차 약물이 있다. 1차 약물로는 바레니클린(varenicline), 부프로피온(bupropion), 니코틴 대체제(패치, 껌, 비강분무제, 로젠즈 등) 등이 있다. 2차 약물은 부작용이 더 흔하여 1차 약물만으로 금연치료에 성공하지 못한 경우에 고려할 수 있으며, 노르트립틸린(nortriptyline), 클로니딘(clonidine) 등이 있다. 단독의 금연치료약으로 실패하면 '니코틴 패치 + 니코틴 껌(혹은 로젠즈)', '부프로피온 + 니코틴 대체제' 병합요법을 시도할 수 있다. 하지만, 바레니클린과 다른 금연치료약과의 복합처방은 아직은 권장되지 않는다.

(2) 사용 기간

금연치료약별로 차이가 있지만 금단증상이 사라지는 시기인 6주 이상 사용하도록 처방하는 것이 원칙이고, 일반적인 치료기간 안에 금연을 성공한 경우라도 유지 목적으로 일정기간 더 약물 복용을 권할 수 있으며 필요에 따라서는 6개월까지도 처방할 수 있다.

(3) 금연치료약의 심각한 부작용에 대한 고려

1) 심혈관질환 발생위험

니코틴 대체제는 최근에 발생한 중증 심혈관질환 환자에서는 교감신경계 항진 효과 때문에 사용을 금해야 하지만, 안정된 심혈관질환 환자에서 사용 가능하다. 니코틴 대체제는 위약에 비해 전체 심혈관질환 부작용 발생위험을 2.29배(95% 신뢰구간: 1.39, 3.82) 높이는 것으로 관찰되었지만, 고위험군으로 국한한 분석에서는 유의한 위험 증가는 관찰되지 않았다(상대위험도: 1.31배, 95% 신뢰구간: 0.58, 3.32). 심각한 심혈관질환 부작용은 전체대상(상대위험도: 1.95배, 95% 신뢰구간: 0.92, 4.30) 및 고위험군(상대위험도: 1.53배, 95% 신뢰구간: 0.38, 6.24) 모두에서 유의하게 증가하지 않았다.

바레니클린은 위약에 비해 전체 심혈관질환(상대위험도: 1.30배, 95% 신뢰구간: 0.79, 2.23)이나 심각한 심혈관질환(상대위험도: 1.34배, 95% 신뢰구간: 0.66, 2.66) 발생위험을 유의하게 증가시키지 않았고, 심질환 환자를 포함한 고위험군에서도 유사한 결과가 관찰되었다.

부프로피온은 위약에 비해 전체 심혈관질환(상대위험도: 0.98배, 95% 신뢰구간: 0.54, 1.73)이나 심각한 심혈관질환(상대위험도: 0.45배, 95% 신뢰구간: 0.21, 0.85) 발생위험을 유의하게 증가시키지 않았고, 심질환 환자를 포함한 고위험군에서도 유사한 결과가 관찰되었다.

2) 신경정신 부작용 발생 위험

바레니클린과 부프로피온이 신경심리적 부작용 위험을 높인다는 우려가 있었지만 2016년도에 발표된 8,000명 규모의 임상시험결과 두 약제 모두 기존의 정신질환 유무에 관계없이 위약이나 니코틴 패치에 비해 신경정신계 부작용을 증가시키지 않았다.

3) 체중증가

금연 후 평균 4.5 kg정도의 체중증가가 보고

표 5-3. Characteristics and prescription guidelines of smoking cessation pharmacotherapy

약제명	작용기전 및 효과	용량 및 용법	투약기간	금기 및 주의사항	부작용	약물상호작용
바레니클린	• a4β2니코틴 아세틸콜린 수용체의 부분적 길항제 • 금단증상 감소 • 흡연갈망 감소	1-3일: 0.5 mg 1일1회 4-7일: 0.5 mg 1일2회 ≥ 8일 : 1 mg 1일2회	• 시작: 금연시작 1주 전 • 유지: 12-24주	신기능 저하	메스꺼움, 소화장애, 비정상적 공상, 불면증, 기분변화 (우울, 초조)	거의 없음
부프로피온 서방정	• 니코틴아세틸콜린 수용체의 길항제	1-6(3)일: 150 mg 1일1회 ≥ 7일: 150 mg 1일2회 (최소 8시간 간격)	• 시작: 금연시작 1-2주 전 • 유지: 7-24주	간질 병력, 중추신경계 종양, 대식증, 신경성 식욕부진증, MAO억제제 동시투여 급격한 알코올 및 진정약물 중단 후 간 기능 저하, 신 기능 저하	경련, 불면증, 입마름, 두통, 변비, 소화불량	주의 필요
니코틴 껌	• 니코틴 대체 • 흡연충동 해소 • 금단증상 완화	• 1회 용량 흡연량 ≥ 25개비/일: 4 mg 흡연량 < 25개비/일: 2 mg • 흡연충동 시 사용 • 1-2시간 간격(최대 24개/일)	• 시작: 금연과 동시 • 유지: 12주	*금기: 최근(< 2주)의 심근경색증, 불안정협심증, 심한 부정맥, 급성 뇌혈관질환	입안 통증 속쓰림 메스꺼움	주의 필요
니코틴 패치		• 흡연량 ≥ 10개비/일 1-4주: 21 mg 5-6주: 14 mg 7주 이후: 7 mg • 흡연량 < 10개비/일 1-6주: 14 mg 7주 이후: 7 mg	• 시작: 금연과 동시 • 유지: 8-12주		피부 발진 불면증	주의 필요
니코틴 로젠즈		• 1회 용량 기상30분이내 첫 흡연: 4 mg 기상30분이후 첫 흡연 2 mg • 흡연충동 시 사용 • 1-2시간 간격 복용 • 1일 8-12정(최대 25정/일)	• 시작: 금연과 동시 • 유지: 12-24주		딸꾹질 기침 속쓰림	주의 필요

약물 농도 모니터링은 필요하지 않음
Antidote는 없음

되고 있고 약 10% 정도의 금연자는 11 kg 정도의 체중 증가를 경험한다. 하지만 금연 후 체중 증가로 인한 건강위험보다는 흡연이 건강에 미치는 위험이 더 크다. 식이요법을 같이 제공하고 운동량 증가를 권고하면 금연 후 체중 증가를 예방할 수 있다. 금연치료약 중에서는 부프로피온이나 충분한 용량의 니코틴 대체제가 금연 후 장기적인 체중 유지에 유용할 수 있다.

(4) 개별 금연치료 약물의 특성과 처방법

금연치료약은 약물마다 작용기전, 부작용, 금기사항이 다르므로 환자의 임상적인 특성과 각 약물의 특성을 고려해서 처방하는 것이 안전하고 효과적이다.

약물 처방 후 경과관찰은 2-4주 간격으로 한다.

바레니클린은 금연시작일로부터 1주전, 부프로피온은 1-2주 전에 미리 복용을 시작한다.

바레니클린 복용 후 심한 매스꺼움을 호소하는 경우에는 용량을 반으로 줄여서 투약할 수 있다.

니코틴 껌은 보통의 껌처럼 씹으면 매스꺼움과 같은 부작용을 경험하기 쉽다. 껌 한 개를 20-30분 가량 씹는데, 먼저 찌릿한 느낌이 들 때까지 1분 정도 천천히 씹은 다음 1-2분은 잇몸 옆에 물고 있다가 다시 씹기를 반복하도록 교육해야 한다.

니코틴 패치는 같은 부위에 계속 붙이면 피부 발진이나 가려움 같은 부작용이 더 흔히 발생하고 뗄 때 아플 수 있으므로 털이 나지 않은 신체부위에 돌아가며 붙이도록 권고해야 한다(표 5-3).

최근 발표된 금연치료 약물의 효과

2017년에 발표된 금연치료약물에 대한 두 편의 메타분석 연구들은 일반인은 물론 심혈관질환 환자에서 금연치료약이 위약에 비하여 유의한 효과가 있음을 보고하였다. 두 연구 모두에서 바레니클린과 부프로피온은 금연성공률을 유의하게 높였다. 니코틴 대체제는 심혈관질환

표 5-4. Efficacy of smoking cessation treatment on meta-analyses

	RR (95% CI)	RR (95% CI)
Clinical characteristics of study subjects	Cardiovascular disease patients	General community population
Number of subjects	2,781 (7 studies)	14,389 (28 studies)
Smoking cessation assessment at	6 or 12 months	6 months
Varenicline vs. Placebo	2.64 (1.34, 5.21)	1.99 (1.71, 2.33)
Bupropion vs. Placebo	1.42 (1.01, 2.01)	1.61 (1.35, 1.91)
NRT vs. Placebo	1.22 (0.72, 2.06)	1.59 (1.38, 1.84)
Varenicline vs. NRT	2.16 (0.92, 5.10)	1.25 (1.02, 1.53)
Bupropion vs. NRT	1.16 (0.62, 2.18)	1.01 (0.82, 1.23)
Varenicline vs. Bupropion	1.86 (0.87, 3.98)	1.24 (0.99, 1.55)

NRT: nicotine replacement therapy, RR (95% CI): relative risk (95% confidence interval)

을 앓는 환자에서는 유의하지 않았지만 일반인
에서는 유의한 효과가 관찰되었다(표 5-4).

요약 🔒

1) 흡연은 심혈관질환 발생 위험을 높일 뿐만 아니라 심혈관질환 환자의 경과와 예후를 악화시키는 가장 중요한 위험요인이다.

2) 심혈관질환 환자가 금연을 하면 심장성 급사를 비롯한 심혈관질환 발생위험은 유의하게 감소한다

3) 외래 및 입원 진료를 받는 모든 심혈관질환 환자에서 흡연력 평가는 필수이며, 흡연자에게는 금연단계 평가를 바탕으로 하여 금연권고 및 금연상담, 금연치료를 제공해야 한다.

4) 지속적인 흡연은 니코틴 의존도와 밀접한 관계가 있으며, 니코틴 의존도가 높을수록 금연 약물치료를 해야 할 필요성은 더 높아진다.

5) 효과적인 금연치료약으로는 바레니클린, 부프로피온, 니코틴 대체제(패치, 껌, 비강분무제, 로젠즈 등)가 있다.

6) 금연치료약 별로 차이가 있지만 금연치료약은 금단증상이 사라지는 시기인 6주 이상 사용하도록 처방하는 것이 원칙이며 각 약물의 작용기전, 부작용, 금기사항을 고려해서 처방하는 것이 안전하고 효과적이다.

참고문헌

1. Ambrose JA, Barua RS. The pathophysiology of cigarette smoking and cardiovascular disease: an update. J Am Coll Cardiol 2004;43(10):1731-7. doi: 10.1016/j.jacc.2003.12.047

2. Anthenelli RM, Benowitz NL, West R, et al. Neuropsychiatric safety and efficacy of varenicline, bupropion, and nicotine patch in smokers with and without psychiatric disorders (EAGLES): a double-blind, randomised, placebo-controlled clinical trial. Lancet 2016;387(10037):2507-20. doi: 10.1016/S0140-6736(16)30272-0

3. Burns DM. Nicotine addiction. In: Longo DL, Fauci AS, Kasper, DL, Hauser SL, Jameson JL, Loscalzo J, editors. Harrison's principles of internal medicine. 18th ed. New York: McGraw-Hill Companies, Inc.; 2012. p.3560-64. .

4. Conen D, Everett BM, Kurth T, et al. Smoking, smoking cessation, [corrected] and risk for symptomatic peripheral artery disease in women: a cohort study. Ann Intern Med. 2011;154(11):719-26. doi: 10.7326/0003-4819-154-11-201106070-00003

5. e-나라지표: 2016 국민건강통계: 음주 및 흡연현황 [Internet]. 보건복지부, 질병관리본부(국가승인통계 제117002, 국민건강영양조사) [Updated 2018 Jan 5; cited 2019 Jan 18] Available from http://www.index.go.kr/potal/main/EachDtlPageDetail.do?idx_cd=2771.

6. Fagerstrom K, Furberg H. A comparison of the Fagerstrom Test for Nicotine Dependence and smoking prevalence across countries. Addiction 2008;103(5):841-5. doi: 10.1111/j.1360-0443.2008.02190.x

7. Filozof C, Fernandez Pinilla MC, Fernandez-Cruz A. Smoking cessation and weight gain. Obes Rev. 2004;5(2):95-103. doi: 10.1111/j.1467-789X.2004.00131.x

8. Godtfredsen NS, Holst C, Prescott E, et al. Smoking reduction, smoking cessation, and mortality: a 16-year follow-up of 19,732 men and women from The Copenhagen Centre for Prospective Population Studies. Am J Epidemiol. 2002;156(11):994-1001.

9. McBride PE. The health consequences of smoking. Cardiovascular diseases. Med Clin North Am. 1992;76(2):333-53.

10. Mills EJ, Thorlund K, Eapen S, et al. Cardiovascular events associated with smoking cessation pharmacotherapies: a network meta-analysis. Circulation 2014;129(1):28-41. doi: 10.1161/CIRCULATIONAHA.113.003961

11. Prochaska JJ, Hilton JF. Risk of cardiovascular serious adverse events associated with varenicline use for tobacco cessation: systematic review and meta-analysis. BMJ. 2012;344:e2856. doi: 10.1136/bmj.e2856

12. Sandhu RK, Jimenez MC, Chiuve SE, et al. Smoking, smoking cessation, and risk of sudden cardiac death in women. Circ Arrhythm Electrophysiol. 2012;5(6):1091-7. doi: 10.1161/CIRCEP.112.975219

13. Smith PH, Weinberger AH, Zhang J, et al. Sex Differences in Smoking Cessation Pharmacotherapy Comparative Efficacy: A Network Meta-analysis. Nicotine Tob Res. 2017;19(3):273-81. doi: 10.1093/ntr/ntw144

14. Song YM, Cho HJ. Risk of stroke and myocardial infarction after reduction or cessation of cigarette smoking: a cohort study in korean men. Stroke. 2008;39(9):2432-8. doi: 10.1161/STROKEAHA.107.512632

15. Spring B, Pagoto S, Pingitore R, et al. Randomized controlled trial for behavioral smoking and weight control treatment: effect of concurrent versus sequential intervention. J Consult Clin. Psychol 2004;72(5):785-96. doi: 10.1037/0022-006X.72.5.785

16. Stead LF, Buitrago D, Preciado N, et al. Physician advice for smoking cessation. Cochrane Database Syst Rev. 2013(5):CD000165. doi: 10.1002/14651858.CD000165.pub4

17. Suissa K, Lariviere J, Eisenberg MJ, et al. Efficacy

and Safety of Smoking Cessation Interventions in Patients With Cardiovascular Disease: A Network Meta-Analysis of Randomized Controlled Trials. Circ Cardiovasc Qual Outcomes 2017;10(1) doi: 10.1161/CIRCOUTCOMES.115.002458

18. World Health Organization. WHO Global Report: Mortality attributable to Tobacco. WHO Press; 2012.

19. 대한가정의학회 금연연구회. 금연진료지침;2015년 11월.

20. 정유석. 임상의사를 위한 금연상담 실천가이드북. 보건복지부, 국민건강보험공단;2016년7월.

PART

동맥질환의 약물치료

Pharmacotherapy of arterial disease

CHAPTER

동맥질환의 항혈전 약물치료

Antithrombotic pharmacotherapy of arterial disease

| **최승혁** | 성균관의대 삼성서울병원 순환기내과

혈전(blood clots)은 혈소판(platelet)과 혈액 응고계(coagulation system)의 상호작용에 의해 발생하게 된다. 동맥과 같이 혈액흐름이 빠른 부위(high flow system)에서 혈전이 형성될 때에는 혈소판이 혈전을 만들기 시작하며, 정맥이나 혹은 심방세동 환자의 좌심방에서와 같이 혈액 저류(stasis)에 의해 혈전이 형성될 때에는 혈액 응고계가 주된 역할을 하게 된다. 따라서 동맥질환의 항혈전치료의 근간은 항혈소판치료가 될 것이다. 이번 장에서는 동맥질환의 치료 및 예방을 위한 항혈소판제인 아스피린과 P2Y12 수용체차단제 및 실로스타졸에 관하여 살펴보고자 한다.

아스피린

아스피린은 경구복용 후 30-40분만에 혈중 농도가 최대치에 이르며(enteric-coated formula-tions은 3-4시간), 반감기는 15-20분에 불과하다. 그러나 문맥에서 아스피린과 접촉한 혈소판의 cyclooxygenase 1 (COX1)은 비가역적으로 아세틸화되어 영구적으로 기능이 억제되기 때문에 소량으로도 충분히 항혈소판효과를 발휘할 수 있게 된다. 영구적으로 기능이 억제된 각 혈소판은 7-11일후 체내에서 소멸하게 된다. 따라서 체내에서 치료 효과를 유지하기 위한 필요용량은 일반적으로 100-300 mg/day이 추천된다. 하지만 항혈소판효과에는 차이가 없으나 부작용은 용량에 비례하여 증가하므로 75-100 mg/day이 바람직할 것으로 생각된다.

(1) 심뇌혈관계의 일차 예방효과

혈관질환의 증거가 없는 건강한 사람에서 아스피린의 일차 예방효과에 대해서는 논란의 여지가 많다. 1980년대 말에 영국의사들과 미국 의사들을 대상으로 각각 아스피린의 일차 예방

효과를 알아보기 위한 대표적인 두 연구가 진행되었고 아스피린이 뇌졸중을 예방하지는 못하지만 심근경색증을 소폭 감소시킬 수 있다고 발표하였다. 또한 한 개 이상의 심혈관질환의 위험인자를 가지고 있는 환자를 대상으로 한 여러 연구를 종합해보면 아스피린은 뇌졸중을 예방하지는 못하였지만 심근경색증의 발생률을 감소시킬 수 있었다. 특히 여성만을 대상으로 아스피린의 일차 예방효과를 관찰한 Women's Health Study 연구 결과를 살펴보면 다음과 같다. 45세 이상의 건강한 여성 39,876명을 대상으로 아스피린 100 mg 혹은 위약을 격일로 투여하고 10년 간 추적 관찰하였으며 사망, 심근경색증과 뇌졸중의 발생은 아스피린과 위약군 사이에 차이가 없었다. 다만 65세 이상 여성만을 따로 분석한 결과 아스피린 투약군에서 허혈성뇌졸중은 26%, 심근경색증은 34% 의미있게 감소하였다. 하지만 기존 발표된 주요 무작위 연구를 종합하여 메타분석한 연구 결과에 따르면 일차 예방 목적으로 아스피린을 투약하여 심근경색증의 발생을 줄일 수 있었으나, 뇌졸중 예방효과는 없었으며, 위장관계 출혈을 포함한 출혈의 위험성이 증가하였다. 따라서 2018년 미국 당뇨병학회에서는 혈관질환의 증거가 없는 50세 이상 당뇨병 환자에서 출혈위험성이 높지 않고 1개 이상의 주요 위험인자(관상동맥질환 가족력, 고혈압, 이상지혈증, 흡연, 만성신질환/단백뇨)를 가지고 있을 경우 아스피린을 사용할 수 있다고 권고하고 있다. 2018년 발표된 ASCEND, ARRIVE, ASPREE 연구 결과에서도 아스피린의 출혈위험이 심혈관질환 예방효과를 상쇄한다고 결론을 내렸으며, 이를 근거로 2019년 ACC/AHA 권고안에서는 심혈관질환 일차 예방 목적으로 아스피린 저용량(75-100 mg)을 70세 이상 고령(class III, B-R), 출혈의 위험이 높은 모든 연령(class III, C-LD)에게 투여하면 안 된다고 경고했다. 다만 출혈의 위험이 낮고 죽상경화성 심혈관질환(ASCVD) 위험이 높은 40-70세 성인에게서 아스피린 저용량을 고려할 수 있다고 명시했다(IIb, A). 따라서 아직까지 미국 FDA에서는 아스피린을 일차 예방 목적으로 허가해 주지 않고 있으며, 유럽과 영국의 NICE 권고안에서도 아스피린을 일차 예방에서 제외하였다. 결론적으로 아스피린을 복용하면 심혈관 질환 예방효과가 있는 것은 확실하지만 출혈의 위험이 높아지므로 임상에서는 환자의 특성에 따라 아스피린의 혜택과 위험을 판단해 치료를 결정해야 할 것이다.

(2) 심혈관질환의 이차 예방효과

심혈관질환의 이차 예방이란 이미 심혈관질환을 앓은 사람, 즉 심근경색증, 협심증과 뇌졸중을 가지고 있는 환자를 대상으로 사망, 급성 심근경색증과 뇌졸중의 발생을 줄여주기 위한 치료를 말한다. 한번 혈관질환을 앓은 사람은 병이 재발할 확률이 매우 높아서 적극적으로 재발방지를 위해 예방치료를 해야 하며 아스피린은 이러한 환자에게 탁월한 예방효과를 나타내고 있다. 즉 그 동안의 모든 임상연구결과를 종합해 보면 이상에서 언급한 혈관질환의 병력이 있는 사람들이 하루에 아스피린을 75-350 mg씩 복용하게 되면 사망률은 1/6, 각종 혈관계 사건은 22%, 비치명적 심근경색증은 34%, 비치명적 뇌졸중은 25%를 줄일 수 있는 것으로 밝혀져 있다. 이러한 이차 예방효과는 이상의 환자(관상동맥질환, 뇌혈관질환)외에도 말초혈관질환이나 경동맥질환을 가지고 있는 환자에서도 어느 정도 예방효과가 있는 것으로 밝혀지고 있다. 따라서 일단 동맥 경화성 혈관질환이 있는 것으로 진단되면 질환부위와 관계없이 아스피린을 평생동안 사용하도록 추천하고 있다. 다만 아스피린의 부작용으로 인하여 이를 복용할 수 없을 경우에는 아스피린과 대등한 효과를 보이고 있는 클로피도그렐(clopidogrel)로 대체하여 복용함으로써 심근경색증과 뇌졸중의 발생을 예방할 수 있다.

(3) 아스피린 Intolerance & Hypersensitivity

환자가 아스피린에 대한 intolerance를 보이는 경우 치료에 큰 어려움을 겪을 수 있다. 일반인을 대상으로 한 조사에서 아스피린 intolerance는 6-20%에 달하며 아스피린 hypersensitivity는 0.6-2.4%로 보고되고 있다. 아스피린을 꼭 사용해야 하는데 hypersensitivity를 보이는 경우 desensitization을 시행하여 효과를 볼 수 있지만, 시간이 걸린다는 점, 그리고 desensitization을 시행할 때 주의 깊은 감시 및 소생 준비를 잘 갖추어야 한다는 단점이 있다. 관상동맥, 경동맥, 말초동맥 등에 중재시술을 시행하는 환자에게 이제 항혈소판 치료가 필수적이지만 아스피린에 대한 hypersensitivity나 심한 intolerance가 있는 경우, 이를 대체할만한 치료에 대한 연구는 없는 상태이며 guideline들에서도 기술이 제한적이

다. P2Y12 억제제 단독 치료나 P2Y12 억제제 + cilostazol 병합 요법을 고려해 볼 수 있으며 이 때 급성 관상동맥 증후군 환자에서는 clopidogrel 대신 prasugrel이나 ticagrelor의 사용을 고려해 볼 수 있다. 아스피린에 대한 위장관 intolerance가 있는 경우에는 proton pump inhibitors를 병용하면서 이중 항혈소판 치료를 가능한 유지하는 것이 추천된다. 급성기를 지난 환자에 대해서는 조기에 아스피린을 중단하고 P2Y12 억제제 단독 치료를 고려해 볼 수 있으나 아직까지는 이를 뒷받침하는 자료가 없는 실정이다.

P2Y12 수용체 차단제 (Ticlopidine, Clopidogrel, Prasugrel, Ticagrelor)

혈소판은 90가지 이상의 agonist에 의해 활성화되는 것으로 알려져 있으며, 이중에서 아스피린은 thromboxane A2 생성을 방해하여 혈소판의 분비와 응집을 방해하지만 클로피도그렐로 대표되는 P2Y12 수용체 차단제는 ADP receptor (P2Y12 receptor)를 억제하여 아스피린보다 강력한 항혈소판 효과를 나타낸다. 티클로피딘과 클로피도그렐 시판 이후 좀 더 강력한 항혈소판 효과를 가진 새로운 약제로 prasugrel, ticagrelor이 개발되어 현재 사용 중이다. 혈소판은 수많은 수용체 자극을 통하여 활성화될 수 있으나 P2Y12 receptor가 가장 중요한 역할을 하는 것으로 밝혀져 있다(그림 6-1).

(1) 아스피린과 클로피도그렐의 비교

아스피린과 클로피도그렐의 효능을 비교한

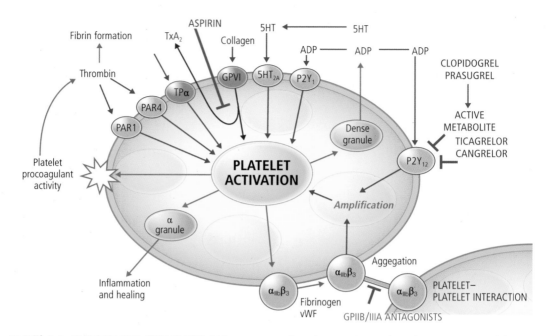

■ 그림 6-1. 혈소판 활성화와 항혈소판 제제. PAR: protease-activated receptor, TPα: thromboxane receptor alpha, GPVI: glycoprotein VI, 5HT: 5-hydroxytryptamine, 5HT2A: 5-hydroxytryptamine receptor 2A, TxA2: thromboxane A2, ADP: adenosine diphosphate

연구로는 동맥경화증이 확립된 19,185명(관상동맥질환, 뇌혈관질환과 말초혈관질환)을 대상으로 시행한 CAPRIE연구가 유일하다. 3년간 경과 관찰하는 동안 일차연구 종료점인 심혈관사망/심근경색증/뇌졸중의 발생빈도가 아스피린 5.83%, 클로피도글렐 5.32%로 상대위험도가 8.7% 감소(p=0.043)로 클로피도그렐이 우수하였다. 특히 말초동맥질환 환자군에서 아스피린 대비 클로피도그렐의 심혈관사건 상대위험도가 23.8% 유의하게 감소하였다. 출혈부작용은 전체적으로는 차이가 없었으나 위장관출혈은 아스피린에서 다소 높았다. 한편, 2016년 국내에서 관상동맥 질환으로 스텐트 삽입술을 시행한 환자 3,243명을 대상으로 12개월동안 아

스피린과 클로피도그렐 병합요법을 시행한 이후 아스피린을 투여한 군과 클로피도그렐을 투여한 군의 임상경과를 비교한 관찰연구에서 클로피도그렐을 투여한 환자들이 아스피린 투여군에 비하여 심혈관사망/심근경색증/뇌졸중의 발생빈도가 46% 낮았으며, 주요출혈의 위험은 증가하지 않았다. 하지만 이처럼 미래의 심혈관계 사건 발생 위험이 높은 환자에서 이차예방을 위한 항혈소판제로 아스피린과 클로피도그렐 중 어떤 약제를 선택해야 되는가에 대하여 최근 학계의 관심이 높아지고 있다. 현재 대규모 무작위 연구가 국내외에서 진행되고 있어 그 결과가 주목된다.

(2) 아스피린과 클로피도그렐의 병용요법

아스피린과 클로피도그렐은 항혈소판효과를 나타내는 작용기전이 달라서 함께 사용할 경우 항혈소판효과를 극대화시킬 수 있다. 특히 관상동맥, 경동맥 및 말초동맥에 스텐트시술을 시행할 경우에는 일시적으로 이물질 삽입으로 인하여 스텐트혈전증의 위험성이 증가하게 된다. 수많은 임상연구를 통하여 이들 두 가지 약제를 병용할 경우 스텐트혈전증을 크게 감소시킬 수 있기 때문에 일반 스텐트를 사용한 경우에는 두 가지 약제를 1개월, 약물방출스텐트를 사용한 경우에는 스텐트 부위의 안정화에 다소 시간이 걸리므로 6개월 동안 병합하여 사용할 것을 추천하고 있으며 이후에는 환자의 위험도에 따라서 아스피린 단독, 클로피도그렐 단독, 혹은 병용요법을 지속하여 사용하게 된다.

(3) 강력한 P2Y12 수용체 차단제

클로피도그렐의 주요 단점으로는 전구약물(prodrug)이라는 점이다. 즉 복용 후 간에서 대사되어 활성대사체로 바뀌어야 비로서 항혈소판 약효를 나타낼 수 있다. 클로피도그렐은 경구로 투여한 약제의 약 80-90%가 비활성대사체로 즉시 대사되어버리며 10-20%만이 활성화되어 약효를 나타낸다. 활성화과정은 간에서 2C19, 2B6등의 효소에 의해 2단계를 거쳐서 활성화된다. 그러나 약 30-50%의 환자에서 2C19의 효소기능이 저하되어 있어 제대로 활성화된 약물로 전환이 되지 않아 클로피도그렐의 혈소판저항성(clopidogrel resistance)의 주된 원인이 되고 있다. 이러한 클로피도그렐의 단점을 극복

하고자 새로운 약제들이 개발되었으며 prasugrel과 ticagrelor가 이에 해당한다. Prasugrel은 클로피도그렐과 비슷한 전구 약물이지만 활성대사체로의 전환이 훨씬 효율적이어서 약효가 빠르고 효과가 더 강력하며 개인간의 약효차이가 적다는 것이 특징이다. Ticagrelor는 활성대사체로의 전환과정이 필요없이 직접적으로 작용하는 약제이기 때문에 약효가 빠르고 강력한 효과를 나타낸다. 작용시간이 짧아서 하루 두번 복용해야 하지만 출혈이 발생하였거나 응급수술이 필요할 경우 빠른 시간 내에 혈소판 기능이 회복되므로 수술 관련 출혈 합병증을 줄일 수 있다는 장점이 있다. Prasugrel을 사용한 대표적인 연구인 TRITON-TIMI 38연구와 TRILOGY-ACS 연구 결과 허혈성 사건 감소와 출혈의 증가가 서로 상쇄되는 효과를 보여 클로피도그렐에 비하여 더 나은 혜택이 있다고 보기 힘들다. Ticagrelor를 사용한 PLATO 연구에서는 급성 관동맥증후군 환자를 대상으로 심혈관계 사건을 16% 유의하게 감소시키면서 심각한 출혈의 위험은 증가시키지 않아 사망률을 22% 감소시키는 결과를 보였다. 하지만 심근경색후 1년이 경과한 환자를 대상으로 한 PEGASUS 연구에서는 심혈관사건을 유의하게 감소시켰지만 출혈 또한 증가시키는 부작용이 있어 이 약제를 1년 이상 사용하는 것에 대한 혜택이 확실하지는 않다. 급성허혈성 뇌졸중이나 일과성허혈발작 환자를 대상으로 한 SOCRATES연구에서는 아스피린 단독군에 비하여 아스피린과 ticagrelor를 병용투여한 환자에서 추가되는 이득이 없었다. 말초동맥 질환 환자를 대상으로 한 ECLID

연구에서도 클로피도그렐과 비교하여 ticagrelor는 비슷한 효과와 출혈부작용을 보였다. 따라서 현재까지의 증거에 기초하여 새로운 약제인 prasugrel이나 ticagrelor는 환자와 임상양상에 따라 초기 짧은 기간 선택적으로 사용하는 것을 권한다.

(4) 티클로피딘(Ticlopidine)

티클로피딘은 클로피도그렐 이전에 최초로 개발되어 사용된 P2Y12수용체 차단제이다. 드물긴 하지만 치명적인 합병증인 호중구 감소증과 혈전저혈소판혈증자색반(thrombotic thrombocytopenic purpura)이 발생할 수 있어 사용량이 급격히 감소하였으나, 최근 클로피도그렐 저항성(resistance) 환자들에게 사용할 수 있고 뇌졸중 환자의 이차예방에 효과적이라는 보고가 많아 선택적으로 사용되고 있다. 단, 초기 3개월간 2주 간격으로 일반혈액 검사를 진행하여 심각한 합병증 발생을 조기에 진단하여야 한다.

(5) 클로피도그렐 저항성

클로피도그렐은 체내 사이토크롬 P450 효소에 의해 활성화되는 항혈소판제이다. CYP2C19 효소의 활성에 따라 약물의 전환속도가 결정되고, CYP2C19 효소가 제대로 기능을 하지 못하면 클로피도그렐의 활성대사체가 적어져 항혈소판 효과가 떨어져 혈소판 응집반응률(PRU,%)이 감소하게 되어 허혈성 사건이 증가할 수 있다. 문제는 아시아인에서 CYP2C19*2 다형성 동반율이 55%로 백인의 28%에 비하여 높다는 것이다. 또한 CYP2C19*3 다형성 동반율이 아시아인 17%로 백인과 흑인의 1%에 비해 높다. 따라서 우리나라 환자의 경우 클로피도그렐 저항성 검사를 시행하여 저항성이 있는 환자들에게 ticlopidine, prasugrel, 또는 ticagrelor를 대체하여 처방하는 것을 고려할 필요가 있다.

실로스타졸(Cilostazol)

실로스타졸(cilostazol)은 항혈소판작용과 혈관확장작용을 하는 것으로 알려져 있다. 혈소판에서 혈관평활로의 PDE3 (cGMP-inhibited phosphodiesterase) 활성을 선택적으로 저해해서 항혈소판 작용을 하며 가역적으로 결합하는 특징에 따라 출혈위험은 낮은 것이 특징이다. 또한, 혈관의 혈관평활로 세포내 PDE3 활성을 저해해 cAMP농도를 상승시켜 유리칼슘이온이 저장과립화되어 근단백이 이완돼 혈관이 확장한다. 실로스타졸은 말초동맥 질환 환자의 간헐성 파행증 증상 개선과 함께 보행거리를 늘리는 데 효과적으로 사용할 수 있는 약제로 권고된다 (Class 1, A). 또한 최근 일본에서 진행한 CSPS.com 무작위 연구에 의하면 허혈성 뇌졸중 환자를 대상으로 아스피린이나 클로피도그렐 단독 투여군에 비하여 실로스타졸을 아스피린 또는 클로피도그렐과 병용 투여한 군에서 허혈성 뇌졸중의 발생을 의미있게 줄였을 뿐 아니라 혈관계 사망과 중증 이상의 출혈을 감소시키는 결과를 보였다. 앞서 발표된 CSPS2 연구에서는 아스피린 투여군에 비하여 실로스타졸 투여군에서 뇌졸중의 이차 예방 효과를 입증하였다. 좀 더 많은 수의 대규모 연구가 필요하겠지만 비심인성 뇌졸중 환자에서 뇌졸중의 이차 예방을 목적으로 실로스타졸을 사용할 수 있을 것으로 생각된다.

요약 🔒

1) 심혈관질환의 일차 예방 목적으로 아스피린 사용은 적극 권장되지 않지만 이차 예방 목적으로는 평생 사용하는 것을 추천한다.
2) 아스피린 부작용이 있어 사용하지 못하는 환자에게 클로피도그렐을 사용할 수 있다.
3) 말초혈관질환이 있는 환자 또는 과거 관상동맥 중재술을 시행한 환자에서 이차 예방 약제로 아스피린 보다 클로피도그렐을 우선 선택할 수 있을 지는 경제적 타당성 등 추가 연구가 필요할 것이다.
4) 실로스타졸은 말초혈관질환 환자의 증상 개선 효과뿐만 아니라 뇌졸중의 이차 예방 목적으로 최근 사용되고 있다.

참고문헌

1. Antithrombotic Trialists' (ATT) Collaboration, Baigent C, Blackwell L, et al. Aspirin in the primary and secondary prevention of vascular disease: collaborative meta-analysis of individual participant data from randomised trials. Lancet. 2009 May 30;373(9678):1849-60.
2. Arnett DK, Blumenthal RS, Albert MA, et al. 2019 ACC/AHA Guideline on the Primary Prevention of Cardiovascular Disease: Executive Summary: A Report of the American College of Cardiology/American Heart Association Task Force on Clinical Practice Guidelines. J Am Coll Cardiol. 2019 Mar 17. pii: S0735-1097(19)33876-8.
3. Chung JW, Kim SJ, Hwang J, et al. Comparison of Clopidogrel and Ticlopidine/Ginkgo Biloba in Patients With Clopidogrel Resistance and Carotid Stenting. Front Neurol. 2019 Jan 30;10:44.
4. Shinohara Y, Katayama Y, Uchiyama S, et al. Cilostazol for prevention of secondary stroke (CSPS 2): an aspirin-controlled, double-blind, randomised non-inferiority trial. Lancet Neurol. 2010 Oct;9(10):959-68.
5. 이철환. 항혈소판제의 심혈관질환 예방효과. 대한내과학회 춘계학술발표 논문집 2018;94:154-60.

7
CHAPTER

급성 동맥색전증의 약물치료

Pharmacotherapy of acute arterial embolism

| 허 승 | 경북의대 외과학교실

서론

급성 동맥색전증(acute arterial embolism)은 의학의 눈부신 발달에도 불구하고 여전히 불량한 예후를 보이는 급성 동맥폐색증(acute arterial occlusion)의 주요한 원인이며, 만성 동맥폐색증에 병발하는 급성 동맥혈전증(acute arterial thrombosis)과는 달리 심장이나 근위부의 큰 동맥에서 형성된 색전이 원래의 위치에서 떨어져 나와 원위부 동맥을 폐색시켜 발생하게 된다.

색전이 형성되는 부위로는 심장이 55%-87% 정도로 가장 많은 것으로 보고되고 있고, 대동맥이나 동맥류와 같은 심장 이외의 부위가 10%, 그리고 원인 부위를 찾을 수 없는 경우도 10% 정도로 알려지고 있다(표 7-1). 심장에서 기인하는 색전증(cardiogenic embolism)의 주요 원인질환으로는 심방세동(atrial fibrillation)과 심근경색증(myocardial infarction)이 있으며, 심장

이외의 부위에서는 소위 "shaggy aorta"로 불리는 미만성 죽상경화성 대동맥과 근위부 동맥에서 형성되는 죽상반(atheromatous plaque)이나

표 7-1. Sources of Peripheral Emboli

Source	%
Cardiogenic	**80**
Atrial fibrillation	50
Myocardial infarction	25
Other	5
Noncardiac	**10**
Aneurysmal disease	6
Proximal artery	3
Paradoxical emboli	1
Other or Idiopathic	10

From Belkin M, Owens CD, Whittemore AD, Donaldson MC, Conte MS, Gravereaux E. Peripheral Arterial Occlusive Disease. In: Townsend CM Jr ed. Sabiston Textbook of Surgery. 18th ed. Philadelphia: SAUNDERS ELSEVIER; 2008. 1941-1979.

동맥류의 벽혈전(mural thrombus)이 동맥색전증(arterial embolism)의 원인이 된다. 색전은 형성된 장소, 원인질환, 시기 등에 따라 그 성상이 다르므로 임상에서 환자를 치료하기 전에 이를 세밀히 고찰하여야 한다.

급성 동맥색전증은 인체의 어느 부위에서라도 발생할 수 있으나 가장 호발하는 부위는 대퇴동맥을 비롯한 하지동맥이며(표 7-2), 뇌동맥이나 신장동맥을 포함한 복강내대동맥의 주요 분지에 발생하는 경우에는 치명적인 결과를 초래할 수도 있다. 급성 하지동맥색전증은 비교적 정상적인 동맥을 가진 환자에서 발생하는 경우가 많으나, 근래에는 만성 동맥폐색증에 급성 동맥색전증이 병발하는 경우("acute arterial embolism on chronic arterial occlusive disease")가 드물지 않으므로 감별진단에 주의를 요한다.

표 7-2. Site of Peripheral Embolization

Site	%
Aortic bifurcation	10-15
Iliac bifurcation	15
Femoral bifurcation	40
Popliteal	10
Upper extremity	10
Cerebral	10-15
Mesenteric or visceral	5

From Belkin M, Owens CD, Whittemore AD, Donaldson MC, Conte MS, Gravereaux E. Peripheral Arterial Occlusive Disease. In: Townsend CM Jr ed. Sabiston Textbook of Surgery. 18th ed. Philadelphia: SAUNDERS ELSEVIER; 2008. 1941-1979.

고령의 급성 동맥색전증 환자들은 치료 결과에 심대한 영향을 미치는 만성적인 동반질환을 가지고 있는 경우가 많으므로 이에 대한 세밀한

문진과 함께 응급치료 시 발생할 수 있는 합병증에 대하여 철저히 대비하여야 한다. 실제 임상에서는 환자들이 응급실 내원 시 기저질환을 간과하였거나 모르는 경우가 적지 않으며, 심방세동과 같은 심장부정맥이 색전증의 원인을 찾기 위한 검사에서 처음 발견되는 경우를 흔히 접할 수 있다.

급성 동맥색전증의 치료방법으로는 고전적인 항응고요법과 수술적 혈전-색전제거술(thromboembolectomy)이 있으며, 근래 장비의 발달과 함께 광범위하게 사용되는 혈관내 치료(endovascular treatment) 방법으로는 pulse-spray 카테터를 이용한 혈전용해술(catheter-directed thrombolysis, CDT) 및 기계적 혈전제거술(pharmacomechanical thrombectomy, PMT)이 있다.

이 장에서는 색전증이 가장 호발하는 하지의 급성 동맥색전증에 대해서 간략히 소개하고 이에 대한 약물요법 및 재발방지에 대하여 주로 논의하고자 한다. 근래에는 급성 하지동맥색전증만을 따로 구분하여 보고한 자료들은 찾기가 어렵고, 대부분의 연구들이 급성 동맥혈전증과 이식편의 급성 폐색을 포함한 급성 지체허혈증(acute limb ischemia)으로 총괄하여 보고하고 있다. 이러한 경향은 American College of Cardiology와 American Heart Association의 공동 진료지침서에서도 예외는 아니며, 따라서 문헌고찰 시 이에 대한 용어의 혼동에 주의가 필요하다.

증상 및 진단

급성 지체허혈증의 증상으로는 이전부터 잘

알려진 'Rule of Ps'가 있다. '6P'로 알려진 'pain, pallor, pulselessness, paresthesia, paralysis, poikilothermia'가 이에 해당된다. 일단 색전증이 발생하면 혈류 장애로 인하여 색전증이 발생한 동맥의 근위부 및 원위부에 이차성 혈전(secondary thrombus)이 형성되게 되는데, 증상의 정도는 색전이 발생한 부위와 혈전이 파급된 범위에 따라 경미한 통증에서부터 급박허혈증까지 다양하게 나타날 수 있다. 증상에 따라 치료방법이 달라질 수 있으므로 환자 내원 시 이학적 검사와 도플러검사를 통하여 급성 지체허혈증의 정도를 객관적으로 구분하여 치료를 시작하여야 한다. 국제적으로 통용되는 표준진료지침서에 따른 급성 지체허혈증의 임상적 분류는 표 7-3과 같다(표 7-3).

확진 및 치료계획을 수립하기 위해서 CT-혈관조영술이 보편적으로 사용되나 환자의 상태에 따라 혈관초음파검사만으로도 치료를 시행할 수 있다. 근래 사용되고 있는 CT는 검사 시간

이 짧아서 수술이나 중재적 시술을 준비하는 동안에 충분히 혈관영상을 얻을 수 있다. 그러나 이 검사는 조영제 사용에 따른 신독성을 고려하여야 한다. CT-혈관조영술에서 동맥 병변이 심하지 않거나 정상적인 동맥에서 원위부 동맥이 조영되지 않는 'cut-off' 징후가 보이면 동맥 색전증을 의심할 수 있다(그림 7-1A, 7-1B). 일반적으로 동맥색전증에서는 동맥혈전증과 달리 발달된 동맥우회로(collateral circulation)가 관찰되지 않지만 이전부터 만성 동맥폐색증이 있었던 환자들에서 발생하는 'acute embolism on chronic ischemia' 상태에서는 발달된 동맥우회로를 보일 수 있으므로 급성 동맥혈전증과의 감별이 쉽지 않다. 이러한 경우에는 단순히 영상소견만으로는 진단이 불확실하므로 환자의 병력, 임상소견, 동반질환, 색전증의 과거력 등을 종합적으로 판단하여 진단한다. 동맥색전증인 경우에는 임상적으로 증상이 있는 환부 이외에도 색전이 다발성으로 발생할 수 있으므로 복부(예: 비장,

표 7-3. Classification of Acute Limb Ischemia

Category		Description/Prognosis	Findings		Doppler Signals	
			Sensory loss	Muscle Weakness	Arterial	Venous
I	Viable	Not immediately threatened	None	None	Audible	Audible
II	Threatened					
	a. Marginally	Salvageable if promptly treated	Minimal (toes) or none	None	Inaudible	Audible
	b. Immediately	Salvageable with immediate revascularization	More than toes, associated with rest pain	Mild, moderate	Inaudible	Inaudible
III	Irreversible	Major tissue loss or permanent nerve damage inevitable	Profound, anesthetic	Profound, paralysis (rigor)	Inaudible	Inaudible

From Rutherford RB, Baker JD, Ernst C, et al. Recommended standards for reports dealing with lower extremity ischemia: revised version. J Vasc Surg 1997;26:517-538

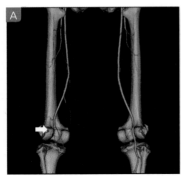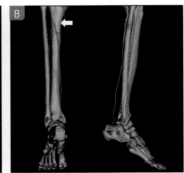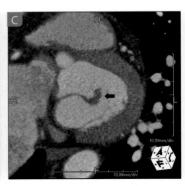

■ 그림 7-1. Acute embolism on left leg artery. 41 year old man visited my clinic for his left leg pain. Computed tomography showed (A) occlusion of left above-knee popliteal artery and 'cut-off' sign (white arrow); (B) occlusion of tibio-peroneal trunk and anterior tibial artery (white arrow); (C) small thrombus on anterior mitral valve leaflet.

신장 등) 및 다른 지체에 대해서도 주의 깊은 관찰이 요구되며, 의심 증상이 있을 때에는 추가적인 검사가 필수적이다.

급성 동맥폐색증의 원인을 찾기 위한 진단적 검사는 필요하나, 실제 임상에서는 대다수의 환자가 급박지체허혈증(limb threatening ischemia) 상태로 내원하기 때문에 급성 동맥폐색증을 치료하기 전에 모든 검사를 시행하기는 어렵다. 치료 전에 심방세동, 심장판막질환, 심근경색증과 같은 심장병 그리고 하지파행증의 과거력, 혈전성향증(thrombophilia), 버거병이나 베체병과 같은 혈관질환 그리고 동맥의 급성 폐색을 유발할 수 있는 전신질환(예: 당뇨병, 신장병증, 심부전증, 죽상경화증 등)에 대한 병력을 세밀히 조사하여야 한다. 특히 급성 동맥색전증의 경우에는 색전 형성을 가장 빈번히 일으키는 심장질환에 대한 검사가 필수적이다. 경흉심장초음파검사(transthoracic echocardiography, TTE)는 심장기능에 대한 정보를 비침습적으로 용이하게 얻을 수 있는 장점이 있지만 심방

세동으로 인한 혈전이 호발하는 좌심방이(left atrial appendage)를 명확하게 관찰할 수 없다는 단점이 있다. 경식도심장초음파(transesophageal echocardiography, TEE)는 심장 내 혈전이나 흉부대동맥을 보다 명확히 검사할 수 있으나 다소 침습적이라는 단점이 있다. 인력이나 장비가 준비되어 있는 의료기관에서는 전신마취 하에서 수술 중에 경식도초음파검사를 시행하면 환자에게 줄 수 있는 불편감을 줄일 수 있다. 근래 이용되고 있는 CT-심장조영술(그림 7-1C)은 심장의 기능, 심장동맥의 상태, 심장 내 혈전의 유무 등을 관찰할 수 있으나, 수술 후 허혈-재관류 손상으로 인해 신기능 손상이 예견되는 환자에서 조영제 사용은 신독성을 더욱 악화시킬 수 있으므로 사용이 제한적이다. 비록 급성 동맥색전증 환자에서 응급 치료 시 색전증의 원인을 찾기 위한 모든 검사를 시행할 수는 없으나, 수술 후 환자가 안정상태에 이르면 원인질환을 찾아서 이에 대한 치료를 병행하여야 동맥색전증의 재발을 방지할 수 있음을 주지하여야 한다.

치료

지체에 발생한 급성 동맥색전증 치료의 목적은 환자의 허혈증을 개선하여 지체를 구제하고 합병증을 최소화하며, 재발을 방지하는데 있다. 고전적으로 항응고요법과 함께 Fogarty 카테터를 이용한 혈전색전제거술이 표준치료로 시행되었으나, 근래에는 혈관내 치료의 발달로 다양한 기구를 이용한 중재적 혈전용해술 및 혈전-색전제거술도 시행되고 있다. 일반적으로 지체

가 견딜 수 있는 임계허혈시간은 4-6시간 정도로 여겨지고 있으나, 환자의 전신상태, 색전 및 이차적인 혈전으로 폐색된 동맥의 범위, 동맥우회로의 발달 유무 등에 따라 생리적 임계허혈시간은 다양하게 나타날 수 있다. 이미 비가역적으로 손상된 지체의 경우(category III)에는 일차적인 절단술이 환자의 생명을 구하는 치료법이 될 수 있으며, 이와 반대로 동맥폐색의 범위가 국소적인 경우(category I)에는 항응고요법만으로도 치료의 목적을 달성할 수 있다. 지체구제

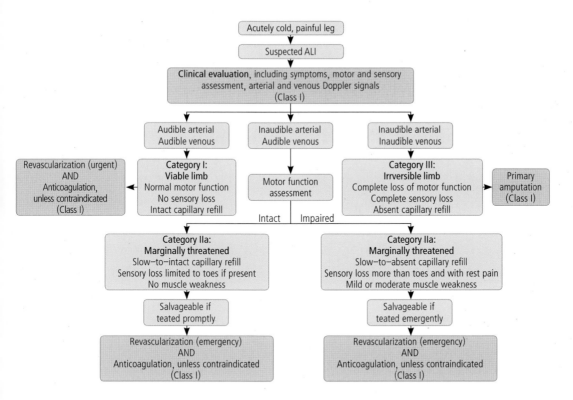

■ 그림 7-2. Diagnosis and Management of Acute Limb Ischemia (ALI)

Gray correspond to Class of Recommendation

From Gerhard-Herman MD, et al. 2016 AHA/ACC Guideline on the Management of Patients With Lower Extremity Peripheral Artery Disease: A Report of the American College of Cardiology/American Heart Association Task Force on Clinical Practice Guidelines. Circulation 2017;135(12):e726-779.

(limb salvage)를 위한 동맥재개통술이 필요한 급성 지체허혈증은 주로 category II에 해당되는 환자가 많으며, 허혈시간이 길어지면 치료 성적이 나빠지므로 응급치료를 요한다. 특히 catergory IIb의 경우에는 즉각적인 동맥재개통이 필요하므로 영상학적 진단이나 검사를 위해 시간을 지체해서는 안 된다. 2016년에 발표된 American College of Cardiology (ACC)와 American Heart Association (AHA)의 진료지침서에서 권유하고 있는 급성 지체허혈증의 진단 및 치료 알고리즘은 그림 7-2와 같다(그림 7-2).

(1) 초기 치료(Initial treatment)

급성 동맥색전증을 비롯한 급성 지체허혈증 환자로 진단된 경우에는 혈전의 파급을 막기 위하여 금기증이 없는 한 헤파린(unfractionated heparin, 80~150unit/kg)을 즉시 정맥주입하여야 한다. 그리고 허혈증이 있는 지체를 따뜻하게 해주고, 칼륨이 포함되지 않은 크리스탈로이드 수액을 충분히 주입하여 저혈량 상태를 교정하여야 한다. 또한 진통제를 사용하여 환자의 통증을 경감시키고 저산소증을 보이는 환자에게는 산소요법을 시행하여야 한다.

(2) 수술적 혈전-색전제거술(Thromboembolectomy)

1963년 Thomas J. Fogarty에 의해 고안된 카테터를 이용한 혈전-색전제거술은 급성 동맥색전증의 표준치료법이며, 현재에도 실제 임상에서 널리 사용되고 있다. 비교적 작은 피부절개를 통하여 빠른 시간 내에 동맥을 재개통시킬 수 있어서 정상적인 동맥을 가진 환자에서 발생한 급성 동맥색전증에서 유용하게 사용될 수 있다. 이 같은 이유로 2016년의 ACC/AHA 진료지침서에도 급성 동맥색전증에 한해 수술적 혈전-색전제거술이 유용함을 권고하고 있다. 다만 혈관조영술 장비가 없는 수술장에서 이 수술을 시행할 경우에는 무릎 하부의 동맥(후경골동맥, 전경골동맥, 비골동맥)에서 혈전이 모두 제거되었는지 확인하기 어렵고, 동반되어 있는 기존의 동맥병변을 명확하게 알 수 없다는 단점이 있다. 또한 색전증 발생 후 초기에 수술을 시행하면 동맥벽의 손상을 적게 주면서 혈전-색전의 제거가 가능하지만, 색전증 발생 후 시간이 경과하여 지연된 혈전-색전제거술(delayed thromboembolectomy)을 시행할 경우에는 혈전과 동맥 내벽 사이의 유착으로 동맥벽 손상 없이 혈전-색전을 제거하기는 어렵다. 만성 동맥폐색증이 있는 환자에서 발생한 급성 동맥혈전증에서는 Fogarty 카테터를 이용한 단순 혈전-색전제거술의 역할은 제한적이지만 혈관조영술이 가능한 하이브리드 수술장이 구비된 경우에는 수술과 동시에 혈관내 치료(흡입혈전제거술, 스텐트 삽입술, 풍선혈관성형술 등)를 시행할 수 있으므로 혈전용해술만을 시행하는 것보다 빠른 시간 내에 동맥을 재개통시킬 수 있다는 장점과 함께 기존의 동맥병변도 동시에 치료할 수 있다는 이점이 있다.

(3) 혈관내 치료(Endovascular therapy)

현대의학에서 혈관내 치료는 혈관외과의 거의 모든 영역에서 널리 사용되고 있으며, 이는 급성 지체허혈증의 치료에서도 예외는 아니다. 1990년대 급성 지체허혈증에서 수술적 치료와 혈전용해술을 비교한 대규모 연구결과들이 발표된 이후 CDT (catheter-directed thrombolysis)와 PMT (pharmaco-mechanical thrombectomy)가 동맥혈전증뿐만 아니라 동맥색전증에서도 사용되고 있다. 그러나 이전에 수술적 치료와 혈관내치료를 비교한 대규모 연구들이 급성 동맥혈전증뿐만 아니라 동맥이식편 폐색증(arterial bypass graft occlusion) 환자들을 포함하고 있어서 이들의 결과를 급성 동맥색전증에 그대로 적용하기에는 무리가 있다. 또한 최근 미국에서는 이들 연구에 주로 사용되었던 혈전용해제인 urokinase 대신에 recombinant tissue plasminogen activator (rTPA)만 허용되고 있어서 이에 대한 대규모 전향적 연구가 필요한 실정이다. 국내에서 rTPA는 주로 급성 동맥폐색성 뇌졸중 환자들에게 사용되고 있으나, 최근 국내에서도 urokinase의 공급이 점차적으로 중단될 상황에 놓여 있으므로 향후에는 급성 지체허혈증에서도 rTPA를 이용한 혈전용해술이 불가피해 보인다.

앞서 기술한 바와 같이 급성 지체허혈증은 동맥재개통까지의 시간이 중요시되는 응급질환이므로 가능한 빨리 동맥을 재개통시켜 허혈증을 개선하는 것이 중요하다. 급성 동맥혈전증에서 혈전용해술은 막혔던 동맥을 재개통시키고, 기존의 동맥병변을 함께 치료할 수 있고, 원위부 동맥을 확보하여 추후 동맥우회술(arterial bypass surgery)의 범위를 축소시킬 수 있다는 장점이 있다. 그러나 혈전의 범위가 광범위하고 치료가 지체되었을 경우에는 혈전용해까지 시간이 많이 걸리고, 또한 이에 따르는 출혈의 위험성이 높다는 단점이 있다. 따라서 동맥혈전증 환자 중에서 혈전용해술의 가장 이상적인 적응증은 피브린의 함유량이 많아서 혈전의 용해가 용이한 급성 혈전증(증상 발현 후 14일 이내), 그리고 상대적으로 시간적 여유가 있는 category I 또는 IIa에 속하는 급성 지체허혈증 환자다. 이보다 시간이 더 경과한 아급성 혈전증(subacute thrombosis)이나 즉각적인 동맥재개통술이 필요한 category IIa 환자들에서는 수술적 동맥재개통술을 먼저 고려하여야 한다.

CDT는 혈전용해제를 동시에 다량으로 분출할 수 있는 side hole 카테터를 혈전 내에 위치시켜 혈전을 빠르게 용해시키고, 동맥을 재개통을 시킬 수 있다. 급성 동맥색전증 환자에서 색전에 따르는 이차적인 혈전은 CDT를 사용하여 비교적 용이하게 용해시킬 수 있지만 색전(embolus)이 심장벽에서 기인한 오래된 혈전으로 피브린 함유량이 적은 organized thrombus이거나 죽상반 등으로 구성되어 있으면 혈전용해제에 의해 쉽게 용해되지 않는다. 더구나 이 같은 색전은 용해술을 시행하는 중 떨어져 나가 원위부 동맥에 다시 색전증을 야기시키는 경우가 적지 않다. 이러한 이유로 급성 동맥색전증에서 CDT의 역할은 급성 동맥혈전증에 비하여 제한적이라고 할 수 있다.

근래 Angiojet Thrombectomy System (Boston Scientific, Marlborough, Massachusetts)과 같은 hydrodynamic devices, Cleaner Rotational Thrombectomy System (Argon Medical, Plano,

Texas)과 Arrow-Treotola Thrombectomy Device (Teleflex Inc., Morrisville, North Carolina) 같은 rotational-mechanical devices, 그리고 aspiration device 등이 개발되면서 PMT의 유용성이 보고되고 있다. 비록 동맥혈전증이나 이식편 폐색으로 인한 급성 지체허혈증에서 CDT와 PMT의 치료 결과에 논란이 있으나, 급성 동맥색전증에서는 상기와 같은 이유로 PMT를 적절히 사용하면 보다 적은 양의 혈전용해제 사용으로도 단시간 내에 동맥혈류를 재개통시킬 수 있을 것으로 여겨진다.

다만 아직까지 혈전용해제 사용에 따르는 출혈의 위험성, 시술 도중 발생하는 원위동맥 색전증, 시술을 위해서는 하이브리드 수술장이 필요하다는 점 등은 급성 동맥색전증 치료에서 혈관내치료의 제한점이라고 할 수 있다. 급성 지체허혈증의 치료를 위한 CDT와 PMT의 진료지침은 비교적 표준화되어 있으나, 근래 새로운 장비들이 계속적으로 개발되면서 적절한 치료를 위해서는 개발회사들의 사용지침서를 잘 따르는 것이 중요하다고 생각된다.

(4) 치료 후 합병증

급성 지체허혈증에서 동맥재개통술 후 발생할 수 있는 주요 합병증으로 허혈-재관류 손상이 있다. 허혈로 인하여 괴사된 조직에서 유래되는 칼륨, 인, 미오글로빈(myoglobin) 등은 대사장애와 신독성을 야기한다. 고칼륨혈증은 심장부정맥이나 심정지와 같은 치명적인 합병증을 일으킬 수 있고, 미오글로빈뇨는 급성 신부전증으로 진행하기도 한다. 따라서 이러한 허혈-재관류 손상을 감소시키기 위하여 수액, 인슐린, 중탄산염 등을 사용하여 대사성 장애를 교정하고, 소변량을 3 mL/kg of BW/hour 정도로 높게 유지하는 것이 권유되고 있다. 또한 근육의 부종으로 인한 근막 내 압력의 상승으로 급성 구획증후군(acute compartment syndrome)이 발생하게 되면 신경 손상 및 재개통된 동맥혈류의 폐색을 초래할 수 있으므로 재관류된 근육의 통증이나 발목동맥압 감소가 관찰되면 즉시 근막절개술(fasciotomy)을 시행하여야 한다.

항응고요법 및 재발예방

급성 동맥색전증에서는 색전증 발생 후 시간이 경과할수록 혈전 형성이 증가하게 되고 계속해서 원위부 말단동맥으로 혈전이 파급되면 증상 악화 및 지체절단의 위험이 증가한다. 따라서 이를 예방하기 위해서는 전술한 바와 같이 치료 초기에 헤파린을 이용한 항응고요법을 시행하는 것이 중요하다. 일단 동맥재개통술 후에 환자의 상태가 안정되면 가능한 조기에 색전증 발생의 원인을 찾기 위한 검사를 시행하여야 한다. 전술한 바와 같이 심장초음파검사나 CT-심장조영술을 시행하여 심장의 기능 및 심장 내 혈전의 유무를 관찰하여야 하고, CT-혈관조영술로 대동맥이나 근위부 동맥의 색전 원발병소를 확인하여야 한다. 색전의 원인질환이나 원발병소를 찾지 못한 경우에는 비록 빈도는 낮지만 혈관병증이나 혈전성향증에 대한 검사도 고려할 수 있다.

이전부터 급성 동맥색전증의 재발방지에 대

한 여러 연구들이 있어 왔으나 말초의 동맥색전증에 국한된 문헌을 찾기는 어렵고, 주로 뇌졸중의 예방이나 심방세동이 원인인 경우에 시행하는 항응고요법에 관한 연구들이 대다수를 차지한다. 급성 지체허혈증의 재발을 방지하기 위한 치료는 원인질환 및 원인병소에 따라 달라진다. 죽상경화증에 의한 동맥 폐색증에서 발생한 급성 동맥혈전증에서는 일단 동맥이 재개통된 이후에는 만성 동맥폐색증의 진료지침서에 따라 죽상경화증의 위험인자 교정과 statin 및 항혈소판제제의 사용이 권유된다. 항혈소판제제의 사용에 대해서는 전장(antiplatelet agents for arterial disease)에 상세히 기술되어 있다. 죽상경화증을 동반한 급성 동맥혈전증이 아닌 심인성 또는 비심인성 급성 동맥색전증 환자를 치료한 후에 재발방지를 위한 항혈소판제제의 효과는 Hart 등이 시행한 메타분석의 결과를 원용할 수 있다. 이 연구에서 심방세동을 가진 환자에서 항혈소판제제와 항응고요법의 뇌졸중 예방효과에 대해서 와파린을 사용한 군에서 항혈소판제제를 사용한 군보다 우수한 뇌졸중 감소효과(64% vs 22%)를 보였으며, 이러한 연구를 통하여 급성 동맥색전증의 재발방지를 위해서는 항응고요법이 필요함이 인정되었다.

급성 동맥색전증의 가장 많은 원인인 심방세동을 가진 환자에서는 CHA2DS2-VASc score를 계산하여 점수가 2 이상이면 지속적인 항응고요법이 필요하다. 고전적으로 와파린이 사용되었으나 근래 RE-LY, ROCKET, ARISTOTLE, ENGAGE AF-TIMI 48 등의 연구결과(표 7-4)

표 7-4. Safety and clinical outcomes of direct oral anticoagulants (%/year)

Trial	Stroke or systemic embolism	Bleeding		Myocardial infarction	Death	
		Major	Minor (or any)		Cardiovascular	Any cause
RE-LY[27]						
Dabigatran 110 mg	1.53	2.71	13.16	0.72	2.43	3.75
Dabigatran 150 mg	1.11	3.11	14.84	0.74	2.28	3.64
Warfarin	1.69	3.36	16.37	0.53	2.69	4.13
ROCKET[28]						
Rivaroxaban	1.7	3.6	11.8	0.9	-	4.5
Warfarin	2.2	3.4	11.4	1.1	-	4.9
ARISTOTLE[29]						
Apixaban	1.27	2.13	18.1 (any)	0.53	1.80	3.52
Warfarin	1.60	3.09	25.8 (any)	0.61	2.02	3.94
ENGAGE AF-TIMI 48[30]						
Edoxaban, high-dose	1.18	2.75	14.15 (any)	0.70	2.74	3.99
Edoxaban, low-dose	1.61	1.61	10.68 (any)	0.89	2.71	3.80
Warfarin	1.5	3.43	16.40 (any)	0.75	3.17	4.35

가 발표된 이후로 와파린과 함께 DOAC (direct oral anticoagulant: Rivaroxaban, Apixaban, Edoxaban, Davigatran)이 경구용 항응고제로 추천된다. DOAC에 대한 자세한 설명은 다음 장(Acute VTE and anticoagulant therapy)에서 자세히 설명될 것이다. 실제 임상에서 급성 동맥색전증이 발생한 환자들은 모두 CHA2DS2-VASc score가 2 이상이므로 지속적인 항응고요법이 필요하다.

심근경색증으로 인한 벽혈전(mural thrombus)이 색전의 원인인 경우에는 관상동맥의 상태 및 심장부정맥의 유무를 확인하고 이에 대한 치료에 따라 약제의 선택이 고려된다. 또한 색전의 원인을 찾지 못한 경우에도 지속적인 항응고요법이 필요하다. 항응고요법을 시행할 시에는 환자의 전신상태에 따른 출혈의 위험과 기존질환에 대한 고려가 반드시 필요하다.

요약 🔒

1) 급성 동맥색전증은 불량한 예후를 가지는 급성 동맥폐색증의 한 부분이며, 급성 동맥혈전증과 달리 비교적 정상적인 동맥에 심장이나 대동맥에 발생한 색전이 떨어져 나와 발생한다.
2) 색전이 하지에 발생할 경우 발생한 위치 및 이차적인 혈전의 파급 정도에 따라 임상양상이 다르나 대부분 급박 하지허혈증의 증상을 보인다.
3) 동맥혈전증과 달리 정상적인 지체동맥에 발생한 급성 동맥색전증에서는 수술적 혈전색전제거술이 유용하게 사용된다.
4) 하이브리드 수술장이 구비되어 있고, 비교적 시간적 여유가 있는 category I 또는 IIa인 경우에는 CDT와 PMT를 이용한 혈전색전제거술이 추천 된다.
5) 원인질환에 따라 재발 방지를 위한 치료가 달라질 수 있으나 심방세동이나 원인 불명인 경우에는 와파린이나 direct oral anticoagulant(DOAC)을 이용한 항응고요법이 지속적으로 필요하다.

참고문헌

1. ARISTOTLE Committees and Investigators. Apixaban versus warfarin in patients with atrial fibrillation. N Engl J Med 2011;365(11):981-992.

2. Armon MP, Yusuf SW, Whitaker SC, Wenham PW, Hopkinson BR. Results of 100 cases of pulse-spray thrombolysis for acute and subacute leg ischaemia. Br J Surg 1997;84(1):47-50.

3. Becquemin JP, Kovarsky S. Arterial emboli of the lower limbs: analysis of risk factors for mortality and amputation. Association Universitaire de Recherche en Chirurgie. Ann Vasc Surg 1995;9 Suppl:S32-S38.

4. Belkin M, Owens CD, Whittemore AD, Donaldson MC, Conte MS, Gravereaux E. Peripheral Arterial Occlusive Disease. In: Townsend CM Jr ed. Sabiston Textbook of Surgery. 18th ed. Philadelphia: SAUNDERS ELSEVIER; 2008. 1941-1979.

5. Braithwaite BD, Birch PA, Poskitt KR, Heather BP, Earnshaw JJ. Accelerated thrombolysis with high dose bolus t-PA extends the role of peripheral thrombolysis but may increase the risks. Clin Radiol 1995;50(11)747-750.

6. Creager MA, Kaufman JA, Conte MS. Clinical Practice. Acute limb ischemia. N Eng J Med 2012;366(23):2198-2206.

7. Dag O, Kaygın MA, Erkut B. Analysis of risk factors for amputation in 822 cases with acute arterial emboli. Scientific World Journal 2012;2012:673483.

8. de Donato G, Setacci F, Sirignano P, Galzerano G, Massaroni R, Setacci C. The combination of surgical embolectomy and endovascular techniques may improve outcomes of patients with acute lower limb ischemia. J Vasc Surg 2014;59(3):729-736.

9. Earnshaw JJ. Acute Limb Ischemia: Evaluation and Decision Making. In: Sidway AN, Perler BA, editors. Rutherford's Vascular Surgery and Endovascular Therapy. 9th ed. Philadelphia: ELSEVIER; 2019. 1315-1325.

10. ENGAGE AF-TIMI 48 Investigators. Edoxaban versus warfarin in patients with atrial fibrillation. N Engl J Med 2013;369(22):2093-2104.

11. Fogarty TJ, Cranley JJ. Catheter technic for arterial embolectomy. Ann Surg 1965;161:325-330.

12. Gandhi SS, Ewing JA, Cooper E, Chaves JM, Gray BH. Comparison of Low-Dose Catheter-Directed Thrombolysis with and without Pharmacomechanical Thrombectomy for Acute Lower Extremity Ischemia. Ann Vasc Surg 2018;46:178-186.

13. Gerhard-Herman MD, Gornik HL, Barrett C, Barshes NR, Corriere MA, Drachman DE, et al. 2016 AHA/ACC Guideline on the Management of Patients With Lower Extremity Peripheral Artery Disease: A Report of the American College of Cardiology/American Heart Association Task Force on Clinical Practice Guidelines. Circulation 2017;135(12):e726-779.

14. Hart RG, Pearce LA, Aguilar MI. Meta-analysis: antithrombotic therapy to prevent stroke in patients who have nonvalvular atrial fibrillation. Ann Intern Med 2007;146(12):857-867.

15. Hu HD, Chang Q, Chen Z, Liu C, Ren YY, Cai YC, et al. Management and prognosis of acute arterial embolism: a multivariable analysis of 346 patients. Zhonghua Yi Xue Za Zhi 2011;91(4):2923-2926.

16. January CT, Wann LS, Calkins H, Chen LY, Cigarroa JE, Cleveland JC Jr, et al. 2019 AHA/ACC/HRS Focused Update of the 2014 AHA/ACC/HRS Guideline for the Management of Patients With Atrial Fibrillation. Circulation. 2019 [Epub ahead of print].

17. Karnabatidis D, Spiliopoulos S, Tsetis D, Siablis D. Quality improvement guidelines for percutaneous catheter-directed intra-arterial thrombolysis and mechanical thrombectomy for acute lower-limb ischemia. Cardiovasc Intervent Radiol 2011;34(6):1123-1136.

18. Kwolek CJ, Shuja F. Acute Ischemia: Treatment. In: Sidway AN, Perler BA, editors. Rutherford's Vascular Surgery and Endovascular Therapy. 9th ed. Philadel-

PART II

동맥질환의 약물치료

phia: ELSEVIER; 2019. 1316-1343.

19. Leung DA, Blitz LR, Nelson T, Amin A, Soukas PA, Nanjundappa A, et al. Rheolytic Pharmacomechanical Thrombectomy for the Management of Acute Limb Ischemia: Results From the PEARL Registry. J Endovasc Ther 2015;22(4):546-557.

20. Lip GY, Nieuwlaat R, Pisters R, Lane DA, Crijns HJ. Refining clinical risk stratification for predicting stroke and thromboembolism in atrial fibrillation using a novel risk factor-based approach: the euro heart survey on atrial fibrillation. Chest 2010;137(2):263-272.

21. McNally MM, Univers J. Acute limb ischemia. Surg Clin North Am 2018;98(5):1081-1096.

22. Muli Jogi RK, Damodharan K, Leong HL, Tan ACS, Chandramohan S, Venkatanarasimha NKK, et al. Catheter-directed thrombolysis versus percutaneous mechanical thrombectomy in the management of acute limb ischemia: a single center review. CVIR Endovascular 2018;1(1):35.

23. Norgren L, Hiatt WR, Dormandy JA, Nehler MR, Harris KA, Fowkes FG. Inter-Society Consensus for the Management of Peripheral Arterial Disease (TASC II). TASC II Working Group. J Vasc Surg 2007;45 Suppl S:S5-S67.

24. Ouriel K, Veith FJ, Sasahara AA. A comparison of recombinant urokinase with vascular surgery as initial treatment for acute arterial occlusion of the legs. Thrombolysis or Peripheral Arterial Surgery (TOPAS) Investigators. N Engl J Med 1998;338(16):1105-1111.

25. RE-LY Steering Committee and Investigators. Dabigatran versus warfarin in patients with atrial fibrillation. N Engl J Med 2009;361(12):1139-1151.

26. ROCKET AF Investigators. Rivaroxaban versus warfarin in nonvalvular atrial fibrillation. N Engl J Med 2011;365(10):883-891.

27. Rutherford RB, Baker JD, Ernst C, Johnston KW, Porter JM, Ahn S, Jones DN. Recommended standards for reports dealing with lower extremity ischemia: revised version. J Vasc Surg 1997;26(3):517-538.

28. Santistevan JR. Acute Limb Ischemia: An Emergency Medicine Approach. Emerg Med Clin North Am 2017;35(4):889-909.

29. Tawes RL Jr, Harris EJ, Brown WH, Shoor PM, Zimmerman JJ, Sydorak GR, et al. Arterial thromboembolism. A 20-year perspective. Arch Surg 1985;120(5):595-599.

30. The STILE Investigators. Results of a prospective randomized trial evaluation surgery versus thrombolysis for ischemia of the lower extremity. Ann Surg 1994;220(3):251-268.

31. Theodoridis PG, Davos CH, Dodos I, Iatrou N, Potouridis A, Pappas GM, et al. Thrombolysis in Acute Lower Limb Ischemia: Review of the Current Literature. Ann Vasc Surg 2018;52:255-262.

8

CHAPTER

파행증의 약물치료

Pharmacotherapy of claudication

| 조진현 | 강동 경희대병원 혈관외과

서론

말초동맥질환의 가장 흔한 원인은 동맥경화증으로 현재까지 국내 유병률에 대해서는 정확히 보고되지는 않았지만, 미국 통계에 따르면 40세 이상의 성인인구 중 4.3%에서 하지동맥질환이 있는 것으로 보고되었다. 이런 말초동맥질환은 점차 증가하는 추세이고, 이에 따라 말초동맥질환에 대한 혈관재건술도 증가하고 있다. 국내에서 최근 10년간 말초동맥질환으로 혈관재건술을 받은 빈도는 인구 10만명당 2004년 31명에서 2013년 65명으로 2.1배 증가하였다.

말초동맥질환의 진단기준은 발목상완지수(ankle-brachial index) < 0.9다. 양측 발목의 수축기 혈압을 분자로 하고, 양측 상완에서 측정한 수축기 혈압 중 높은 쪽 팔의 혈압을 분모로 하여 계산한 것이 발목상완지수이다. 발목상완지수 0.9이하의 말초동맥질환이 있지만 증상을

보이지 않는 무증상 환자가 절반 정도로 알려져 있다. 전형적인 증상은 간헐적파행증(intermittent claudication)으로 환자의 삶의 질을 심각하게 저하시킨다. 이에 간헐적파행증에 사용되는 약물에 대해 살펴보고자 한다.

약물치료의 적응증(Indications)

말초동맥질환에서 보이는 간헐적파행증은 환자마다 다양하게 표현되고, 또한 다른 질환이 있는 환자가 간헐적파행증처럼 호소하기도 하므로 감별진단이 중요하다. 이런 간헐적파행증은 질환 마다 약간의 다른 특징이 있으므로 말초동맥질환에서 사용되는 약물을 사용하기 위해서는 정확한 문진과 확진 검사가 필요하다. 말초동맥질환에 의한 간헐적파행증의 특징은 일정한 거리를 걷거나 달릴 때 증상이 나타나는 반복성과 운동을 멈추면 증상이 완화되는 것이

특징이다. 가장 중요하게 감별해야 할 질환인 추간판탈출증과 척추관협착증에서는 증상이 다양한 거리를 운동할 때 발현되고, 자세를 바꾸면 증상이 완화되는 것이 특징이다. 정맥질환에 의한 파행증은 운동 후에 발현되는 것은 비슷하지만, 누워서 다리를 높일 때 완화되는 것이 특징이다.

말초동맥질환은 발목상완지수 < 0.9로 확진된다. 발목상완지수검사는 말초동맥질환의 선별검사로 가장 많이 이용되고 있는데, TASC II 가이드라인에 따르면 간헐적파행증을 보이는 환자의 경우, 당뇨병과 흡연력 등 심혈관질환의 위험인자가 있는 경우는 50~69세, 위험인자가 없는 환자에서는 70세 이상의 고령에서 발목상완지수 검사를 추천하고 있다. 발목상완지수 검사는 발목과 팔에서의 수축기 압력을 기반으로 한 검사이므로 동맥의 상태 및 주위 조직에 의해 수축기 혈압을 정확히 반영하지 못할 경우에는 추가적인 검사가 필요하다.

당뇨병이나 말기신부전증 환자에서 흔하게 관찰되는 동맥 석회화나 부종으로 인해 동맥주위 조직이 섬유화된 경우에는 높은 압력을 가하여도 동맥이 압박되지 않으므로 발목의 수축기 혈압이 실제 수축기 혈압보다 높게 측정되므로 발목상완지수가 실제보다 높게 측정된다. 발목상완지수가 1.4보다 높게 측정될 때에는 족지상완지수검사(toe-brachial index, TBI), 혈류속도(flow velocity), pulse volume recording, 혈관초음파검사 등을 통해 말초동맥질환 유무를 확인한 후 약물치료 여부를 결정해야 한다.

약물치료의 목적 및 효과

말초동맥질환의 약물치료 목적은 말초동맥의 협착이나 폐색에 의해 나타나는 대표적인 허혈 증상인 간헐적파행증을 완화시키고, 동반된 심뇌혈관질환에 의해 초래될 수 있는 심근경색증과 뇌졸중 그리고 이에 따른 사망의 위험성을 줄이기 위함이다.

말초동맥질환에 의한 간헐적파행증의 발생 기전은 외상수용성(norciceptive) 통증 기전으로 설명된다. 외상수용성 통증은 말초에 있는 무수초(unmyelinated) 섬유나 작은 수초 Aδ 섬유의 수용체의 자극으로 발생한다. 이 신경섬유(nerve fiber)는 주로 산성반응 이온통로(acid-sensing ion channel)에 의해 최초 통증 반응을 일으키고, 가역적인 것이 특징이다. 말초동맥질환에 의한 통증 발생기전은 말초동맥의 협착이나 폐색에 의해 동맥혈류가 감소되면 무산소성 대사(anaerobic metabolism)가 발생하고, 이로 인해 허혈 조직에 국소적 산성화가 발생하여 앞서 언급한 신경섬유가 자극되어 발생한다. 자극이 없어지면 가역적으로 통증이 사라지는 기전이다.

말초동맥질환 환자는 정상인에 비해 운동감소에 따른 전반적 신체기능 저하 및 삶의 질 저하가 뒤따른다. 말초동맥질환 환자의 기능저하는 신체적 활동 정도의 감소, 보행 속도 감소, 균형감 저하 등이 특징이다. McDermott 등의 연구에 따르면, 신체활동 정도를 반영하는 6분 보행검사(6-minute walk performance)에서 발목상완지수 0.5 이하의 말초동맥질환 환자는 년간

73피트 감소했고, 발목상완지수 0.5에서 0.9를 보인 환자에서는 년간 58피트 감소했다고 보고하였다. 약물치료의 효과는 간헐적 파행증을 완화시켜 이와 같은 기능적 저하를 줄이고, 삶의 질을 향상시키는데 있다.

파행증 치료에 사용되는 약제

간헐적파행증을 완화시키기 위한 약물은 지난 수십 년 동안 지속된 연구 주제였다. 현재까지 간헐적파행증에 대해 근거중심의학적 Level I 수준의 효과가 입증되어 Society for Vascular Surgery (SVS) 및 American College of Cardiology/American Heart Association (ACC/AHA) 가이드라인에서 추천하는 약제는 Cilostazol이 유일하다. 그렇지만, 미국 Food and Drug Administration (FDA)은 Cilostazol과 함께 일부 효과가 입증된 Pentoxifylline 만을 승인하였다. 이 외에도 다양한 기전으로 간헐적파행증 완화에 사용되는 약물이 소개되고 있다. 말초동맥질환에서

표 8-1. Pharmacologic treatment of claudication

약제명	작용 기전	용량 및 용법	Contraindication 혹은 약물 사용시 주의해야 할 환자	약물치료의 부작용 및 부작용의 치료: antidote
Cilostazol	Phosphodiesterase III 억제, 혈관의 평활근세포 수축 억제, 혈소판 응집 억제	1회 200 mg을 1일 1회 공복상태에서 경구 투여	출혈 혹은 출혈 소인이 있는 환자, 울혈성 심부전증, 이 약의 구성성분에 과민반응이 있는 환자, 임부 혹은 임신하고 있는 가능성이 있는 여성 및 수유부	두통, 설사, 위장관계 불편감
Pentoxifylline	적혈구의 변형성을 촉진시켜 산소 전달을 향상, 혈소판 응집 억제	1회 400 mg을 1일 2~3회 식후 경구투여	메틸크산틴계 약물에 과민증 병력이 있는 환자, 급성심근경색증 환자, 대량 출혈 환자, 광범위한 망막 출혈 환자, 케토롤락을 투여받고 있는 환자	혈액응고를 억제(특히, 와파린과 병용 투여할 때)
Naftidrofuryl	5-HT2 수용체의 선택적 길항작용으로 혈관확장	1회 100~200 mg을 1일 3회 식후 경구 투여	이 약의 구성성분에 과민반응이 있는 환자, hyperoxaluria 혹은 칼슘함유 요석의 과거력이 있는 환자	복통, 오심, 발진, 드물게 간염 및 간부전증
Levocarnitine	산화작용과 에너지 생성을 위한 미토콘드리아 막을 통한 지방산의 전달 증가	1회 0.5~1.5 g을 1일 2회 경구 투여	갑상선호르몬제를 투여하고 있는 환자, 발작 과거력이 있는 환자에서 횟수 증가	독감유사 증상
HMG-CoA reductase inhibitors	혈관운동성 긴장도 상승, 신혈관형성 촉진	1회 10~80 mg을 1일 1회 경구 투여	Fibrate 혹은 Niacin 함유 약제와 병용 투여하면 횡문근융해 증가함	당뇨, 간세포 손상에따른 간효소 상승(간효소 감시 필요), 두통, 복통, 변비
Buflomedil	α1과 α2 길항작용을 통한 혈관확장, 혈소판 응집 억제, 적혈구 변형성 촉진	1회 300 mg을 하루 2회 경구 투여	보고 없음	신경학적 혹은 심혈관계 부작용 보고됨

L-Arginine	혈관내막에서 유리되는 산화질소의 아미노산 전구체로 혈관의 평활근세포를 비간접적으로 이완	1회 6~24 g을 1일 1회 혹은 3회 분할하여 경구 투여	고혈압 약제와 병용 투여 시 혈압 강하, Nitrate와 병용 투여 시 현기증 두통 발생	소화기계통의 불편감
Prostaglandin E1	혈관확장, 혈소판 응집억제	1회 5~10 ug을 1일 1회 점적 정주	중증의 심부전증, 출혈 환자, 임부 및 가임부 여성, 이 약의 성분에 과민성이 있는 환자, 대두유에 과민성이 있거나 알러지의 기왕력이 있는 환자, 콩 혹은 땅콩에 과민증이 있는 환자	두통, 홍조, 소화기계통의 불편감
Prostaglandin I2	혈관확장, 혈소판 응집억제	1회 0.04 mg을 1일 3회 식후 경구 투여	출혈이 있는 환자, 임신중인 환자, 갈락토오스 불내성 혹은 흡수장애 등의 유전인 문제가 있는 환자	두통, 홍조, 소화기계통의 불편감
Angiotensin converting enzyme inhibitors	Angiotensin II 생성 억제를 통한 혈관확장, 교감신경계 억제, Bradykinin을 통한 혈관내막 기능 향상	Captopril 1회 25~50 mg 1일 2회 경구 투여, Lisinopril 1회 20 mg 1일 1회 경구 투여, Perindopril 1회 4 mg 1일 1회 경구 투여, Quinapril 1회 10 mg 1일 2회 경구 투여, Ramipril 1회 10 mg 1일 1회 경구 투여	임산부 및 신동맥협착증이 있는 환자	저혈압, 두통, 기침, 드물게 간독성 및 Stevens-Johnson 증후군, Angioedema
K-134[15]	Phosphodiesterase III 억제, 평활근세포 수축 억제 및 혈소판 응집 억제	1회 25~50 mg 1일 2회 경구 투여	Cilostazol과 병용 투여 시 부작용 증가	두통, 오심, 설사, 빈맥

혈류증가를 통해 간헐적파행증의 증상완화를 위해 사용되는 약물을 요약하면 표 8-1과 같다.

최근 발표된 치료 방법

간헐적파행증 증상을 개선시키기 위해 Verapamil, Nebivolol 등이 연구되고 있고, 또한 간헐적 파행증이 있는 환자에게 신체적 활동 능력을 향상시키는데 초점이 맞추어진 약물에 대한 연구도 있다. 대표적으로 치료적 신혈관형성 (therapeutic angiogenesis)과 산소자유기(oxygen free radical)에 의한 손상을 줄이거나, 허혈성 전처리(preconditioning) 등이 있다. 각각의 약제들이 어떻게 간헐적파행증을 완화시키는지 요약하면 표 8-2와 같다.

표 8-2. New targets of the medications in treatment of intermittent claudication

초점	작용 기전	연구결과
치료적 신혈관형성 (Therapeutic angiogenesis)	단백질, Plasmid 벡터, 복제성 벡터나 세포 등을 피부나 근육에 주사하거나 혈관내에 주입하여 신혈관을 형성하여 혈류를 증가시킴	- Recombinant fibroblast growth factor-2 (rFGF-2) 30 ug/kg를 하지 동맥에 주입했을 때, 90일 째 최고 보행거리(maximum walking distance)를 1.77분 증가 - Plasmid VEGF65-gene 1.2 mg을 주입한 후 5년 째 무통증 보행거리 288% 증가, 최고 보행거리, 발목상완지수 및 산소포화도 증가
산소 자유기 손상 감소 (Free radical scavenger)	허혈-재관류(ischemia-reperfusion)에 의해 형성된 산소 자유기에 의한 근육세포 손상을 억제	- 평균연령 57세의 265명의 환자에게 Vitamin E를 투여 후 12주에서 18개월까지 관찰했을 때, 혈류 증가 - 하루 500 mL의 eicosapentaenoic acid (EPA), docosahexaenoic acid (DHA), oleic acid, folic acid, vitamins A, B-6, D, E 함유 음식을 섭취한 후 12개월 째 파행증 없는 보행거리 증가
허혈성 전처리 (preconditioning)	단기간의 허혈 상태를 야기시킴으로서 세포가 이후에 좀더 심한 허혈상태에도 적응하게 함	- 말초동맥질환 환자(n=14)를 대상으로 5분과 2시간동안 운동을 시켰을 때, preconditioning에 관여하는 Adenosine이 증가하고 파행증 없는 보행거리의 증가가 총 보행거리가 증가함

요약 🔒

1) 말초동맥질환에 의한 특징적인 증상은 간헐적파행증이다.
2) 이들 환자에서 약물치료는 간헐적파행증이 있으면서 발목상완지수가 0.9이하인 경우에 환자의 보행거리를 포함한 신체적 기능 향상과 삶의 질 향상을 위해 필요하다.
3) 현재 효과가 입증되어 여러 가이드라인에서 Level I 수준으로 추천된 약물은 Cilostazol이 유일하고, 미국 FDA에서 승인된 약물은 Cilostazol과 Pentoxifylline이 있다.
4) 그 외에도 산화질소 생성증가와 혈관확장 효과 및 조직의 대사변화를 통해 간헐적파행증 증상을 개선하는 약물 등이 있다.

참고문헌 ///

1. Aboyans V, Ricco JB, Bartelink MEL, Björck M, Brodmann M, Cohnert T, Collet JP, Czerny M, De Carlo M, Debus S, Espinola-Klein C, Kahan T, Kownator S, Mazzolai L, Naylor AR, Roffi M, Röther J, Sprynger M, Tendera M, Tepe G, Venermo M, Vlachopoulos C, Desormais I; ESC Scientific Document Group: 2017 ESC Guidelines on the Diagnosis and Treatment of Peripheral Arterial Diseases, in collaboration with the European Society for Vascular Surgery (ESVS): Document covering atherosclerotic disease of extracranial carotid and vertebral, mesenteric, renal, upper and lower extremity arteriesEndorsed by: the European Stroke Organization (ESO)The Task Force for the Diagnosis and Treatment of Peripheral Arterial Diseases of the European Society of Cardiology (ESC) and of the European Society for Vascular Surgery (ESVS). Eur Heart J 2018, 39(9):763-816.

2. Capecchi PL, Pasini FL, Cati G, Colafati M, Acciavatti A, Ceccatelli L, Petri S, de Lalla A, Di Perri T: Experimental Model of Short-Time Exercise-Induced Preconditioning in POAD Patients. Angiology 1997, 48(6):469-480.

3. Carrero JJ, Lopez-Huertas E, Salmeron LM, Baro L, Ros E: Daily supplementation with (n-3) PUFAs, oleic acid, folic acid, and vitamins B-6 and E increases pain-free walking distance and improves risk factors in men with peripheral vascular disease. J Nutr 2005, 135(6):1393-1399.

4. Deev R, Plaksa I, Bozo I, Mzhavanadze N, Suchkov I, Chervyakov Y, Staroverov I, Kalinin R, Isaev A: Results of 5-year follow-up study in patients with peripheral artery disease treated with PL-VEGF165 for intermittent claudication. Ther Adv Cardiovasc Dis 2018, 12(9):237-246.

5. Efficacy of oral anticoagulants compared with aspirin after infrainguinal bypass surgery (The Dutch Bypass Oral Anticoagulants or Aspirin Study): a randomised trial. Lancet 2000, 355(9201):346-351.

6. Graham DJ, Staffa JA, Shatin D, Andrade SE, Schech SD, La Grenade L, Gurwitz JH, Chan KA, Goodman MJ, Platt R: Incidence of hospitalized rhabdomyolysis in patients treated with lipid-lowering drugs. Jama 2004, 292(21):2585-2590.

7. Hunter MR, Cahoon WD, Lowe DK: Angiotensin-Converting Enzyme Inhibitors for Intermittent Claudication Associated With Peripheral Arterial Disease. Annals of Pharmacotherapy 2013, 47(11):1552-1557.

8. Kleijnen J, Mackerras D: Vitamin E for intermittent claudication. Cochrane Database Syst Rev 2000, 2(10).

9. Lederman RJ, Mendelsohn FO, Anderson RD, Saucedo JF, Tenaglia AN, Hermiller JB, Hillegass WB, Rocha-Singh K, Moon TE, Whitehouse MJ et al: Therapeutic angiogenesis with recombinant fibroblast growth factor-2 for intermittent claudication (the TRAFFIC study): a randomised trial. Lancet 2002, 359(9323):2053-2058.

10. Legallicier B, Barbier S, Bolloni L, Fillastre JP, Godin M, Kuhn T, Porte F, Chretien P, Dupain T, Bromet-Petitd M: Pharmacokinetics of naftidrofuryl in patients with renal impairment. Arzneimittel-Forschung 2005, 55(7):370-375.

11. Leizorovicz A, Becker F: Oral buflomedil in the prevention of cardiovascular events in patients with peripheral arterial obstructive disease: a randomized, placebo-controlled, 4-year study. Circulation 2008, 117(6):816-822.

12. Lewis RJ, Connor JT, Teerlink JR, Murphy JR, Cooper LT, Hiatt WR, Brass EP: Application of adaptive design and decision making to a phase II trial of a phosphodiesterase inhibitor for the treatment of intermittent claudication. Trials 2011, 12(134):1745-6215.

13. Luo T, Li J, Li L, Yang B, Liu C, Zheng Q, Jin B, Chen Z, Li K, Zhang X et al: A study on the efficacy and safety assessment of Propionyl-L-carnitine tablets

in treatment of intermittent claudication. Thrombosis Research 2013, 132(4):427-432.

14. McDermott MM, Liu K, Greenland P, Guralnik JM, Criqui MH, Chan C, Pearce WH, Schneider JR, Ferrucci L, Celic L et al: Functional decline in peripheral arterial disease: associations with the ankle brachial index and leg symptoms. Jama 2004, 292(4):453-461.

15. McDermott MM: Medical Management of Functional Impairment in Peripheral Artery Disease: A Review. Progress in cardiovascular diseases 2018, 60(6):586-592.

16. Norgren L, Hiatt WR, Dormandy JA, Nehler MR, Harris KA, Fowkes FG: Inter-Society Consensus for the Management of Peripheral Arterial Disease (TASC II). J Vasc Surg 2007, 45(Suppl S):S5-67. doi: 10.1016/j.jvs.2006.1012.1037.

17. Oka RK, Szuba A, Giacomini JC, Cooke JP: A pilot study of l-arginine supplementation on functional capacity in peripheral arterial disease. Vascular Medicine 2005, 10(4):265-274.

18. Park YY, Joh JH, Han SA, Kim SH, Cho S, Park HC, Ahn HJ: National trends for the treatment of peripheral arterial disease in Korea between 2004 and 2013. Ann Surg Treat Res 2015, 89(6):319-324. doi: 310.4174/astr.2015.4189.4176.4319. Epub 2015 Nov 4127.

19. Regensteiner JG, Ware JE, Jr., McCarthy WJ, Zhang P, Forbes WP, Heckman J, Hiatt WR: Effect of cilostazol on treadmill walking, community-based walking ability, and health-related quality of life in patients with intermittent claudication due to peripheral arterial disease: meta-analysis of six randomized controlled trials. J Am Geriatr Soc 2002, 50(12):1939-1946.

20. Selvin E, Erlinger TP: Prevalence of and risk factors for peripheral arterial disease in the United States: results from the National Health and Nutrition Examination Survey, 1999-2000. Circulation 2004, 110(6):738-743.

21. Seretny M, Colvin LA: Pain management in patients with vascular disease. British journal of anaesthesia 2016, 117 Suppl 2:ii95-ii106.

9
CHAPTER

버거병의 약물치료

Pharmacotherapy of Buerger's disease

| **정혁재** | 부산대학교 병원, 혈관-이식외과

버거병(Buerger's disease, thromboangitis obliterans)은 혈관염의 일종으로 작은 혹은 중간 크기의 동맥 혈관(동맥, 정맥) 그리고 신경을 침범하는 질환이다. 임상적 특징은 말초동맥 폐색으로 인한 허혈성 통증으로 나타나며, 45세 이전의 발병 연령, 흡연력이 있는 남자에서 흔히 발생하는 병으로 임상 경과는 병의 재발과 진행을 보이는 특징이 있다.

병리학적 소견은 세포가 많이 함유된 동맥 혈전(highly cellular arterial thrombus), 광범위한 내막 염증(extensive intimal inflammation), 잘 보존된 내탄력막(preserved internal elastic lamina) 등의 소견을 보이며(그림 9-1) 혈액 검사의 특징으로는 혈관염에 대한 serologic marker와 auto-antibodies가 없는 것이 다른 혈관염(vasculitis)과 구별되는 점이다.

혈관 조영술 소견상 1) distal small and medium artery involvement, 2) segmental occlusion, 3) "corkscrew" shaped collaterals around occlusion 등의 특징적 소견을 보인다(그림 9-2). 버거병으로 인한 하지 혹은 족부 허혈증의 효과적인 치료 방법으로 지금까지는 완전한 금연만이 유일하게 효과가 인정된 치료법이며, prostacyclin analogues 약재 사용, distal arterial revascularization, gene and stem cell-based therapies 등이 심한 하지 허혈증상을 보이는 환자에서 시도되는 치료법이다. 저자는 이 장에서 버거병 환자에서의 치료방법 중 특히 약물에 관해 기술하고자 하였다.

버거병의 진단기준

버거병의 진단은 흡연력, 50세이전에 발병, 무릎아래 하지동맥 혹은 상지 동맥 폐색, 동반된 정맥염, 동맥경화증의 위험인자가 없는 경우 등 진단기준이 이용된다. 버거병의 여러 가지

표 9-1. Diagnostic Criteria for Buerger's Disease

Criteria	Author			
	Shionoya[2]	Olin[3]	Papa[4]	Mills[5]
Age at onset	< 50 yr	< 45 yr	< 30-40 yr	< 45 yr
Tobacco user	O	O	O	O
Infrapopliteal disease/ disease-free proximal arteries	O	O	O	O
Absence of diabetes or arteriosclerosis	O	O	O	O
Upper extremity involvement	O		O	MC
Migrating superficial vein thrombosis	O		O	MC
Raynaud syndrome			O	MC
Foot intermittent claudication			O	MC
Exclusion of proximal source of emboli		O		O
Laboratory tests to exclude connective tissue diseases		O		O
Consistent arteriographic findings		O		
Laboratory tests to exclude hypercoagulable states		O		O
Documented distal disease (arteriography, SBPM)		O		O
Biopsy		*	*	
Exclusion of trauma				O
Single limb involvement (negative criterion)			O	
Female gender (negative criterion)			O	

SBPM = segmental blood pressure measurements.
*Indicated only for patients with an unusual characteristic not well matched with Buerger's disease.
MC denotes minor criteria.

진단기준을 표 9-1에서 정리하였다(표 9-1).

버거병 환자의 치료

(1) 금연

버거병 환자의 치료에서 금연은 그 효과가 입증된 유일한 치료법이다. 그 외에 수술적 치료인 동맥우회로 수술, 혈관 내 치료법인 혈관 확장술 및 스텐트 삽입술, 척수신경 자극(spinal cord stimulation), 교감신경 절제술(surgical sympathectomy) 등이 다양하게 시도되었으나 그 결과는 만족스럽지 못하였다.

금연은 버거병의 진행을 막고, 지체 절단을 피할 수 있는 효과가 입증된 치료방법이다. 한 연구에 따르면 버거병 120명의 환자 중 평균 7.6년 후 43%에서만 금연에 성공하였다고 보고

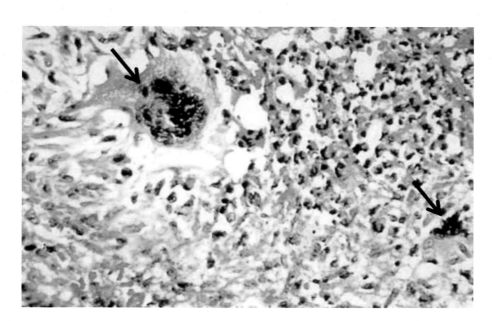

■ 그림 9-1. Microscopic (Hematoxylin and Eosin, X400) feature shows typical acute histologic lesion of Buerger's disease in a vein with intense Thromboangiitis, showing a microabscess in the Thrombus and two multinucleated giant cells (arrows) (Excerpted from NEJM 2000;343: 864-9 by Olin JW. Thromboangiitis Obliterans (Buerger's Disease)

하였으며, 다른 금연 연구에 의하면 족부 괴사가 없는 환자에서는 성공적인 금연을 시행한 경우 환자의 94%에서는 족부 절단을 피할 수 있었고, 반면에 지속적으로 흡연을 했던 환자에서는 43%에서 한 번 이상의 절단을 시행하였으며, 양측다리를 계산하면 총 18번의 절단술을 받았다고 보고하였다.

(2) 약물치료

전술한 바와 같이 금연 이외에 다른 치료법 중 약물치료가 가장 빈번히 이용되는 치료법이다. 하지만 버거병 환자의 치료에서 아직도 표준화된 약물치료는 없는 실정이다.

버거병 환자에서 약물치료의 목적은 말초혈관 확장, 혈류량 증가를 통한 통증 완화 및 보행이 가능하도록 도와주며, 궁극적으로는 지체 절단을 방지하는 것을 목표로 하고 있다.

이러한 약물치료는 말초 동맥의 혈류량을 개선해주는 목적으로 시행되고 있으며, 흔히 사용되는 약재는 aspirin, cilostazol, prostanoids, bosentan등이 사용되고 있다.

Aspirin은 cyclo-oxygenase inhibitor로써, thromboxane과 prostaglandin의 합성에 관여하며, 특히, 심혈관, 뇌혈관의 동맥경화성 질환에서 혈소판 응집을 억제하여 치료효과를 나타내는 약물이다. 버거병 환자에서 aspirin은 허혈성 통증을 경감하고 궤양치료에 도움이 된다. 금기증으로는 salicylates에 과민성이 있는 환자, 활동성 위장관 궤양, 출혈성 소인이 있는 환자, 간 기능이나 콩팥기능 부전증, 임산부, 소아에서는 사용이 제한된 약물이다. 아스피린 사용량은 경구적으로 1일 75 to 325 mg 복용을 권장하고 있다.

　　Cilostazol은 1999년 미국 FDA에서 죽상 동맥경화로 인한 하지 파행증 환자에서 파행증상 완화 효과가 있는 약물로 FDA 승인을 받았다. 이 약재는 quinolinone derivative drug로써 type 3 cellular phosphodiesterase 억제재이다. 이 약재의 효과는 혈관 확장효과로 내장혈관, 경동맥, 상장간막 동맥보다는 대퇴부 동맥에서 그 효과가 큰 것으로 알려져 있다. 그리고, 허혈성 말초혈관에 관류를 증강시키며 동시에 혈소판 응집 억제효과가 있다. 따라서 버거병 환자에서 말초동맥의 확장, 혈소판 응집 억제, 혈전 형성 억제 효과로 혈관 폐색을 예방할 목적으로 사용된다. 금기증으로는 심부전증, 출혈소인이 있는 환자는 사용할 수 없다. 가장 흔한 합병증으로는 두통, 설사, 심계항진이 있으며 하루에 100 mg or 200 mg를 권장하고 있다. 최근 발표된 연구에 의하면 aspirin과 cilostazol의 병합요법이 당뇨병을 가진 버거병 환자에서 임상적 치료효과가 있으며, 병의 진행을 늦추는데 효과적임을 보고하였다.

　　Prostanoids (prostaglandin and prostacyclin analogues)는 eicosanoid derivatives이며 주로 만성 폐 고혈압(chronic pulmonary hypertension), 혈관성 성기능장애, 녹내장 환자에서 사용되는 약물로 반감기가 2-3분 정도로 아주 짧기 때문에 혈관내주사로 사용되고 있다. 그 중 좀 더 긴 반감기를 가진 iloprost는 경구사용이 가능한 약물이다. 이 약재의 절대적 금기증은 부정맥, 심근병증, 판막부전증 등에 의한 심부전증(heart failure), 두강내출혈(intra-cerebral hemorrhage, ICH), 위장관 궤양과 외상 등이 있다. 부작용으로는 두통, 홍조, 권태, 위장관 불편감 및 고용량 사용시 혈압저하 등이 따를 수 있다. Iloprost의 최대 사용량은 2 ng/kg/min으로 혈관내 주입한다.

　　Cochrane Review에서 버거병 환자의 약물치료에 대한 보고에서 정맥주사용 prostanoid (iloprost)와 aspirin 사용 후 결과를 비교한 연구에서 궤양치유, 통증경감, 하지절단율 모두에서 aspirin에 비해 iloprost 투여군에서 유의하게 우수한 성적을 보고하였으며, 경구용 prostacyclin analogue인 iloprost와 placebo 투여의 결과를 비교한 연구에서는 궤양치유(ulcer healing)에서는 8주간 혹은 6개월간 매일 iloprost 200 mcg와 400 mcg를 투약군과 placebo 투여군간 결과 비교에서 궤양치유는 두 군간 유의한 차이가 없었고, 통증경감은 iloprost 6개월간 투여한 군에서 placebo 투여군보다 효과가 우수한 것으로 나타났으며, 지체 절단율에서는 두 치료군간 유의한 차이를 보이지 않았음을 보고하였다.

　　여러 문헌과 임상연구결과를 종합해볼 때 iloprost 정맥투여가 경구치료재인 aspirin 및 다른 치료약제보다 통증 완화, 궤양 치유, 지체 절단율 등에서 우수한 성적을 보고하고 있으며, iloprost 경구요법은 다른 placebo에 비해 유의한 차이는 보이지 않았다(표 9-2).

　　Bosentan (Tracleer®)은 endothelin-A와 endothelin-B receptor antagonist로 혈관확장 효과가

표 9-2. Various drugs attempted for treatment of Buerger's disease

Agent	Ingredient & action mechanism	Dosage	Contraindications	Side effect
Apirin	Cyclo-oxygenase inhibitor Antiplatelet effect	75-325 mg (qd)	- Hypersensitive to salicylates - Active GI ulcer - Hemorrhagic disorders - Renal/hepatic failure - Pregnancy	- Bleeding - Allergic reaction - Headache
Cilostazol	Quinolione derivative Cellular phophodiesterase inhibitor	200 mg (qd)	- Heart failure - Bleeding tendency	- Bleeding - Headache - Palpitation - Diarrhea
Beraprost sodium	Prostcyclin derivative	0.04 mg (tid)	- Bleeding tendency - Pregnancy	- Bleeding - Elevated AST/ALT - Flushing - Headache
Sarpogrelate hydro-chloride	5-HT2 receptor antagonist	100 mg (tid)	- Bleeding tendency - Pregnancy	- Bleeding - Elevated AST/ALT - Flushing - Headache - Diarrhea
Bosentan	Endothelin-A/B antagonist	62.5-125 mg (bid)	- Pregnancy - Hepatic disorder	- Hepatic failure - Fluid retention - Headache - Decreased Hb
Iloprost	Prostacyclin analog PGI2	2 ng/kg/min	- Heart failure - GI ulcer - Intracranial bleeding	- Headache - Hepatic failure - Flushing - GI distress - Fluid retension

있는 경구제재이며, 버거병 환자에서 혈관내피 기능(endothelial function) 향상에 도움이 되는 약물이다. 부작용으로는 간독성 및 혈류저류현상(fluid retention)이 있으며 주로 폐동맥 고혈압에 사용되며, 용량은 62.5 mg (twice daily) to 125 mg (twice daily)이다(표 9-3)(그림 9-2).

(3) 약물치료 외 기타의 치료

대부분의 버거병 환자에서 수술적 치료는 distal target vessel이 문합술을 시행하기에 좋지 않으므로 흔히 사용되는 치료 방법이 아니다. 그러나 만약 심한 하지 허혈이 있지만 distal target vessel이 열려있는 경우에는 동맥 우회로술을 시도해 볼 수도 있다(그림 9-3). Sasajima 등

표 9-3. Intravenous iloprost versus oral aspirin for treatment of Buerger's disease

Outcomes (Follow-up)	Illustrative comparative effects (95% CI)		Relative effect (95% CI)	No of Participants (No. of RCT)
	Oral aspirin	IV iloprost		
Ulcer healing (1 month)	13%	34.6% (15-80)	RR: 2.65 (1.15-6.11)	N=98 (1 RCT)
Ulcer healing (6 months)	6.8%	27.5% (8.6-89)	RR: 4.03 (1.24-13.10)	N=95 (1 RCT)
Complete pain relief (1 month)	28%	63.1% (4-95)	RR: 2.28 (1.48-3.52)	N=133 (1 RCT)
Amputation rate (6 month)	18%	5.8% (1.6-10.9)	RR: 0.32 (0.09-1.15)	N=95 (1 RCT)

CI: Confidence interval; RR: Risk Ratio

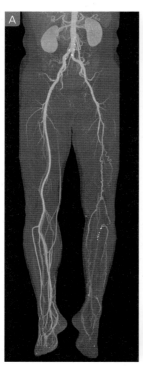
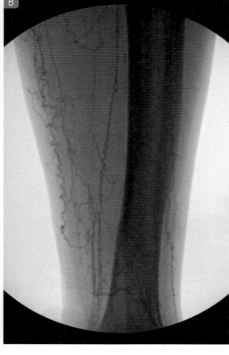

■ 그림 9-2. Angiographic features of Buerger's disease: (A) CT angiogram shows occlusion of left leg arteries and (B) typical corkscrew appearance collaterals

은 61명의 버거병 환자를 대상으로 시행한 하지동맥 우회로술에서 5년 후 이식편 개존률은 일차 개존률 49%, 이차 개존률 62%를 보고하였다.[14] 이들의 보고에 따르면 버거병 환자에서 시행한 하지동맥 우회로술은 장기적 이식편 개존과 무관하게 일차적으로 궤양 치료가 되면 이식

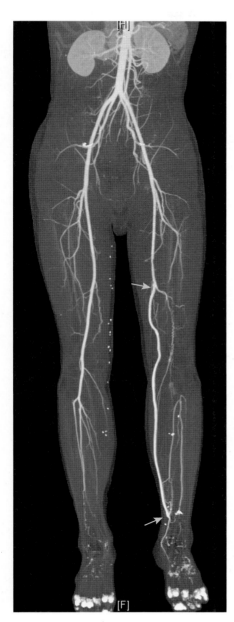

■ 그림 9-3. Leg bypass with saphenous vein graft for a 32 year-old male patient with painful nonhealing ulcer on the left toe due to Buerger's disease. We can see normal proximal arteries and patent above-the-knee popliteal-to-distal posterior tibial vein graft (arrows) in the left leg on postoperative CT angiogram
(사진제공; 김 영욱 교수)

편 폐색이 되더라도 지체 절단을 예방하는 효과가 있었다고 설명하였다.

최근에는 버거병 환자에서 동맥 풍선 확장술 및 스텐트 삽입술 등 혈관내 치료도 시도되고 있다. 한 보고에 따르면 10년간 44명의 버거병 환자를 대상으로 혈관내 치료 후 major adverse limb event-free survival and reintervention-free survival rate는 각각 83.3%, 67.9%로 보고하였다. 그러나, 버거병 환자의 자연경과는 죽상경화증으로 인한 하지동맥 폐색증 환자에서와는 달리 심장 혈관질환과 같은 생명을 위협하는 동반질환은 거의 없고, 지체절단(major limb amputation)보다는 대부분 환자에서 발가락 혹은 족부 절단이 많기 때문에 버거병 치료 성적 평가에서 major adverse limb event-free survival과 reintervention-free survival rate를 사용했다는 점은 버거병 치료 성적 평가 방법으로 적합한지는 다시 한 번 재고해 보아야 할 사항으로 생각되며, 추후 버거병 환자에서 혈관내 치료(endovascular treatment)의 결과에 대한 다른 연구의 결과도 지켜보아야 할 필요가 있다고 생각된다.

교감신경 절단술은 혈행재건(revascularization)이 불가능한 환자에서 통증이 심한 허혈성 궤양이나 괴사가 있을 경우 과거에 흔히 시행되었지만 현대에는 잘 사용되지 않는 치료방법이다.

아직도 이 치료효과를 선호하는 병원에서는 수술적 교감신경 절제술 보다는 경피적 약재 투여를 통해 요추부 교감신경절을 마비시키고자 하는 시도를 하고있다. Cacione 등은 iloprost 정맥주사 치료와 요추 교감신경 절단술을 비교한 결과 궤양치유 및 통증완화에서 요추 교감신경 절단술이 iloprost 치료에 비해 우수성을 입증하지 못하였다.

Stem cell therapy는 최근에 궤양과 통증의 개선을 목적으로 시행되고 있으나 최근까지의 1개의 RCT인 버거병 환자에서 골수로부터 유래된 stem cell로 치료한 군과 placebo간의 비교연구에서 궤양의 크기(ulcer size) 감소와 통증 없이 걸을 수 있는 거리(pain-free walking distance) 향상에서 placebo 투여군 및 standard wound care group보다 우수했다고 보고했으나 사실 낮은 level of evidence로 보고되어 있다.

또한 척수신경 전기 자극치료로 궤양 치료를 하였다는 보고도 있지만 대부분 증례보고로 보고되어 있는 실정이다.

요약 🔒

버거병 환자의 치료를 정리하면 다음과 같다.
1) 효과가 입증된 치료법은 금연이다.
2) 약물치료를 위해 다양한 약재가 사용되었지만 그 중 iloprost 정맥 투여가 통증 완화, 궤양 치유 및 지체 절단 방지 효과 면에서 가장 우수한 결과를 보이고 있다. 그러나 아직도 높은 수준의 증거를 가질만한 확실한 효과는 입증하지 못한 상태이다.
3) 동맥 우회로술은 patent distal target artery가 있는 경우 시도해 볼 수도 있다. 성공적인 수술 후 일차적인 궤양치유 효과가 있지만 장기적인 이식편 개존을 기대하기는 어렵다.
4) 그 외 다양한 치료 방법이 소개되어 있지만 아직도 뚜렷한 효과가 입증되지는 않았다.

참고문헌

1. Bedenis R, Stewart M, Cleanthis M, Robless P, Mikhailidis DP, Stansby G. Cilostazol for intermittent claudication. Cochrane Database of Systematic Reviews 2014, Issue 10.

2. Brunton LL, Chabner BA, Knollmann BC. Goodman and Gilman's The Pharmacological Basis of

3. Cacione DG, do Carmo Novases F, Moreno DH. Stem cell therapy for treatment of thromboangiitis obliterans (Buerger's disease). Cochrane Database Syst Rev. 2018;10:CD012794

4. Cacione DG, Macedo CR, Baptista-Silva JCC. Pharmacological treatment for Buerger's disease. Cochrane Database Syst Rev 2016;3:CD011033

5. Cacione DG, Moreno DH, Nakano LC, Baptista-Silva JC. Surgical sympathectomy for Buerger's disease. JRSM open. 2017;8: 2054270417717666

6. Cebezas-Moya R, Dragstedt LR II. An extreme example of Buerger's disease. Arch Surg 1970;101:632-4

7. De Haro J, Florez A, Fernadez JL, Acin F. Treatment of Buerger disease (thromboangiitis obliterans) with bosentan: a case report. BMJ Case Reports 2009.

8. Fiessinger JN, Schafer M. Trial of iloprost versus aspirin treatment for critical limb ischaemia of thromboangiitis obliterans. The TAO study. Lancet 1990;335:555-7

9. Kim DH, Ko YG, Ahn CM, Shin DH, Kim JS, Kim BK, et al. Immediate and late outcomes of endovascular therapy for lower extremity arteries in Buerger disease. J Vas Surg. 2018;67:1769-77

10. Lazarides M.K., Georgiadis G.S., Papas T.T., Nikolopoulos E.S. Diagnostic criteria and treatment of Buerger's disease: A Review. Int J Low Extrem Wounds 2006;5:89-95

11. Malecki R, Zdrojowy K, Adamiec R. Thromboangiitis obliterans in the 21st century - a new face of disease. Atherosclerosis 2009;206:328‒34.

12. Mills JL. Buerger's disease in the 21st century: diagnosis, clinical features, and therapy. Semin Vasc Surg 2003;3:179-89

13. Olin JWW, Shih A. Thomboangiitis obliterans (Buerger's disease). Curr Opin Rheumatol 2006;18:18-24

14. Papa MZ, Rabi I, Adar R. A point scoring system for the clinical diagnosis of Buerger's disease. Eur J Vasc Endovasc Surg 1996;11:335-9

15. Ryu SW, Jeon HJ, Cho SS, Choi RM, Yoon JS, Ko HS, et al. Treatment of digit ulcers in a patient with Buerger's disease by using cervical spinal cord stimulation -a case report-. Korean J Anesthesiol. 2013;65:167-71

16. Sasajima T, Kubo Y, Inaba M, Goh K, Azuma N. Role of infrainguinal bypass in Buerger's diseas: an enghteen-year experience. J Vasc Endovasc Surg 1997;13:186-92

17. Shionoya S. Diagnostic criteria of Buerger's disease. Int. J Cardiol 1998;66(Suppl):243-5

18. Therapeutics. 12th Edition. New York: McGraw-Hill Companies, 2011.

19. Yong J, Zhang S, Gao Y, Shi P, Xhou Q. Effects of aspirin combined with cilostazol on thromboangiitis obliterans in diabetic patients. Experimental and therapeutic medicine 2018;16:5041-6

10
CHAPTER

레이노병의 약물치료

Pharmacotherapy of Raynaud's disease

| 소병준 | 원광대학병원 혈관–이식외과

서론

레이노병(Raynaud's disease) 이란, 1862년 프랑스 의사인 Maurice Raynaud가 처음 보고한 질환으로 그의 이름을 따서 레이노병이라 불리우게 되었다. 대표적인 증상으로는 차거나 서늘한 곳, 찬물, 감정 자극 등에 의하여 손가락, 발가락, 코, 귓불 등에 색깔이 변하는 것이다. 이러한 증상은 나타나는 순서에 따라, 혈관이 발작적으로 과도한 수축을 일으켜서 피부가 창백해지는 1) 허혈기(ischemic phase), 조직에 산소 공급이 부족해지면서 하얗던 피부색깔이 파란색으로 변하는 2) 저산소기(deoxygenation phase), 다시 혈관이 확장되면서 피부 색깔이 일시적으로 붉어지는 3) 재관류기(reperfusion phase)로 이 3 phase가 순차적으로 발생한다(그림 10-1). 1930년대에 이르러 Thomas Lewis에 의해 레이노병의 병인이 밝혀지면서, 일차성/이차성 레이노병 두 가지로 구분하게 되었고, 일차성과 이차성 각각의 발병기전, 치료, 예후 등에서 많은 차이가 있는 것으로 밝혀지고 있다.

병태생리

아직까지 레이노병에 대한 병태생리가 정확하게 규명되지 않았지만, 여러 가지 요인 즉 1) 국소적 신경결함(local neural defect), 2) 혈관내막세포(endothelial cell) 요인, 3) 혈관내 요인(intravascular factor) 등의 요인들이 일차성과 이차성에 각각 다르게 관여한다고 알려지고 있다. 그 외 해부학적인 요인으로는 손가락이나 발가락 부위의 혈관에는 다른 신체부위 보다 많은 동정맥 연결통로(arteriovenous anastomosis)를 갖고 있는데, 레이노병은 차가운 온도에 노출되면 교감신경의 자극에 의해 이 동정맥 연결통로에 강한 수축이 일어나게 된다. 혈류는 자연히 보온을 위해 보다 심부조직쪽으로 이동되어 피부쪽은 심한 허혈증상이 나타나게 된다.

레이노병의 병태생리 중 가장 중요한 것은 국소적 신경결함으로 이해되고 있다. 일반적으로 혈관 수축은 교감신경(sympathetic nerve)의 신호전달에 의해서 일어나는데, 이 신호전달의 수용체인 α-1과 α-2 adrenoreceptor는 혈관중막의 평활근에 존재한다. 특히 사지 말단 부위의 혈관에는 α-2 adrenoreceptor가 많이 존재하며 체온조절에 밀접하게 관여한다. 즉 레이노병 환자의 손이 차가운 온도에 노출되면 교감신경의 신호는 수용체인 α-2 adrenoreceptor를 통해 강한 혈관 수축을 일으키게 된다. Bailey등은 차가운 온도에 노출 시 Rho/Rho kinase 신호계가 활성화되어 Golgi apparatus에 저장되어 있던 α-2 adrenoreceptor (subtype으로 A, B, C가 있음)중 온도에 특히 민감한 것으로 여겨지는 아형인 α-2C adrenoreceptor가 세포벽 쪽으로 이동하여 수축을 일으키는 것으로 보고하였다.

또한 혈관내막세포는 혈관을 수축시키는 물질인 endothelin-1과 확장을 일으키는 nitrous oxide와 prostacyclin 등을 분비하는데, 이들 사이의 불균형으로 수축이 우세하도록 작용하여 증상을 일으키게 되는데 이 기전은 이차성 레이노병과 더 많은 관계가 있는 것으로 보고되고 있다.

혈관내 요인들로는 thromboxane, serotonin, blood viscosity, fibrinolytic factor 등이 있는데 이들도 다소의 관련이 있을 것으로 추정되고 있고, 기저질환 자체가 혈관의 구조와 기능을 바꾸므로 나타나는 이차성 레이노병에서는 병증

표 10-1. Underlying diseases of secondary Raynaud's disease.

Autoimmune rheumatic diseases
Systemic scleroderma (90% have Raynaud's phenomenon); Mixed connective disease (85%); Systemic lupus erythematousus (40%); Sjögren's syndrome; Vasculitis
Hematologic/oncologic: increased plasma viscosity and reduced digital perfusion
Polycythemia ruba vera; Paraneoplastic syndrome; Leukemia; Thrombocytosis; Cold agglutinin disease (Mycoplasma infection); Hepatitis B and C associated with cryoglobulinemia; Cryoglobulinemia; Cryofibrinogenemia; Paraproteinemia; Protein C, S deficiency; Antithrombin III deficiency
Vascular
Large vessel disease (atherosclerosis) Thromboangiitis obliterans (Buerger's disease) Embolism; thrombosis Extrinsic vascular compression (cervical rib)
Neurologic
Carpal tunnel syndrome; Thoracic outlet syndrome
Environmental
Vibration injury; Frost bite; Emotional stress
Drug/ toxin related
Sympathomimetic drugs: Beta blockers, Clonidine Chemotherapeutic drugs: Bleomycin, Cisplatin, Cyclosporine Interferons Nicotine Cocaine Ergotamines: Methysergide Polyvinyl chloride
Endocrine
Hypothyroidism
Other
Fibromyalgia

을 훨씬 악화시키는 것으로 보고 있다.

기타 추정 요인으로는 혈관의 수축을 일으키

는 angiotensin II가 이차성 레이노병과 연관되는 것으로 연구 결과가 보고되고 있다.

그리고 일부 레이노병 환자는 특수한 약물에 의해 레이노병 증상이 야기되는 수가 있으며 대표적인 약제로는 베타-차단제(β-blockers), ergotamine 혹은 sumatriptan을 함유한 편두통 치료제, attention deficit hyperactivity disorder (ADHD) 치료제, 일부의 항암치료제를 들 수 있으며, vinyl chloride 같은 화학 물질이나 담배 연기에 의해서도 증상이 촉발될 수 있다(표 10-1).

임상적 특징

(1) 일차성 레이노병

레이노병 중에서 특별한 기저질환이 없이 증상이 발생한 경우를 일차성 레이노병이라고 한다. 전체 인구의 약 3~5%에서 발병한다고 알려져 있으며, 레이노병 환자 중 70%가 여기에 속

한다. 일차성 레이노병는 대부분 15~30세의 젊은 여성에게 발병하며, 정확한 유전인자가 발견되지는 않았지만 가족력이 있으면 발병 가능성이 더 높은 것으로 예측된다. 보통 수년간 지속되다가 특별한 후유증을 남기지 않고 자연 치유가 되는 양성 질환이다. 보통 양손 손가락에서 대칭적으로 나타나며, 통증은 심하지 않은 편이며, 엄지손가락은 침범되지 않는 경우가 많다(그림 10-1).

(2) 이차성 레이노병

기저질환을 동반하면서 이로 인해 이차적으로 발생하는 경우를 이차성 레이노병이라고 한다. 이차성 레이노병 환자의 특징은 일차성 레이노병에서보다는 환자의 나이가 많고, 40세 이상의 남자에서 흔히 발병한다. 한쪽 손에 발생하며, 엄지 손가락을 침범하는 경우도 흔하고, 통증이 심한 특징을 갖는다. 추위나 스트레스에 만성적/반복적으로 노출되면 피부, 피하

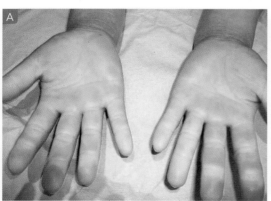
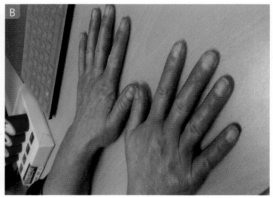

■ 그림 10-1. Photograph of hand in a patient with primary Raynaud's disease; ischemic phase (A) and reperfusion phases (B)

표 10-2. Characteristics of primary and secondary Raynaud's disease.

Characteristic	Primary Raynaud's disease	Secondary Raynaud's disease
Onset age	Younger age (<30 year of age) but can be any age	Older age (>30 years of age) but can be any age
Gender	More common in female	More common in male
Frequency	More common (80-90%)	Less common (10-20%)
Underlying disease	None	Always
Involvement	Symmetric involve; Usually involve fingers; Spared thumb	Asymmetric involve; Usually affect proximal to the fingers or toes; May involve thumb
Symptom severity	Mild No ulcer, tissue necrosis	More severe Ulcer, tissue necrosis, scar
Nail fold capillary	Normal	Abnormal
ESR	Normal	Raised
Autoantibody	Negative anti-neutrophil antibody Negative antinuclear antibody (ANA)	Positive anti-neutrophil antibody Positive antinuclear antibody (ANA) Positive anti-topoisomerase I (anti-Scl-70), Positive anti-centromere antibody Positive anti-RNA polymerase III antibody

조직, 근육 등에 위축(hypotrophy)이 나타나며, 혈액 순환이 더욱 악화되면 피부가 헐거나 손가락, 발가락의 괴사로 이어진다. 유발하는 기저질환은 대부분 자가면역질환(autoimmune disease)이다. 류마티스 질환 중 전신성 경화증(dermatosclerosis), 루푸스(lupus), 류마티스 관절염(rheumatoid arthritis), 쇼그렌증후군(Sjögren's syndrome)에서 레이노병을 흔히 관찰할 수 있다. 전신성 경화증의 70% 그리고 lupus 환자의 30%에서 레이노 현상이 초기에 나타난다고 알려져 있다.

레이노병의 감별진단

일차 혹은 이차 레이노병의 대표적인 증상은 인체 일부가 외계 온도변화에 따라서 색깔이 변하는 것이다. 따라서 환자의 문진에서 손가락이 1) 차가운 온도에 노출되면 과민 반응이 일어나는지? 2) 이때 색이 변하는지? 3) 하얗게 혹은 파랗게 변하는지? 위 3가지 질문에 모두 양성으로 답하면 일단 레이노병을 의심할 수 있다. 레이노병을 진단하기 위해 얼음물을 이용해 손가락 말단 부위의 온도나 혈압 변화를 검사하는 방법이 이용될 수 있는데 레이노병으로 확진된 환자들조차 항상 일관된 결과를 얻을 수가 없어 진단 검사로써 유용성이 떨어진다. 따라서 환자 문진과 이학적 검사 외에 객관적이고 표준화된 검사방법으로 질환을 증명하는 것은 쉽지 않다.

일단 레이노병으로 진단되면 다음으로는 결합조직병(connective tissue disease)등의 기저질환의 유무를 조사하여 일차성 레이노병인지 이차성 레이노병인지를 구별하는 감별을 해야 한다(표 10-3). 감별을 위해서는 이차성 레이노병을 일으키는 특정 약물 투여, 기왕력, 직업력(vibratory tool, chemical exposure), 가족력 등을 확인해야 하며, 이학적 진단검사에서 손가락의 허혈성 변화와 궤양이나 괴사 등이 관찰되는지 확인해야 한다. 기본 검사 항목으로는 blood count, ESR, 항핵항체(antinuclear antibody, ANA), nail fold capillaroscopy(그림 10-2) 등을 포함해야 한다.

기본 검사에서 양성 소견을 보이면 결합조직병 및 기타 질환의 진단을 위한 특수 검사를 실시해야 한다(표 10-2).

640명을 대상으로 실시한 meta-analysis에서는 초기에는 일차성으로 진단되었던 경우의 13%에서 결국 결합조직병이 확진되었고, 또 다른 보고에서는 초기에는 결합조직병에 대한 진단 기준에 맞지 않아 일차성 레이노병으로 진단되었다가 2년 이내에 15~20%의 환자에서 전형적인 결합조직병으로 확진되었다는 보고도 있다. 레이노현상(Raynaud phenomenon)이 결합조직병 등의 가장 흔한 임상증상 중 하나이고, 기저질환이 진단되기 수년 전 선행증상으로 나타날 수 도 있다는 점을 감안하여, 일차성 레이노병으로 생각되는 환자에서도 결합조직병에

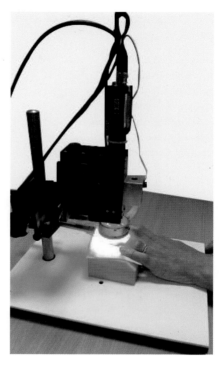

■ 그림 10-2. Nail fold capillaroscopy.
The capillaroscopic patterns allow the early differential diagnosis between primary and secondary Raynaud's disease

대한 기본적인 검사를 실시하므로 일차와 이차 레이노병을 조기 감별하는 것이 중요하겠다.

치료

레이노병의 치료는 일반적인 보존치료와 약물치료로 구성된다. 일반적인 보존치료가 효과가 없을 때 약물치료를 시행하게 되며, 위에서 기술한 다양한 기전을 완화시킬 수 있는 약물을 선택하여 치료가 시도되고 있다. 일차치료 시도 후에 반응이 좋지 않은 경우들은 이차 약물들을

표 10-3. Conservative treatment of Raynaud's disease

- Avoidance of cold exposure
- Keep the whole body warm
- Keep the hands and feet warm
- Avoidance of smoking
- Avoidance of medications of trigger drugs
- Avoidance of repeated trauma to fingertips
- Control of limitation of emotional stress

선택하여 단독 혹은 병행 투약하는 것이 보통이다(표 10-3).

(1) 일반적 보존치료

일반적 보존 치료는 표 10-3와 같이 정리할 수 있다.

(2) 약물치료

레이노병의 약물치료는 혈관 수축의 조절에 원리를 두고 있다. 사용되는 약재들은 기전에 따라 몇 개의 군으로 대별될 수 있다(표 10-4). 일차적 레이노병에 가장 우선적으로 선택하는 치료제는 혈관확장제인 calcium channel blocker이며, 효과 정도에 따라서 이차 약물들을 선택하게 된다. 지금까지 대부분 이차 약물에 대한 RCT 결과는 없는 상태여서 향후 이 분야에 더 많은 연구가 필요하다고 생각된다. 이차 약물들의 선택은 기저질환의 전문적인 치료와 병행해야 효과를 얻는 경우가 많다. 약물투여 선택 순서는 UK Scleroderma study group의 best recommendation을 근거한 다양한 알고리즘이 소개되고 있어, 저자는 여러 문헌을 종합하여 치료 순서도를 아래와 같이 재구성해 보았다(그림 10-3).

표 10-4. Commonly prescribed drugs in the treatment of Raynaud's phenomenon.

Agent	Mechanism	Dosage	Side effects	Other remark
I. Vasodilator				
Nifedipine (sustained release)	Calcium channel blocker	10-40 mg bid (start from lower dose, increase gradually)	Headache Flushing Ankle swelling Hypotension	First choice Long acting
Amlodipine		5-10 mg qd (start from lower dose, increase gradually)		Short acting
Diltiazem (non- dihydro-pyridine)		180-240 mg/day PO titrate after 14 days not to exceed 480 mg/day		Choice in patients with cardiac arrhythmia
Topical Nitrate	Direct relaxant of vascular smooth muscle cells	Patch, Gel, Cream type	Headache Hypotension	Useful in primary Raynaud's disease Primarily used as heart angina
PGE1, Iloprost	Prostaglandin	0.5-2.0 ng/kg/min for 3-5days, continuous I.V.	Headache Flushing Pul. edema	
Sildenafil	Phosphodiesterase type 5 inhibitors	20 mg/25 mg tid	Flushing Headache Dyspepsia	
Tadalafil		10 mg alternate days to 20 mg daily		
Pentoxifylline	Inhibits erythrocyte phosphodiesterase	400 mg bid or tid	Nausea Vomiting	
II. Inhibition of vasoconstriction				
Bosentan	Endothelin-1 receptor antagonist	3 mg qd		No benefit on 2 RCTs
Losartan	Angiotensin II receptor blockers	25-100 mg qd	Hypotension	
Prazosin	Alpha 1-adrenorecep-tor blockers	500 microgram bid to 2 mg twice daily	Headache, Dizziness Palpitation, Hypotension	Limited use due to side effect
III. Improvement of endothelial function				
Fasudil	Rho-kinase inhibitors			On a phase III study
Atorvastatin	HMA Co reductase	40 mg daily		RCT needed
IV. Neural vasoregulation				
Fluoxetine	Selective serotonin reuptake inhibitor	20 mg qd		Insufficient data

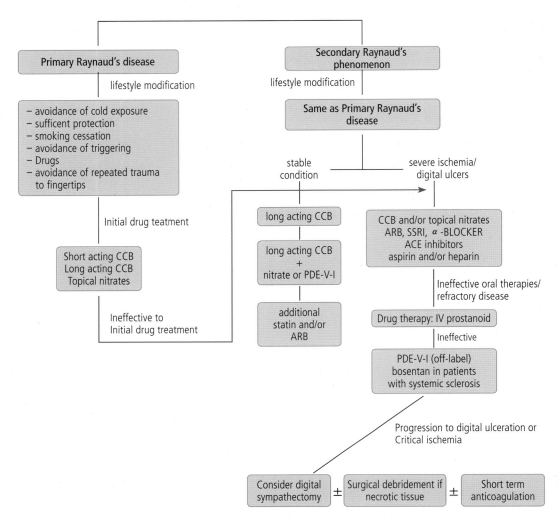

■ **그림 10-3.** Treatment algorithm for Raynaud's phenomenon. Lifestyle modification is a key component in both primary and secondary RP. Calcium channel blockers are recommended as first line drug and other vasodilatory substances can be choosen as alone or combined regimen.

Abbreviation:

CCB, Calcium channel blocker

ARB, Angiotensin II receptor blockers

SSRI, Selective serotonin reuptake inhibitor

ACE, Angiotensin converting enzyme

PDEI, phosphodiesterase inhibitors

요약 🔒

1) 레이노병 진단을 위해 문진상 차가운 환경에 노출되면 간헐적으로 피부 색깔이 하얗게-파랗게-붉게 변하는지 확인이 필요하다.

2) 일차적 검사로 blood count, ESR, antinuclear antibody (ANA), nail fold capillaroscopy가 이용된다.

3) 레이노병이라고 생각되면 일차성 혹은 이차성 레이노병을 감별을 위한 정밀검사가 필요하다.

4) 레이노병의 치료는 차가운 온도를 피하는 등 일반적인 보존치료가 일차적 치료로 중요하다.

5) 일차성 레이노병에 일차적 치료제는 혈관확장제인 calcium channel blocker가 권장된다.

6) 일차 약재를 이용한 약물치료에 반응이 좋지 않은 경우들은 2차 약재를 단독 혹은 일차약재와 병행하여 투약한다.

7) 이차 레이노병 환자에서는 국소적 혈관 수축에 대한 치료와 함께 기저질환에 대한 치료를 함께 해야 한다.

참고문헌

1. Baumhäkel M, Böhm M. Recent achievements in the management of Raynaud's phenomenon. Vascular Health and Risk Management 2010;6 207–214

2. Lewis T. Experiments relating to the peripheral mechanism involved in spasmodic arrest of the circulation of the fingers. A variety of Raynaud's disease. Heart 1929; 14:7.

3. Temprano KK. A Review of Raynaud's Disease. Mo Med. 2016;113(2):123-6.

4. Coffman JD, Cohen RA. Role of alpha-adrenoceptor subtypes mediating sympathetic vasoconstriction in human digits. Eur J Clin Invest 1988; 18:309.

5. Ekenvall L, Lindblad LE, Norbeck O, Etzell BM. alpha-Adrenoceptors and cold-induced vasoconstriction in human finger skin. Am J Physiol 1988; 255:H1000.

6. Flavahan NA, Cooke JP, Shepherd JT, Vanhoutte PM. Human postjunctional alpha-1 and alpha-2 adrenoceptors: differential distribution in arteries of the limbs. J Pharmacol Exp Ther 1987; 241:361.

7. Bailey SR, Eid AH, Mitra S, et al. Rho kinase mediates cold-induced constriction of cutaneous arteries: role of alpha2C-adrenoceptor translocation. Circ Res 2004; 94:1367.

8. Kirchengast M, Munter K. Endothelin-1 and endothelin receptor antagonists in cardiovascular remodeling. Proc Soc Exp Biol Med. 1999;221(4):312–325.

9. Baumhakel M, Custodis F, Schlimmer N, Laufs U, Bohm M. Improvement of endothelial function of the corpus cavernosum in apolipoprotein E knockout mice treated with irbesartan. J Pharmacol Exp Ther. 2008;327(3):692–698.

10. Friedrich EB, Teo KK, Bohm M. ACE inhibition in secondary prevention: are the results controversial? Clin Res Cardiol. 2006;95(2):61–67.

11. Herrick AL. The pathogenesis, diagnosis and treatment of Raynaud phenomenon. Nat Rev Rheumatol 2012;8(8): 469e79.

12. Chikura B, Moore TL, Manning JB, et al. Sparing of the thumb in Raynaud's phenomenon. Rheumatology (Oxford) 2008; 47:219.

13. Wigley FM, Flavahan NA. Raynaud's Phenomenon. N Engl J Med. 2016;375(6):556-65.

14. Wigley FM. Clinical practice. Raynaud's Phenomenon. N Engl J Med 2002; 347:1001.

15. Bell L and Langtree M. Diagnosis and management of Raynaud's phenomenon. Br Med J 2012;344:e289

PART II 동맥질환의 약물치료

16. LeRoy EC and Medsger TA. Raynaud's phenome-non: a proposal for classification. Clin Exp Rheuma-tol 1992; 10: 485–488.

17. Maverakis E, Patel F, Kronenberg DG, et al International consensus criteria for the diagnosis of Raynaud's phenomenon. J Autoimmun 2014; 48-49: 60-65.

18. Spencer-Green G. Outcomes in primary Raynaud phenomenon: a meta-analysis of the frequency, rates, and predictors of transition to secondary diseases. Arch Intern Med. 1998;158(6):595-600.

19. Zufferey P, Depairon M, et al. Prognostic signifi-cance of nailfold capillary microscopy in patients with Raynaud's phenomenon and scleroderma-pat-tern abnormalities: a six year follow-up study. Clin Rheumatol 1992;11:536-541

20. Hughes M, Ong VH, Anderson ME, et al. Consen-sus best practice pathway of the UK Scleroderma Study Group: digital vasculopathy in systemic sclero-sis. Rheumatology (Oxford) 2015;54(11):2015-24

PART

대동맥질환의 약물치료

Pharmacotherapy of aortic disease

11
CHAPTER

대동맥류와 대동맥박리의 약물치료

Pharmacotherapy of aortic aneurysm and aortic dissection

| 김덕경 | 성균관의대 삼성서울병원 순환기내과

대동맥류의 약물치료

대동맥류는 위치에 따라 횡격막을 경계로 흉부대동맥류와 복부대동맥류로 나뉘며, 발생 원인 병태생리 측면에서 볼 때는 ligamentum arteriosum(하행대동맥의 기시부)을 경계로 그 상부에 발생하는 대동맥류는 connective tissue weakness가 주요 원인이고 그 하부에 발생하는 대동맥류는 죽상동맥경화가 동반된 퇴행성 병변(degenerative aneurysm)에 주로 기인한다.

(1) 수술 및 시술의 적응증

1) 복부대동맥류(abdominal aortic aneurysm, AAA)

대동맥류는 크기가 커지면서 파열의 위험이 증가하는데 복부대동맥류의 경우 서양인에서는 직경 ≥ 5.5 cm 면 파열의 위험성이 급격히 증가하여 수술/시술의 적응증이며, 체구가 작은 한국인은 ≥ 5 cm를 기준으로 한다. 증상이 있거나, 자라나는 속도가 빠르면(≥ 5 mm/6개월 또는 ≥ 10 mm/년) 5 cm 이하에서도 수술/시술을 고려한다. 크기에 따라 small AAA: ≤ 4.0 cm, medium AAA: 4.0~5.0 cm, large AAA: ≥ 5.0 cm, very large AAA: ≥ 6.0 cm로 구분한다. 크기가 클수록 자라나는 속도가 빠르며 파열의 위험성이 높다(표 11-1, 표 11-2). Medium AAA 환자가 수술/시술의 적응증이 될 확률은 3년 이내 50%, 5년 이내 60-65%, 8년 이내 70-75%이다.

표 11-1. Growth rates for abdominal aortic aneurysm

Aneurysm diameter	Average annual expansion rate
3.0-3.9 cm	1-4 mm
4.0-6.0 cm	3-5 mm
> 6.0 cm	7-8 mm

표 11-2. Absolute risk of rupture for abdominal aortic aneurysm

Aneurysm diameter	Absolute lifetime risk of rupture
5 cm	20%
6 cm	40%
7 cm	50%

2) 흉부대동맥류(thoracic aortic aneurysm, TAA)

증상이 있거나, 자라나는 속도가 빠르면(≥ 5 mm/6개월 또는 ≥ 10 mm/년) 수술 적응증이 된다. 흉부대동맥류의 평균 크기 증가는 상행대동맥류 -0.7 mm/년, 하행대동맥류 1.9 mm/년 이다.

1. 상행대동맥

퇴행성 동맥류 경우 직경 ≥ 5.5 cm, 체구가 작은 경우 aortic size index; aortic diameter [cm]/ BSA [m²] ≥ 2.75 cm/m² 이다. 이첨대동맥판막증(bicuspid aortic valve, BAV)은 ≥ 5.5 cm 이다. 유전성대동맥질환에 의한 대동맥류는 Marfan syndrome은 ≥ 5.0 cm, Loeys-Dietz syndrome (로이-디에츠 증후군), familial thoracic aortic aneurysm and dissection (fTAAD)의 경우 ≥ 4.5 cm이며, 고위험군(대동맥박리의 가족력, 급사의 가족력, 임신, ≥ 0.5 cm/년의 크기 증가)에서는 0.5 cm surgical threshold가 감소한다. Loeys-Dietz syndrome은 현재 5가지 아형이 알려져 있고 원인 돌연변이에 따라 수술 기준이 더 세분화되어

표 11-3. Indications for ascending and arch aortic aneurysm repair

Aneurysm type/associated condition	Aneurysm diameter
Degenerative (sporadic, not associated with disease below)	
Ascending	≥ 5.5 cm
Isolated arch aneurysm	≥ 5.5 cm
Marfan syndrome (MFS), familial thoracic aortic aneurysm/dissection (fTAAD), Turner syndrome, other genetic disease*	
Without risk factors	≥ 5.0 cm
With risk factors**	≥ 4.5 cm
Loeys-Dietz syndrome (LDS)	
Without risk factors	≥ 4.5 cm
With risk factors***	≥ 4.0 cm
Bicuspid aortic valve (BAV)	
Without risk factors	≥ 5.5 cm
With risk factors**	≥ 5.0 cm
Concomitant aortic valve procedure	≥ 4.5 cm

*Ehlers-Danlos syndrome type IV의 경우 수술 위험성이 높아 최대한 보존적인 치료를 하나 급성합병증이 있으면 수술을 시행한다.
**위험인자: 대동맥박리의 가족력, 급사의 가족력, 임신, > 0.5 cm/년의 크기 증가
***TGFBR1, TGFBR2 돌연변이

type 1 (TGFBR1 [transforming growth factor β receptor type 1]: 돌연변이)과 type 2 (TGFBR2 돌연변이)의 경우 ≥ 4.0 cm, type 3 (SMAD3 돌연변이)는 4.0-4.2 cm, type 3 (TGFB2 [TGFβ binding protein 2] 돌연변이)와 type 4 (TGFB3 돌연변이)는 4.2-4.5 cm 가 수술기준이다. 퇴행성, 유전성 동맥류 모두 대동맥판막폐쇄 또는 부전증으로 대동맥판막 수술 시에는 ≥ 4.5 cm 이면 상행대동맥치환술을 같이 시행한다(표 11-3).

2. 하행대동맥

하행대동맥의 수술 기준이 가장 높다. 이는 수술에 따른 morbidity(특히 paraplegia)가 높기 때문이다. 퇴행성 동맥류의 경우 수술 위험성이 낮으면 ≥ 6.0 cm 이나 수술의 위험성이 높을 경우 ≥ 7.0 cm 이다. 유전성 동맥류 경우 ≥ 5.5~6.0 cm 이나 수술의 위험성이 높을 경우 ≥ 6.5 cm 이다.

(2) 동맥류 크기 측정, 추적 검사 및 환자교육

크기 측정 시 대동맥의 중심선(center line)에서 직각인 면(orthogonal plane)의 최대직경을 측정한다. 이를 위하여 coronal view, sagittal view 에서 orthogonal diameter를 가장 잘 반영하는 영상을 찾아낸다. 동맥류 부위의 대동맥이 아주 tortuous 할 경우(> 20° 이상) axial view에서 측정 시에는 타원의 장축이 아닌 단축의 직경을 잰다 (그림 11-1). Outer to outer diameter를 잰다. 동맥류의 크기가 작을 경우(수술 적응증 보다 1 cm 이하) 매1년 추적검사를 시행하며 수술의 적응

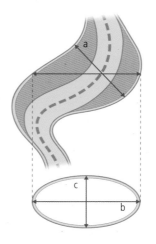

■ 그림 11-1. Measurement of aortic diameter
Measure the orthogonal diameter (a) perpendicular to central line (dotted line). In the axial plane, measure not maximal diameter (b) but minimal diameter (c). Outer to outer diameter is measured.

증 1 cm 이내이거나 자라나는 속도가 빠르면 6 개월마다 검사한다. 또한 환자에게 파열이 다가오거나 파열이 일어났을 때의 증상을 교육하여야 한다. AAA의 경우 환자를 진찰대에 눕혀 환자 손으로 AAA의 박동을 느끼게 하고 박동 부위에 통증이나 압통이 있으면 응급실을 찾도록 알려주는 것이 중요하다.

(3) 보존적 치료 및 약물요법

금연은 매우 중요하다. 죽상동맥경화의 위험인자를 잘 조절하고 금기증이 없는 한 아스피린, 스타틴을 투여한다. AAA의 경우 베타차단제, ARB (angiotensin receptor blocker), ACEI (angiotensin converting enzyme inhibitor)가 동맥류의 진행을 억제하는지에 대한 명확한 증거

는 존재하지 않으나 전반적인 심혈관질환의 합병증을 줄이기 위하여 혈압을 적절히 조절한다. TAA의 경우 Marfan syndrome에서의 연구결과를 바탕으로 보다 적극적으로 혈압과 심박수를 관리한다. 목표 혈압은 < 120-130/80 mmHg, 심박수 60-70분이다. 혈압약으로는 베타차단제인 atenolol이 표준요법이고 ARB, ACEI도 사용된다. 기타 대동맥류의 진행을 예방하기 위한 protease inhibitor 항생제(tetracycline, doxycycline)나 다른 실험적인 약들은 실험동물에서의 효과가 인체에서는 입증되지 않아 사용하지 않는다. 대동맥류 내의 혈전이 있어도 항응고제 치료는 도움이 되지 않는다. 다만 혈전이 떨어져나가 색전을 일으키면 수술로 동맥류를 제거하여야 한다.

(4) 고위험군 환자의 치료

고령, 동반된 심한 심혈관질환, 폐질환, 암 환자 같은 잔여 여명이 2년 이하인 수술/시술이 적합하지 않는 소위 "unfit" 환자는 보존적인 치료를 하고, 환자와 가족에게 그 의학적인 배경을 잘 설명한다. AAA의 경우 unfit 환자의 생존중

앙값/파열로 사망할 확률은 직경 5-6 cm: 44개월/11%, 직경 6.1-7.0 cm: 26개월/20%, > 7 cm: 6개월/43% 이었다. 또한 AAA > 5.5 cm 인 unfit 환자의 EVAR vs 보존적인 요법 연구(EVAR 2 연구)에서 EVAR는 대동맥류 파열의 위험성은 줄였으나 사망률은 감소 시키지 못하였다.

대동맥박리의 약물치료

급성 대동맥박리(aortic dissection, AD)는 응급질환이다. 상행대동맥 박리가 있으면 Stanford type A, 하행대동맥만 박리가 있으면 Stanford type B 이고 type A AD은 수술적 치료 type B는 합병증(장기 허혈, 파열, 진행)이 없으면 약물치료가 원칙이다. Type A의 경우, 급성 대동맥판막 폐쇄부전증에 따른 급성 심부전, 관상동맥 침범에 의한 심근허혈, 심낭출혈에 의한 심압전, 혈흉(hemothorax), 경동맥침범에 의한 뇌허혈-뇌졸중 등 합병증이 같이 있는지 파악하여야 한다. Type B의 경우 혈흉, 복강내장기허혈, 척수허혈에 따른 마비, 하지허혈 증상 유무를 파악한다(표 11-4).

표 11-4. Acute aortic dissection: Rapid overview

Treatment of acute aortic dissection depends on the type/location. Aortic dissection involving the ascending aorta is a cardiac surgical emergency. Aortic dissection limited to the descending thoracic and/or the abdominal aorta can often be managed medically, unless there is evidence of end-organ ischemia, progression, or rupture.
Clinical features and evaluation
Acute onset of severe, sharp, or knife-like pain in the anterior chest, with radiation to the neck, back, or abdomen. Pain maybe migratory.
Assess risk factors for TAAD*.

Palpate carotid, subclavian, and femoral pulses; note any significant differences between sides. Obtain blood pressure in both arms.

Auscultate for diastolic cardiac murmur of aortic regurgitation; assess for tamponade (muffled heart sounds, jugular venous distention, pulsus paradoxus).

Evaluate for signs of ischemic stroke, spinal cord ischemia, ischemic neuropathy, hypoxic encephalopathy.

Findings suggesting involvement of the ascending aorta include back pain, anterior chest pain, hemodynamic instability, diastolic cardiac murmur, tamponade, syncope or stroke (persistent or transient; right hemispheric stroke is most common, but bilateral can occur), Horner syndrome (typically partial with ptosis/miosis), weak or absent carotid or subclavian pulse, upper extremity pain/paresthesia/motor deficit.

Findings suggesting involvement of the descending aorta include back pain, chest pain, abdominal pain, weak or absent femoral pulses, lower extremity pain/paresthesia/motor deficit, acute paraplegia.

Findings on initial studies

Obtain ECG. Look for signs of ACS; extension of type A dissection to coronary ostia can cause coronary ischemia (right coronary artery most commonly affected).

Obtain D-dimer, CBC, basic electrolytes, LDH, cardiac markers, coagulation parameters, and type and crossmatch. D-dimer < 500 ng/dL is less likely to be aortic dissection.

Chest radiograph: Widened mediastinum and/or unexplained pleural effusion are consistent with dissection, particularly if unilateral.

Vascular imaging

Obtain aortic CT angiography (even in case of renal dysfunction). Dissection is confirmed by presence of intimal flap separating true and false lumen.

Transthoracic echocardiography may be useful for identifying complications of ascending aortic dissection (e.g., aortic valve regurgitation, hemopericardium, inferior ischemia) but is not sensitive for identification of dissection.

Management

Place two large bore IVs; monitor heart rate and blood pressure continuously, preferably using an arterial line.

Control heart rate and blood pressure⏛. Maintain heart rate < 60 BPM and systolic blood pressure between 100 and 120 mmHg.

Administer labetalol (20 mg IV initially, followed by either 20 to 80 mg IV boluses every 10 minutes to a maximal dose of 300 mg, or an infusion of 0.5 to 2 mg/minute IV) or esmolol (250 to 500 mcg/kg IV loading dose, then infuse at 25 to 50 mcg/kg/minute; titrate to maximum dose of 300 mcg/kg/minute). If beta blockers are not tolerated, alternatives are verapamil or diltiazem.

Once heart rate is consistently < 60 BPM, give vasodilator therapy. If the systolic blood pressure remains above 120 mmHg, initiate nicardipine infusion (2.5 to 5 mg/hour titrated to a maximum of 15 mg/hour) or nitroprusside infusion (0.25 to 0.5 mcg/kg/minute titrated to a maximum of 10 mcg/kg/minute). Vasodilator therapy (e.g., nicardipine, nitroprusside) should not be used without first controlling heart rate with beta blockade.

Give IV opioids for analgesia (fentanyl: 1 mcg/kg bolus, then 1 mcg/kg/h, morphine : 0.1 mg/kg bolus, then 0.1 mg/kg/h).

Place Foley catheter for assessment of urine output and kidney perfusion.

Surgical consultation

Obtain immediate surgical consultation as soon as the diagnosis is strongly suspected (particularly for involvement of the ascending aorta) or confirmed.
Aortic dissection involving the ascending aorta is a cardiac surgical emergency. Transesophageal echocardiography should be routinely performed in the operating room to assess aortic valve function, left ventricular function, aortic root and ascending aortic diameter, and evidence of hemopericardium/tamponade.
Aortic dissection involving only the descending thoracic aorta or abdominal aorta and with evidence of malperfusion is treated with urgent aortic stent-grafting or fenestration (intervention or surgery).
Aortic dissection involving only the descending thoracic aorta or abdominal aorta without evidence for ischemia is admitted to the ICU for medical management of hemodynamics and serial aortic imaging**
If appropriate surgical services are not available, initiate emergent transfer to nearest available cardiovascular center.

AAA, abdominal aortic aneurysm; ACS, acute coronary syndrome; BPM, beats per minute; CBC, complete blood count; CT, computed tomography; ECG, electrocardiogram; ICU, intensive care unit; IV, intravenous; LDH, lactate dehydrogenase; TAAD, thoracic aortic aneurysm/dissection;

* Known history of TAAD, AAA, aortic intramural hematoma, penetrating aortic ulcer, family history of TAAD or AAA, recent aortic instrumentation, known bicuspid aortic valve, known aortic coarctation, known syndrome associated with TAAD (e.g., Marfan, vascular Ehlers-Danlos, Loeys-Dietz, or Turner syndromes).

**Patients should be admitted to an intensive care unit as rapidly as possible.

(1) 약물치료

1) 급성기

통증에 대한 진통제(intravenous [IV] fentanyl 등 opioid 제제)를 투여하고, anti-impulse therapy(심장의 dP/dT 감소)를 시행한다. Anti-impulse therapy는 우선적으로 심박수 50-60/분을 유지한 후 수축기 혈압 100-120 mmHg이 목표이다. 가장 많이 사용되는 약제는 IV labetalol, IV esmolol 이다. 일단 심박수가 조절되면 혈압을 더 낮추기 위하여 혈관확장제인 IV nicardipine, IV nitroprusside를 투여할 수 있다. 이들 혈관확장제는 dP/dT를 증가시키므로 심박수가 조절되기 전 먼저 사용하면 안 된다. 상기 열거한 합병증 발생에 대한 치료가 같이 이루어져야 한다. Type A AD의 경우 약물치료를 위하여 환자를 빨리 수술장으로 옮기는 것을 늦추면 안된다. Type B AD 환자는 24-48시간 IV 제제 투여 후 경구용 제제로 전환을 한다. 혈관확장제인 vasodilating calcium channel blocker (amlodipine, nicardipine, nifedipine 등), ARB, ACEI도 다른 약과 병용하여 사용하여 궁극적인 혈압과 심박수를 유지하면 사용할 수 있다.

2) 만성기

Anti-impulse therapy를 지속하여 목표 혈압을 120/80 mmHg 이하, 심박수 -60/분 전후 유지한다. 혈압약으로는 베타차단제인 atenolol이 표준요법이고 ARB, ACEI도 사용된다. 약 50%의 환자에서 10년 내에 재수술 또는 수술을 받게 되는데 박리성대동맥류의 크기 증가가 가장 흔한 원인이다. AD 후 이미징 추적검사는 3, 6,

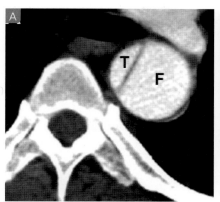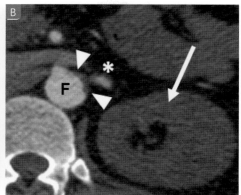

■ 그림 11-2. Axial CT image of a patient with type B aortic dissection. **A.** True lumen is usually smaller than false lumen and located in inner curvature. **B.** True lumen is slit-likely collapsed (arrow heads). Left renal perfusion arising from collapsed true lumen is severely decreased (arrow). T, true lumen, F, false lumen, *left renal artery

12개월에 시행하고 안정적이면 매1년마다 시행한다. Computed tomography (CT)가 가장 널리 사용되는 검사이다.

(2) Malperfusion syndrome in type B dissection

Type B의 경우 가장 예후가 나쁜 합병증은 소위 "malperfusion syndrome (MPS)" 이다. MPS은 장기로 가는 혈관이 박리되어 혈류 차단에 의하여 발생하기도 하지만 true lumen이 collapse 되어 true lumen으로부터 나가는 동맥을 통한 장기의 혈액 공급이 안 되어 발생하는 경우가 더 흔하고, 이 경우 진단을 놓치기 쉽다. 대동맥이 박리되면 원래 혈류가 흐르던 내강인 true lumen과 새로이 생성된 false lumen이 있고 파열의 시작 부위인 entry point 와 false lumen의 혈액이 다시 true lumen으로 유입되는 reentry가 있다. Reentry가 잘 생성이 안되어 false lumen 내

의 압력이 높아져(혈액이 들어가기만 하고 나가지 못하게 되어) true lumen이 collapse되고 때로는 collapse가 심하여 CT 영상에서 true lumen 이 slit-like하거나 전혀 안보이게 되어 진단을 놓치게 된다(그림 11-2). 이 경우 오히려 false lumen 에서 혈액공급을 받는 장기는 괜찮으나 true lumen에서 혈액공급이 되는 복강내 장기의 허혈이 발생하여 장폐색, 신장폐색이 일어나고 심하면 복강내의 모든 장기에 허혈성 괴사가 일어나 치명적일 수 있어, MPS의 사망률은 70%에 이른다.

MPS의 치료는 entry를 막아주거나 reentry를 크게 만들어 주어 false lumen 내의 압력을 줄여서, collapse 된 true lumen을 펴주는 것이다. 전자의 목적으로 thoracic endovascular aortic repair (TEVAR)를 시행하고, 후자의 목적으로 fenestration을 시행하며, 근래에는 TEVAR가 선호된다(그림 11-3).

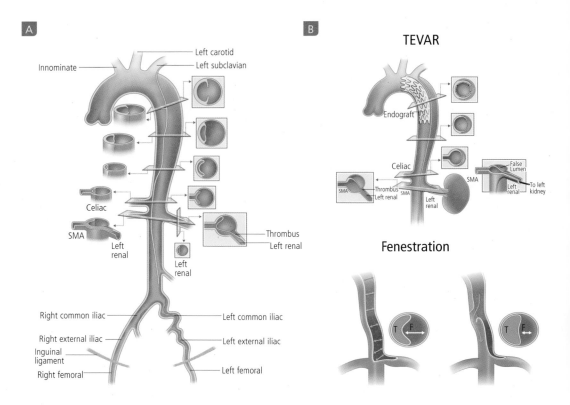

■ **그림 11-3.** Malperfusion syndrome of type B aortic dissection. **A.** True lumen is collapsed and organ perfusion supplied by blood flow from true lumen is impaired leading to organ ischemia. **B.** Malperfusion can be managed by either closure of entry site with TEVAR or opening of reentry site with fenestration (surgical or interventional). TEVAR, thoracic endovascular aortic repair

Marfan syndrome and related disorders

(1) Hereditary aortopathy의 분류 및 약물치료의 이론적 배경

　　Hereditary aortopathy는 그 진단과 치료가 일반 대동맥류/박리와 다르고, 가족관리가 필요하므로, 대동맥류/박리 환자를 볼 때는 항상 이 환자가 hereditary aortopathy가 아닌지 감별을 하여야 한다. Hereditary aortopathy를 의심하여야

하는 임상 소견은 표 11-5와 같다. 분자유전학적인 기법의 발달로 hereditary aortopathy의 원인 유전자가 밝혀지고 있다(표 11-6). 이들 질환은 대부분 멘델유전법칙의 상염색체 우성유전 법칙을 따른다. 이들 질환은 골격계 등 신체의 다른 부위의 이상을 동반하는 증후군(syndromic disease, 증후군 질환)들과, 대동맥 외에는 신체 다른 부위의 이상이 아주 경미하거나 전혀 없는 비증후군질환(non-syndromic disease)으로 나눌 수 있다. 증후군의 가장 대표적인 질환은 Mar-

표 11-5. When to suspect hereditary aortopathy

- Positive family history
- Young-aged (< 50 year-old) aortic aneurysm/ dissection
- Abdominal aortic aneurysm in a clean aorta
- Positive syndromic feature
- Associated with aortic root aneurysm (below sinotubular junction)
- Associated with aortic tortuosity or arterial tortuosity of the arch vessels
- Cystic medial degeneration in pathology

fan syndrome으로, FBN1 유전자 돌연변이에 기인하며 인구 5천 명 당 한 명 정도 발생하므로 우리나라에 약 10,000명의 환자가 있을 것으로 추측된다. Loeys-Dietz syndrome (LDS)은 TGFβ계 유전자들의 돌연변이로, 현재 5가지 아형이 규명되어 있다(LDS1: TGFBR1, LDS2: TGF-BR2, LDS3: SMAD3, LDS4: TGFB2, LDS5: TGFβ3). Loeys-Dietz syndrome은 Marfan syndrome과 유사하나 Marfan syndrome과의 차이는 키가 크지 않고, 수정체탈구가 없으며, 대동맥류의 진행이 빨라 대동맥박리가 더 잘 발생

표 11-6. Hereditary aortopathy

Disease	Inheritance	Mutation	Features
Syndromic			
Marfan syndrome (MFS)	AD	FBN1	Skeletal, occular defects
Loeys-Dietz syndrome (LDS)	AD	TGFβ pathway	Aggressive aortic aneurysm, fast growth rates, hypertelorism, bifida uvula
Ehlers-Danlos syndrome IV (EDS IV)	AD	COL3A1	Risk for spontaneous intestinal, uterine and arterial rupture. High surgical mortality. Easy bruising, transparent skin with visible veins
Turner syndrome	Chromosomal abnormality	45, X (female missing X chromosome)	Short stature, webbed neck, reproductive sterility, BAV, coarctation of the aorta
Shprinzen-Goldberg syndrome (SGS)	AD	SKI	Shares many features with MFS and LDS. Unique facial, skeletal and neurological (craniosynostosis) defects
Arterial tortuosity syndrome (ATS)	AR	SLC2A10	Severe tortuosity of arch vessels. Unique facial, skeletal defects
Non-syndromic			
Familial thoracic aortic aneurysm and dissection (fTAAD)	AD	20%: sarcomere protein (ACTA2, MYH11 etc.) 80%: others or unknown	
Bicuspid aortic valve (BAV)	Unknown	Unknown (SMAD6, NOTCH1 etc.)	Aortic dilatation above sinotubular junction, aortic valve calcification

AD: autosomal dominant, AR: autosomal recessive

하여 예후가 나쁘다. 비증후군 질환 중 familial thoracic aortic aneurysm and dissection (fTAAD) 은 대동맥류 또는 대동맥박리의 가족력이 상염색체 우성으로 존재하는 질환군으로, 약 20%에서는 평활근세포의 구성성분인 sarcomere 단백의 돌연변이에 의하여 발생한다. 알려진 유전자로는 평활근세포 actin인 ACTA2, 평활근세포 myosin heavy chain인 MYH11 등이 있다. 따라서 이들 질환은 심근세포의 sarcomere 단백의 돌연변이에 의하여 발생하는 질환인 비후형심근증(hypertrophic cardiomyopathy)의 평활근세포에서의 counter-part라 할 수 있다.

최근 이들 질환에 의한 대동맥류/대동맥박리의 발생 기전으로 기존의 "weak tissue hypothesis"와 더불어 "TGFβ계 활성화"의 중요성이 부각되고 있다. 이는 Marfan syndrome의 임상양상인 길고 늘어나고 잘 찢어지는 소견이 접착제인 microfibril의 구성성분인 fibrillin이 부족하여 나타나기도 하지만, fibrillin이 비활성-TGFβ를 조직에서 붙잡고 있어야(sequestration)하는데 돌연변이로 이 기능을 못하여 비활성-TGFβ가 유리되고 활성화되어 활성-TGFβ의 조직 농도가 높아져, 이로 인하여 대동맥류가 발생한다는 "TGFβ 활성화" 이론이다. "TGFβ계 활성화"는 다른 hereditary aortopathy에서도 증명된다. 또한 TGFβ계와 renin-angiotensin-aldosterone계 (RAAS) 사이에는 분자생물학적인 상호작용(cross-talk)가 있어 RAAS이 TGFβ계를 활성화 시킨다. 이러한 발생기전을 배경으로 베타차단제와 안지오텐신수용체차단제(angiotensin receptor blocker)가 약물치료에 사용된다.

(2) 유전자 검사

Marfan syndrome의 진단은 "revised Ghent criteria"에 의한다(http://www.marfan.org/resources/professionals/marfandx).

진단에 반드시 유전자 검사가 필요하지 않으나, 임상소견만으로는 확진이 안 되거나, 소아 환자에서 임상양상이 아직 명확하지 않은 경우, hereditary aortopathy가 의심되나 어느 질환인지 불명확할 때, 또는 선별 임신 등을 위하여는 유전자 검사를 실시한다. 단일유전자 돌연변이에 의한 어느 특정 질환이 의심될 때는 그 원인 유전자 검사를 하며, Loeys-Dietz syndrome 같이 원인 돌연변이가 여러개이거나 혹은 유전질환이 의심되지만, 어느 유전자의 돌연변이인지 잘 모를 때에는 최근 개발된 next generation sequencing (NGS) 패널 검사를 시행한다. 유전자 검사 시행과 판독은 유전학전문가(geneticist)와의 긴밀한 협의가 중요하다. Marfan syndrome의 경우 유전자검사로 FBN1 유전자의 돌연변이를 첫 검사에서 바로 확진하는 경우는 약 70% 정도이고, 약 20%에서는 전세계에서 처음 보고되는 유전적 변이가 발견되는데 이를 variance of unknown significance (VUS)라 한다. 컴퓨터 예측 프로그램, 정상 인구집단에서의 동일 변이의 발견 확률, 가족 검사 등을 통하여 VUS가 최종 병과 무관한 "유전적다형성"인지 또는 질환의 원인인 "돌연변이"인지를 판단하게 되는데 이런 추가적인 방법을 통하여 약 90%의 말판 환자에서 원인 돌연변이를 규명할 수 있다. 대부분의 유전성대동맥질환은 우성유전 질환이며 약 50%에서는 de novo로 발생한다. 동일 질환의 가족 내 진단과 치료가 필수적으로 동일 질환을 갖는 가족이 진단의 기회를 놓쳐 대동맥박리 등으로 사망하지 않도록 가족 관리가 매우 중요하다.

(3) 약물치료

대동맥류의 발생이나 크기 증가를 예방하기 위하여 일차적으로 베타차단제를 사용하며, atenolol이 가장 널리 사용되고 목표 혈압을 120/80 mmHg 이하, 심박수 -60/분 정도 유지하도록 용량을 조절한다. Atenolol의 고혈압 치료 용량이 50 mg/day 정도인 것에 비하여 더 고용량을 사용하는 경우가 많고, 혈압과 심박수를 모니터링 하면서 150 mg/day까지 증량한다. 베타차단제를 사용하는데 혈압조절이 안 되거나 대동맥류의 크기가 증가하면 losartan을 추가하며, 25-50 mg/day부터 사용하여 100 mg/day까지 증량한다. 고혈압 환자에서 널리 쓰이는 dihydropyridine 계열의 칼슘차단제(예, ~dipine 계열, amlodipine 등)는 Marfan syndrome 동물 실험에서 대동맥류의 발생을 촉진시켜 일반적으로 사용하지 않는다. 기타 다른 hereditary aortopathy에서도 동일한 약물치료를 하나, Ehlers-Danlos syndrome type IV (vascular Ehlers-Danlos syndrome)에서는 소규모 전향적 임상시험에서 효과가 입증된 베타차단제인 celiprolol이 일차적으로 사용되며 100 mg/day부터 시작하여 400 mg/day까지 증량한다. 수술 후에도 다른 부위의 대동맥이 늘어날 수 있으므로 일평생 베타차단제 포함 약물치료를 하여야 하며, 대동맥 크기 모니터링을 위한 심장초음파검사와 대동맥영상검사를 주기적으로 실시한다. 소아 환자에서의 약물치료는 유전성대동맥질환으로 진단 되면 그때부터 약물치료를 해야한다는 주장과 소아의 체구가 가장 빠르게 발육하는 때가 초등학교 때이므로 적어도 초등학교 들어갈 때부터는 약물치료를 해야한다는 주장이 있다. 환자의 순응도, 심혈관질환의 양상에 따라 보호자와 상의하여 결정하도록 한다.

(4) 과격한 활동 금지

일반적으로 중증도 강도의 운동(4-6 metabolic equivalent)은 허용되며, 다칠 수 있거나, 남과 경쟁하는 운동, 등척성운동(isometric exercise: 역기, 벤치프레스 같은 weight 트레이닝, 팔굽혀펴기, 시트업)은 시행하지 않도록 한다. 일반적으로 자기 몸무게의 반이 넘는 것을 들지 않도록 하고, 대동맥박리, hereditary aortopathy, 동맥류가 빨리 자라고 있을 때는 1/3 이상을 들지 않도록 한다. 비행기 탑승, 스노클링은 가능하나, 스쿠버다이빙은 금기이다. 적절한 운동의 강도는 맥박수 100/분 이하 유지이다.

(5) 임신

임신 시 대동맥류의 크기 증가가 빠르고 동맥 박리의 위험성이 크다. 특히 출산 전후 위험성이 높아 주의 관찰이 필요하다. Marfan syndrome에서 sinus of Valsalva (SoV)의 직경이 4.5 cm 이상이면 임신의 금기증이며, 4.0-4.5 cm 는 대동맥박리의 고위험 산모이다(표 11-7). 임신 기간 중에도 베타차단제를 지속적으로 투여하여야 하나 SoV 가 많이 늘어나 있지 않은 경우(<

표 11-7. Threshold for pre-pregnancy elective aortic root repair in patients with hereditary aortopathy

Aortopathy	Aneurysm diameter
Loeys-Dietz syndrome	≥ 4.0 cm
Marfan syndrome	4.0-4.5 cm
Turner syndrome	≥ 27 mm/m²
Bicuspid aortic valve	4.0-5.0 cm
Others	≥ 5.0 cm
Ehlers-Danlos syndrome IV	Contraindicated

을 투여할 수 있다. 출산 후 모유수유를 할 경우 atenolol 보다는 metoprolol이 모유로의 분비가 적어 선호된다. SoV 직경 4.0 cm 이상이면 자연 분만 보다는 제왕절개가 안전하다. Sacral dural ectasia가 있는 경우 epidural anesthesia 시 주의를 요하므로 사전에 산부인과와 마취과에 대한 정보를 제공한다. 이미 대동맥박리가 있는 산모는 매우 고위험 산모이며, 기계심장판막을 갖고 있는 산모는 임신에 따른 항응고제 관리가 필요하다.

3.5 cm)에는 태아의 장기가 형성되는 임신 1기에는 약물 복용을 하지 않고 임신 2기부터 약물

요약 🔒

1) 대동맥류의 수술 기준은 복부대동맥 ≥ 5 cm, 상행대동맥 ≥ 5.5 cm, 하행대동맥 ≥ 6 cm이다. 하행대동맥의 수술 기준이 높음은 수술에 따른 morbidity(특히 paraplegia)가 높기 때문이다. 유전성 대동맥질환(hereditary aortopathy)은 각각 0.5 cm 낮다. 유전성 대동맥질환 중 Marfan syndrome 보다 Loeys-Dietz syndrome은 예후가 더 나빠 수술 기준이 더 낮다.
2) 추적 이미징 검사는 수술 기준보다 1 cm 이상 작으면 매년, 1 cm 이내이면 6개월 마다 시행한다.
3) 복부대동맥류 < 흉부대동맥류 < 대동맥박리=유전성 대동맥질환의 순으로 더 적극적으로 혈압과 맥박수를 조절한다. 베타차단제가 1차 치료약이며, angiotensin receptor blocker (losartan 등)가 2차 치료제이다.
4) 대동맥박리(aortic dissection, AD)는 응급질환으로 상행대동맥을 침범하는 type A AD는 응급수술을 시행하고, 상행대동맥을 침범하지 않는 type B AD은 합병증이 없으면 내과적 치료를 한다. Anti-impulse therapy (IV labetalol, IV esmolol)를 먼저 시행하여 심박수 50-60/분 유지 후 수축기 혈압 100-120 mmHg를 목표로 혈압을 조절한다(IV nicardipine, IV nitroprusside).
5) Type B AD의 가장 위험한 합병증은 malperfusion syndrome으로 대개 true lumen이 collapse 되어 true lumen에서 혈액공급을 받는 장기에 허혈성 괴사가 오게 되며, 사망률은 약 70%이다.
6) 유전성 대동맥질환의 유전자 검사는 어느 특정 질환이 의심될 때는 그 원인 유전자 검사를 하며, Loeys-Dietz syndrome 같이 원인 돌연변이가 여러개이거나 혹은 유전질환이 의심되지만, 어느 유전자의 돌연변이인지 잘 모를 때에는 최근 개발된 next generation sequencing (NGS) 패널 검사를 시행한다.

참고문헌

1. Aday AW, Kreykes SE, Fanola CL. Vascular Genetics: Presentations, Testing, and Prognostics. Curr Treat Options Cardiovasc Med. 2018;20(12):103

2. Attenhofer Jost CH, Greutmann M, Connolly HM, Weber R, Rohrbach M, Oxenius A, Kretschmar O, Luscher TF, Matyas G. Medical treatment of aortic aneurysms in Marfan syndrome and other heritable conditions. Curr Cardiol Rev. 2014;10(2):161-71

3. Cikach F, Desai MY, Roselli EE, Kalahasti V. Thoracic aortic aneurysm: How to counsel, when to refer. Cleve Clin J Med. 2018;85(6):481-492

4. Gillis E, Van Laer L, Loeys BL. Genetics of thoracic aortic aneurysm: at the crossroad of transforming growth factor-β signaling and vascular smooth muscle cell contractility. Circ Res. 2013;113(3):327-40

5. Ho N, Mohadjer A, Desai MY. Thoracic aortic aneurysms: state of the art and current controversies. Expert Rev Cardiovasc Ther. 2017;15(9):667-680

6. Keisler B, Carter C. Abdominal aortic aneurysm. Am Fam Physician. 2015;91(8):538-43

7. Strayer RJ. Thoracic Aortic Syndromes. Emerg Med Clin North Am. 2017;35(4):713-725

8. 양신석. Management of small AAA: Surveillance versus treatment. 김영욱 편저 복부대동맥류 2018 가본의학서적 p. 39-45

PART III

대동맥질환의 약물치료

12
CHAPTER

감염성 대동맥염의 약물치료

Pharmacotherapy of infected aortitis

| 하영은 | 부천세종병원 감염내과

대동맥 감염증의 진단

이 장에서는 대동맥 감염을 일으키는 감염성 대동맥 질환 및 최근 많이 사용되고 있는 대동맥 인공혈관 혹은 stent graft의 감염증 에서의 항생제 치료에 관해 기술하고자 한다. 전세계적으로 여러 보고에서 다양한 미생물이 감염동맥류(mycotic aneurysm) 및 EVAR/TEVAR 감염의 원인으로 확인되어 왔으며, 그 중 황색 포도알균(*Staphylococcus aureus*)과 살모넬라균(*Salmonella species*)이 빈번히 보고되는 원인미생물이다. 특히 graft infection, EVAR/TEVAR infection의 경우 황색포도알균 및 *coagulase-negative staphylococci*가 흔한 원인균이다(표 12-1). Endograft 삽입 시술 과정 중의 오염으로 인하여 조기 감염이 발생할 수도 있지만, 후기로 갈수록 다른 부위에서 감염이 발생한 후 혈행성 전파에 의해 이차적으로 endograft infection이

표 12-1. Etiology of infected aortitis, aortic graft infection, and EVAR/TEVAR infection

Infected aortitis				
Study (yr)	Country	Patients	Aorta	Microorganism (no. of cases)
Sessa et al. ('97)	France	18		*Salmonella* (5), *Pseudomonas* spp. (2), *Bacteroides fragilis* (2), *S. aureus* (1), *E. coli* (1), *Corynebacteria* spp. (1), *Campylobacter fetus* (1), *Clostridium para-putrificum* (1), *Streptococci* (2), *Listeria monocytogenes* (1)
Fillmore et al. ('03)	USA	10		*S. aureus* (4, 3 MRSA, 1 MSSA), *Streptococcus pneumoniae* (2), *Enterococcus faecalis* (1), *Clostridium perfringens* (1), Mixed infection of *Escherichia coli*, *streptococci*, and *candida* (1), One patient was culture negative

McCready et al. ('06)	USA	10		Abdominal - *S. aureus* (1), *Klebsiella* (1), *Streptococci* (1), *Mycobacterium abscessus* (1) Splenic - *Streptococci* (1) Femoral - *S. aureus* (2), *Escherichia coli* (1), *Diphtheroids* (1), *Pseudomonas* (1),
Clough et al. ('09)	UK	19	Thoracic, Abdominal	15/19 had positive blood cultures. *S. aureus* (7, 4 MSSA, 3 MRSA), *Salmonella* spp. (3), *S. pneumoniae* (2), *E. coli* (1), *Serratia fonticola* (1), *Tuberculosis* (1)
Kripracha et al. ('11)	Thailand	17		*Salmonella* (7), *Burkholderia pseudomallei* (2), otherwise culture negative
Vallejo et al. ('11)	UK	17		CNS (4), *S. aureus* (2), *Streptococci* (2), *S. pneumoniae* (2), *Klebsiella* (1), *Micrococcus* (1), *Prevotella* (1)
Huang et al. ('14)	Taiwan	12		*Salmonella* spp. (8), *Klebsiella pneumoniae* (1), *E. coli* (1), otherwise culture negative
Murakami et al. ('14)	Japan	4		*Salmonella* spp. (1), Listeria monocytogenes (1), otherwise culture negative
Heo et al. ('17)	Korea	15	Abdominal	*Salmonella* spp. (4), *Staphylococci* (3), *K. pneumoniae* (3), *Enterococci* (2), *Serratia marscens* (1), *Mycobacterium tuberculosis* (2)
Luo et al. ('17)	Korea	40	Thoracic, Abdominal	*Salmonella* spp. (11), non-*Salmonella* spp. (12), culture-negative (17)
Sorelius et al. ('19)	Sweden	52	Thoracic	*S. aureus* (16), *S. pneumoniae* (7), *Salmonella* spp. (2), Miscellaneous (4), culture-negative (23)
Graft infection, EVAR/TEVAR				
Lyons et al. ('13)	UK	22	Thoracic 9 Abdominal 13	*E. coli* (3), *S. aureus* (1), *Candida* (1), *Enterococci* (1), *Propionibacterium* (1), *Pseudomonas* as a part of polymicrobial infection (3), culture-negative (10)
Smeds et al. ('16)	US	206	EVAR 180 TEVAR 26	Blood cultures were positive in 123 patients (63%), intraoperative cultures identified gram-positive organisms in 42, with *Streptococci* the most prevalent, and gram-negative organisms in 25, with E. coli and Prevotella the most common, fungus in 8.
Cappocia et al. ('16)	Italy	26	Abdominal EVAR	*S. aureus* (5), *E. coli* (6), *Candida* (4), *Enterococci* (2), *S. epidermidis* (2), *Staphylococcus lugdunensis* (1), *Klebsiella* (1), *Pseudomonas aeruginosa* (1), *Bacteroides fragilis* (1), *Fusobacterium mortiferums* (1), *Haemophylus aphrophilus* (1), culture-negative (6)
Ben Ahmed et al. ('17)	France	24	Abdominal graft	*S. epidermidis* (7), *S. aureus* (5), *E. coli* (7, all cases were polymicrobial), P. aeruginosa (2), *K. pneumoniae* (1), *E. faecalis* (2), *Candida* spp. (2, both were polymicrobial)
Kahlberg et al. ('17)	Italy	26	Thoracic graft (surgical 13, TEVAR 13)	*S. aureus* (3), *S. epidermidis* (1), *Klebsiella* spp. (2), *P. aeruginosa* (2), *A. baumanii* (2), *Aspergillus* spp. (2), *Candida* spp. (1)

표 12-2. Diagnostic approach of infected aortitis, graft infection, EVAR/TEVAR infection

항목	세부사항
병력청취	주요증상, 과거병력, 의료기관 방문 및 치료이력, 약물투약이력, 주거지역, 직업, 가축접촉력, 여행력(국내 및 해외)
계통문진 및 신체검진	중추신경계증상, 호흡기증상, 복부 증상, 요통 및 하지감각장애, 요로계 증상
혈액검사	CBC with differential, Chemistry, ESR, CRP, VDRL, anti-HIV, Brucella Antibody, Q fever Antibody (phase I & phase II Ab), Bartonella Antibody, IGRA (Interferon Gamma Release Assay)
영상검사	Chest plain radiograph, contrast enhanced CT or CT angiography, FDG PET-CT, echocardiogram, vascular doppler ultrasound, gadolinium enhanced MRI
미생물검사	혈액배양 2~3쌍, 타부위 동반된 감염병소가 있을 경우 해당 부위에서 검체 확보하여 배양 의뢰. 수술 시행시 수술장 검체로 배양 및 병리검사
수술장 검체	infected tissue 또는 pus 를 채취하여 검사 의뢰하며, 가급적 여러 개의 검체를 확보하는 것이 미생물 진단율을 높일 수 있음. 포르말린에 담지 않은 fresh specimen 이어야 함. 1) Gram stain and culture, AFB stain and culture, TB PCR, fungus culture, 16S rRNA sequencing PCR 2) Pathology: 병리조직검사 의뢰도 필요함. Pathology 의뢰하는 검체는 포르말린에 담아 검사실로 보낸다.

PART III

대동맥질환의 약물치료

발생하는 것이 주된 감염 기전이므로, 선행하는 또는 동반된 타 부위 감염증의 증거를 찾기 위한 노력이 추가로 요구된다.

감염동맥류의 진단을 위해서는 철저한 병력청취와 이학적 검사, 혈액 검사 및 영상 검사가 필요하다. 병력청취에는 선행요인을 시사하는 감염증이 있었는지를 확인하고, 계통문진을 통해 타 부위에 동반 발생한 감염증의 소견을 확인해야 하며, 환자의 주거지역, 직업, 가축 접촉력, 해외 여행력 등을 확인하여 역학적 관련성을 가지는 위험인자에의 노출 유무를 확인한다. 영상 검사는 contrast enhanced CT와 PET-CT (positron emission tomography-computed tomography)가 감염동맥류 또는 endograft infection 진단에 도움이 된다. 대부분 수주~수개월에 걸친 항생제 치료를 요하므로, 경과 중 약제 이상반응 때문에 타 약제로 변경하는 경우가 빈번하다. 따라서 초기 치료제가 적절한지 확인하고, 대체 가능한 타 약제 옵션을 찾기 위해서는, 치료 시작 전 원인 미생물에 대한 정확한 정보가 필수적이라 할 수 있다. 혈액 배양은 반드시 시행되어야 하며, 수술을 한다면 감염병소로부터 검체를 얻어 배양 또는 분자생물학적 검사를 의뢰한다. 여러 진단기법들을 통해 원인 미생물이 밝혀지는 경우는 60% 내외이다(표 12-2). 대부분의 경우 수술 전에 이미 광범위 항생제를 투여하므로 이 경우 수술장 검체 배양에서 미생물이 확인되지 않을 수 있지만 병리조직검사를 통해 특징적인 병리소견이 관찰되거나, 16S ribosomal RNA (rRNA) sequencing PCR을 통해 원인 미생물 진단율을 높일 수 있다. Q fever 또는 Brucella는 배양 양성률이 매우 낮고 혈청학적 검사를 통해 진단되는 경우가 많으므로 배양음성인 경우 serology 검사도 해보는 것이 좋겠다.

항생제 치료

감염동맥류는 동맥류 파열 또는 aorto-enteric fistula에 의한 대량 출혈 등의 중대한 합병증이 발생할 수 있으므로 진단되는 즉시 항생제 치료를 시작한다. 이때 가급적 사전에 혈액배양을 위한 혈액 검체를 2~3쌍 확보한 이후에 항생제가 투여될 수 있도록 한다. 항생제는 포도알균 및 그람음성 장내세균을 커버할 수 있는 광범위 항생제 투여가 필요하며, ceftriaxone이 흔히 임상에서 투여되는 초기 경험적 항생제이다. 만약 해부학적 위치가 복부대동맥이라면 복강내 혐기균을 포함하기 위해 ceftriaxone과 metronidazole 병합요법으로 경험적 항생제치료를 시작한다(표 12-3A). 이후 혈액 배양 결과 또는 수술장 검체의 검사 결과에 따라 원인 미생물이 확인되는 경우 그에 적합한 definitive agent로 조정하도록 한다. 환자가 MRSA carrier 이거나, 또는 최근에 MRSA 균혈증 또는 타 장기의 MRSA 감염이 있었고 그로 인한 혈행성 전파에 의해 감염성동맥류가 발생하였을 것으로 판단되는 경우,

stent-graft 삽입 후 2개월 이내에 감염이 발생한 경우, 최근 침습적 시술을 받은 기왕력, 초기에 중증 패혈성 쇽을 동반하였거나, 또는 해당 의료기관 내 MRSA 감염 발생율이 높은 경우 초기 경험적 항생제에 vancomycin 추가를 고려할 수 있다.

항생제 투여 전 혈액배양을 시행하고 경험적 항생제 투여를 시작한다(표 12-3A). 이후 배양 결과에 따라 항생제를 조정한다(표 12-3B).

MRSA의 위험인자가 없고 환자의 임상상황이 비교적 안정적이라면 graft infection/stent graft infection이라 하더라도 vancomycin을 투여하는 결정은 신중할 필요가 있는데, 그 이유는 추후 배양음성으로 확인되어 결국 원인균을 알지 못하는 상황에서는 수주~수개월에 걸친 장기간 vancomycin 치료를 이어나가기 어려운 경우가 많기 때문이다. 신독성과 같은 약제 부작용 및 경구 전환 가능한 옵션이 없다는 점이 vancomycin 장기치료의 단점이다. 개인적 견해로는 배양 음성인 경우에는, 초기 경험적 항생제 치료에 반응이 없다고 판단될 경우에, MRSA를 커

표 12-3A. Empirical antibiotic therapy

분류	경험적 항생제	비고
Infected aortitis (mycotic aneurysm)	3rd generation cephalosporin	- 감염병소 위치가 복부 대동맥인 경우 복강내 혐기균을 고려하여 metronidazole 추가 - Methicillin 내성 포도알균(MRSA or MRCNS) 감염 고위험군일 경우 경우 vancomycin 고려(e.g., 쇼크를 동반한 중증 패혈증으로 발현, MRSA carrier, 감염동맥류 진단 이
Graft infection EVAR/TEVAR infection	3rd generation cephalosporin +/- vancomycin	전에 MRSA bacteremia 또는 타 부위의 MRSA infection이 있었던 경우, endograft 삽입 2개월 이내 조기 감염 발생, 최근 수술 또는 시술 이력) - 경험적으로 vancomycin을 시작했는데, 추후 배양결과 음성으로 결국 원인균을 알지 못하는 경우, 장기간 vancomycin 투여를 지속하기에 어려움이 있음. 따라서, 가급적 초기 항생제는 methicillin 내성 포도알균에 항균력이 없는 regimen으로 시작한 후, 이후 수일내 치료반응을 평가한 후 vancomycin을 추가하는 방식을 권고

표 12-3B. Targeted antibiotic therapy

원인균	항생제	용량 및 용법(정상 신기능 기준)	비고
Methicillin-susceptible S. aureus (MSSA)	Nafcillin	Nafcillin 2 g IV q 4hr 또는 3 g IV q 6hr	Peripheral route 로 투여 시 thrombo-phlebitis 호발하므로 PICC 를 통한 투약 권고
Methicillin-resistant S. aureus (MRSA)	Vancomycin*	Vancomycin 15 mg/kg IV q 12hr 통상적인 처방 예시: vancomycin 1 g + 5% dextrose water 200 mL mix infu-sion over 2hr, q 12hr	Slow infusion over 2hr (rapid infusion 은 red man syndrome과 같은 합병증 유발 가능) TDM 필요함 : target trough level 15-20 ug/mL
Streptococci- penicillin susceptible	Penicillin	Penicillin 3M IU IV q 4hr	현재 다수의 센터에서 penicillin이 avail-able 하지 않음
	Ampicillin	Ampicillin 2 g IV q 4hr 또는 Ampicillin 3 g iv q 6hr	Penicillin 이 available 하지 않을 경우 ampicillin으로 사용 가능함
Streptococci- penicillin nonsusceptible	3rd generation cepha-losporin	Ceftriaxone 2 g IV q 24hr Cefotaxime 2 g IV q 8hr	균주가 ceftriaxone 또는 cefotaxime 에 대한 감수성 있을 시 고려할 수 있음
	Vancomycin*	Vancomycin 15 mg/kg IV q 12hr	*상동
Enterococcus faecalis	Ampicillin Ampicillin-sulbactam	Ampicillin 2 g iv 4hr or 3 g IV q 6hr Ampicillin-sulbactam 3 g IV q 6hr	항생제 감수성 결과에 근거하여 선택
Enterococcus faecium	Vancomycin*	Vancomycin 15 mg/kg IV q 12hr	*상동
Non-typhoidal salmo-nella species	Ciprofloxacin 3rd generation cepha-losporin	Ciprofloxacin 400 mg IV q 12hr Ceftriaxone 2 g IV q 24hr Cefotaxime 2 g IV q 8hr	항생제 감수성 결과에 근거하여 선택
E. coli, K. pneumoniae	Beta-lactam/ beta-lactamase inhibitor 3rd generation cepha-losporin Quinolones	Ampicillin-sulbactam 3 g IV q 6hr Ceftriaxone 2 g IV q 24hr Cefotaxime 2 g IV q 8hr Ciprofloxacin 400 mg IV q 12hr Moxifloxacin 400 mg IV q 24hr Levofloxacin 750 mg IV q 24hr	다제내성균이라면, 약제감수성 결과에 따라, cefepime, piperacillin-tazobactam, carbapenems 등을 선택할 수 있음
Pseudomonas aerugi-nosa	Piperacillin-tazobac-tam Ceftazidime or Ce-fepime Carbapenems	Piperacillin-tazobactam 4.5 g IV q 6~8hr Ceftazidime 2 g IV q 8hr Cefepime 2 g IV q 8hr Meropenem 1 g IV q 8hr Imipenem 3-4 g/day divided 3-4 dose Doripenem 1 g IV q 8hr	Prolonged infusion 의 benefit 이 있어 권고됨 해당 약제: piperacillin-tazobactam, ceftazidime, cefepime, meropenem, doripenem (수액에 mix한 후 상온/체온 에서 수시간 이상 경과 시에도 혼합용액 의 안정성이 확보된 제제들임) Infusion time : 3~4hr
Anaerobes	Metronidazole Clindamycin	Metronidazole 500 mg IV q 8hr Clindamycin 600 mg IV q 8hr	이미 항혐기균 작용이 있는 항생제를 투여 중이라면 병용하지 않음(예, ampicil-lin-sulbactam, piperacillin-tazobactam, imipenem, meropenem 등) Metronidazole 장기 투여 시 심각한 신경계 합병증(cerebellar ataxia-가역적, peripheral neuropathy-비가역적) Clindamycin 투여 시 Clostridium difficile diarrhea 발생에 주의

Candida species	Echinocandins (Treatment of choice)	Caspofungin 70 mg loading 후 24시간 후부터 Caspofungin 50 mg q 24hr Anidulafungin 200 mg IVv q 24hr Micafungin 100 mg IV q 24hr	*Candida* subspecies별로 항진균제에 대한 감수성이 상이하므로 반드시 항진균제 감수성을 확인. 혈액 및 뇌척수액에서 배양된 *Candida* species는 항진균제 감수성 검사가 routine 하게 이루어지지만, 타 부위 검체에서 배양된 경우 감수성 검사를 추가로 의뢰해야 함
	Fluconazole	Fluconazole 800 mg IV loading 후 400~800 mg IV q 24hr	초기 echinocandin계 약물로 약 2주 정도 치료 후 안정적이라면 fluconazole로 전환. 만약 장기간 항진균제 유지가 필요하다면 fluconazole 경구(200 mg ~ 400 mg PO q 24hr)로 전환하여 외래 추적. 특히 prosthesis가 제거되지 못한 경우라면 lifelong treatment 고려
Coxiella Burnetii (Q fever)	Doxycycline + Hydroxychlorquine	병합요법으로 투여 Doxycycline 100 mg PO bid Hydroxychlorquine 200 mg PO tid	수술적 치료를 병행하지 않으면 예후가 매우 나쁨 최소 18개월 이상 치료 Prosthesis가 제거되지 못한 경우라면 최소 24개월 이상 치료 치료 경과 중 항체가 모니터링을 통해 항체역가 감소가 있어야 치료 종결을 고려할 수 있음(만성 Q열의 범주에 있는 질환이므로 phase I IgG titer 의 감소 여부가 중요함)
Brucella	Triple combination	Doxycycline Rifampicin Aminoglycoside (Streptomycin, Genta-micin) Fluoroquinolone (Ciprofloxacin) Trimethoprim-sulfamethoxazole Tetracycline	Brucella aortitis/arteritis는 극히 드문 질환으로 아직까지 정확한 치료 지침은 없음. Brucella endocarditis 치료 원칙에 근거하여 2제 또는 3제 병합요법을 추천하며, 고정된 조합은 없음. 다양한 치료 예가 보고되어 있음. Doxycycline이 근간이 되며, 여기에 다른 약제들을 병합 투여함. 감염내과 전문의 협진을 권고함

버하는 vancomycin을 추가하거나, 다제내성 그람음성균을 타겟하여 piperacillin-tazobactam 또는 carbapenem계로 변경을 고려하는 단계적 방식을 추천한다.

초기 경험적 항생제 시작 후 며칠 후 배양결과에서 원인 미생물이 확인되면 그에 맞추어 표적 항생제 치료(targeted antibiotic therapy)를 한다. 항생제 투여기간은 원인 미생물의 종류, 수술적 배농이 이루어졌는지, prosthesis removal 이 가능한지, 동반된 타 부위 감염병소 유무에 따라 다르지만, 통상적으로 세균성 감염인 경우 평균 6주 간의 정맥주사 항생제 치료를 권고한다. 치료 기간 중 발열 및 증상의 호전, CRP와 같은 염증소견의 호전, 그리고 영상검사에서 해당 병소의 염증소견 호전의 확인이 필요하다. 잔여 병소가 남아 있는 경우 수개월간 경구 항생제 요법을 지속하기도 하는데 이에 따라 전체 치료기간은 정맥주사 항생제 투여기간을 포함하여 평균 3개월 내외 소요된다. 비정형 세균, 결핵, 진균 감염 등은 장기간 치료를 요한다(표 12-3B).

만약, stent-graft 를 제거하지 못하는 경우, 경구 항생제 옵션이 있는 경우라면, 환자의 병소가 안정될 때까지 최소 6주 이상 정맥주사 항생제를 유지한 후, 경구 항생제 치료를 장기간 유지한다. 항생제를 종결하고자 하는 시점에는 조영증강 CT 및 PET-CT 를 촬영하여 잔여병소가 없는지 확인이 필요하고, 만약 잔여 병소가 있다면 항생제 치료를 유지해야겠다.

요약 🔒

1) Infected aortitis (mycotic aneurysm) 및 stent-graft infection의 원인균은 매우 다양하며, 병력, 해부학적 위치 및 역학적 요인에 의해 달라진다.
2) 진단을 위해 철저한 병력청취와 계통문진 및 이학적 검사, 조영증강CT 와 PET-CT 가 도움이 된다.
3) 혈액배양은 필수로 시행되어야 하며, 수술장 검체를 이용한 배양과 병리조직검사 및 분자유전학적 검사, 혈청검사가 원인 미생물 진단에 도움이 된다.
4) 초기 경험적 항생제는 그람양성 및 그람음성균을 커버하도록 하고, 이후 배양 결과에 따라 조정한다.
5) 최소 6주의 항생제 정맥주사 치료가 약물치료의 근간이며, 원인 미생물 및 환자의 임상 상황에 따라 필요시 경구 항생제를 수개월간 유지하기도 한다.

PART III   대동맥질환의 약물치료

참고문헌 ///

1. Ben Ahmed, S., et al., Cryopreserved arterial allografts for in situ reconstruction of abdominal aortic native or secondary graft infection. J Vasc Surg, 2017.

2. Capoccia, L., et al., Preliminary Results from a National Enquiry of Infection in Abdominal Aortic Endovascular Repair (Registry of Infection in EVAR-R.I.EVAR). Ann Vasc Surg, 2016. 30: p. 198-204.

3. Clough, R.E., et al., Is endovascular repair of mycotic aortic aneurysms a durable treatment option? Eur J Vasc Endovasc Surg, 2009. 37(4): p. 407-12.

4. Daye, D. and T.G. Walker, Complications of endovascular aneurysm repair of the thoracic and abdominal aorta: evaluation and management. Cardiovasc Diagn Ther, 2018. 8(Suppl 1): p. S138-s156.

5. Fillmore, A.J. and R.J. Valentine, Surgical mortality in patients with infected aortic aneurysms. J Am Coll Surg, 2003. 196(3): p. 435-41.

6. Heo, S.H., et al., Recent Results of In Situ Abdominal Aortic Reconstruction with Cryopreserved Arterial Allograft. Eur J Vasc Endovasc Surg, 2017. 53(2): p. 158-167.

7. Huang, Y.K., et al., Therapeutic opinion on endovascular repair for mycotic aortic aneurysm. Ann Vasc Surg, 2014. 28(3): p. 579-89.

8. Kahlberg, A., et al., How to best treat infectious complications of open and endovascular thoracic aortic repairs. Semin Vasc Surg, 2017. 30(2-3): p. 95-102.

9. Kritpracha, B., et al., Endovascular therapy for infected aortic aneurysms. J Vasc Surg, 2011. 54(5): p. 1259-65; discussion 1265.

10. Luo, C.M., et al., Long-term Outcome of Endovascular Treatment for Mycotic Aortic Aneurysm. Eur J Vasc Endovasc Surg, 2017. 54(4): p. 464-471.

11. Lyons, O.T., et al., A 14-year experience with aortic endograft infection: management and results. Eur J Vasc Endovasc Surg, 2013. 46(3): p. 306-13.

12. McCready, R.A., et al., Arterial infections in the new millenium: an old problem revisited. Ann Vasc Surg, 2006. 20(5): p. 590-5.

13. Murakami, M., et al., Fluorine-18-fluorodeoxyglucose positron emission tomography-computed tomography for diagnosis of infected aortic aneurysms. Ann Vasc Surg, 2014. 28(3): p. 575-8.

14. Sessa, C., et al., Infected aneurysms of the infrarenal abdominal aorta: diagnostic criteria and therapeutic strategy. Ann Vasc Surg, 1997. 11(5): p. 453-63.

15. Smeds, M.R., et al., Treatment and outcomes of aortic endograft infection. J Vasc Surg, 2016. 63(2): p. 332-40.

16. Sorelius, K., et al., Nationwide Study on Treatment of Mycotic Thoracic Aortic Aneurysms. Eur J Vasc Endovasc Surg, 2018.

17. Vallejo, N., et al., The changing management of primary mycotic aortic aneurysms. J Vasc Surg, 2011. 54(2): p. 334-40.

13
CHAPTER

대동맥을 침범하는 전신 혈관염의 약물치료

Pharmacotherapy of systemic vasculitis involving aorta

| **차훈석** | 성균관의대 삼성서울병원 류마티스내과

대동맥을 침범하는 대표적인 혈관염은 Takayasu's arteritis, giant cell arteritis, Behcet's disease, IgG4-related disease 등이 있다. 본 장에서는 이들 질환들의 진단 및 항염증 및 면역억제 치료에 대해 알아보도록 하겠다.

대동맥을 침범하는 혈관염의 진단

Takayasu's arteritis는 대동맥 및 대동맥의 주된 분지를 침범하는 육아종성 동맥염이다. 주로 50세 이전에 발병한다는 것이 giant cell arteritis 와 구분되는 가장 중요한 특징이다. 서구 지역보다는 일본 한국 등의 극동 아시아와 인도에 흔하며 일본의 경우 10만명당 4명의 유병율을 보인다. 여성에서 90% 이상 발생한다. Giant cell arteritis는 대동맥 및 이의 분지들을 침범하면서도 특히 경동맥 및 척추동맥의 분지들을 침범하는 육아종성 동맥염으로 정의된다. 흔히 측

두동맥을 침범하며 50세 이후에 발병한다. Polymyalgia rheumatica와 흔히 동반된다. 서구에는 유병율이 10만명당 20명 정도이지만 한국을 비롯한 극동아시아에서는 10만명당 1명 이하로 드문 질환이다. Temporal arteritis로도 불리는 것처럼 측두동맥을 흔히 침범하지만 30-65%의 환자에서 대동맥을 침범한다. Behcet's disease 는 동맥 및 정맥, 작은 혈관부터 큰 혈관까지 모두 침범할 수 있는 질환이다. Behcet's disease는 반복적인 구강 및 성기 궤양과 더불어 피부, 눈, 관절, 위장관, 중추신경 등을 침범할 수 있는 전신적인 염증성 질환이다. 터키나 극동아시아에 호발하며 20-40대의 남자에게 더 잘 발생한다. 약 10-20%의 환자에서 큰 혈관을 침범하며 주로 정맥을 침범하여 혈전증을 일으킨다. 약 5% 에서 동맥을 침범하여 혈관의 폐색 또는 동맥류를 일으킨다. 대동맥을 침범할 경우 특히 동맥류가 더 흔하게 발생한다. 근위 대동맥의 확

표 13-1. Classification or diagnostic criteria of vasculitis involving aorta

Takayasu's arteritis (at least 3 of the 6 criteria) : American College of Rheumatology classification criteria, 1990
1. Age at disease onset ≤ 40 years
2. Claudication of the extremities
3. Decreased pulsation of one or both brachial arteries
4. Difference of at least 10 mmHg in systolic blood pressure between the arms
5. Bruit over one or both subclavian arteries or the abdominal aorta
6. Arteriographic narrowing or occlusion of the entire aorta, its primary branches, or large arteries in the proximal upper or lower extremities, not due to arteriosclerosis, fibromuscular dysplasia, or other causes

Giant cell arteritis (at least 3 of the 5 criteria) : American College of Rheumatology classification criteria, 1990
1. Age greater than or equal to 50 years at time of disease onset
2. Localized headache of new onset
3. Tenderness or decreased pulse of the temporal artery
4. Erythrocyte sedimentation rate greater than 50 mm/h (Westergren)
5. Biopsy which includes an artery, and reveals a necrotizing arteritis with a predominance of mononuclear cells or a granulomatous process with multinucleated giant cells

Behcet's disease : International Study Group diagnostic criteria, 1990
1. Recurrent oral ulceration (at least 3 times in one year period) following criteria
2. Recurrent genital ulceration
3. Eye lesions (uveitis or retinal vasculitis)
4. Skin lesions (erythema nodosum or pseudofolliculitis or papulopustular lesions or acneiform nodules)
5. Positive pathergy test

IgG4-related disease : Comprehensive clinical diagnostic criteria, 2011
1. Clinical examination shows characteristic diffuse/localized swelling or masses in single or multiple organs.
2. Hematological examination shows elevated serum IgG4 concentrations (≥ 135 mg/dL).
3. Histopathologic examination shows;
   (1) marked lymphocyte and plasmacyte infiltration and fibrosis
   (2) infiltration of IgG4-positive plasma cells: ratio of IgG4/IgG positive cells 〉 40% and 〉 10 IgG4-positive plasma cells/HPF

Definite, 1+2+3 ; Probable, 1+3 ; Possible, 1+2
However, it is important to differentiate IgG4-RD from malignant tumors of each organ (e.g. cancer, lymphoma) and similar diseases (e.g. Sjogren's syndrome, primary sclerosing cholangitis, Castleman's disease, secondary retroperitoneal fibrosis, Wegener's granulomatosis, sarcoidosis, and Churg-Strauss syndrome) by additional histopathological examination. Even when patients cannot be diagnosed using the CCD criteria, they may be diagnosed using organ-specific diagnostic criteria for IgG4-RD.

장은 대동맥판막 폐쇄부전증을 야기하기도 한다. IgG4-related disease는 전신적인 염증성 질환으로서 상승된 혈청 IgG4 수치, 침범된 조직에의 특징적인 IgG4 양성 형질세포(plasma cell) 침윤 및 섬유화(storiform fibrosis)를 특징으로 한다. IgG4-related disease는 주로 중년 이상의 남자에게 호발한다. 전신의 다양한 장기들을 침범할 수 있지만 대동맥이나 그 분지들을 침범하여 염증성 복부대동맥류(inflammatory abdominal aortic aneurysm: iAAA)를 일으킬 수 있다. iAAA

의 약 50%는 IgG4-related disease에 의한 것으로 보고되고 있다. 염증이 주로 침범하는 부위는 대동맥의 외막(adventitia)이기 때문에 혈관벽의 전층을 침범하는 다른 혈관염들과 구별된다. 증상으로는 발열, 복통, 요통, 체중감소 등의 증상과 더불어 섬유화로 인한 기계적 폐쇄에 의한 수신증(hydronephrosis)이나 장관협착 등의 증상도 유발할 수 있다. 그렇지만 동맥류가 발생하더라도 무증상인 경우가 흔하다.

　　실제 임상에서 이들 질환들을 진단할 수 있는 진단기준은 아직 만족스럽지 못한 실정이다. 표 13-1은 이들 질환의 진단에 활용되는 분류 또는 진단기준을 정리한 것이다.

대동맥을 침범하는 혈관염의 약물치료

　　대동맥을 침범하는 혈관염에 대한 약물치료는 아직까지 명확한 증거에 입각하여 권장되는 치료법은 없다. 그 이유는 큰 혈관을 침범하는 혈관염이 드물고 분류기준이 모호하여 약제에 대한 임상시험이 제대로 이루어지지 못하였기 때문이다. 약물치료의 가장 핵심적인 부분은 스테로이드이다. Prednisolone 용량으로 하루 40-60 mg을 가역적인 증상이 모두 호전되고 ESR, CRP 등의 염증수치가 정상화될 때까지 약 2-4주간 사용한 후 천천히 감량하는 것이 원칙이다. 그러나 많은 대동맥염 환자들이 스테로이드만으로는 관해가 유지되지 않으며 약제를 감량하면 염증이 악화되는 경우가 많다. 따라서 대동맥염의 일반적인 치료는 스테로이드로 초기 관해유도치료를 하고 유지요법으로 여러 종류의 면역억제제를 사용할 수 있다. 이들 면역억제제는 스테로이드의 용량을 줄이면서 관해를 유지하는 역할을 한다. Takayasu's arteritis나 giant cell arteritis에서 효과가 있다고 알려진 약제들은 methotrexate, leflunomide, azathioprine, mycophenolate mofetil, cyclophosphamide 등이다. 보통 스테로이드의 용량을 줄이기 위한 목적으로 methotrexate나 azathioprine을 가장 많이 사용한다. 스테로이드나 면역억제제 치료에 실패하는 환자들에게는 근래 항TNFα제제, tocilizumab, rituximab 등과 같은 생물학적 제제들이 사용된다. Infliximab과 같은 항TNFα제제의 경우 Takayasu's arteritis에서는 효과적이지만 giant cell arteritis에서는 효과가 없는 것으로 나타났다. 특히 IL-6에 대한 억제제인 tocilizumab은 Takayasu's arteritis, giant cell arteritis 모두에서 효과가 있는 것으로 보인다. 최근 발표된 giant cell arteritis 환자들을 대상으로 한 3상 임상시험에서 tocilizumab 투여군은 위약군과 비교하였을 때 스테로이드 사용을 하지 않으면서 관해를 유지하는 환자 비율이 유의하게 높았다(56% 대 14%). Tocilizumab은 최근 Takayasu's arteritis에서의 첫 임상시험에서 비록 통계적인 유효성은 없었으나 재발과 스테로이드를 줄이는 효과가 있는 것으로 나타나 추가적인 연구 결과가 기대되고 있다. Behcet's disease로 인한 혈관염이 있을 때에도 스테로이드와 더불어 azathioprine, cyclophosphamide 등의 면역억제제가 사용될 수 있다. 또한 infliximab이나 adalimumab과 같은 항TNFα제제가 Behcet's disease와 연관된 혈관염에서 효과적이었다는 증례보고들이 있다.

표 13-2. Immunosuppressants in large vessel vasculitis

	Mechanism of action	Efficacy	Dose	Toxicities
Methotrexate	Inhibit pyrimidine synthesis	Takayasu's arteritis Giant cell arteritis IgG4-related disease	10-25 mg/week with folic acid 1 mg/day	Nausea Hepatotoxicity Myelosuppression Interstitial pneumonitis
Leflunomide	Inhibit pyrimidine synthesis	Takayasu's arteritis Giant cell arteritis	10-20 mg/day	Hair loss Diarrhea Hepatotoxicity Interstitial pneumonitis
Azathioprine	Inhibit purine synthesis	Takayasu's arteritis Giant cell arteritis Behcet's disease IgG4-related disease	2 mg/kg/day	Nausea Myelosuppression Hepatotoxicity
Mycophenolate mofetil	Inhibit purine synthesis	Takayasu's arteritis Giant cell arteritis IgG4-related disease	1.5-2 g/day	Nausea Leukopenia
Cyclophosphamide	Alkylate and cross-link DNA	Takayasu's arteritis Giant cell arteritis Behcet's disease IgG4-related disease	2 mg/kg/day	Myelosuppression Infection Hemorrhagic cystitis Malignancy Ovarian failure

표 13-3. Biologic agents in large vessel vasculitis

Target	Agent	Mechanism of action	Routes of administration	Efficacy
TNFα	Infliximab	Chimeric monoclonal antibody against TNFα	Intravenous	Takayasu's arteritis Behcet's disease
	Adalimumab	Humanized monoclonal antibody against TNFα	Subcutaneous	
IL-6	Tocilizumab	Humanized monoclonal antibody against IL-6 receptor	Intravenous, subcutaneous	Takayasu's arteritis Giant cell arteritis
B cell	Rituximab	Chimeric monoclonal antibody against CD20	Intravenous	IgG4-related disease

IgG4-related disease에서도 스테로이드 치료만으로는 약 46%의 환자들이 스테로이드를 감량하는 중에 재발 또는 악화의 소견을 보인다. 따라서 methotrexate, azathioprine, mycophenolate mofetil, cyclophosphamide 등을 스테로이드 용량을 줄이거나 관해유지를 위하여 사용한다. B 세포를 타겟으로 하는 rituximab은 IgG4-related disease에서의 치료효과가 잘 증명이 되어 있다.

따라서 통상적인 치료에도 불응하거나 재발하는 질환에 대해서는 2차약제로 사용이 권장된다.

표 13-2와 표 13-3에서는 각각 대동맥을 침범하는 혈관염에 사용되는 면역억제제 및 생물학적 제제들의 작용기전, 효과, 용법, 부작용 등에 대해 정리하였다.

요약 🔒

1) 대동맥을 침범하는 대표적인 혈관염인 Takayasu's arteritis, giant cell arteritis, Behcet's disease, IgG4-related disease 등은 제시된 분류 또는 진단 기준이 있으나 임상적으로 진단이 어려운 질환들이다.
2) 이들 혈관염에 대한 약물치료는 스테로이드가 주가 되며 methotrexate, leflunomide, azathioprine, mycophenolate mofetil, cyclophosphamide 등의 면역억제제도 사용된다.
3) 생물학적 제제 중에는 Takayasu's arteritis와 giant cell arteritis에서는 tocilizumab 그리고, IgG4-related disease에서는 rituximab이 효과적이다.

PART III 대동맥질환의 약물치료

참고문헌 //

1. Arend WP, Michel BA, Bloch DA, et al. The American College of Rheumatology 1990 criteria for the classification of Takayasu arteritis. Arthritis Rheum. 1990;33:1129-34.

2. Bledsoe JR, Della-Torre E, Rovati L et al. IgG4-related disease: review of the histopathologic features, differential diagnosis, and therapeutic approach. APMIS. 2018;126:459-76.

3. Ferfa Y, Mirault T, Desbois AC, et al. Biotherapies in large vessel vasculitis. Autoimmun Rev. 2016;15:544-51.

4. Hunder GG, Bloch DA, Michel BA, et al. The American College of Rheumatology 1990 criteria for the classification of giant cell arteritis. Arthritis Rheum. 1990;33:1122-8.

5. Koster MJ, Matteson EL, Warrington KJ. Recent advances in the clinical management of giant cell arteritis and Takayasu arteritis. Curr Opin Rheumatol. 2016;28:211-7.

6. Misra DP, Sharma A, Kadhiravan T, et al. A scoping review of the use of non-biologic disease modifying anti-rheumatic drugs in the management of large vessel vasculitis. Autoimmun Rev. 2017;16:179-91.

7. Nakaoka Y, Isobe M, Takei S, et al. Efficacy and safety of tocilizumab in patients with refractory Takayasu arteritis: results from a randomized, double-blind, placebo-controlled phase 3 trial in Japan (the TAKT study). Ann Rheum Dis. 2018;77:348-54.

8. No authors listed. Criteria for diagnosis of Behcet's disease. International Study Group for Behcet's disease. Lancet. 1990;335:1078-80.

9. Okazaki K, Umehara H. Are classification criteria for IgG4-RD now possible? The concept of IgG4-related disease and proposal of comprehensive diagnostic criteria in Japan. Int J Rheumatol. 2012;2012:357071.

10. Stone JH, Tuckwell K, Dimonaco S, et al. Trial of tocilizumab in giant-cell arteritis. N Engl J Med. 2017;377:317-28.

PART

정맥혈전색전증의 약물치료

Pharmacotherapy of venous thromboembolism

14
CHAPTER

급성 정맥혈전색전증의 항응고치료

Anticoagulant therapy of acute venous thromboembolism

| **박택규** | 성균관의대 삼성서울병원 순환기내과

질환의 정의와 분류

정맥혈전증(venous thromboembolism, VTE)은 폐색전증(pulmonary thromboembolism, PTE)과 심부정맥혈전증(deep venous thrombosis, DVT)로 나누며, 치료 방향에 따라 다음과 같이 분류한다.

폐색전증의 임상분류와 치료 방향

(1) High-risk (or massive)

폐색전증에 의해 급성 우심부전이 생기고, 이로 인한 저혈압 혹은 쇼크(수액 치료에도 불구하고 수축기 혈압 90 mmHg 미만 혹은 수축기 혈압이 40 mmHg 이상 감소가 15분 이상 지속)가 발생한 경우로 즉각적인 관류 치료(primary reperfusion therapy), 즉 혈전용해제 치료(thrombolytic therapy), 폐동맥 혈전제거수술(surgical pulmonary embolectomy), 혹은 경피적 카테터유도 치료(percutaneous catheter-directed treatment)를 고려한다.

(2) Intermediate-risk (or submassive)

폐색전증에 의한 급성 우심부전이 있지만, 저혈압이 동반되지 않은 경우이다. 폐색전증에 의한 급성 우심부전의 기준은 다음과 같다.

- Echocardiography: RV dilatation; increased end-diastolic RV/LV diameter ratio(> 0.9-1.0); hypokinesia of the free RV wall; increased velocity of the tricuspid regurgitation jet
- CT angiography: increased end-diastolic RV/LV diameter ratio(> 0.9-1.0)
- Markers of myocardial injury (elevated cardiac troponin I or T concentration in plasma) or

heart failure (elevated natriuretic peptide concentration in plasma)

우심부전을 시사하는 영상검사(echocardiography 혹은 CT angiography) 소견과 심근효소 상승이 모두 있으면 intermediate-high-risk로 분류하며, 항응고치료를 시작하고 집중적인 감시(close monitoring)와 필요 시 관류 치료(rescue reperfusion therapy)를 고려한다. 우심부전을 시사하는 영상검사 소견이 없거나 심근효소가 정상인 경우는 intermediate-low-risk로 분류하고 입원하여 항응고치료를 시작한다.

(3) Low-risk (or nonmassive)

폐색전증에 의한 급성 우심부전이 없는 경우, 즉 우심부전을 시사하는 영상검사 소견이 없고 심근효소도 정상인 환자들로 조기 퇴원하거나 외래에서 항응고치료를 할 수 있다(표 14-1).

심부정맥혈전증의 임상분류와 치료 방향

(1) Proximal DVT

Popliteal vein, femoral vein, iliac vein에 발생한 DVT이다. 증상 여부와 상관 없이 대부분의 경우 치료의 대상이다.

(2) Distal DVT

Popliteal vein 보다 아래에 국한된 DVT로 anterior tibial vein, peroneal vein 등의 calf vein DVT이다. 부종, 통증 등의 증상이 있거나, 2주 이내의 추적 영상 검사에서 근위부 정맥으로 진행한 경우에만 치료의 대상이 된다.

항응고제(Anticoagulant)

비경구 항응고제(parenteral anticoagulant)로 heparin, low molecular-weight heparin (LMWH)이 있고, 경구 항응고제(oral anticoagulant)로

표 14-1. Acute PTE: Current Risk Stratification

Early Mortality Risk		Risk Parameters and Scores			Treatment
		Shock or hypotension	RV dysfunction on imaging test	Cardiac laboratory biomarkers	
High		+	+	+	Primary reperfusion + A/C
Intermediate	Intermediate-high	–	Both positive		A/C; monitoring; rescue reperfusion
	Intermediate-low	–	Either 1 positive		A/C; Hospitalization
Low		–	Both negative		A/C; Early discharge

Modified from the 2014 European Society of Cardiology Guidelines on the Diagnosis and Management of Pulmonary Embolism.
A/C, anticoagulant; RV, right ventricle

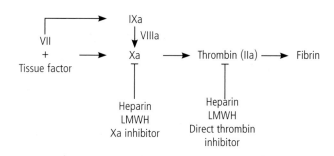

Vitamin K dependent factors: Prothrombin (II), VII, IX, X

■ 그림 14-1. Simplified Coagulation Cascade and Anticoagulant Effects

warfarin, direct thrombin inhibitor (dabigatran), direct factor Xa inhibitor (rivaroxaban, apixaban, edoxaban)이 있다. 대략적인 작용 기전은 그림 14-1과 같다.

(1) Heparin and LMWH

Heparin은 Antithrombin을 활성화하여 thrombin과 factor Xa를 억제시킨다. LMWH 역시 antithrombin을 활성화하여 주로 factor Xa를 억제시키지만, 분자량이 작아 절반 정도만

표 14-2. Heparin and low molecular-weight heparin (LMWH)

	Heparin	LMWH
Mean molecular weight (Da)	15,000 (5,000-30,000)	5,000
Number of saccharide units	≥ 18	15-17
Inhibition capacity of factor Xa to thrombin	1:1	2:1 to 4:1
Bioavailability after subcutaneous administration	30%-70%	90%
Plasma half-life	1-2 h (sc) 0.5-1 h (iv)	4 h
Monitoring	aPTT (1.5-2.5 times or 50-70 secs) Anti-factor Xa (0.3-0.7 units/mL)	Not required If needed, Anti-factor Xa (0.5-1.2 units/mL after 3-4 h after injection)
Excretion	Non-renal	Renal
Dosing	5,000 units (or 80 units/kg) bolus then 18 units/kg/h	Enoxaparin: 1 mg/kg bid Dalteparin: 200 units/kg qd (150 units/kg qd for 2-5 months)
Reversed by protamine	1 mg for heparin 100 units	Partially

PART IV

정맥혈전색전증의 약물치료

표 14-3. Recommendation for Management of Warfarin-associated Bleeding or High INR

Clinical setting	2018 ASH guideline	2012 ACCP guideline
Serious or life-threatening bleeding Any INR	- 4-factor PCC - Vitamin K (intravenous) - Hold warfarin	- 4-factor PCC* - Vitamin K (intravenous) - Hold warfarin
No bleeding INR 〉10	- (No recommendation)	- Vitamin K (oral) - Hold warfarin
No bleeding INR 4.5 to 10	- Hold warfarin - No vitamin K	- Hold warfarin - Vitamin K (low dose, oral) is optional

ACCP, American College of Chest Physicians; ASH, American Society of Hematology; INR, international normalized ratio; FFP, fresh frozen plasma; PCC, prothrombin complex concentrate. *A plasma product such as thawed plasma or FFP (approximately 10 mL/kg, depending on INR) can be used as an alternative if PCC is not available.

thrombin까지 결합하여 비활성화시킨다. 주요 특징은 표 14-2에 기술하였다.

(2) Warfarin

Warfarin은 비타민 K 의존성 응고단백 (Prothrombin, factor VII, IX, X) 합성을 억제하기 때문에 응고인자들의 반감기(factor X 24시간, prothrombin 72시간)가 지나야 효과가 나타난다. 따라서 최소 5일 동안 비경구 항응고제 (heparin 혹은 LMWH)를 같이 투여해야 한다. Prothrombin time의 international normalized ratio (INR)로 모니터링하며 대부분의 환자에서 INR 2.0-3.0 목표로 조절한다. Warfarin 투여 초기 5일 동안은 오히려 혈전 경향이 악화될 수 있어 비경구 항응고제를 같이 투여하며 INR > 2.0 이 24시간 이상 유지되면 중단한다. 출혈되지 않도록 가능한 치료 목표 범위 내로 조절하고, INR 4.5 이상 상승 혹은 출혈 소견 보이면 표 14-3에 따라 조치한다.

(3) Direct oral anticoagulant (DOAC)

Direct thrombin inhibitor (dabigatran)은 heparin처럼 antithrombin을 활성화시켜 간접적으로 작용하는 것이 아니라 직접적으로 thrombin에 결합하여 fibrin 생성을 억제한다. Direct factor Xa inhibitor (rivaroxaban, apixaban, edoxaban)은 직접적으로 factor Xa에 결합하여 fibrin 생성을 억제한다. 주요 특징은 표 14-4에 기술하였다. 출혈이 발생하면 1-2회 복용을 건너뛰고, 출혈이 심하거나 지속되면 수액과 수혈제제를 투여한다. Direct thrombin inhibitor (dabigatran) 는 antidote인 idarucizumab이 개발되어 뇌출혈, 응급 수술, 출혈이 조절되지 않는 경우 투여할 수 있다. Idarucizumab은 monoclonal antibody fragment로 Dabigatran과 1:1 복합체를 만들어 신장으로 배설된다. Direct factor Xa inhibitor (rivaroxaban, apixaban, edoxaban)에 대한 antidote는 아직 개발 중이다.

표 14-4. Comparison of the Pharmacologic Properties of the Direct Oral Anticoagulants

Characteristic	Rivaroxaban	Apixaban	Edoxaban	Dabigatran
Target	Factor Xa	Factor Xa	Factor Xa	Thrombin
Prodrug	No	No	No	Yes
Bioavailability	80%	60%	50%	6%
Dosing	qd (bid)	bid	qd	bid (qd)
Time to peak	2-4 h	3 h	1-2 h	3 h
Half-life	7-11 h	12 h	9-11 h	12-17 h
Renal excretion	33% (66%)	25%	35%	80%
Interactions	CYP3A4/P-gp	CYP3A4/P-gp	P-gp	P-gp

bid, twice a day; P-gp, P-glycoprotein; qd, once a day.

표 14-5. Anticoagulant by Treatment Phases

	Initial (acute) (First 5-21 days)	Long-term (subacute) (First 3-6 months)	Extended (Following 3-6 months)
Most patients	Heparin or LMWH for 5-10 days + Warfarin INR 2.0-3.0	Warfarin INR 2.0-3.0	Warfarin INR 2.0-3.0
	LMWH for 5-10 days	Dabigatran 150 mg bid	
	Rivaroxaban 15 mg bid for 21 days	Rivaroxaban 20 mg qd	Rivaroxaban 20 mg or 10 mg qd
	Apixaban 10 mg bid for 7 days	Apixaban 5 mg bid	Apixaban 2.5 mg bid
	LMWH for 5-10 days	Edoxaban 60 mg qd	
Renal failure	Heparin	Warfarin	Warfarin
Liver failure with coagulopathy	Heparin	Warfarin	Warfarin
Pregnancy	Heparin or LMWH	LMWH	LMWH
Cancer	Heparin or LMWH	LMWH Edoxaban 60 mg qd	LMWH
Recurrent VTE	N/A	On non-LMWH → convert to LMWH On LMWH → ↑ Dose	On non-LMWH → convert to LMWH On LMWH → ↑ Dose
Need for reversal agent	Heparin LMWH (partially reversible)	Warfarin Dabigatran	Warfarin Dabigatran

bid, twice a day; INR, international normalized ratio; low molecular-weight heparin, LMWH; N/A, not available; qd, once a day.

(4) Acute VTE 환자에서 항응고요법

대부분의 VTE 환자에서 initial (acute), long-term (subacute), extended phase의 3가지 시기로 나누어 항응고약제를 투여한다. 2016년 이전에는 warfarin이 표준 치료로 권장되어 초기 5일 동안 비경구 항응고제와 warfarin 사이 5일 동안 병용 투여가 필요했다. 그러나 2016년 ACCP 가이드라인부터는 active cancer와 creatinine clearance < 30 mL/min인 경우를 제외하고는 DOAC을 더 우선적으로 추천한다. 구체적인 항응고요법은 표 14-5에 기술하였다.

요약 🔒

1) 폐색전증 환자의 위험도 평가 위해 생체 징후(vital sign), 우심부전(right ventricle dysfunction), 심근효소를 확인한다.
2) 대부분의 VTE 환자에서 initial (acute), long-term (subacute), extended phase의 3가지 시기로 나누어 항응고약제를 투여한다.
3) 2016년 ACCP 가이드라인부터는 active cancer와 creatinine clearance < 30 mL/min인 경우를 제외하고는 Direct oral anticoagulant (DOAC)을 더 우선적으로 추천한다.

참고문헌

1. Ageno W, Gallus AS, Wittkowsky A, Crowther M, Hylek EM, Palareti G, American College of Chest P. Oral anticoagulant therapy: Antithrombotic Therapy and Prevention of Thrombosis, 9th ed: American College of Chest Physicians Evidence-Based Clinical Practice Guidelines. Chest. 2012;141:e44S-88S.

2. Agnelli G, Buller HR, Cohen A, Curto M, Gallus AS, Johnson M, Masiukiewicz U, Pak R, Thompson J, Raskob GE, Weitz JI, Investigators A. Oral apixaban for the treatment of acute venous thromboembolism. N Engl J Med. 2013;369:799-808.

3. Agnelli G, Buller HR, Cohen A, Curto M, Gallus AS, Johnson M, Porcari A, Raskob GE, Weitz JI, Investigators A-E. Apixaban for extended treatment of venous thromboembolism. N Engl J Med. 2013;368:699-708.

4. Hokusai VTEI, Buller HR, Decousus H, Grosso MA, Mercuri M, Middeldorp S, Prins MH, Raskob GE, Schellong SM, Schwocho L, Segers A, Shi M, Verhamme P, Wells P. Edoxaban versus warfarin for the treatment of symptomatic venous thromboembolism. N Engl J Med. 2013;369:1406-1415.

5. Investigators E, Bauersachs R, Berkowitz SD, Brenner B, Buller HR, Decousus H, Gallus AS, Lensing AW, Misselwitz F, Prins MH, Raskob GE, Segers A, Verhamme P, Wells P, Agnelli G, Bounameaux H, Cohen A, Davidson BL, Piovella F, Schellong S. Oral rivaroxaban for symptomatic venous thromboembolism. N Engl J Med. 2010;363:2499-2510.

6. Investigators E-P, Buller HR, Prins MH, Lensin AW, Decousus H, Jacobson BF, Minar E, Chlumsky J, Verhamme P, Wells P, Agnelli G, Cohen A, Berkowitz SD, Bounameaux H, Davidson BL, Misselwitz F, Gallus AS, Raskob GE, Schellong S, Segers A. Oral rivaroxaban for the treatment of symptomatic pul-

monary embolism. N Engl J Med. 2012;366:1287-1297.

7. Kearon C, Akl EA, Ornelas J, Blaivas A, Jimenez D, Bounameaux H, Huisman M, King CS, Morris TA, Sood N, Stevens SM, Vintch JRE, Wells P, Woller SC, Moores L. Antithrombotic Therapy for VTE Disease: CHEST Guideline and Expert Panel Report. Chest. 2016;149:315-352.

8. Konstantinides SV, Torbicki A, Agnelli G, Danchin N, Fitzmaurice D, Galie N, Gibbs JS, Huisman MV, Humbert M, Kucher N, Lang I, Lankeit M, Lekakis J, Maack C, Mayer E, Meneveau N, Perrier A, Pruszczyk P, Rasmussen LH, Schindler TH, Svitil P, Vonk Noordegraaf A, Zamorano JL, Zompatori M, Task Force for the D. Management of Acute Pulmonary Embolism of the European Society of C. 2014 ESC guidelines on the diagnosis and management of acute pulmonary embolism. Eur Heart J. 2014;35:3033-3069, 3069a-3069k.

9. Lee AY, Levine MN, Baker RI, Bowden C, Kakkar AK, Prins M, Rickles FR, Julian JA, Haley S, Kovacs MJ, Gent M, Randomized Comparison of Low-Molecular-Weight Heparin versus Oral Anticoagulant Therapy for the Prevention of Recurrent Venous Thromboembolism in Patients with Cancer I. Low-molecular-weight heparin versus a coumarin for the prevention of recurrent venous thromboembolism in patients with cancer. N Engl J Med. 2003;349:146-153.

10. Pollack CV, Jr., Reilly PA, van Ryn J, Eikelboom JW, Glund S, Bernstein RA, Dubiel R, Huisman MV, Hylek EM, Kam CW, Kamphuisen PW, Kreuzer J, Levy JH, Royle G, Sellke FW, Stangier J, Steiner T, Verhamme P, Wang B, Young L, Weitz JI. Idarucizumab for Dabigatran Reversal - Full Cohort Analysis. N Engl J Med. 2017;377:431-441.

11. Raskob GE, van Es N, Verhamme P, Carrier M, Di Nisio M, Garcia D, Grosso MA, Kakkar AK, Kovacs MJ, Mercuri MF, Meyer G, Segers A, Shi M, Wang TF, Yeo E, Zhang G, Zwicker JI, Weitz JI, Buller HR, Hokusai VTECI. Edoxaban for the Treatment of Cancer-Associated Venous Thromboembolism. N Engl J Med. 2018;378:615-624.

12. Schulman S, Kearon C, Kakkar AK, Mismetti P, Schellong S, Eriksson H, Baanstra D, Schnee J, Goldhaber SZ, Group R-CS. Dabigatran versus warfarin in the treatment of acute venous thromboembolism. N Engl J Med. 2009;361:2342-2352.

13. Weitz JI, Lensing AWA, Prins MH, Bauersachs R, Beyer-Westendorf J, Bounameaux H, Brighton TA, Cohen AT, Davidson BL, Decousus H, Freitas MCS, Holberg G, Kakkar AK, Haskell L, van Bellen B, Pap AF, Berkowitz SD, Verhamme P, Wells PS, Prandoni P, Investigators EC. Rivaroxaban or Aspirin for Extended Treatment of Venous Thromboembolism. N Engl J Med. 2017;376:1211-1222.

14. Weitz JI. Antiplatelet, Anticoagulant, and Fibrinolytic Drugs. In: J. Larry Jameson ASF, Dennis L. Kasper, Stephen L. Hauser, Dan L. Longo, Joseph Loscalzo, ed: Harrison's Principles of Internal Medicine. 2018. 20th ed.

15. Witt DM, Nieuwlaat R, Clark NP, Ansell J, Holbrook A, Skov J, Shehab N, Mock J, Myers T, Dentali F, Crowther MA, Agarwal A, Bhatt M, Khatib R, Riva JJ, Zhang Y, Guyatt G. American Society of Hematology 2018 guidelines for management of venous thromboembolism: optimal management of anticoagulation therapy. Blood Adv. 2018;2:3257-3291.

15
CHAPTER

급성 심부정맥혈전증의 카테터 유도 혈전용해치료

Catheter-directed thrombolysis (CDT) for the treatment of acute deep venous thrombosis

| 김장용 | 가톨릭의대 혈관이식외과

혈전용해제(Thrombolytic agents)

혈전용해제는 plasminogen activator와 direct fibrin cleavage agent로 나눌 수 있다. plasminogen activator는 plasmin을 활성화시켜 fibrin을 분해하는 약물로 이는 다시 streptokinase, urokinase와 같은 biologic, naturally occurring agent와 recombinant and genetically modified variants로 나눌 수 있고, direct-acting agents 직접 fibrin을 분해하는 plasmin으로 아직까지 임상연구 중에 있다

(1) Streptokinase (SK)

Streptokinase (SK)는 FDA에서 급성심근경색증(acute myiocardial infarction, AMI), 폐색전증(pulmonary embolism, PE), 심부정맥혈전증(deep venous thrombosis, DVT), 말초동맥 혈전증 혹은 색전증(peripheral arterial thrombosis or

embolism)등에 적응증을 가지고 있었지만, 약재의 부작용 때문에 임상에서 더 이상 사용되지 않는다. SK는 lancefield group C streptococcus equisimilis에서 배양되어 생산되어 streptococci에 감염된 적이 있거나 과거 SK를 사용한 병력이 있는 환자는 SK를 약화시키는 항체를 가질 수 있다. 이 항체는 최소 4일에서 50% 환자에서는 4년까지 지속될 수 있다고 알려져 있다. 또한, life-threatening anaphylaxis 혹은 serum sickness 등이 드물게 보고되고 있다.

(2) Urokinase (UK)

Urokinase는 human plasma (10μg/L)에 정상적으로 존재하는 약물로 항원성(antigenicity)이 없고, urine plasminogen activator로도 불린다. Intracellular signaling pathways and cell proliferation, adhesion, and migration에 관여한다고 알려져 있다. UK는 fibrin/fibrinogen affinity

가 약하지만, SK의 유일한 대안으로 사용되었었다. 초기 상업적으로 사용되는 UK는 신장세포에서 생산되었고, 인간의 소변에서도 분리할 수 있었다. 이후 사산한 신생아의 신장세포에서 추출하여 상품화하였는데(Abbokinase® ,Abbott Co., Abbott Park, Illinois) 1999년 FDA는 Abbokinase의 제조공정과 바이러스 전파의 위험성을 지적하며 생산을 중단시켰다. 2002년 Abbott lab에서 재생산하였고, 2006년 ImaRx, Inc 회사로 팔리면서 KinlyticTM 으로 이름에 변경되었고, 2008년에는 또 다시 Microbix Biosystems에 팔렸다. 현재 미국에서는 사용되지 않지만 국내에서는 아직도 DVT 치료에는 UK를 흔히 사용하고 있다.

(3) Alteplase

Alteplase는 혈관내피세포(endothelial cell)에서 만들어지는 tissue plasminogen activator와 똑같은 recombinant tPA로 chinese hamster ovary cells에서 생산된다. 원칙적으로 tPA와 같은 단백질이지만, 드물게 hypersensitivity 또는 allergic reaction의 보고가 되어있다. 미국의 genentech 회사와 독일의 boehringer Ingelheim 회사가 공동 개발하였다. 분자량이 70kD이고 5개의 기능성 영역(domain)을 갖고 있다. Carboxyl-terminal protease domain은 plasminogen을 plasmin으로 자른다. Fibronectin finger domain 과 두 개의 kringle domains은 fibrin과 결합하는 기능, 특히 kringle domains은 80개의 단백질에 의해 세 개의 loop이 이황화수소와 결합한 구조로 lysine-binding sites에서 여러 인자들과 receptor에 다양

한 결합능력을 가지고 있다. Epidermal growth factor (EGF) domain은 간(liver)과 결합하여 대사되는 기능을 가진 영역으로 Alteplase는 half life가 5분으로 매우 짧으며, terminal half-life도 72분이다.

(4) Reteplase

Reteplase는 Alteplase에서 finger, EGF와 kringle K1 domains을 제거한 것이다. E. coli에서 생산할 수 있으며, 간과 신장에서 대사된다. Alteplase에 비해 간대사(liver metabolism)가 줄어들어 half life가 15분이고 terminal half-life가 1.6시간이다. 따라서 초기용량을 30분 간격으로 투여해야 한다. 국내에는 액티라제(Actilyse®, Boehringer Ingelheim)로 사용되고 있다.

(5) Tenecteplase

Tenecteplase 역시 Chinese hamster ovary cells에서 생산되는데, 위의 3가지가 tPA와 다르다. Threonine 103이 asparagine 치환되어 clearance가 감소하여 half life가 증가하고, asparagine 117이 glutamine (both within the K1 domain)로 치환되었다. Carboxyl-protease domain 내의 amino acid sequence (from positions 296 to 299)가 alanines으로 치환되어, fibrin affinity가 증가되었다. 주로 간에서 대사되고, half-life는 20-24분이고 terminal-phase half-life는 90-130분이다. 국내에는 Metalyse® (Boehringer Ingelheim)로 사용되고 있다.

표 15-1. Properties of thrombolytic agents

Agent	Molecular weight (kD)	Half-Life (Min.)	Action mechanism	Dosae
Streptokinase	47	20	PA	
Urokinase	33	13	PA	40,000-180,000 IU/h
Alteplase[a]	70	5	r-tPA	Catheter directed: 0.25-2 mg/h
Reteplase[ab]	39	15	r-tPA	Catheter directed: 0.75 U/h
Tenecteplase[ab]	65	22	r-tPA	Catheter directed: 0.25-0.5 mg/h

[a] 매 8-12시간 간격으로 정맥 촬영하고 개선이 없으면 주입 중단한다.
[b] 여기에 기술된 용량은 증례보고에 기반한 것으로 임상연구가 부족해서 사용 시 주의를 요함.
  혈전 용해재 용량은 성인체중 70Kg 기준으로 한 용량임.
PA, Plasminogen activator; r-tPA, recombinant human tissue Plasminogen activator

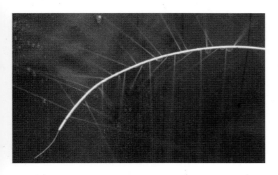

■그림 15-1. Multi-side hole infusion catheter. Thrombolytic drug are in fused through multiple side holes of infusion catheter

혈전용해제 약재의 선택

혈전용해제 약재의 선택에 관하여 2006년 Vedantham 등은 SK는 알러지, 출혈 등의 합병증으로 추천되지 않고, UK, alteplase, reteplase, tenecteplase은 소규모 연구에 의한 결과들로 상호 비교할 수 없었다고 보고하였다. 보통 acute

DVT 치료 목적의 CDT에 사용되고 있는 약물의 용량은 동맥질환의 치료를 위해 사용되었던 소규모 연구에서 그 기원을 두고 있다. 여러 연구에 사용되었던 약물용량은 UK 120,000-180,000 units/hr, tPA 0.5 to 1.0 mg/hr, reteplase 0.25-0.75 units/hr, tenecteplase 0.25-0.5 mg/hr이다. 혈전용해제 치료에서 좋은 치료 결과를 얻기 위해서는 약물이 혈전 내에 퍼지기 위해 25-100mL/h의 수액을 주입해야 한다. CDT 초기에 고용량의 약물주입 효과가 좋을 수 있는데, 아직까지 그 효과가 증명되지는 않았다. 또한, CDT시술 시 항응고재 투여는 필요하지만, 그 용량에 대해서는 아직 연구가 미진하다고 보고하였다. 사용 용량은 아직도 소규모 임상연구에 기반을 두고 있으며, 저용량(low dose) UK는 20,000-40,000 units/시간, 고용량(high dose) UK는 80,000-100,000 units/시간을 주입하며, 평균 48시간 주입하고, 72시간을 넘지 않는 것이 안전하다. 동시에 투여하는 항응고재는 LMWH 혹은 UFH 을 사용하고 저용량 혹은 치료용량을 투여할 수 있지만 이 역시 표준화되어 있지는 않았다(표 15-1)(그림 15-1).

혈관용해제 치료 효과

과거에 혈전용해제 환자에서 혈전용해제 치료에 관한 연구는 규모가 작은 연구였다. 1984년 Goldhaber는 acute DVT 환자의 치료에서 SK를 사용한 경정맥 혈전용해제 치료(intravenous thrombolysis, IVT)와 heparin을 사용한 6개의 작은 비교 연구 RCT (n=185)를 분석하였는데, SK를 사용한 IVT군의 정맥 개존율(venous patency)은 3.7배 높았지만, 출혈성 합병증 빈도가 2.9배 높았음을 보고하였다. 2005년 Janssen 등은 DVT 치료를 위한 IVT에 대한 18개의 RCT를 분석한 결과, 12개의 RCT는 SK와 heparin (n=468), 2 RCTs는 UK와 heparin (n=117), 4 RCTs는 rt-PA와 heparin(n=150) 사용군을 비교하였는데, 이들의 결과에서도 IVT 치료군에서는 정맥 개존율을 높지만, 출혈성 합병증 빈도가 높았다. 그러나, 연구들에서 항응고요법과 의미있게 비교할 만한 통계적인 power는 갖지 못하였다. Cochrane review에서도 17개의 RCTs (n=1103)를 분석하였는데, IVT 치료군에서 post thrombotic syndrome과 하지 궤양 발생 빈도는 낮지만, 출혈 위험은 높게 나타났다(RR: 2.23; 95% CI: 1.4 to 3.5, P=.0006).

IVT로 인해 높은 출혈성 합병증 빈도를 catheter directed thrombolysis (CDT)를 사용

함으로 출혈 위험성을 낮추는 지를 보기 위해 1999년 Mewissen 등이 venous registry를 시행하여, 63개 병원으로부터 287명의 acute DVT 환자를 대상으로 UK 사용하여 CDT 치료군에서 정맥 개존율은 높았지만 여전히 주요 출혈성 합병증 빈도가 높았다(11%). 이 연구에서는 UK를 pedal vein을 통해 정맥주입(IVT)하거나 localized therapy인 CDT를 시행하였고, 시술 중, 시술 후에 IV heparinization을 동시에 시행하였다. IVT 군은 lytic time이 67.8시간, UK 용량이 9.95 million IU로 CDT 군의 48.0시간, 6.77 million IU보다 치료시간이 더 길었고, UK 사용량도 많았음을 보고하였다.

2012년 발표된 CaVenT study (Catheter-Directed Thrombolysis Versus Standard Treatment for Acute (< 21 days) Iliofemoral Deep Vein Thrombosis trial)는 acute iliofemoral DVT (< 21일)가 발생한 환자를 대상으로 CDT와 항응고재를 이용한 standard therapy 결과를 비교한 RCT로 209명의 대상환자가 참여하였다. 치료 2년 후 관찰 결과는 CDT 시행군이 항응고재 투여군과 비교하여 정맥개존율이 높고, post thrombotic syndrome (PTS) 발생이 낮았음을 보고하였다. 그러나 CDT 시행군에서는 3건의 주요 출혈을 포함하여 20건의 출혈이 발생하므로 의미있게 높은 출혈성 합병증 빈도를 보고하였다. 2016년에 발표된 이 연구의 5년 후 치료 결과 비교에서는 정맥개존율은 차이가 없어졌지만, CDT 시행군에서 post-thrombotic syndrome (PTS)은 지속적으로 낮은 결과를 보여주었다. 이 연구에서 혈전용해제는 20 mg Alteplase

(Actilyse, Boehringer-Ingelheim, Ingelheim am Rhein, Germany)를 0.9% 생리식염수 500mL에 희석하여, 0.01 mg/Kg/hr로 최대 96시간, 최대용량 20 mg/24h을 사용하였다. 항응고재 치료는 aPTT를 monitoring하면서 unfractionated heparin을 정맥주사하였다.

2017년 발표된 ATTRACT trial (Acute Venous Thrombosis: Thrombus Removal with Adjunctive Catheter-Directed Thrombolysis)은 acute proximal DVT를 대상으로 미국에서 진행된 대단위 전향적 연구로 Pharmacomechanical catheter directed thrombolysis (PCDT) 시행군과 항응고재 치료군으로 나누어 치료 종료 후 2년 경과 후 두 군간 PTS발생율을 비교한 결과 PTS 발생율에 대한 유의한 차이가 없었음을 보고하였다. 이 연구에서 시행된 시술방법을 보면 오금정맥(popliteal vein)에 혈전이 없는 경우에는 Trellis 또는 AngioJet thrombectomy device를 사용하였는데, 초기용량으로 최대 25 mg alteplase (Activase, Genentech, South San Francisco)를 사용하였고, 오금정맥이 혈전으로 막혀 있는 경우에는 catheter thrombectomy 없이 Infusion-First

표 15-2 Catheter-directed thrombolysis (CDT) for patients with acute deep venous thrombosis (DVT): recent clinical trials

CaVenT trial:
- Catheter-directed thrombolysis
- Concomitant conventional anticoagulation with therapeutic dose of UFH

Thrombolysis procedure:
- Discontinue LMWH for > 8 hours
- INR < 1.5 at the start of CDT
- UFH 5,000 units IV bolus followed by continuous IV 15units/kg/hr (Keep ACT, 40-60 sec)
- Preferentially approach to the popliteal vein

Alteplase (Activase®) dosing:
  1) 20 mg Alteplase diluted in 500mL of normal saline
  2) Infused at 0.01 mg/kg/hour (dose may be split into 2 catheters using lower concentrations)
  3) Maximum dose: 20 mg/24hr up to 96 hr

ATTRACT Trial:
- Pharmaco-mechanical catheter-directed thrombolysis
- Concomitant conventional anticoagulation with therapeutic dose of UFH

Thrombolysis procedure:
- Intrathrombus delivery of rt-PA (Alteplase, Activase®) using one of following three methods:
  1) Standard multi-side hole catheter (infusion-first),
  2) Power pulse-spray or rapid lysis method (AngioJet Rheolytic Thrombectomy System)
  3) Isolated thrombolysis (Trellis Peripheral Infusion System)

Alteplase (Activase®) dosing:
  1) At rate of 0.01 mg/kg/hr (Not to exceed 1.0 mg/hr)
  2) No more than 30 hrs infusion
  3) No more than 25 mg in any 1 procedure session
  4) No more than 35 mg total

LMWH, low molecular weight heparin; INR, international normalized ratio; ACT, activated clotting time; UFH: unfractionated heparin; DVT, deep venous thrombosis; rt-PA, recombinant tissue plasminogen activator

PART IV 정맥혈전색전증의 약물치료

Thrombolysis로 multisidehole catheter를 사용하여 alteplase (0.01 mg/kg/hr, 최대 maximum of 1 mg/hr, 최대 30 시간)을 사용하여 CDT 만을 시행하였다. PCDT 시술 중에는 치료용량의 LMWH 또는 UFH (unfractionated heparin) 정맥주사를 투여하였고, 지속적으로 rt-PA를 주입하는 CDT 시술 중에는 치료 용량의 LMWH 또는 UFH 정맥주사(6–12 units/kg/hr, 최대 1000 units/hr)를 치료 용량 이하의 PTT(< twice control))을 유지하도록 하였다.

국내에서는 DVT 치료를 위한 CDT 또는 PCDT에서는 Urokinase만 보험 급여가 인정되어 왔는데 최근 Urokinase의 제조공정 문제로 국내에서 2019년부터는 사용이 중단되고 있는 실정이다. 그러나, 2019년 제조공정 문제로 Urokinase 생산이 중단되어, alteplase (actilase, 액티라제, 베링거인겔하임)으로 대체되었다.

rt-PA 사용에 관해서는 정맥혈전증 환자를 대상으로 혈전용해제 치료를 시행한 대표적인 임상시험의 예를 표로 정리하였다(표 15-2).

요약 🔓

1) 급성 심부정맥혈전증 치료를 위해 Catheter-directed thrombolysis(CDT) 시 혈전용해제로 Streptokinase, Urokinase, Alteplase 등이 사용되어 왔다.
2) 최근 발표된 CaVenT trial, ATTRACT trial 등의 연구를 보면 acute iliofemoral DVT에서 CDT의 효과가 있는 것으로 알려져 있다.
3) 국내에서는 최근까지 Urokinase가 주로 사용되어 왔는데, Urokinase 생산이 중단되어 rt-PA로 대체되고 있는 실정이다.

참고 문헌

1. Dominguez JA, Ham SW, and Weaver FA. Thrombolytic Agents. In: Rutherford's vascular surgery and endovascular therapy 9th ed. Sidaway AN and Perler BA. Philadelphia: Elsevier; 2019 p518-529

2. Enden T, et al; CaVenT Study Group. Long-term outcome after additional catheter-directed thrombolysis versus standard treatment for acute iliofemoral deep vein thrombosis (the CaVenT study): a randomised controlled trial. Lancet. 2012;379:31-38

3. Haig Y. et al; Post-thrombotic syndrome after catheter-directed thrombolysis for deep vein thrombosis (CaVenT): 5-year follow-up results of an open-label, randomised controlled trial.Lancet Haematol. 2016;3:64-71

4. Janssen MC, et al. Local and systemic thrombolytic therapy for acute deep venous thrombosis. Neth J Med. 2005;63:81-90.

5. Mewissen MW, et al. Catheter-directed thrombolysis for lower extremity deep venous thrombosis: report of a national multicenter registry. Radiology. 1999;211:39-49.

6. Vedantham S. et al; Pharmacomechanical Catheter-Directed Thrombolysis for Deep-Vein Thrombosis. N Engl J Med. 2017;377:2240-2252

7. Vedantham S. Quality Improvement Guidelines for the Treatment of Lower Extremity Deep Vein Thrombosis with Use of Endovascular Thrombus Removal. J Vasc Interv Radiol 2006; 17:435-448

16
CHAPTER

외과환자를 위한 정맥혈전색전증의 일차적 예방

Primary prevention of venous thromboembolism in surgical patients

| 민승기 | 서울대학교 의과대학 외과학 교실

정맥혈전색전증(venous thromboembolism, VTE)은 치료가 쉽지 않고, 폐색전증(pulmonary embolism, PE)이라는 치명적일 수도 있는 급성 합병증과 혈전후증후군(post-thrombotic syndrome, PTS)이라는 심각한 만성 합병증을 일으킬 수 있는 병이어서 그 치료뿐만 아니라 예방이 매우 중요한 질환이다. 각국의 유수한 학회에서 이 질환의 예방법에 대한 임상진료지침(practice guidelines)이 발표되어 있다. 미국에서는 2016년 개정된 제9차 ACCP (American College of Chest Physicians) 진료지침이 가장 많이 인용되고 있다. 영국에서도 2012년 2월 NICE (National Institute for Health and Clinical Excellence)에서 제6차 진료지침이 발표되었다. 우리나라에서는 2013년 대한혈관외과학회 권고안으로 "정맥혈전색전증의 예방과 치료"가 발간되었고, 2014년 대한혈전지혈학회의 주도로 Prevention of VTE 2차 임상진료지침이 발표되

었다. 아직 우리나라 환자들을 대상으로 한 잘 디자인된 VTE에 관한 임상연구가 많지 않아 우리 고유의 임상진료지침을 만드는 것이 쉽지는 않다. 하지만 부족하나마 두 학회에서 권고안이 나오게 된 것은 의미있는 과정이고, 이를 계기로 다학제적 접근으로 관련 학회에서 공동으로 대규모 역학 조사와 임상연구를 통해 우리나라 실정에 맞는 예방, 치료 방법과 근거를 함께 만들어 나가야 하겠다.

예방원칙

정맥혈전색전증 환자에서 이 질환의 발병을 미리 예방하는 것이 발병 후에 치료하는 것보다 합병증이나 후유증을 줄이는데 더 효과적이란 사실은 이미 잘 알려져 있다. 하지만 정맥혈전색전증의 예방 약제는 출혈성 합병증을 유발할 수 있다. 특히 수술 환자에서 정맥혈전색전

표 16-1. Risk stratification in surgical patients by American Venous Forum

Risk	Surgery	Age	Additional risk
Low risk	Minor	< 40 years	No
Moderate	Major	> 40	No
High	Major	> 40	MI
Very high	Major	> 40	Many*

(Handbook of venous disorder. Guidelines of American Venous Forum, 3rd ed. Editor P. Gloviczki. Box 23.2 in page 282)

*Additional risks include prior VTE, cancer, molecular hypercoagulable state, hip or knee arthroplasty, hip fracture surgery, major trauma, spinal cord injury

표 16-2. Rogers score

Category	Risk factors	score
Operation type other than endocrine	Respiratory and hemic/lymphatic system	9
	Thoracoabdominal aneurysm, embolectomy, thrombectomy, venous reconstruction, and endovascular repair	7
	Aneurysm, mouth, plate, stomach, intestine	4
	Integumentary, musculoskeletal	3
	Hernia	2
ASA physical status	3,4,5	2
	2	1
	1	0
Sex	Female	1
	Male	0
Work RVU * (relative value unit)	> 17	3
	10-17	2
	< 10	0
2점 항목	Disseminated cancer;Chemotherapy for malignancy within 30 d of operation, Preoperative serum sodium > 145 mmol/L;Transfusion > 4 U packed RBCs in 72 h before Operation, Ventilator-dependent	2
1점 항목	Wound class (clean/contaminated), Preoperative hematocrit ≤ 38%, Preoperative;bilirubin > 1.0 mg/dL, Dyspnea;Albumin ≤ 3.5 mg/dL, Emergency	1

* Work RVU; relative number of units involved in the work performed by the physician or provider.

RVU calculator is available at https://www.aapc.com/practice-management/rvu-calculator.aspx

표 16-3. Caprini score

5점항목	☐ Stroke < 1 mo	☐ Elective arthroplasty
	☐ Fracture (hip, pelvis, leg)	☐ Acute spinal cord injury < 1 mo
3점항목	☐ Age ≥ 75 y	☐ History of VTE
	☐ Family history of VTE	☐ Factor V Leiden
	☐ Prothrombin 20210A	☐ Lupus anticoagulant
	☐ Anticardiolipin Ab	☐ Elevated serum homocysteine
	☐ Heparin-induced thrombocytopenia	☐ Other congenital or acquired thrombophilia
2점항목	☐ Age 61-74 y	☐ Orthopedic surgery
	☐ Major open surgery > 45 min	☐ Laparoscopic surgery > 45 min
	☐ Malignancy	☐ Confined to bed > 72 h
	☐ Immobilizing plaster cast	☐ Central venous access
1점항목	☐ Age 41-60 y	☐ Minor surgery
	☐ BMI > 25 kg/m2	☐ Swollen legs
	☐ Varicose veins	☐ Pregnancy/postpartum
	☐ History of unexplained or recurrent spontaneous abortion	☐ Oral contraceptives or hormone replacement
	☐ Sepsis < 1 mo	☐ Serious lung disease, Pneumonia < 1 mo
	☐ Abnormal pulmonary function	☐ Acute myocardial infarction
	☐ Congestive heart failure < 1 mo	☐ History of inflammatory bowel disease
	☐ Medical patient at bed rest	

** 전체점수 합산(　　) 점

증의 일차적 예방 원칙은 이 질환의 발생 위험도를 추정하고, 예방적 처치 시 발생할 수 있는 출혈 위험과 비교하여 각 환자별 상황에 맞추어 기계적 또는 약물적 방법으로 맞춤형 예방을 하는 것이 적절하다.

정맥혈전색전증 발생 위험도 평가

정맥혈전색전증 발생의 위험도 평가를 위해 서 다음과 같은 방법들이 사용되고 있다(표 16-1, 2, 3)

예방 방법

정맥혈전색전증의 예방법은 크게 기계 예방(mechanical prophylaxis)과 약물 예방(pharmacologic prophylaxis)이 있다. 기계 예방법으로는 조기 보행 및 적극적 운동, 압박스타킹 착용, 공

표 16-4. **Methods of venous thromboprophylaxis**

Mechanical prophylaxis	Graduated compression stocking	Pressure 16-20 mmHg
	Intermittent pneumatic compression (IPC)	Repeat inflation (for 11-12 sec) and deflation (for 60 sec)
Pharmacologic prophylaxis	Low-molecular-weight heparin	0.2-1 mg/kg SC daily
	Low-dose unfractionated heparin	5,000 U SC every 8-12 hour
	Warfarin	Dose adjust for PT INR 1.5-2.5
	Fondaparinux	2.5 mg SC daily
	Rivaroxaban	10 mg PO daily
	Apixaban	2.5 mg PO every 12 hour
	Dabigatran	150 mg PO daily
	Aspirin	100 mg PO daily

기 주머니를 이용한 간헐적 압박법(intermittent pneumatic compression, IPC) 등이 있다. 약물 예방법으로는 저분자량 헤파린, 저용량 미분획 헤파린(unfractionated heparin, UFH), 폰다파리눅스, 용량 조절된 와파린 등이 있고, 새로운 항응고제인 리바록사반, 아픽사반, 다비가트란, 에독사반 등이 사용될 수 있다(표 16-4).

정맥혈전색전증의 위험도에 따라 예방법을 달리할 수 있는데, 저위험군의 경우 조기 보행 및 능동적 운동으로 충분하고, 중등도 위험군의 경우 압박스타킹 또는 기계를 이용한 간헐적 하지 압박법을 그리고 고위험군에서는 약물 예방과 기계 예방을 동시에 시행한다고 생각하면 되겠다. 또한 이러한 예방법을 시행하여도 정맥혈전색전증의 발생을 완전히 막을 수 없으므로 수술 환자에서 수술 후 예상하지 못했던 하지부종 등의 증상이 발생하면 DVT를 의심하여 적절한 검사를 시행해야 한다. 또한 고위험군의 환자에

서 권고되는 항응고약제의 예방적 용량사용 후에도 출혈 합병증이 발생하는 경우가 있기 때문에 치료에 임하는 임상 의사의 판단이 가장 중요하다고 하겠다. 표 5는 각 수술에 따른 VTE 예방 방법을 구체적으로 기술한 ACCP 2016 진료지침을 요약하였다(표 16-5).

개두술(craniotomy)을 시행하는 환자의 경우에는 약물 예방보다는 예방을 하지 않거나 건헐적 하지 압박법과 같은 기계예방이 권장된다. 뇌종양 수술과 같이 정맥혈전색전증의 고위험군 환자에서는 수술 후 적절한 지혈이 이루어지거나 출혈의 위험성이 감소했다고 판단되는 즉시 기계예방과 함께 약물예방을 병행하는 것이 추천된다. 약물예방을 언제 시작하는가에 대해서는 논란이 있으나, 대부분의 두개강내 출혈 합병증 수술 후 12-24시간 내에 주로 발생하는데 반해, 정맥혈전색전증은 절반 이상이 수술 후 1주 내에 발생하는 것으로 알려져 있으므로,

표 16-5. Venous thromboprophylaxis in abdomino-pelvic surgery patients (2012 ACCP guidelines)

Risk for VTE	Estimated baseline risk	Rogers score	Caprini score	Risk for major bleeding	Prophylaxis recommendation
Very low	< 0.5%	< 7	0	-	Early ambulation only
Low	< 1.5%	7-10	1-2	-	Mechanical (IPC)
Moderate	~3.0%	> 10	3-4	Low	LMWH, LDUH, or mechanical (IPC)
				High	Mechanical (IPC)
High	~6.0%		≥ 5	Low	LMWH or LDUH with ECS or IPC
				Low, cancer	4-week pharmacologic
				High	Mechanical (IPC)

IPC, intermittent pneumatic compression; LMWH, low molecular weight heparin;LDUH, low-dose unfractionated heparin;ECS, elastic compression stocking

1) LMWH or LDUH 비적응증인 경우 low-dose aspirin, fondaparinux, 또는 mechanical 을 제안함.
2) 복부골반 수술 받는 환자에서 VTE의 일차예방 목적으로 IVC filter를 사용하지 말 것을 제안함.
3) 복부골반 수술 받는 환자에서 주기적인 VCU (venous compression ultrasound) 추적검사는 하지 말 것을 제안함.

수술 후 적절한 지혈이 이루어지거나 출혈의 위험성이 아주 낮다고 판단될 때까지 저분자량 헤파린과 같은 약물예방은 미루는 것이 좋다.

척추 수술 환자의 경우 약물예방보다는 정맥혈전색전증 예방을 하지 않거나 간헐적 하지압박법과 같은 기계예방이 추천된다. 약물예방 중 발생할 수 있는 척추강 내 출혈 또는 수술부위 심부출혈은 심각한 결과를 초래할 수 있으므로 미분획 헤파린이나 저분자량 헤파린의 사용보다는 기계예방을 사용하는 것이 추천된다. 척추의 악성종양 수술이나 전-후방 접근법과 같이 정맥혈전색전증의 고위험군 환자에서는 수술 후 기계예방이 시행되어야 하며, 수술 후 적절한 지혈이 이루어지고, 출혈 위험성이 감소했다고 판단되는 즉시 기계예방에 더하여 약물예방을 병행할 수 있다. 미분획 헤파린보다는 저분자량 헤파린을 사용하는 것이 출혈 위험이 낮다 (표 16-6).

결론

수술 환자에서는 각 수술마다 정맥혈전색전증 발생 위험도가 다르고, 예방목적의 항응고제 사용에 따른 출혈 합병증이 발생할 경우 이의 임상적 중요성이 다를 수 있다. 따라서 수술에 임하는 의사가 각각의 수술에 따른 정맥혈전색전증 발생 위험도와 환자 개인의 특성을 충분히 감안하여 정맥혈전증 예방법을 결정하는 것이 바람직하다.

PART IV

정맥혈전색전증의 약물치료

표 16-6. Venous thromboprophylaxis in other surgical patients (2012 ACCP guidelines)

Cardiac surgery		Suggestion
Uncomplicated postoperative course		Mechanical (IPC)
Non-hemorrhagic surgical complications		LDLU/LMWH + mechanical (IPC)
Thoracic surgery		
Risk of VTE	**Bleeding risk**	
Moderate	Low	LDUH/LMWH or mechanical (IPC)
High	Low	LDUH/LMWH + mechanical (ES, IPC)
-	High	Mechanical (IPC)
Craniotomy		
Risk of VTE	**Bleeding risk**	
-	-	Mechanical (IPC)
Very high (craniotomy for malignancy)	Low	Mechanical (IPC) + pharmacologic*
Spinal surgery		
-	-	Mechanical (IPC)
High (malignancy or combined anterior-posterior approach)	Low	Mechanical (IPC) + pharmacologic*
Major trauma		
-	-	LDUH/LMWH or mechanical (IPC)
High (spinal cord or brain injury, spinal surgery)		Mechanical (IPC) + pharmacologic**

*Add pharmacologic prophylaxis once adequate hemostasis is established and the risk of bleeding decreases. **When not contraindicated by lower extremity injury. If contraindicated to LDUH/LMHW, mechanical (IPC) is suggested; Add pharmacologic prophylaxis when the risk of bleeding decreases or the contraindication to heparin resolves.

1) 중증외상 환자에서 VTE의 일차예방 목적으로 IVC filter를 사용하지 말 것을 제안한다.

2) 중증외상 환자에서 주기적인 VCU 추적검사는 하지 말 것을 제안한다.

요약 🔒

1) 외과 수술 환자는 수술 전 정맥혈전색전증 발생에 대한 위험도와 예방목적의 항응고제 사용시 출혈성 합병증에 대한 위험인자를 고려하여 환자 개개인의 위험과 치료효과에 따른 선별적인 예방법이 권장된다.

2) 일반적으로 정맥혈전색전증 발생 초저위험군 환자에서는 조기 운동, 저위험군은 간헐적 하지 압박요법, 중등도 위험군은 저용량 미분획 헤파린 혹은 저분자량 헤파린 을 이용한 약물요법 혹은 간헐적 하지 압박요법이 권장된다. 고위험군에서는 저용량 미분획 헤파린(UFH)이나 저분자량 헤파린(LMWH) 주사에의한 약물요법에 추가하여 압박스타킹이나 간헐적 하지 압박요법과 같은 기계예방이 권장된다.

3) 각 수술마다 정맥혈전색전증 발생 위험도가 다르고, 예방목적의 약제 사용에 따른 출혈 합병증 발생 시 이의 임상적 중요성이 다르므로, 수술에 임하는 임상 의사가 각각의 수술에 따른 정맥혈전색전증 발생 위험도와 환자 개인의 특성을 충분히 감안하여 정맥혈전증 예방법을 결정하는 것이 바람직하다.

참고문헌 //

1. Arcelus JI, Villar JM, Munoz N. Should we follow the 9th ACCP guidelines for VTE prevention in surgical patients? Thromb Res 2012;130:S4-6.

2. Bang SM, Jang MJ, Kim KH, Yhim HY, Kim YK, Nam SH, et al. Prevention of venous thromboembosim, 2nd edition: Korean Society of Thrombosis and Hemostasis evidence-based clinical practice guidelines. J Korean Med Sci. 2014;29:164-171.

3. Gould MK, Garcia DA, Wren SM, Karanicolas PJ, Arcelus JI, Heit JA, et al. Prevention of VTE in non-orthopedic surgical patients. Antithrombotic therapy and prevention of thrombosis, 9th ed: American College of Chest Physicians Evidence-Based Clinical Practice Guidelines. Chest. 2012;141(2 Suppl):e227S-e277S.

4. Hakeam HA, Al-Sanea N. Effect of major gastrointestinal tract surgery on the absorption and efficacy of direct acting oral anticoagulants (DOACs). J Thromb Thrombolysis 2017;43:343-351

5. Handbook of venous disorders. Guidelines of the American venous forum. 3rd ed. Gloviczki P; Hod-

der Arnold 2009; P283.

6. Jang MJ, Bang SM, Oh D. Incidence of venous thromboembolism in Korea: from the Health Insurance Review and Assessment Service database. J Thromb Haemost. 2011;9:85-91.

7. Qadan M, Polk, Jr HC, Hohmann SF, Fry DE. A reassessment of needs and practice patterns in pharmacologic prophylaxis of venous thromboembolism following elective major surgery. Ann Surg 2011;253: 215-220.

8. Rogers SO, Kilaru RK, Hosokawa P, Henderson WG, Zinner MJ, Khuri SF. Multivariable predictors of postoperative venous thromboembolic events after general and vascular surgery: results from the patient safety in surgery study. J Am Coll Surg 2007;204:1211-21.

9. SAGES guidelines committee. Guidelines for deep venous thrombosis prophylaxis during laparoscopic surgery. Surg Endosc 2007;21:1007-1009.

10. Venous thromboembolism-reducing the risk, NHS from http://guidance.nice.org.uk/CG92 (Feburary, 2012)

11. 박윤수. 고관절수술에 대한 정맥혈전색전증 예방 권

고안. 대한정형외과학회지 2011;46;95-98.

12. 정맥혈전색전증의 예방과 치료: 대한혈관외과학회
　　권고안. 대한혈관외과학회 간행위원회. 엠엠케이커
　　뮤니케이션스.2013; pp1-38

17
CHAPTER

정맥혈전색전증의 이차적 예방

Secondary prevention of venothromboembolism

| 윤우성 | 영남의대 이식혈관외과

급성 정맥혈전색전증(venous thromboembo-lism, VTE) 환자의 약물치료는 발병 후 치료 시작 시기에 따라 크게 3가지로 나눌 수 있다. 진단 후 첫 7일 이내에 시행하는 초기 치료(initial therapy), 초기 치료 후 3개월까지 시행하는 장기치료(long-term therapy), 그리고 3개월 이후 지속적으로 치료를 계속하는 연장치료(extended therapy)로 나눈다. 급성 VTE 환자의 치료 목적은 치명적인 폐색전증(pulmonary embolism, PE)의 예방, VTE 증상 호전, 기존 혈전의 파급 및 새로운 혈전의 생성 억제, 그리고 혈전후증후군(post-thrombotic syndrome, PTS)과 같은 합병증의 예방, 마지막으로 정맥혈전증의 재발 방지이다.

특별한 유발인자가 없는(unprovoked) VTE 환자를 대상으로 시행한 대규모 코호트 연구에서 3-6개월간의 항응고요법을 마친 후 8년간 정맥혈전증의 누적 재발율은 30%, 연간 재발율은 5%로 보고하였다. VTE 환자 중 약 50%가 특별

한 유발인자가 없다는 점을 감안한다면, 재발을 방지하기 위한 대책이 필요하다. 연장치료는 바로 VTE 환자들에게 재발을 방지하기 위해 시행하는 이차적 예방(secondary prevention)이다. 이에 상대되는 용어로 정맥혈전색전증의 일차적 예방은 정맥혈전증이 생기지 않은 환자에서 정맥혈전증 발생 방지를 목적으로 시행하는 예방법을 말하며 이에 관해서는 다른 장에서 기술될 것이다.

연장치료의 필요성 및 고려사항

항응고요법(anticoagulation therapy)은 급성 VTE 치료에 아주 효과적이며 근간이 되는 치료법이다. 일반적으로 3-6개월간의 장기 항응고요법이 급성 VTE의 표준치료법으로 알려져 있으나, 이러한 치료를 받았음에도 불구하고 일부의 환자들은 VTE 재발을 보이는데, 이 같은 재

표 17-1. Four subgroups of VTE according to the recurrence risk

Subgroups	Recurrence rate	
	At 1 year after initial treatment	At 5 year after initial treatment
Provoked by surgery	1%	3%
Provoked by non-surgical transient risk factors*	3%	15%
Unprovoked (idiopathic)	10%	30%
Cancer-associated	15%/year	

*e.g., estrogen therapy, pregnancy, lower limb trauma, long flight (> 8 hours) etc.

발율은 VTE 위험인자와 연관되어 있다. 정맥혈전증 재발 위험도에 따라 VTE 환자를 4군으로 분류하면 표 17-1과 같다.

그 외에도 재발율을 예측할 수 있는 인자를 세분화할 수 있는데, 종아리에만 국한된 정맥혈전증(isolated calf vein thrombosis) 환자의 경우 popliteal vein 상부를 침범한 DVT나 PE에 비해 혈전 재발율은 절반이며, 이와 반대로 unprovoked VTE의 경우 재발을 한 경우는 첫번째 발생했을 때 보다 재발율은 1.5배로 더 높다. 그리고 항응고치료를 중단한 후 남성인 경우 여성에 비해 1.75배 높은 재발율을 보였으며, 항응고치료 중단한 환자에서 1개월째 시행한 D-dimer 검사상 양성을 보이는 경우 혈전 재발율은 2배로 증가하는 양상을 보인다고 한다.

따라서 혈전증 재발의 고위험군 환자에서는 혈전 재발을 방지하기 위한 대책이 필요하다. 그 대책의 일환으로 3-6개월 간의 항응고치료 후 항응고제 사용을 중단하지 않고 더 지속하는 연장치료(extended therapy)가 시행될 수 있다.

과거 연장치료의 방법은 대부분이 비타민 K 길항제(Vitamin K antagonist, VKA)인 warfarin을 사용하였으나, direct oral anticoagulant (DOAC)이 개발된 후로는 이 약재들도 연장치료에 사용되고 있다. 연장치료를 시행할 때 고려해야 할 중요한 점은 치료효과의 득실율(the risk-benefit ratio) 평가이다. 즉 정맥혈전 재발을 줄이기 위

표 17-2. Risk factors for bleeding with anticoagulant therapy.

Risk factors
- Age > 65 y
- Age > 75 y
- Previous bleeding
- Cancer
- Metastatic cancer
- Renal failure
- Liver failure
- Thrombocytopenia
- Previous stroke
- Diabetes
- Anemia
- Antiplatelet therapy
- Poor anticoagulant control
- Comorbidity and reduced functional capacity
- Recent surgery
- Frequent falls
- Alcohol abuse
- Non-steroidal anti-inflammatory drug

해 항응고제 연장치료를 할 때 이 치료에 따르는 VTE 예방 효과와 이 치료의 부작용(예, 출혈)의 위험도를 비교하여 VTE 예방 효과가 출혈 위험 보다 더 크다고 판단되는 경우에 연장치료를 시행하는 것이 바람직하다. 그러나 현재까지 특정한 환자에서 항응고제 치료 시 발생할 수 있는 출혈 가능성을 예측할 수 있는 검증된 모델은 없다. ACCP (American College of Chest Physicians) guidelines에서는 과거 항응고제를 이용한 여러 임상연구에서 출혈이 발생하였던 환자를 분석하여, 항응고치료를 받는 환자에서 출혈 위험인자(표 17-2) 수를 바탕으로 저위험군, 중위험군, 고위험군으로 분류하여 각 군별 출혈 위험도를 제시하고 있다(표 17-3).

연장치료(Extended therapy)의 가이드라인

2012년 발표된 9판 ACCP guideline 중 일부가 2016년에 개정되었으며, 개정된 guideline에서는 앞서 기술한 혈전 재발위험에 따른 환자군별로 항응고제 연장치료에 따르는 출혈 위험도를 고려하여 보다 상세한 연장치료를 권고하고 있다. 이들 환자군 중 다소 특별한 경우인 암환자의 경우는 다른 장에서 상세히 다룰 예정이므로, 이 장에서는 자세한 기술은 하지 않는다.

(1) 항응고제 사용 기간

- 수술에 의해 유발된 근위부 하지정맥 혈전증(a proximal DVT of the leg) 또는 PE 환자에서의 항응고제 연장치료는 하지 않고 3개월간의 항응고제 치료만을 권장한다(Grade 1B).
- 수술 이외의 일시적 위험인자(transient risk factor)에 의한 근위부 하지정맥혈전증 또는 PE 환자에 대해서는 연장치료보다는 3개월간의 항응고제 치료만을 권장한다(Grade 1B). 환자의 출혈 위험도가 저위험군이거나 중위험군인 경우에도 연장치료보다는 3개월간의 항응고요법을 제안(Grade 2B)하고, 출혈 고위험군 환자에서도 연장치료보다는

표 17-3. Categorization of bleeding risk

	Estimated absolute risk of major bleeding		
	Low risk (0 risk factors)	Moderate risk (1 risk factor)	High risk (≥ 2 risk factors)
Anticoagulation 0 - 3 months			
Baseline risk (%)	0.6	1.2	4.8
Increased risk (%)	1.0	2.0	8.0
Total risk (%)	1.6	3.2	12.8
Anticoagulation after first 3 months (extended therapy)			
Baseline risk (%/y)	0.3	0.6	≥ 2.5
Increased risk (%/y)	0.5	1.0	≥ 4.0
Total risk (%/y)	0.8	1.6	≥ 6.5

3개월간의 항응고요법을 권장한다(Grade IB).

주의 사항 연장치료를 받는 모든 환자는 주기적으로(예, 매년) 치료 지속 여부의 평가가 이루어져야 한다.

- 유발인자가 있는(provoked) 종아리에 국한된 원위부 하지정맥혈전증(an isolated distal DVT) 환자에 대해서는 3개월보다 더 짧은 기간의 항응고제 치료(Grade 2C) 혹은 더 긴 기간(예를 들면, 6개월, 12개월 또는 24개월)의 항응고제 치료보다는 3개월간의 항응고요법만을 권장한다(Grade 1B).

주의 사항 모든 isolated distal DVT 환자가 항응고요법을 필요로 하지는 않으며, 여기에서 isolated distal DVT환자의 치료기간이란 항응고요법을 시행하기로 결정된 환자에 해당한다.

- 유발인자가 없는(unprovoked) 원위부 혹은 근위부 하지정맥혈전증 또는 PE 환자에 대해서는 3개월보다 더 짧은 기간(Grade 1B) 혹은 3개월보다 더 긴 기간(예, 6, 12 혹은 24개월) 항응고치료보다는(Grade 1B) 3개월간의 항응고치료를 권장한다.

주의 사항 Unprovoked DVT 또는 PE 환자는 3개월간 치료를 마친 후, 연장치료의 득실율(the risk-benefit ratio)에 대한 평가가 이루어져야 한다. 모든 isolated distal DVT 환자가 항응고요법을 필요로 하지는 않으며, 여기에서 isolated distal DVT환자의 치료기간이란 항응고요법을 시행하기로 결정된 환자에 한한다.

- 유발인자가 없는(unprovoked) 근위부 하지

정맥혈전증(proximal DVT of the leg) 또는 PE 환자가 초발인 경우 1) 출혈 위험도가 저위험군 또는 중위험군이라면 3개월간의 항응고요법보다는 연장치료(무기한)를 제안하며(Grade 2B), 2) 출혈 고위험군이라면 연장치료(무기한)보다는 3개월 간의 항응고요법을 권장한다(Grade 1B).

주의 사항 항응고요법을 중단할지 지속할지 결정함에 있어 환자의 성별과 항응고요법을 중단한 후 1개월 D-dimer 수치를 참고할 것을 권한다. 연장치료를 받는 모든 환자는 주기적으로(예, 매년) 치료를 지속할지 여부의 평가가 이루어져야 한다.

- 유발인자가 없는(unprovoked) VTE 환자에서 재발성 혈전이 발생한 경우 출혈 저위험군에서는 3개월간의 항응고요법 후 연장치료(무기한)를 권장한다(Grade 1B). 출혈 중위험군에서도 3개월간의 항응고요법 후 연장치료를 제안하며(Grade 2B), 단 출혈 고위험군 환자에서는 연장치료(무기한)는 하지 않고 3개월간의 항응고요법만 시행할 것을 제안한다(Grade 2B).

주의 사항 연장치료를 받는 모든 환자는 연장치료 지속할지 여부를 주기적으로(예, 매년) 평가해야 한다.

- 암환자에서 근위부 하지 심부정맥혈전증(proximal DVT of the leg) 또는 PE가 발생한 경우(cancer-associated thrombosis; CAT) 출혈의 고위험군이 아니라면 3개월간의 항

응고 치료 후 연장치료(무기한)를 권장한다 (Grade 1B). 출혈 고위험군 환자에서도 3개월간의 항응고치료 후 연장치료(무기한)를 제안한다(Grade 2B).

주의 사항 연장치료를 받는 모든 환자는 주기적으로(예, 매년) 연장치료 지속할 지를 평가해야 한다.

(2) 연장치료의 항응고 약제 선택

• 하지 심부정맥혈전증 또는 PE 환자에서 정맥 혈전증 이차 예방 목적으로 항응고제 연장치료를 시행하는 경우, 첫 3개월간 사용했던 항응고제를 바꿀 필요는 없다(Grade 2C).

주의 사항 장기간 또는 연장치료 도중에 환자의 상황이나 기호 변화에 따라 항응고제제를 바꿀 수도 있다.

• 유발인자가 없는(unprovoked) proximal DVT 또는 PE 환자가 항응고요법을 중단하려고할 때, 만약 aspirin의 금기증이 없다면 VTE 재발 방지를 위해 aspirin 사용을 하지 않는 것보다 사용하는 것을 제안한다(Grade 2B).

주의 사항 Aspirin은 항응고제와 비교하여 VTE 예방효과가 훨씬 미약하므로 항응고제 연장치료를 요하는 환자에서 항응고제의 대체약물이 될 수는 없다. 하지만, 만일 환자가 어떤 원인으로 항응고제 사용을 중단해야 하는 경우, aspirin으로 인한 출혈의 위험성이나 복용해야 하는 불편이 있지만 VTE 재발 방지 효과면에서 aspirin을 사용하는 것이 사용하지 않는 것 보다 유익하다. 또한, 이전에 항응고요법을 시작하면서 기존 aspirin을 중단했었을 수 있으므로, 항응고요법을 중단하는 환자는 aspirin을 다시 사용해야 할지 고려하는 것이 필요하다.

연장치료는 언제까지 시행할 것인가?

결론부터 말하자면 현재 이에 대한 대답은 정확히 할 수 없다. 왜냐하면, 현재까지의 연구결과들은 제한된 일정 기간 동안 연장치료를 시행하면서 얻은 결과이기 때문이다. 과거 acute VTE 환자에서 최적 장기치료(long-term therapy) 기간을 찾기 위한 7개 임상연구에 참가한 환자 2925명을 항응고요법 중단 후 후향적으로 24개월간 발생한 VTE 재발율을 조사해보았을 때, 치료를 중단한 후 재발율은 모든 군에서 증가하는데, 특히 1-1.5개월간 항응고치료를 시행한 군에서 항응고제 사용을 중단했을 때 혈전 재발율이 유의하게 높았으나, 항응고제를 3개월 이상 사용한 환자군(3개월, 6개월, 12개월이나 27개월)에서는 혈전 재발률의 차이는 없었다. 다시말하면, 3개월이상 항응고제 치료받은 환자군에서는 치료를 중단한 후 재발률은 차이가 없다는 뜻이다. 특히, 치료중단 후 6개월내에 재발률이 가장 높았고, 이는 치료중단 후 7-24개월 사이의 재발률의 약 2배에 달하였다.

그 후 최적의 연장치료 기간을 알아보기 위한 목적으로 시행한 전향적 무작위 이중맹검연구가 PADIS-PE 연구이며, 2015년 그 결과가 발표되었다. 처음으로 발생한 유증상의 unprovoked PE 환자에 대해 6개월간 VKA를 이용하여 항응고제 치료를 시행한 후 18개월간 VKA

군(N=184)과 placebo 군(N=187)으로 나누어 연장치료를 시행하였다. 18개월 후에는 두 군 모두 치료를 연장치료를 중단하고, 그 이후 24개월간 추가적인 추적관찰을 시행하였다. 그 결과 VKA를 사용한 군에서 VTE 재발율이 유의하게 낮았으며(1.7% vs. 13.5%, HR: 0.15, 95% CI: 0.05–0.43, $P<.001$), 심각한 출혈발생 빈도는 다소 높았으나 통계학적으로 유의한 차이는 없었다(2.2% vs. 0.5%, HR: 3.96, 95% CI: 0.44–35.89, $P=.22$). 치료중단 후 24개월을 포함한 전체기간 동안 VTE 재발율은(17.9% vs. 22.1%, HR: 0.69, 95% CI: 0.42–1.12, $P=.14$)로 두 군간에 통계학적으로 유의한 차이는 없었고, 심각한 출혈 발생 빈도도 유의한 차이는 없었다(3.5% vs. 3.0%, HR: 1.12, 95% CI: 0.34–3.71, $P=.85$).

이는 앞선 연구와 동일한 결과로 항응고제 연장치료를 시행하는 동안은 재발률을 줄이는 효과가 있으나, 연장치료를 중단하면 이전 치료기간의 길이와 관계없이 VTE 재발 위험도는 다시 동일하게 증가함을 의미한다. 즉, 현재 시행되는 연장치료는 VTE의 근본 원인을 치료하는 것이 아니라 항응고 상태를 지속적으로 유지하여 재발을 억제하는 치료라고 이해하는 것이 좋을 것 같다.

따라서, 현재 가이드라인에서도 연장치료를 시작할 경우 그 중단 시점은 정하지 않았으며, 심각한 출혈과 같은 합병증 발생 여부를 확인하면서 주기적으로 환자의 상태를 평가하여, 연장치료를 지속할 것인지 아니면 중단할 것인지 판단할 것을 권장하고 있다. 그 외에 제안된 혈전 재발 예측모델로는 HERDOO2 rule, DASH prediction rule, the Vienna prediction model8 등이 있는데 아직은 검증이 필요한 상태이다. 현재까지 유일하게 임상적 검증이 시도된 것이 HERDOO2 rule인데, HERDOO2 rule을 간단히 설명하면 4가지 위험인자(Post-thrombotic signs [hyperpigmentation, edema or redness in either leg], D-dimer level ≥ 250µg/L, body mass index ≥ 30 kg/m², Age ≥ 65 years)를 이용하여 위험인자 중 0-1개를 가진 환자군을 혈전 재발 저위험군(low risk group)으로, 위험인자 2개이상을 가진 경우 혈전 재발 고위험군(high risk group)으로 정하여, 저위험군 여성 환자에서는 연장치료가 필요 없으며, 남성이거나 고위험군 여성에서만 연장 치료를 시행할 것을 권장하였다. 최초로 발생한 unprovoked VTE 환자 2785명을 대상으로 HERDOO2 rule에 따라 최초로 발생한 unprovoked VTE 환자들에게 전향적으로 HERDDO2 rule에 따라 연장치료를 시행한 결과 저위험군 여성에서는 항응고제 연장 치료를 중단하였을 때 VTE 연간 재발률은 수용할 만한 수준이었으나 남성 환자군 혹은 여성 환자 중 고위험군에서 연장치료를 중단했을 때 VTE 연간 재발율은 유의하게 높게 나타났다(3%/year; 95% CI, 1.8%–4.8% vs. 8.1%/year; 95% CI, 5.2–11.9%).

연장치료 목적으로 어떤 약제를 선택할 것인가?

(1) Vitamin K antagonist (VKA)

VKA(예, warfarin)는 therapeutic window가 비교적 좁고, 음식이나 다른 약물과의 상호작용도 많고, 투약 중 정기적으로 INR을 감시하면서 용량을 조절해야 한다는 점에서 연장치료 목적의 이상적인 항응고제라 할 수는 없다. 하지만 DOAC이 나오기 전까지는 VKA가 유일한 경구용 항응고제였기에 연장치료에 관한 임상연구 결과 들은 VKA에 대한 결과가 많다.

(2) DOAC

2010년부터 DOAC을 이용한 임상연구 결과들이 보고되고 있고 그 결과는 표 17-4에 나타나 있다. 표에서 보이는 것과 같이 DOAC제제를 이용한 연장치료 군에서 placebo 사용군에 비해 VTE 예방효과가 유의하게 좋았다. 그리고, DOAC제제와 VKA를 직접 비교한 연구는 Dabigatran을 이용한 연구 밖에 없지만(RE-MEDY trial), 각 임상연구에서 나타난 VTE 예방효과와 출혈빈도를 간접 비교해봤을 때, DOAC제제는 VTE 예방에 있어서 VKA에 비해 나쁘지 않은 효과를 보이며, 더 낮은 출혈성 합병증 빈도를 보였다. 흥미로운 점은 rivaroxaban이나 apixaban과 같은 factor Xa 억제제를 사용하여 연장치료를 할 경우 표준용량보다 낮은 용량을 사용했음에도 불구하고 표준용량을 사용한 군에서와 비슷한 예방효과를 얻을 수 있었다는 점이다. 저용량 사용군에서 출혈의 위험도는 통계학적으로 유의하지는 않지만 다소 낮게 나타났다. 그러나 표준용량을 사용했던 환자군에서는 저용량 사용군에 비해 입원률이 낮고, 입원기간이 짧았다. 기존 연구 설정이 두 군간의 VTE 예방이나 출혈위험도에 대한 비교를 한 것이 아니고, 표본 수 또한 많지 않아서 현재로서는 명확한 판단을 내리기는 어렵고 임상상황에 따라 용량의 선택이 필요할 것으로 생각된다.

이러한 DOAC의 연구결과들이 희망적으로 보고되고 있으나, 아직은 그 연구기간이 비교적 짧고, unprovoked VTE 환자만을 대상으로 하지 않았다는 제한점이 있기 때문에, 현재 가이드라인에서는 연장치료 목적의 약제 선택에 있어 어느 특정 약제를 우위에 두고 권장하고 있지는 않고 있으며, 연장치료를 위해 기존 사용하던 항응고제를 바꿀 필요는 없고 환자의 상황이나 기호에 따라 항응고제제를 바꿀 수도 있다고 유연하게 기술하고 있다.

(3) Aspirin

항응고제 외에 aspirin도 VTE의 이차 예방 약제로서 많은 연구가 있었으며, 그 중 대표적인 임상연구는 WARFASA연구와 ASPIRE연구이다(표 17-4). 이들 연구는 aspirin과 placebo를 투여한 군에서 연간 VTE재발율을 비교한 연구로 WARFASA연구에서 5.9% vs. 11.0%, ASPIRE연구에서 4.8% vs. 6.5%로 aspirin 투여군에서 유의하게 낮은 VTE 재발 빈도를 보였으며, 두 연구 모두 비교군 간에 출혈 합병증 빈도의 차이는 없었다. 하지만 이들 연구에서 VTE 예방율은 각각 45%, 26% 정도로 앞서 기술한 항응고제와 간접적으로 비교해볼 때 그 효과는 크지는 않다.

이들 연구결과를 바탕으로 ACCP 가이드라인에서는 연장 치료 목적으로 aspirin을 항응고제

표 17-4. Randomized clinical trials of aspirin and DOACs for prevention of recurrent VTE

Study	Comparator 1	Comparator 2	Comparator 3	Treatment Duration	Unprovoked VTE, %	Recurrent VTE (%)	MB (%)	MB or CRNMB (%)	Recurrent VTE HR	MB HR	MB/CRNMB HR
WARFASA (2012)	Aspirin 100 mg daily (n=205)	Placebo (n=197)		24 mo	100/100	23/39 (11.2/19.8)	1/1 (0.5/0.5)	4/4 (2.0/2.0)	0.55 (0.33-0.92)	Not estimable	0.98 (0.24-3.96)
ASPIRE (2014)	Aspirin 100 mg daily (n=411)	Placebo (n=411)		≥ 24 mo	100/100	57/73 (13.9/17.8)	8/6 (1.9/1.6)	14/8 (3.4/1.9)	0.74 (0.52-1.05)	Not estimable	1.73 (0.72-4.11)
RE-MEDY (2013)	Dabigatran 150 mg twice a day (n=1430)	VKA, INR 2-3 (n=1426)		6-36 mo	Not reported	26/18/- (1.8/1.3/-)	13/25/- (0.9/1.8-)	80/145/- (5.6/10.2/-)	1.44 (0.78-2.64)	0.52 (0.27-1.02)	0.54 (0.41-0.71)
RE-SONATE (2013)	Dabigatran 150 mg twice a day (n=681)	Placebo (n=662)		6 mo	Not reported	3/37/- (0.4/5.6)	2/0/- (0.3/-)	36/12/- (5.3/1.8)	0.08 (0.02-0.25)	Not estimable	2.92 (1.52-5.60)
EINSTEIN-EXT (2010)	Rivaroxaban 20 mg daily (n=602)	Placebo (n=594)		6-12 mo	73.1/74.2/-	8/42/- (1.3/7.1/-)	4/0/- (0.7/0)	36/7/- (6.0/1.2/-)	0.18 (0.09-0.39)	Nott estimable	5.19 (2.3-11.7)
EINSTEIN-CHOICE (2017)	Rivaroxaban 20 mg daily (n=1107)	Rivaroxaban 10 mg daily (n=1127)	ASA 100 mg (n=1131)	6-12 mo	39.8/42.6/41.4	17/13/50 (1.5/1.2/4.4)	6/5/3 (0.5/0.4/0.3)	36/27/23 (3.3/2.4/2.0)	0.34 (0.20-0.59)[a]	2.01 (0.50-8.04)[a]	1.59 (0.94-2.69)[a]
									0.26 (0.14-0.47)[b]	1.64 (0.39-6.84)[b]	1.16 (0.67-2.03)[b]
									1.34 (0.65-2.75)[c]	1.23 (0.37-4.03)[c]	1.37 (0.83-2.26)[c]
AMPLIFY-EXT (2013)	Apixaban 2.5 mg twice a day (n=840)	Apixaban 5 mg twice a day (n=813)	Placebo (n=829)	12 mo	93.2/90.7/91.1	14/14/73 (1.7/1.7/8.8)	2/1/4 (0.2/0.1/0.5)	27/35/22 (3.2/4.3/2.7)	0.19 (0.11-0.33)[a,d]	0.49 (0.09-2.64)[a,d]	1.20 (0.49-2.10)[a]
									0.20 (0.11-0.34)[b,d]	0.25 (0.03-2.24)[b,d]	1.62 (0.96-2.73)[b]
									0.97 (0.46-2.02)[c,d]	1.93 (0.18-21.25)[c,d]	0.74 (0.46-1.22)[c]

VTE, venous thromboembolism; MB, major bleeding; CRNMB, clinically relevant non-major bleeding; HR, hazard ratio.
[a]comparator 1 vs. comparator 3, [b]comparator 2 vs. comparator 3, [c]comparator 1 vs. comparator 2, [d]relative risk.

대체약제로 권장하지는 않지만, 출혈의 위험 등으로 항응고제를 중단해야 하는 상황에서, VTE 재발 방지를 위해 상대적으로 출혈의 위험도가 낮은 aspirin이라도 사용할 것을 제안하였다.

ACCP 가이드라인 이후 발표된 EINSTEIN-CHOICE 연구에는 rivaroxaban과 aspirin을 직접 비교도 하였는데, rivaroxaban은 VTE 예방에 있어 aspirin보다 훨씬 좋은 결과를 보였으며, 출혈률은 다소 높았다. 특히, rivaroxaban 10 mg 을 사용한 경우 aspirin군에 비해 VTE 재발률은 약 1/4로 그 효과가 확실히 우수하였으며, 심각한 출혈 성 합병증 빈도는 1.6배로 높았으나 전체 출혈성 합병증 빈도는 비슷한 결과를 보였다.

VTE 환자에서 이차 예방을 위한 연장치

표 17-5. Risks of recurrent VTE and major bleeding with oral anticoagulant regimens or aspirin on meta-analysis.

	Recurrent VTE		Major bleeding	
	OR (95% Credible interval)	No. needed to treat to benefit	OR (95% Credible interval)	No. needed to treat to harm
Standard-intensity VKA	0.145 (0.075-0.242)	15 (7 to 34)	4.415 (1.988-12.240)	87 (23 to 345)
Low-intensity VKA	0.361 (0.128-0.978)	20 (6 to 80)	4.138 (1.090-18.020)	91 (8 to 924)
Direct thrombin inhibitor	0.146 (0.043-0.366)	15 (7 to 36)	2.625 (0.732-18.200)	153 (-1,997 to 2,591)
Standard-dose factor Xa inhibitor	0.170 (0.083-0.334)	15 (7 to 36)	1.831 (0.667-5.692)	270 (-4,116 to 4,700)
Low-dose factor Xa inhibitor	0.156 (0.060-0.381)	15 (7 to 36)	1.379 (0.326-5.786)	187 (-6,537 to 6,409)
Aspirin	0.625 (0.291-1.284)	33 (-127 to 217)	1.068 (0.326-3.436)	155 (-9,435 to 9,118)

(Wang KL, van Es N, Cameron C, Castellucci LA, Buller HR, Carrier M. Extended treatment of venous thromboembolism: a systematic review and network meta-analysis. Heart (British Cardiac Society) 2018)

료 효과를 보기 위해 2018년까지 보고된 VKA, DOACs 및 aspirin을 이용한 연장치료에 관한 연구 결과를 메타분석하였을 때에도 비슷한 결과를 보였다(표 17-5). 이 메타 분석 결과에 따르면 표준 용량 VKA와 NOAC 사용은 aspirin과 비교하여 유의하게 낮은 혈전 재발률의 보였으며, 저용량 factor Xa 억제제(factor Xa inhibitors)와 aspirin의 비교에서도 출혈의 위험성은 큰 차이가 없고(HR: 1.287, 95% credible intervals[CrIs]: 0.290–5.966), 저용량 factor Xa 억제제 사용군에서 VTE 재발률은 aspirin 사용군의 약 1/4정도로 낮았음을 보였다(HR: 0.250, CrIs: 0.092-0.665).

따라서, aspirin은 연장치료의 표준약제라 할 수는 없으며, 현재 가이드라인에서 제시한 바와 같이 항응고제를 사용할 수 없는 특수한 상황에서 사용하는 것이 좋다고 본다.

(4) Sulodexide

Sulodexide는 돼지의 장점막에서 추출한 천연 glycosaminoglycan mixture로 low molecular weight heparin (80%)과 dermatan sulfate (20%)로 이루어져 있다. 이 약재는 antithrombin III (AT III) 그리고 heparin cofactor II와의 상호작용을 통해 항혈전 효과를 나타낸다고 알려져 있을 뿐 아니라, tissue plasminogen activator (tPA) 분비를 촉진하여 섬유용해 작용(fibrinolytic activity)을 하기도하며 plasminogen activator inhibitor (PAI) 활동성을 줄이는 역할도 있음이 밝혀졌다. 이러한 특성으로 sulodexide를 다양한 혈전성 질환(thrombotic disorders)의 치료에 이용하기 위한 시도가 꾸준히 있어왔었다.

VTE의 치료 및 이차 예방 약제로 Sulodexide를 사용하기 위한 연구인 SURVET study (Sulodexide for the Prevention of Recurrent Venous

Thromboembolism)는 처음 발생한 unprovoked VTE 환자를 대상으로 3–12개월간의 일정기간의 항응고제 치료를 마친 후 sulodexide 혹은 위약(placebo)을 사용한 후 24개월간 추적 관찰한 결과를 두군 간 비교하였다. 그 결과, sulodexide 사용군에서 VTE 재발률이 유의하게 낮았지만 (4.9% vs. 9.7%; HR: 0.49, 95% CI: 0.27–0.92, P=0.025) 출혈 빈도는 두 환자군간 차이가 없었음을 보고하였다(0.7% vs. 0.6%; HR: 0.97, 95% CI: 0.14–6.88, P=0.98).

최근 보고된 메타분석에 따르면 3개월이상의 항응고요법 시행한 VTE 환자를 대상으로 혈전 재발방지 목적으로 sulodexide를 사용한 환자군(N=709)과 위약 또는 acenocoumarol을 사용한 대조군(N=752)을 6–60개월간의 추적관찰 한 후 VTE 재발률을 비교한 결과 sulodexide 사용군에서 대조군에 비해 혈전 재발률이 유의하게 낮았고(5.22% vs. 10.11%, RR: 0.51, 95% CI: 0.35–0.74, P=.0004) 출혈성 합병증의 발생 빈도는 대조군과 유의한 차이가 없었음을 보고하였다. VTE 이차 예방 효과는 VKA나 DOAC에 비해 낮은 것은 사실이나, 항응고 약제의 부작용인 출혈의 위험이 거의 없다는 면에서 매력적인 약재로 평가된다. 따라서, 항응고제를 사용할 수 없는 출혈 고위험군 환자에서 시도해 볼 만한 약제로 생각되지만, 아직까지 축적된 임상 데이터가 적고, 기존 항응고제와 직접 비교한 연구가 없었으므로 현재 가이드라인에서 아직은 추천되고 있지는 않고 있다.

요약 🔒

1) VTE 환자들 중 그 발생 원인에 따라 다양한 혈전 재발률을 보이는데, 혈전 재발 고위험군 환자에서는 이차 예방책의 하나로 연장치료(extended therapy)가 필요하다(그림 17-1).

2) 연장치료를 시행할 경우 VKA, DOAC 제제의 재발 방지 효과가 입증되어 있고 또 사용할 수 있으며, 만일 연장치료를 필요로 하는 환자에서 출혈의 위험성 등의 이유로 이들 약재를 사용할 수 없거나 중단해야 할 경우 aspirin을 사용한다면 혈전 재발의 예방효과는 다소 낮지만 예방효과를 얻을 수도 있다.

3) 연장치료를 시행할 경우 약재 사용기간은 정하지 않고 시행하며, 임상의는 정기적으로 환자의 상태와 출혈의 위험성 그리고 재발가능성을 평가하여 연장치료를 지속할 것인지 중단할 것인지 결정하여야 한다.

4) VTE 환자에서 이차 예방 목적의 항응고제 연장치료에 대한 algorithm은 그림 17-1을 참고하길 바란다.

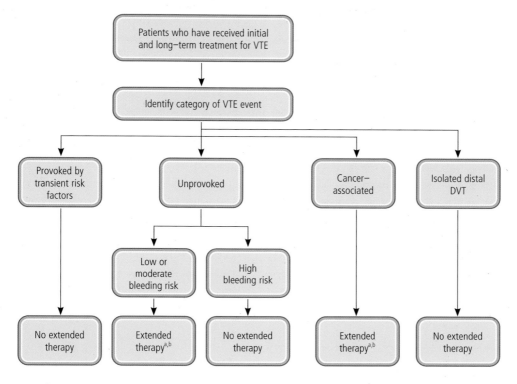

■ 그림 17-1. Algorithm of extended treatment of VTE after initial and long-term treatment

[a] All patients who receive extended anticoagulation therapy, the continuing use of treatment should be reassessed at periodic intervals (e.g., annually).

[b] Women at low risk of recurrent VTE could not receive extended therapy.

PART IV

정맥혈전색전증의 약물치료

참고문헌

1. Rodger MA, Scarvelis D, Kahn SR, et al. Long-term risk of venous thrombosis after stopping anticoagulants for a first unprovoked event: A multi-national cohort. Thromb Res 2016;143:152-8.

2. White RH. The epidemiology of venous thromboembolism. Circulation 2003;107:I4-8.

3. Kearon C, Akl EA, Ornelas J, et al. Antithrombotic Therapy for VTE Disease: CHEST Guideline and Expert Panel Report. Chest 2016;149:315-52.

4. Boutitie F, Pinede L, Schulman S, et al. Influence of preceding length of anticoagulant treatment and initial presentation of venous thromboembolism on risk of recurrence after stopping treatment: analysis of individual participants' data from seven trials. BMJ 2011;342:d3036.

5. Couturaud F, Sanchez O, Pernod G, et al. Six Months vs Extended Oral Anticoagulation After a First Episode of Pulmonary Embolism: The PADIS-PE Randomized Clinical Trial. JAMA 2015;314:31-40.

6. Rodger MA, Kahn SR, Wells PS, et al. Identifying unprovoked thromboembolism patients at low risk for recurrence who can discontinue anticoagulant therapy. CMAJ 2008;179:417-26.

7. Tosetto A, Iorio A, Marcucci M, et al. Predicting disease recurrence in patients with previous unprovoked venous thromboembolism: a proposed prediction score (DASH). J Thromb Haemost 2012;10:1019-25.

8. Eichinger S, Heinze G, Jandeck LM, Kyrle PA. Risk assessment of recurrence in patients with unprovoked deep vein thrombosis or pulmonary embolism: the Vienna prediction model. Circulation 2010;121:1630-6.

9. Rodger MA, Le Gal G, Anderson DR, et al. Validating the HERDOO2 rule to guide treatment duration for women with unprovoked venous thrombosis: multinational prospective cohort management study. BMJ 2017;356:j1065.

10. Becattini C, Agnelli G, Schenone A, et al. Aspirin for preventing the recurrence of venous thromboembolism. The New England journal of medicine 2012;366:1959-67.

11. Brighton TA, Eikelboom JW, Mann K, et al. Low-dose aspirin for preventing recurrent venous thromboembolism. The New England journal of medicine 2012;367:1979-87.

12. Schulman S, Kearon C, Kakkar AK, et al. Extended use of dabigatran, warfarin, or placebo in venous thromboembolism. The New England journal of medicine 2013;368:709-18.

13. Bauersachs R, Berkowitz SD, Brenner B, et al. Oral rivaroxaban for symptomatic venous thromboembolism. The New England journal of medicine 2010;363:2499-510.

14. Weitz JI, Lensing AWA, Prins MH, et al. Rivaroxaban or Aspirin for Extended Treatment of Venous Thromboembolism. The New England journal of medicine 2017;376:1211-22.

15. Agnelli G, Buller HR, Cohen A, et al. Apixaban for extended treatment of venous thromboembolism. The New England journal of medicine 2013;368:699-708.

16. Wang KL, van Es N, Cameron C, Castellucci LA, Buller HR, Carrier M. Extended treatment of venous thromboembolism: a systematic review and network meta-analysis. Heart (British Cardiac Society) 2018.

17. Coccheri S. Biological and clinical effects of sulodexide in arterial disorders and diseases. Int Angiol 2014;33:263-74.

18. Andreozzi GM, Bignamini AA, Davi G, et al. Sulodexide for the Prevention of Recurrent Venous Thromboembolism: The Sulodexide in Secondary Prevention of Recurrent Deep Vein Thrombosis (SURVET) Study: A Multicenter, Randomized, Double-Blind, Placebo-Controlled Trial. Circulation 2015;132:1891-7.

19. Jiang QJ, Bai J, Jin J, Shi J, Qu L. Sulodexide for Secondary Prevention of Recurrent Venous Thromboembolism: A Systematic Review and Meta-Analysis. Front Pharmacol 2018;9:876.

V

PART

특수 상황에서 정맥혈전색전증의 약물치료

Pharmacotherapy of venous thromboembolism in specific conditions

18
CHAPTER

암 환자에서 정맥혈전색전증의 예방과 치료

Prevention and Treatment of Venous Thrombosis in Cancer Patients

| 김형기 | 경북의대 이식 혈관외과

서론

암과 정맥혈전색전증(venous thromboembolism, VTE, 이하 정맥혈전증으로 기술)의 밀접한 상관관계에 대해서는 많은 연구가 진행되었으며 그 상관관계는 잘 알려져 있다. 암 환자들은 종양에 의해서 유발된 혈액과응고성(hypercoagulable state)을 가지게 되며 또한 혈관 내피세포 및 혈관벽의 손상, 정맥 울혈 등 정맥혈전증 형성의 다른 위험인자들과 복합적으로 작용하여 암이 없는 환자에 비해 정맥혈전증 가능성이 높고 암이 진행되는 동안 정맥혈전증이 발생할 가능성이 더 높아지는 것으로 알려져 있다. 암 환자에서 정맥혈전증 발생률은 암이 없는 환자에 비해 4-6.5배 높은 것으로 보고되고 있고, 전체 정맥혈전증 환자의 20%가 활동성 암을 가진 것으로 추정된다. 또한 정맥혈전증의 합병증은 암 환자의 사망원인에서 종양 자체에 의한

사망률 다음으로 중요한 사망원인으로 알려져 있다. 따라서 정맥혈전증의 치료는 암 환자의 치료에 있어서 중요한 부분을 차지한다고 할 수 있다. 특히 암 환자에서 발생한 정맥혈전증의 치료는 출혈과 같은 합병증을 유발할 가능성이 있으므로 적절한 치료제의 선택과 치료기간 설정이 중요하다. 이 장에서는 암 환자에서 정맥혈전증의 발생 빈도, 위험인자, 치료에 대해 기술하고자 한다.

발생 빈도 및 위험인자(Incidence and Risk factors)

암은 정맥혈전증의 독립적인 위험인자이며, 강한 상관관계를 가지고 있다. 대부분의 경우 정맥혈전증은 임상적으로 명백한 암이 있는 환자에서 발생하지만, 일부 환자에서는 암이 임상적으로 진단되기 전의 잠재적인 암이 있는 경우에

도 정맥혈전증이 선행하여 발견되는 수도 있다.

　서구의 경우 정맥혈전증 환자들 중 암과 연관된 정맥혈전증은 전체의 18% 정도로 알려져 있다 (95% 신뢰구간: 13.4-22.6%). 또한 대규모 전향적 관찰 연구인 Vienna Cancer and Thrombosis Study (CATS)에 의하면 암 환자들 중 정맥혈전증의 누적 발병률은 약 19개월의 중간 관찰 기간 중 7.4%에서 발생하는 것으로 보고하였다. 하지만 부검결과에서는 암의 종류에 따라 이보다 많은 빈도를 보고하고 있으며 췌장암의 경우 50%까지 그 발생 빈도를 보고하고 있다. 아시아인의 경우 서구인에 비하여 정맥혈전증의 발

생률은 적은 것으로 알려져 있어 그 빈도가 낮을 것으로 예상이 되지만 국내의 경우에도 정맥혈전증 환자의 빈도는 증가하고 있는 추세이며 이는 정맥증 진단방법의 발전과 무관하지 않다고 생각된다. 그러나 국내에서는 암 환자를 대상으로 한 정맥혈전증의 발생률에 대한 연구는 부족하여 아직도 그 정확한 빈도는 알기는 어려운 실정이다.

　암 환자에서 발생한 정맥혈전증의 임상적인 중요성에 대해서는 여러 논문에서 보고되고 있다. RIETE registry의 하위 집단 분석(subgroup analysis)에 따르면 정맥혈전증 환자들에서 암

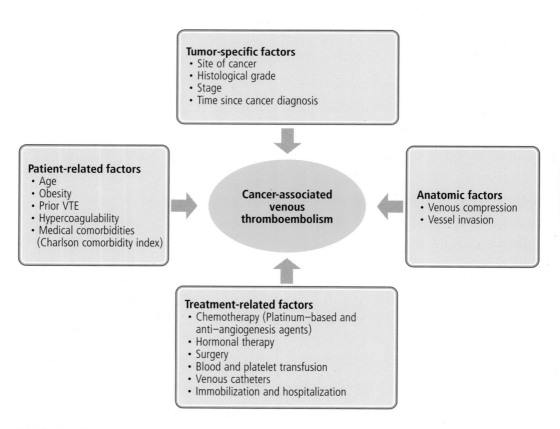

■ 그림 18-1. Pathogenesis of cancer-associated venous thromboembolism

은 전체 사망뿐 아니라 폐색전증(pulmonary embolism, PE) 연관 사망의 독립적인 위험인자로 보고하고 있다. 이들에 따르면 폐색전증-연관 사망률은 악성종양이 없는 환자군은 1%, 악성종양 환자군에서는 3% 였다. Danish registry 연구에서도 암 환자에서 정맥혈전증이 동반된 환자군과 정맥혈전증이 없는 환자군의 1년 생존율을 비교한 결과 정맥혈전증이 동반된 환자군의 생존률이 유의하게 낮았고(12% vs. 36%; p< 0.001), 원격 전이가 유의하게 많이 발견되는 것으로 보고하였다.

악성종양 환자에서 정맥혈전증 발생은 여러 가지 인자에 의해 영향을 받을 수 있으며, 일반적으로 아래의 4가지 인자가 정맥혈전증 발생에 영향을 주는 것으로 알려져 있다(그림 18-1).

(1) 암 특이적 인자(Tumor-specific factors)

암 세포는 트롬빈(Thrombin) 생성을 유도하는 응혈촉진 물질(prothrombotic material) 및 염증성 cytokine을 분비하여 직접적으로 응혈촉진을 일으킬 수 있다. 또한, 환자의 비-암성 조직(non-cancerous tissue)은 암 조직(cancerous tissue)과 반응하여 응혈촉진 활성화 소견을 나타낼 수 있다. 암 특이적 인자는 원발성 암의 종류 및 정도, 병기 및 진단 후 경과 기간 등을 포함한다. 2006년 보고된 대형 레지스트리 연구에 따르면 전이성 췌장암, 위암, 폐암, 자궁암, 방광암 및 신장암에서 동반된 정맥혈전증의 빈도가 상대적으로 높음을 보고하였다. 일반적으로 정맥혈전증과 가장 연관이 있는 암은 위암과 췌장암으로 알려져 있으며, 그 외 정맥혈전색전증의 발생 빈도가 높은 암은 뇌암, 부인과 암, 폐암, 신장암, 방광암, 골암 및 혈액학적 악성종양으로 알려져 있다. 그 외 전이성 암 환자에서 국소 암 환자에 비해 정맥혈전증의 발생 빈도가 더 높았으며, high grade tumor에서 low grade tumor에 비해 정맥혈전증의 발생 빈도가 높은 것으로 알려져 있다.

(2) 해부학적 인자(Anatomic factors)

일부 종양들은 큰 혈관을 외부에서 압박하거나 직접적으로 혈관벽을 침범함으로 정맥혈전증 발생 위험을 증가시킬 수 있다. 예를 들어 신세포 암(renal cell carcinoma)은 5~9%의 경우 하대정맥을 침범하는 것으로 알려져 있으며 간세포 암(hepatocellular carcinoma)은 간정맥을 압박하거나 침범할 수 있다. 골반 내 혹은 종격동 종양의 경우 정맥을 직접 압박하여 심부정맥혈전증 발생을 유발할 수 있다.

(3) 환자 특정 요인(Patient-specific factors)

암 환자에서 정맥혈전증의 발생과 연관된 환자 특정 요인으로는 65세 이상의 고령, 비만 및 동반된 질환 등이 알려져 있다. 특히 동반 질환에 따른 정맥혈전증의 위험성을 예측하는 Charlson comorbidity Index ≥ 3 인 경우 여러 문헌에서 암과 연관된 정맥혈전증 발생률이 높음을 보고하였다. 그 외에도 하지정맥류 혹은 정맥혈전증의 과거력, 정맥혈전증의 가족력이 암과 연관된 정맥혈전증의 발생과 연관이 있음을 보고되었다. 특히 서구에서는 Factor V Leiden 변이(mutation) 또는 Prothrombin 20210A 변이를 가지는 환자에서는 정맥혈전증 발생 위험성이 증가되는 것으로 알려져 있다.

(4) 치료 관련 요인(Therapy-associated factors)

일부 항암치료제 및 악성종양의 외과적 수술은 정맥혈전증의 위험성을 증가시킨다. 항암 요법에 의해 유도된 Interleukin 및 종양괴사인자(tumor necrosis factor)의 방출 뿐만 아니라 약물 투여 목적의 정맥 내 catheter를 삽입한 경우 이로 인한 혈관내피세포의 손상으로 인하여 정맥혈전증이 발생할 수 있다.

항암치료제들 중에서도 Platinum을 기반으로 한 항암제(예, Cisplantin) 및 bevacizumab과 같은 bevacizumab 과 같은 혈관생성 억제제(angiogenesis inhibitor)는 정맥혈전증을 잘 일으키는 것으로 알려져 있다. 상기 두 약제에 대한 meta-analysis 에서도 이들 약제를 사용한 암환자 군에서는 사용하지 않은 환자 군에 비해 정맥혈전증 발생의 상대 위험도가 cisplantin은 1.67배(1.25-2.23), bevacizumab은 1.33배(1.13~1.56)로 높았다. 그 외에도 탈리도미드, 타목시펜, 호르몬 치료, 적혈구 생성 촉진제, 적혈구 또는 혈소판 수혈이 정맥혈전증 발생과 연관이 있다.

암과 연관된 수술적 치료 또한 정맥혈전증 발생의 위험인자이다. 2012년 보고에 따르면 술후 1달까지 정맥혈전증 발생 빈도는 식도암 절제술(7.3%) 후 가장 높았으며, 다음으로 방광암 절제술, 췌장암 절제술, 위암 절제술, 대장암 절제술, 폐암 절제술, 자궁암 절제술의 순으로 나타났다. 또한 수술 후 정맥혈전증 발생의 위험

인자로 고령, 최근 스테로이드의 사용, 신체비만지수(BMI) ≥35, 수술 후 합병증, 수술 후 입원기간 ≥ 1주일 등이 정맥혈전증 발생과 연관이 있었다고 보고하였다.

암 환자에서 정맥혈전증 위험 평가(VTE risk assessment in cancer patients)

앞서 언급한 정맥혈전증의 위험인자를 토대로 암 환자에서 정맥혈전증의 발생 위험을 계수화 할 수 있는 다양한 위험 평가 모델이 개발되었다. 위험 평가 모델 개발의 목적은 암 환자에서 이와 연관된 정맥혈전증의 발생 가능성이 높은 환자들을 미리 예측하고 예방을 함으로써 정맥혈전증의 이환률과 그로 인한 사망률의 감소에 그 목적이 있다.

입원환자 및 수술이 필요한 암 환자에서의 위험 평가 모델은 앞 장에서 기술된 일반적인 입원 또는 수술 환자에서 사용되는 여러 위험 평가 모델이 사용될 수 있다. 하지만 암 환자의 경우 일반 환자들에 비해 정맥혈전증 발생의 빈도가 상대적으로 더 높은 것으로 알려져 있고, 특히 수술환자에서 사용되는 위험 평가 모델인 Caprini model에서도 암이 있는 경우 score 2점이 가산되는 것으로 되어 있으며, 암 환자들은 당연히 정맥혈전증 발생의 고위험군에 속할 가능성이 높아지게 된다.

Khorana 등에 의해 개발된 위험 평가 모델은 암 환자에서 항암치료와 연관되어 발생할 수 있는 혈전증의 위험성을 계수화한 모델로 암의 원발 부위를 포함하여 기본적인 임상적 및 혈액학

적 변수를 사용하였다(표 18-1). 최종 검증 모델은 암 환자를 Khorana 위험 모델의 점수에 따라 세 가지 위험 범주(저위험군 0점, 중간 위험군 1-2점, 고위험군 ≥ 3점)로 나누었으며, 추적 2.5개월에 저위험군에서는 0.3%, 중간위험군에서는 2%, 고위험군에서는 6.7%의 환자에서 정맥혈전증이 발생함을 보고하였다.

Ottawa 모델은 암과 연관된 정맥혈전증을 가진 환자에서 재발의 위험성을 예측하기 위해 만들어진 모델로 원발 암의 종류, 환자의 성별,

정맥혈전증의 과거력 및 암병기를 이용해 재발 가능성을 예측하도록 되어 있다(표 18-2). 이 모델에서 점수의 합계는 -3~3점 사이로 구성되며 점수가 0 이하인 저위험군 환자에서 정맥혈전증 재발률은 4.5%, 점수가 1이상인 고위험군 환자에서의 재발률은 19%로 환자군에 따라 재발률의 차이를 확인할 수 있었으며, 고위험군에서는 통상적인 항응고치료에도 불구하고 정맥혈전증 재발률이 높았으므로 다른 형태의 새로운 항응고치료의 필요성을 기술하였다.

표 18-1. Khorana score for estimating venous thromboembolism risk in patients with cancer

Khorana score		
Risk factor		Points
Site of primary tumor		
Very high risk (Stomach, pancreas)		2
High risk (lung, lymphoma, gynecologic, bladder, testicular)		1
Low risk (all other cancers)		0
Pre-chemotherapy platelet count ≥ 350,000/μL		1
Hemoglobin level < 10 g/dL or use of ESAs		1
Pre-chemotherapy WBC > 11,000/μL		1
BMI ≥ 35 Kg/m^2		1
Incidence of VTE based on Khorana score		
Score	Validation cohort[a]	Independent cohort[b]	Patients in phase I trials[c]
Months	2.5	6	2
0 (low)	0.3%	1.5%	1.5%
1 to 2 (intermediate)	2%	3.8% (1 point); 9.6% (2 points)	4.8%
≥ 3 (high)	6.7%	17.7%	12.9%

ESAs: erythropoiesis-stimulating agents; WBC: white blood cell; BMI: body mass index; VTE: venous thromboembolism

[a] Khorana AA, Kuderer NM, Culakova E, et al. Development and validation of a predictive model for chemotherapy-associated thrombosis. (Blood 2008; 111:4902)

[b] Ay C, Dunkler D, Marosi C, et al. Prediction of venous thromboembolism in cancer patients. (Blood 2010; 116:5377)

[c] Mandala M, Clerici M, Corradino I, et al. Incidence, risk factors and clinical implications of venous thromboembolism in cancer patients treated within the context of phase I studies: the 'SENDO experience'. (Ann Oncol 2012; 23:1416)

PART V 특이 상황에서 정맥 혈전-색전증의 약물치료

표 18-2. Ottawa Score: Recurrent VTE Risk in Cancer-Associated Thrombosis

Variable	Regression Coefficeint	Points
Female	0.59	1
Lung cancer	0.94	1
Breast cancer	-0.76	-1
TNM stage I	-1.74	-2
Previous VTE	0.40	1
Clinical probability		
Low (≤0)		-3 to 0
High (≥1)		1 to 3

VTE: venous thromboembolism

암 환자에서 정맥혈전증의 일차적 예방 (Primary prevention of VTE in cancer patients)

정맥혈전증의 일차적 예방(primary prevention)은 혈전증의 발생 위험성이 높다고 판단되는 환자에서 선택적으로 항응고제(anticoagulant) 또는 항혈소판제(antiplatelet agent)를 사용하여 정맥혈전증의 발생 빈도를 감소시키는데 그 목적이 있다. 따라서 모든 암 환자에서 일차적 예방이 사용되는 것은 아니며, 환자의 출혈 위험성, 의료비, 삶의 질 등을 고려하여 결정되어야 한다.

일반적으로 환자들은 급성기 질환 및 수술을 위해 입원한 환자 또는 외래 환자로 구별할 수 있으며, 이에 따라 여러 guideline에서 일차적 예방법에 대해 구분하여 기술하고 있다. 암 환자에서 정맥혈전증의 일차적 예방을 위한 치료의 일반적인 원칙은 다음과 같다.

1) 급성 질환으로 인한 입원 또는 수술과 같이 정맥혈전증 발생의 고위험 기간 중에는 단기간의 항응고요법이 필요하다. 약제로는 저분자량헤파린(Low molecular weight heparin, LMWH), 비분획헤파린(Unfractionated heparin, UFH), 또는 fondaparinux가 모두 사용될 수 있으며, 경구 항응고제(Direct oral anticoagulants, DOAC)인 rivaroxaban과 apixaban은 주요 정형외과 수술 환자에서 하나의 선택사항이 될 수 있다.

2) Warfarin은 암 환자에서 항혈전 작용이 나타나는 시간이 비교적 길기 때문에 단기간의 예방적 항응고제로는 사용되지 않는다. LMWH은 암과 관련된 정맥혈전증의 치료와 재발 방지에서 warfarin에 비해 좋은 효과를 보이지만 일차적 예방 효과에 있어서는 아직도 그 우월성이 증명되어 있지는 않다.

3) 기계적 예방(Mechanical prophylaxis)은 항응고제 사용으로 인해 출혈 위험이 높은 것으로 판단되는 입원환자에서 사용될 수 있다.

4) 외래환자의 경우 일차적 예방을 위한 항응고요법은 정맥혈전증의 과거력이 있는 환자 혹은 고위험군 환자에서 선택적으로 사용될 수

표 18-3. Overview of current primary prevention guidelines for cancer-associated VTE.

Guidelines	Prophylaxis
ASCO	• Inpatient: Pharmacological thromboprophylaxis recommended in the absence of bleeding or other contra-indications • Perioperative: UFH or LMWH unless contraindicated because of active bleeding or high bleeding risk • Chemotherapy: LMWH in highly selected outpatients with solid tumors receiving chemotherapy; aspirin or LMWH (low-risk patients) and LMWH (high-risk patients) in multiple myeloma patients receiving thalido-mide- or lenalidomide-based regimens with chemotherapy and/or dexamethasone
BCSH	• Inpatients: Thromboprophylaxis is recommended unless contraindicated • Outpatients: Outpatients with active cancer should be assessed for VTE risk and thromboprophylaxis con-sidered for high-risk patients • Surgery: Patients undergoing abdominal or pelvic surgery for cancer should be considered for extended thromboprophylaxis • Chemotherapy: Patients with myeloma receiving thalidomide or lenalidomide should be assessed for VTE risk and offered thromboprophylaxis unless contraindicated
ESMO	• Surgery: LMWH, UFH, or fondaparinux • Inpatients: UFH, LMWH, or fondaparinux in hospitalized patients confined to bed • Chemotherapy: LMWH or warfarin in myeloma patients receiving thalidomide plus dexamethasone or thalidomide plus chemotherapy
ICPG	• Inpatient: Prophylaxis with LMWH, UFH, or fondaparinux in hospitalized medical patients with cancer and reduced mobility • Surgery: The highest prophylactic dose of LMWH once a day or a low dose of UFH 3 times a day to pre-vent postoperative VTE in cancer patients; pharmacological prophylaxis should be started 2-12 h preopera-tively and continued for at least 7-10 days • Chemotherapy: Prophylaxis is not recommended routinely. However, primary pharmacological prophy-laxis of VTE is recommended in patients receiving immunomodulators with steroids and/or chemotherapy, and may be indicated in patients with locally advanced or metastatic pancreatic or lung cancer treated with chemotherapy and having a low bleeding risk
ISTH	• Low-risk outpatients: Routine prophylaxis is not recommended • High-risk outpatients: LMWH for patients with solid tumors (except brain tumors) and a Khorana Score of ≥ 3 • Advanced pancreatic cancer: LMWH for patients with advanced pancreatic cancer starting or receiving systemic therapy • Chemotherapy: LMWH or aspirin in patients with myeloma receiving thalidomide-based or lenalidomide-based combination regimens
NCCN	• Surgery: LMWH, fondaparinux, UFH, or warfarin • Inpatient: LMWH, fondaparinux, UFH, or warfarin • Low-risk myeloma patients (outpatient): Aspirin • Chemotherapy: LMWH or warfarin in myeloma patients receiving lenalidomide or thalidomide + dexa-methasone and chemotherapy

ASCO, American Society of Clinical Oncology; BCSH, British Committee for Standards in Haematology; ESMO, European Society of Medical Oncology; ICPG, International Clinical Practice Guidelines; ISTH, International Society on Thrombosis and Haemostasis; NCCN, National Comprehensive Cancer Network; LMWH, lower molecular weight heparin; UFH, unfractionated heparin; VTE, venous thromboembolism.

PART V

특이 상황에서 정맥 혈전-색전증의 약물치료

있다.

암 환자에서 정맥혈전증의 예방 지침은 여러 그룹에 의해 발표되었으며, 그 요약은 표 18-3과 같다. 대부분의 guideline에서 급성기 질환 또는 수술로 인해 입원 시 출혈 또는 다른 항응고제 사용의 금기증(예, 심한 출혈 경향, 혈소판 감소증(< 50,000/μL), 심한 외상, 침습적 시술, 출산, 최근 두개내출혈, 두개내 또는 척추종양, 척추 마취, 조절되지 않는 심한 고혈압)이 없는 경우 비경구성 항응고제(parenteral anticoagulant) 사용을 권하고 있으며, 현재 사용되는 예방 목적의 항응고제의 용량 및 사용 간격은 표 18-4와 같다.

외래 환자의 경우 많은 환자에서 통상적인 항응고요법이 사용되는 것은 아니며, 환자 개개인의 정맥혈전증의 위험도 및 출혈의 위험성을 고려하여 사용되어야 함을 권고하고 있다. 따라서 정맥혈전증 발생의 위험도를 분류하여 위험도에 따라 처리하는 것이 중요하며, guideline에 따르면 면역조절약물(thalidomide 또는 le-nalidomide)을 포함한 약제를 투여 중인 다발성 골수종(multiple myeloma) 또는 Non-Hodgkin's lymphoma 환자, Khorana 점수가 3점 이상인 환자, 또는 정맥혈전증의 과거력이 있는 환자들을 고위험군으로 정의하고 이들 환자에서는 일차적 예방을 시행할 것을 권고하고 있다.

DOAC을 이용한 일차적 예방 (DOACs for primary prevention in cancer patients)

Guideline에 따라 약간의 차이는 있으나, 일반적으로 급성기 입원 또는 수술환자에서는 예방 용량의 LMWH 또는 fondaparinux와 같은 비경구적 약물투여를 흔히 권장하고 있다. 이는 최근 시행된 DOAC과 LMWH과의 비교 연구인 MAGELLAN 연구와 ADOPT 연구의 결과에 기인한다. MAGELLAN 연구는 급성 내과적 질환으로 입원한 환자를 대상으로 ribaroxaban과 LMWH을 투여하여 정맥혈전증 발생의 예방효과를 비교한 연구로 8,101명의 환자를 각 군으

표 18-4. Parenteral prophylaxis for venous thromboembolism in patients with cancer

	Hospitalized medical patients	Surgical patients (postoperative)
UFH	5,000 units once every 8-12 hours	5,000 units once every 8 to 12 hours beginning 6 to 24 hours postoperatively
LMWH Dalteparin Enoxaparin	5,000 units once daily 40 mg once daily	5,000 units once daily beginning 12 to 24 hours postoperatively 40 mg once daily beginning 12 to 24 hours postoperatively
Fondaparinux	2.5 mg once daily	2.5 mg once daily beginning 6 to 8 hours postoperatively or beginning on the morning of the day after surgery

UFH, unfractionated heparin; LMWH, lower molecular weight heparin

로 무작위 배정하여 10일 째 정맥혈전색전증의 예방 효과를 비교했을 때 ribaroxaban 투여군이 LMWH 투여군에 비해 뒤쳐지지 않는다는 결과 ("non-inferiority")를 보였으나, 출혈의 위험성이 더 높은 것으로 보고하였다(2.8% vs. 1.2%).

ADOPT 연구는 apixaban과 LMWH을 비교한 연구로 앞서 기술한 연구와 비슷하게 apixaban 투여군에서 정맥혈전증 예방 효과는 비열등성을 보였으나 출혈은 apixaban군에서 더 빈번한 것으로 보고하였다(0.47% vs. 0.19%). 각 연구에서 암 환자들은 7%와 3%의 비중을 차지하였으며, 두 연구를 종합할 때 DOAC은 입원환자에서 정맥혈전증의 예방에는 LMWH에 비해 열등하지 않았지만, 출혈의 위험성은 상대적으로 높은 것으로 해석할 수 있다.

외래 암 환자를 대상으로 한 DOAC의 정맥혈전색전증의 일차적 예방에 대한 연구는 LMWH과의 직접 비교는 시행되지 않았으며, DOAC 약재들 사이의 head-to-head comparison도 보고되지 않은 상태이다. 최근 DOAC의 일차적 예방 효과에 대해 위약과 비교한 두 연구가 발표되었다. 그 중 AVERT 연구는 Khorana 점수가 2점 이상인 항암치료를 시행하는 외래 암 환자 574명을 무작위 배정하여 180일 동안 예방 용량의 apixaban (2.5 mg b.i.d.) 또는 위약을 투여하여 정맥혈전증의 발생 빈도 및 주요 출혈(major bleeding)을 비교한 연구이다. 이 연구의 결과 정맥혈전증의 발생빈도는 apixaban 투여군에서 유의하게 낮음을 보고하였고(4.2% vs. 10.2%, P< 0.001), 주요 출혈은 Intension-to-treat analysis에서는 apixaban군에서 유의하게 높았으나(3.5%

vs. 1.8%) 약을 복용하고 있는 치료기간만을 분석하였을 때는 양 군간의 유의한 차이는 보이지 않았다(2.1% for apixaban vs. 1.1% for placebo). CASSINI 연구는 항암 화학요법을 시작한 환자 중 Khorana 점수가 2 이상인 841명의 환자를 ribaroxaban 투여군(1일 10 mg) 또는 위약 투여군으로 무작위 배정하여 180일 동안 투여를 계획한 연구로 AVERT 연구와는 달리 모든 환자에서 양측 하지의 초음파 검사를 시행하여 기존에 있었던 심부정맥혈전증 환자를 비교 연구에서 제외시켰다. 위약과 비교했을 때 rivaroxaban 투여군은 Intension-to-treat analysis에서 2.8%의 정맥혈전증 절대 위험도 감소(위약군 8.8%, ribaroxaban군 6%, HR 0.66, 95% CI 0.40-1.09)를 보였다. 그러나 혈전증이 발생한 대부분은 환자가 항응고요법을 중단한 시점에서 발생하였으며, 사전 지정된 중재기간(intervention period) 분석에서는 정맥혈전증 발생빈도는 ribaroxaban 투여군에서 2.6%, 위약군 투여군에서는 6.4% (HR 0.40, 95% CI 0.20-0.80)로 나타났다. 주요 출혈은 rivaroxaban 투여군에서 더 높은 경향을 보였으나 (2.0% vs. 1.0%; HR 1.96; 95% CI, 0.59-6.49) 통계적인 유의성은 없었다. 이 두 연구에서 양 군간의 사망률의 차이는 보이지 않았다.

하지만 이 데이터를 일반적인 암 환자 인구 집단에 적용하는 것에 대해서는 몇 가지 잠재적인 우려가 있다. 예를 들어, 특정 화학 요법을 고려하지 않았고, 대부분의 일반적인 유형의 암(대장암, 유방, 전립선)은 이 임상시험들에서 낮은 비율을 차지하였다. 전체 항응고요법을 완료한 환자의 비율이 낮았으며, 특히 한국인에서는 정맥혈전증의 발생률이 서구에 비해 낮은 것으로 알려져 있으므로 일차적 예방의 이득을 볼 수 있는 적절한 환자군을 정하는 추가적인 연구가 필요하다고 생각된다.

암 환자에서 정맥혈전증의 치료

(1) 항응고제 치료(Anticoagulation therapy)

암 환자에서의 급성 정맥혈전증 치료의 적응증 및 금기증은 일반적인 다른 환자의 경우와 동일하다. 치료의 목표는 출혈 위험을 최소화하면서 혈전의 파급, 재발, 폐색전증을 예방하는 것이다. 하지만, 암 환자의 경우 다른 일반적인 정맥혈전증 환자와 비교하여 더 높은 재발률을 가지며, 출혈의 위험성 또한 높다는 특징을 가지고 있다.

항응고제 치료로 선택 가능한 약제는 일반 환자와 크게 다르지 않으며, 초기 단기간 항응고치료는 LMWH, UFH이 사용될 수 있고, 장기적 항응고치료는 LMWH, 비타민 K 길항제인 warfarin, DOAC (ribaroxaban, apixaban, edoxaban, dabigatran)등이 사용될 수 있다. 하지만 신기능이 양호한(creatinine clearance ≥ 30mL/min) 암 환자에서 발생한 정맥혈전증의 치료로는 전통적으로 LMWH이 선호된다. 초기치료에서도 UFH보다 LMWH이 선호되며 이후 장기치료에서도 warfarin이나 DOAC보다 LMWH이 선호된다.

1) 항응고제 치료의 적응증 및 금기증

새로 발생하거나 재발한 정맥혈전증을 동반한 암 환자에서는 항응고치료가 필요하다. 이는 증상을 동반한 심부정맥혈전증의 경우 치료하지 않는다면 50%는 폐색전증 위험을 동반하고, 치료하지 않은 폐색전증은 30%의 사망률을 보이기 때문이다.

암 환자에서 병기를 결정하기 위해 시행한 영상검사에서 우연히 발견된 정맥혈전증에서도 증상이 있는 급성 정맥혈전증과 동일한 사망 혹은 재발의 위험도가 있는지에 대해서는 아직 정확하게 알려져 있지 않았다. 아직 자료가 부족하지만, 일반적으로 우연히 발견된 정맥혈전증도 항응고치료의 적응증으로 간주된다. 그 이유는 우연히 진단된 정맥혈전증 암 환자에서도 증상을 동반한 폐색전증 발생률과 재발의 위험성이 일반적인 환자군에서 보다 더 높다는 사실에 근거하고 있다. 하지만 암 환자에서 항응고치료의 이득은 항상 위험성과 비교하여 득과 실을 따져보아야 한다. 특히 기대여명이 짧거나 높은 출혈 위험을 가진 환자에서는 더욱 항응고제 치료의 득과 실을 따져보아야 하며, 보다 주의 깊은 접근을 요한다.

암 환자에서 항응고치료의 금기증은 일반 환자들과 마찬가지로 활동성 출혈이 있거나 다른 금기증이 있는 경우(예, 최근 수술 받았거나, 응고장애가 있는 경우) 항응고제 투여를 피해야 한다. 혈소판감소증은 특히 혈소판 수치 ≥ 50,000/μL인 경우, 항응고치료의 금기가 아니며, 혈소판 수치 < 50,000/μL인 환자들은 정맥혈전증에 의한 위험성과 항응고치료와 연관된 출혈의 위험성을 고려하여, 정맥혈전증에 의한 위험성이 출혈의 위험성보다 더 크다고 생각

되는 경우 항응고치료 용량 조절 및 혈소판 수혈과 동반하여 항응고치료를 고려해 볼 수도 있다. 만약 항응고치료가 절대적인 금기라면 하대정맥필터를 삽입하여 폐색전증 발생을 예방하는 것을 고려해야 한다.

2) 항응고제 치료 후 출혈성 합병증

암 환자에서 정맥혈전증의 항응고치료는 출혈 및 재발성 정맥혈전증의 위험이 더 높다. 암이 없는 환자와 비교하여 암 환자들에서는 6.5-18%의 높은 주요 출혈 발생률을 보인다.

암 환자에서 항응고제 치료 후 출혈성 합병증의 위험인자는 고령(> 65세), 고강도의 항응고요법, 위장관 출혈의 과거력을 비롯하여 암이 없는 환자에서와 유사하다. 하지만, RIETE registry를 포함한 몇몇 연구들은 암 환자들에서 운동 제한(immobilization, OR, 1.8; 95% CI 1.2-2.7), 암 전이(metastasis, OR, 1.6; 95% CI 1.1-2.3), 최근의 출혈력(OR, 2.4; 95% CI 1.1-5.1), 신기능 부전(크레아티닌 청소율 < 30mL/min, OR, 2.2, 95% CI 1.5-3.4)과 같은 추가적인 위험인자들을 동반하고 있는 수가 많다고 보고하였다. 출혈의 위험성이 높은 환자들은 주의 깊게 관찰하여야 하며 만약 출혈이 발생한다면 항응고제의 감량, 치료 중단 혹은 하대정맥필터 삽입 등을 통한 치료 전략의 변화가 필요하다.

(2) 항응고제 초기 치료(Initial therapy)

1) 초기 치료 시 약제선택

암 환자에서 급성 정맥혈전증이 발생한 경우 5-10일간의 즉각적인 초기 항응고치료가 필요하다. 일반적으로 LMWH이 UFH보다 더 바람직한 초기 치료제로 권장되고 있다. 현재까지 암 환자의 급성 정맥혈전증의 초기 치료를 위해 fondaparinux 또는 DOAC을 우선적으로 사용하기에는 그 데이터가 아직은 부족한 상태이다. UFH은 신장기능의 장애가 있는 환자이나 항응고 효과를 중단하거나 중화시킬 필요가 있는 환자에게서는 우선적으로 고려된다.

2) 초기 치료 결과

2018년 발표된 15개의 무작위대조시험(RCTs)의 메타분석에 의하면 LMWH은 암 환자에서 발생한 정맥혈전증의 초기 치료에서 UFH과 비교하여 출혈 및 재발을 증가시키지 않았으며, 3개월 째 사망률에 약간의 감소 경향을 보이는 것으로 보고되었다. 초기 치료로 LMWH인 enoxaparin 혹은 fondaparinux를 투여한 후 비타민 K 길항제를 사용한 두 환자군 간의 비교에서 fondaparinux 투여군에서 3개월 째 재발률이 더 높았으며(12.7% vs. 5.5%), 출혈은 양 군간의 차이가 없었다고 보고하였다. 위의 연구 결과들을 토대로 여러 guidelines에서 암 환자에서 발생한 정맥혈전증의 초기 치료로 LMWH가 우선적으로 권고하고 있으며(표 18-5) 각 LMWH 약재들 간의 직접적인 비교는 아직 없는 상태이다.

(3) 항응고제 장기 치료(Long-term therapy)

출혈의 위험성이 낮고 항응고치료의 합병증인 출혈 및 혈소판 감소증이 없는 경우 급성 정

표 18-5. Overview of current treatment guidelines for cancer-associated VTE

Guidelines	Acute(Initial) treatment	Long-term treatment
ACCP	For acute and long-term treatment (first 3 months), LMWH is preferred over VKA or DOACs in cancer patients. In cancer patients not treated with LMWH, ACCP states no preference for VKAs or DOACs and no DOAC is preferred over the others	
ASCO	LMWH for the initial 5-10 days of anticoagulation for cancer patients with newly diagnosed VTE	LMWH (VKA is alternative when LMWH not available)
BCSH	LMWH for 6 months Warfarin or DOACs are an alternative for patients who cannot have or tolerate subcutaneous LMWH	LMWH Oral anticoagulant can be considered if the patient does not wish to continue with daily injections
ESMO	LMWH	LMWH at 75 %-80 % of initial dose
ICPG	LMWH	LMWH > 3 months
NCCN	LMWH (preferred)	LMWH (preferred)

ACCP, American College of Chest Physicians; ASCO, American Society of Clinical Oncology; BCSH, British Committee for Standards in Haematology; ESMO, European Society of Medical Oncology; ICPG, International Clinical Practice Guidelines; NCCN, National Comprehensive Cancer Network LMWH, lower molecular weight heparin; VKA, vitamin K antagonist; DOAC, Direct oral anticoagulants; VTE, venous thromboembolism.

맥혈전증을 동반한 암 환자에서 항응고치료는 다른 환자에서와 마찬가지로 최소 3-6개월 동안 시행해야 한다.

사용 약제로는 여러 guidelines에서 전통적으로 외래 환자를 포함한 암 환자에서 항응고제 장기 치료 시 LMWH 사용을 권고하고 있으며 (표 18-5), 임상에서 dalteparin 또는 enoxaparin이 가장 흔히 사용되는 약물이다. Warfarin과 같은 비타민 K 길항제 및 DOAC은 주사 맞기를 싫어하는 환자에서 장기치료 및 연장치료(extended therapy)로 사용될 수 있으며, 신부전을 가진 환자에서는 warfarin이 선호된다.

1) 헤파린과 와파린의 비교

정맥혈전증을 가진 암 환자를 대상으로 헤파린과 warfarin의 효과 및 안전성을 비교한 연구 중 중요한 연구는 CLOT 연구, LITE 연구 및 CATCH 연구로 대부분의 guideline들이 이들 연구결과를 토대로 하여 LMWH을 권고하고 있다.

먼저 CLOT연구는 초기 치료로 LMWH인 dalteparin을 사용 후 장기 치료로 dalterparin과 warfarin을 비교한 연구로 6개월간의 추적관찰 중 재발성 혈전증이 dalteparin 투여군에서 유의하게 낮았다고 보고하였다(9% vs. 17%, HR, 0.48, 95% CI, 0.30-0.77). Dalteparin 투여군은 warfarin 투여군과 비교하여 출혈성 합병증은 양 군간에 차이를 보이지 않았으며(14% vs. 19%), 6개월 사망률도 양 군간의 차이가 없었다(dalteparin군 39% vs. warfarin군 41%).

LITE 연구는 급성 정맥혈전증으로 항응고 치료를 받은 200명의 암 환자를 대상으로 한 연구로 LMWH인 tinzaparin (n=100)과 warfarin (n=100)을 3개월간 사용 후 3개월과 12개월째 결과를 비교하였다. 12개월 째 Tinzaparin 투여 군에서 warfarin 투여군과 비교하여 유의하게 낮은 재발성 정맥혈전증 빈도(7% vs. 16%), 그리고 양군간 비슷한 출혈(tinzaparin군 27% vs. warfarin군 24%) 및 사망률(각 군 47%)을 보고하였다.

CATCH 연구 또한 900명의 암 환자를 대상으로 LMWH인 tinzaparin과 warfarin을 장기 치료제로 사용한 결과를 분석한 연구로 6개월 간의 치료 후 정맥혈전증의 재발률은 tinzaparin 투여군에서 7%, warfarin 투여군에서 11%로 통계학적 차이는 없었지만, tinzaparin 투여군에서 낮은 경향을 보였다. 주요 출혈 및 사망률은 양 군 간에 차이를 보이지 않았지만, non-major bleeding의 빈도는 tinzaparin 투여군에서 유의하게 낮았음을 보고하였다.

이상의 연구들을 포함하는 2018년 발표된 메타분석에서도 LMWH은 warfarin에 비해 장기치료에서 환자의 생존률, 주요 출혈, 혈소판 감소증에는 차이를 보이지 않았으나, 정맥혈전 및 색전증의 재발률은 낮았음을 보고하였다.

2) DOAC과 와파린의 비교연구

이전 헤파린과 warfarin의 암 환자를 대상으로 한 장기 치료 결과 분석에서 LMWH이 warfarin에 비해 낮은 재발률을 보이는 것으로 보고하고 있어 대부분의 guideline에서 장기치료로 LMWH을 권고하고 있다. 따라서 현재까지 DOAC과 LMWH이 아닌 warfarin을 장기치료로 직접 비교한 연구는 드문 상태이다. 하지만 각각의 DOAC의 효과 및 안정성을 평가하기 위해 시행된 대규모의 연구에서 활동성 암 환자들이 일부 포함되어 있으며, 이러한 환자들만을 추출하여 시행한 메타분석에서는 다른 일반 환자들과 비슷한 효능을 보고하고 있다.

DOAC과 warfarin의 효능 및 안전성을 비교한 두 메타분석에서 모두 DOAC은 warfarin과 비교하여 통계적인 유의성을 보이지는 않았지만 재발성 정맥혈전증 발생 빈도의 낮은 경향을 보고하였고, 출혈 및 생존율에도 양 군간의 차이가 없음을 보여 적어도 암 환자에 있어 통상적인 LMWH 이후 장기적인 warfarin만큼 효과적이고 안전한 치료임을 보고하였다. 또한 EINSTEIN연구와 RECOVER연구에서 암 환자를 대상으로 한 개별 분석에서도 재발률과 출혈 빈도는 암이 없는 환자에 비해 높았지만 DOAC과 warfarin간의 재발 및 출혈 빈도는 차이가 없음을 보고하였다. Apixaban을 대상으로 한 사후 연구에서도 apixaban군과 warfarin군의 결과에서 재발성 정맥혈전증(4% vs. 6%, 상대위험도 0.56, 95% CI 0.13-2.17) 및 출혈(2% vs. 5%, 상대위험도 0.45, 95% CI 0.08-2.46)이 보고되어 기존의 치료만큼 효과적임을 보고하였다.

하지만, 여러 데이터에서 DOAC이 warfarin과 유사한 효능을 보였음에도 불구하고 문제점은 이러한 주요 임상시험에 포함된 암 환자들이 이질성을 가진다는 것이다. 예를 들어 화학요법을 받는 많은 활동성 암 환자는 여러 임상 시험

PART V

특이 상황에서 정맥 혈전-색전증의 약물치료

에서 제외된 경우가 많으며, 치료를 완료했거나 암의 과거력 가진 환자들은 연구에 포함된 경우가 많았다. 따라서 재발성 정맥혈전증의 위험성이 상대적으로 낮은 환자들이 많이 포함된 선택 편견(selection bias)이 있으므로 주의 깊은 결과의 해석이 필요하겠다.

3) 장기 치료제로서 DOAC과 저분자량 헤파린의 비교

아직 guideline에는 기술되지 않았지만 DOAC의 사용이 정맥혈전증의 치료로 보편화되면서 최근 암 환자에서 정맥혈전증 치료에 DOAC과 지금까지 표준 치료법으로 알려져 있는 LMWH을 비교한 연구들이 발표되고 있다.

먼저 Edoxaban을 이용한 Hokusai VTE Cancer 연구는 증상이 있는 급성 또는 우연히 발견된 정맥혈전증을 동반한 암 환자 1,050명을 대상으로 dalteparin을 지속적으로 투여한 군과 5일 간의 dalteparin 주사 후 edoxaban을 하루 한 번 60 mg 복용한 군으로 무작위 배정하여 추적 관찰한 결과 12개월의 추적기간 중 재발성 정맥혈전증과 주요 출혈로 구성된 복합결과에서는 양 군간의 유의한 차이는 없었지만, 혈전 재발률은 edoxaban 투여군이 dalteparin 투여군에 비해 낮은 경향을 보였고(7.9% vs. 11.3%), 주요 출혈은 edoxaban 투여군에서 유의하게 높았음을 보고하였다(6.9% vs. 4.0%). 그러나 심각한 출혈의 발생률은 양 군간의 차이가 없었으며, 대부분의 출혈을 상부위장관 암을 가진 환자에서 발생하였다.

이와 유사하게 ribaroxaban을 이용한 예비 연구인 SELECT-D연구는 dalteparin® 투여군과 ribaroxaban 단독 투여군을 비교하여 6개월의 추적기간 중 ribaroxaban 투여군에서 dalteparin® 투여군과 비교하여 낮은 정맥혈전증 재발율을 보였으며(4% vs. 11%), 주요 출혈 빈도는 두 군간 비슷했지만(6% vs. 4%) ribaroxaban 투여군에서 임상적으로 연관된 non-major bleeding 발생 빈도가 더 높은 것으로 보고되었다(13% vs. 4%). Non-major bleeding은 주로 상부위장관 암에서 흔히 나타났다.

이러한 연구들은 최근에 보고되고 있으므로 현재까지의 guideline에는 그 결과가 포함되어 있지는 않지만 DOAC 장기 치료가 기존의 표준 치료제인 LMWH과 비교하여 비슷한 효과를 보임을 알 수 있다. 이와 같은 연구들이 추가적으로 보고되고 guideline에 포함된다면 암환자에서의 정맥혈전증 장기 치료제로 DOAC의 사용도 추천될 가능성이 있다고 판단된다.

(4) 연장치료(Extended therapy)

항응고제 연장치료는 통상적인 3~6개월의 기간을 넘어 항응고제를 투여하는 것을 말한다. 활동성 암을 가진 환자는 다른 유발성 정맥혈전증(provoked venous thromboembolism)과 다르게 고려되어야 하는 점으로 암 자체가 정맥혈전증 발생의 위험인자이며, 재발률이 연간 10~20%까지 보고되고 있기 때문이다. 재발의 위험은 암이 활동성인지, 진행성인지, 전이성인지, 치료 중인지 또는 완치되었는지의 여부에 따라 다르며, 또한 활동성 암의 경우 항응고제 치료 시 출혈의 위험성이 높기 때문에 연장 치료를 시행할지를 결정하기에 앞서 환자 개개인에서 정맥혈전증의 재발의 중요성과 출혈의 위험성을 고려하여 신중하게 결정하여야 한다. 또한, 암의 유형, 현재 받고 있는 치료, 환자의 선호도 및 기대 여명을 함께 고려하여 결정해야 한다.

대부분의 guideline에서 연장치료는 최근 암을 진단받았거나 항암치료 중인 활동성 암 환자 및 항응고제 치료에도 불구하고 정맥혈전증이 재발한 경우 시행할 것을 권하고 있다. 또한 재발 위험성이 높다고 판단되는 환자(치료에도 불구하고 지속적인 혈전이 존재하는 경우, 움직이지 못하는 경우, 첫 진단 시 혈전이 광범위 하였거나 저혈압이 동반된 경우)에서 선택적으로 시행할 수 있다.

연장치료에 가장 적합한 약제는 현재로서는 알 수 없지만 일차 치료를 위해 사용된 약제(일반적으로 LMWH)가 효과적이면서 합병증이 없이 투여되었다면 일차 약제를 지속적으로 사용하는 것이 일반적이다. 또한 장기간의 연장치료를 요하는 경우 종양의 치료가 종료되었는지, 암이 완치되었는지, 출혈의 위험성 및 기대 여명을 주기적으로 재평가하여 지속적인 연장치료 시행 여부를 결정하는 것이 좋다.

(5) 재발성 정맥혈전색전증의 치료

항응고제 치료에도 불구하고 정맥혈전증이 재발한 환자의 치료에 있어서는 아직도 연구가 부족한 상태이다. 하지만 암이 없는 일반환자들에서의 정맥혈전증 재발과 마찬가지로 재발이 있는 환자들은 종종 적절한 치료용량보다 낮은 용량의 항응고치료를 받고 있는 경우가 많아 이에 대한 확인이 필요하다. 만약 환자가 적절한 용량의 항응고치료를 받고 있음에도 불구하고 혈전증이 재발했다면 더욱 더 문제시 된다. 이러한 경우 치료제의 선택으로 경구용 항응고제를 복용하고 있는 경우에는 LMWH으로의 전환, 이미 LMWH으로 치료를 받고 있던 환자에서는 LMWH 용량을 증가시키는 방법 또는 대정맥 필터(IVC filter)를 삽입하는 방법 등이 고려될 수 있다.

요약 🔒

1) 암 환자의 10%에서 임상적으로 나타나는 정맥혈전색전증이 발생하며, 이는 암환자의 사망률과 연관이 있다. 위험 인자로는 암 특이적 인자, 해부학적 인자, 환자 특정요인 및 치료 관련 인자 등이 있다.
2) 출혈 위험이 높지 않고 항응고제 사용의 금기증이 없는 암 환자 및 육체적 활동이 제한된 대부분의 입원환자에서 항응고제를 이용한 일차적 예방이 권장된다.
3) 수술이 필요한 암 환자의 경우 수술 전후 항응고제를 이용한 정맥혈전증의 일차적 예방이 권고된다.
4) 입원환자에서 정맥혈전증의 일차적 예방을 위해 사용되는 약제는 저분자량헤파린(LMWH), 비분획헤파린(UFH) 혹은 fondaparinux가 사용될 수 있다.

PART V 특이 상황에서 정맥 혈전-색전증의 약물치료

5) 외래 환자의 경우 항응고제를 이용한 일차적 예방은 통상적으로 사용되지는 않고, 정맥혈전증의 과거력이 있는 환자 및 정맥혈전증 발생 고위험군에서 선택적으로 사용될 수 있다.

6) 암 환자에서 새로운 또는 재발성 정맥혈전색전증이 발견된 경우 항응고치료를 요한다.

7) 암 환자에서 정맥혈전증의 항응고제 치료는 재발성 정맥혈전증과 항응고제 치료와 관련된 출혈 빈도가 일반 환자들에 비해 높다.

8) 암환자에서의 정맥혈전증 초기 치료는 금기증이 없고, 심한 신기능의 장애가 없고, 치료에 합당한 기대 여명을 가진다면 비분획헤파린보다 저분자량헤파린을 우선적으로 권장된다. 그러나 신기능 장애가 있는 환자에서는 비분획헤파린이 선호된다.

9) 정맥혈전증을 동반한 암환자에서 심각한 신기능 장애가 없다면 저분자량헤파린을 이용한 장기 치료가 필요하고 투여기간은 3~6개월이 권장된다. 최근의 연구에 따르면 DOAC도 장기 치료에 사용될 수 있으나 위장관 암의 경우 출혈의 위험성이 높기 때문에 우선적으로 저분자량헤파린이 권장된다. 경구용 항응고제를 선호하는 경우 와파린 또는 DOAC을 이용한 항응고치료가 사용될 수 있다.

10) 활동성 암을 가진 환자 혹은 항응고치료에도 불구하고 정맥혈전증 재발이 있는 경우 3-6개월 이상의 항응고제 연장 치료가 권장된다. 또한 장기간의 연장 치료를 시행할 경우 암의 치료 상태, 출혈의 위험성 및 환자의 기대 여명에 대한 주기적으로 재평가가 필요하다.

참고문헌

1. Walker AJ, Card TR, West J, Crooks C, Grainge MJ. Incidence of venous thromboembolism in patients with cancer - a cohort study using linked United Kingdom databases. Eur J Cancer. 2013;49(6):1404-13.

2. Riedl J, Kaider A, Reitter EM, Marosi C, Jager U, Schwarzinger I, et al. Association of mean platelet volume with risk of venous thromboembolism and mortality in patients with cancer. Results from the Vienna Cancer and Thrombosis Study (CATS). Thromb Haemost. 2014;111(4):670-8.

3. Gussoni G, Frasson S, La Regina M, Di Micco P, Monreal M, Investigators R. Three-month mortality rate and clinical predictors in patients with venous thromboembolism and cancer. Findings from the RIETE registry. Thromb Res. 2013;131(1):24-30.

4. Sorensen HT, Mellemkjaer L, Olsen JH, Baron JA. Prognosis of cancers associated with venous thromboembolism. N Engl J Med. 2000;343(25):1846-50.

5. Chew HK, Wun T, Harvey D, Zhou H, White RH. Incidence of venous thromboembolism and its effect on survival among patients with common cancers. Arch Intern Med. 2006;166(4):458-64.

6. Seng S, Liu Z, Chiu SK, Proverbs-Singh T, Sonpavde G, Choueiri TK, et al. Risk of venous thromboembolism in patients with cancer treated with Cisplatin: a systematic review and meta-analysis. J Clin Oncol. 2012;30(35):4416-26.

7. Nalluri SR, Chu D, Keresztes R, Zhu X, Wu S. Risk of venous thromboembolism with the angiogenesis inhibitor bevacizumab in cancer patients: a meta-analysis. JAMA. 2008;300(19):2277-85.

8. De Martino RR, Goodney PP, Spangler EL, Wallaert JB, Corriere MA, Rzucidlo EM, et al. Variation in thromboembolic complications among patients undergoing commonly performed cancer operations. J Vasc Surg. 2012;55(4):1035-40 e4.

9. Khorana AA, Kuderer NM, Culakova E, Lyman GH, Francis CW. Development and validation of a

predictive model for chemotherapy-associated thrombosis. Blood. 2008;111(10):4902-7.

10. Louzada ML, Carrier M, Lazo-Langner A, Dao V, Kovacs MJ, Ramsay TO, et al. Development of a clinical prediction rule for risk stratification of recurrent venous thromboembolism in patients with cancer-associated venous thromboembolism. Circulation. 2012;126(4):448-54.

11. Cohen AT, Spiro TE, Buller HR, Haskell L, Hu D, Hull R, et al. Rivaroxaban for thromboprophylaxis in acutely ill medical patients. N Engl J Med. 2013;368(6):513-23.

12. Goldhaber SZ, Leizorovicz A, Kakkar AK, Haas SK, Merli G, Knabb RM, et al. Apixaban versus enoxaparin for thromboprophylaxis in medically ill patients. N Engl J Med. 2011;365(23):2167-77.

13. Carrier M, Abou-Nassar K, Mallick R, Tagalakis V, Shivakumar S, Schattner A, et al. Apixaban to Prevent Venous Thromboembolism in Patients with Cancer. N Engl J Med. 2019;380(8):711-9.

14. Khorana AA, Soff GA, Kakkar AK, Vadhan-Raj S, Riess H, Wun T, et al. Rivaroxaban for Thromboprophylaxis in High-Risk Ambulatory Patients with Cancer. N Engl J Med. 2019;380(8):720-8.

15. Trujillo-Santos J, Nieto JA, Tiberio G, Piccioli A, Di Micco P, Prandoni P, et al. Predicting recurrences or major bleeding in cancer patients with venous thromboembolism. Findings from the RIETE Registry. Thromb Haemost. 2008;100(3):435-9.

16. Hakoum MB, Kahale LA, Tsolakian IG, Matar CF, Yosuico VE, Terrenato I, et al. Anticoagulation for the initial treatment of venous thromboembolism in people with cancer. Cochrane Database Syst Rev. 2018;1:CD006649.

17. van Doormaal FF, Raskob GE, Davidson BL, Decousus H, Gallus A, Lensing AW, et al. Treatment of venous thromboembolism in patients with cancer: subgroup analysis of the Matisse clinical trials. Thromb Haemost. 2009;101(4):762-9.

18. Lee AY, Levine MN, Baker RI, Bowden C, Kakkar AK, Prins M, et al. Low-molecular-weight heparin versus a coumarin for the prevention of recurrent venous thromboembolism in patients with cancer. N Engl J Med. 2003;349(2):146-53.

19. Hull RD, Pineo GF, Brant RF, Mah AF, Burke N, Dear R, et al. Long-term low-molecular-weight heparin versus usual care in proximal-vein thrombosis patients with cancer. Am J Med. 2006;119(12):1062-72.

20. Lee AYY, Kamphuisen PW, Meyer G, Bauersachs R, Janas MS, Jarner MF, et al. Tinzaparin vs Warfarin for Treatment of Acute Venous Thromboembolism in Patients With Active Cancer: A Randomized Clinical Trial. JAMA. 2015;314(7):677-86.

21. Kahale LA, Hakoum MB, Tsolakian IG, Matar CF, Terrenato I, Sperati F, et al. Anticoagulation for the long-term treatment of venous thromboembolism in people with cancer. Cochrane Database Syst Rev. 2018;6:CD006650.

22. Vedovati MC, Germini F, Agnelli G, Becattini C. Direct oral anticoagulants in patients with VTE and cancer: a systematic review and meta-analysis. Chest. 2015;147(2):475-83.

23. Prins MH, Lensing AW, Bauersachs R, van Bellen B, Bounameaux H, Brighton TA, et al. Oral rivaroxaban versus standard therapy for the treatment of symptomatic venous thromboembolism: a pooled analysis of the EINSTEIN-DVT and PE randomized studies. Thromb J. 2013;11(1):21.

24. Schulman S, Goldhaber SZ, Kearon C, Kakkar AK, Schellong S, Eriksson H, et al. Treatment with dabigatran or warfarin in patients with venous thromboembolism and cancer. Thromb Haemost. 2015;114(1):150-7.

25. Agnelli G, Buller HR, Cohen A, Gallus AS, Lee TC, Pak R, et al. Oral apixaban for the treatment of venous thromboembolism in cancer patients: results from the AMPLIFY trial. J Thromb Haemost. 2015;13(12):2187-91.

PART V

특이 상황에서 정맥 혈전-색전증의 약물치료

26. Raskob GE, van Es N, Verhamme P, Carrier M, Di Nisio M, Garcia D, et al. Edoxaban for the Treatment of Cancer-Associated Venous Thromboembolism. N Engl J Med. 2018;378(7):615-24.

27. Young AM, Marshall A, Thirlwall J, Chapman O, Lokare A, Hill C, et al. Comparison of an Oral Factor Xa Inhibitor With Low Molecular Weight Heparin in Patients With Cancer With Venous Thromboembolism: Results of a Randomized Trial (SELECT-D). J Clin Oncol. 2018;36(20):2017-23.

28. Lyman GH, Bohlke K, Falanga A, American Society of Clinical O. Venous thromboembolism prophylaxis and treatment in patients with cancer: American Society of Clinical Oncology clinical practice guideline update. J Oncol Pract. 2015;11(3):e442-4.

29. Watson HG, Keeling DM, Laffan M, Tait RC, Makris M, British Committee for Standards in H. Guideline on aspects of cancer-related venous thrombosis. Br J Haematol. 2015;170(5):640-8.

30. Mandala M, Labianca R, European Society for Medical O. Venous thromboembolism (VTE) in cancer patients. ESMO clinical recommendations for prevention and management. Thromb Res. 2010;125 Suppl 2:S117-9.

31. Farge D, Debourdeau P, Beckers M, Baglin C, Bauersachs RM, Brenner B, et al. International clinical practice guidelines for the treatment and prophylaxis of venous thromboembolism in patients with cancer. J Thromb Haemost. 2013;11(1):56-70.

32. Khorana AA, Otten HM, Zwicker JI, Connolly GC, Bancel DF, Pabinger I, et al. Prevention of venous thromboembolism in cancer outpatients: guidance from the SSC of the ISTH. J Thromb Haemost. 2014;12(11):1928-31.

33. Streiff MB, Holmstrom B, Ashrani A, Bockenstedt PL, Chesney C, Eby C, et al. Cancer-Associated Venous Thromboembolic Disease, Version 1.2015. J Natl Compr Canc Netw. 2015;13(9):1079-95.

34. Kearon C, Akl EA, Ornelas J, Blaivas A, Jimenez D, Bounameaux H, et al. Antithrombotic Therapy for VTE Disease: CHEST Guideline and Expert Panel Report. Chest. 2016;149(2):315-52.

19
CHAPTER

장간막 정맥혈전증의 약물치료

Pharmacotherapy of mesenteric venous thrombosis

| 박양진 | 성균관의대 삼성서울병원 혈관외과

장간막 혈관의 폐색에 의한 장 허혈증(intestinal ischemia)은 대부분 장간막 동맥의 폐색에 의한 경우가 대부분이지만 약 10%의 환자에서는 급성 장간막 정맥혈전증(acute mesenteric venous thrombosis)에 의해 발생하는 것으로 알려져 있다. 장간막 동맥혈전증과 비교해 볼 때, 장간막 정맥혈전증은 그 임상양상, 원인 및 치료에 있어서 확연히 다른 질환으로서, 대부분 환자에서 수술이나 중재적 시술보다는 약물치료를 바탕으로 하는 비수술적인 치료법에 의존하고 있다.

장간막 정맥혈전증 치료의 목적은 혈전이 진행하여 비가역적인 장 허혈증의 발생을 예방하고, 약물치료를 통해 향후 급성 혈전증 재발을 방지하는 데 있다. 이 장에서는 급성 혹은 만성 장간막 정맥혈전증의 치료에 대해 기술하고자 한다.

장간막 정맥혈전증의 치료는 증상의 발생 시기(급성, 아급성, 만성), 혈전의 침범 범위, 그리고 장 허혈 정도에 의해 결정된다. 급성 또는 아급성 장간막 정맥혈전증으로 진단이 되면, 우선 혈전의 파급에 의한 장 허혈의 진행을 막기 위해서 치료용량(therapeutic doses)의 전신적 항응고치료를 즉시 시작하는 것이 무엇보다 중요하다. 물론, 혈전의 양을 줄이기 위한 수술적 또는 혈관내 치료 방법이 소개되었지만 급성 또는 아급성 장간막 정맥혈전증의 치료에 있어서 시행되는 경우는 매우 드물며, 이 같은 수술적 혹은 혈관내 치료의 임상적 효용성에 대해서는 소규모 증례 연구 정도만 보고되어 왔었다.

만성 장간막 정맥혈전증은 증상의 정도와 만성 정맥혈전증의 합병증(간문맥 고혈압 등) 유무 등에 따라 치료 방법을 결정한다.

장간막 정맥혈전증의 원인

장간막 정맥혈전증은 자생적으로 알려진 원인 없이 발생하는 것을 일차성 장간막 정맥혈전증(primary mesenteric venous thrombosis)과 어떠한 원인에 의해 발생하는 이차성 장간막 정맥혈전증(secondary mesenteric venous thrombosis)으로 분류할 수 있다. 혈전 형성의 원인은 크게 나누어 장간막 정맥 손상, 울혈 및 정체 혹은 혈액 과응고의 원인으로 분류할 수 있으며 이는 정맥혈전증의 일반적인 원인이 되는 Virchow's triad와 다를 바 없다.

아래 **표 19-1**은 장간막 정맥혈전증의 원인과 실제 임상적 예를 정리한 표이다.

급성 장간막 정맥혈전증(Acute mesenteric vein thrombosis)의 진단

급성 장간막 정맥혈전증의 진단은 먼저 환자의 병력 청취로부터 시작된다. 대부분 복통의 발현 시점이 모호한 경우가 많고 오심, 구토, 설사 등 일반적인 소화기 증상과 동반되는 경우가

표 19-1. Conditions associated with mesenteric venous thrombosis

Mechanism	Clinical condition
Direct injury	- Abdominal trauma (blunt , penetrating) - Postsurgical (e.g., splenectomy) - Intra-abdo minal inflammation (eg, pancreatitis, inflammatory bowel disease, peritonitis, abdominal abscess)
Local venous stasis/ congestion	- Portal hypertension (liver cirrhosis) - Congestive heart failure - Hypersplenism - Obesity - Increased abdominal pressure (abdominal compartment syndrome)
Thrombophilia	- Protein C or S deficiency - Antithrombin III deficiency - Activated protein C resistance (factor V Leiden gene mutation) - 20210 A allele of prothrombotic gene - Methylenetetrahydrofolate reductase mutation - JAK2 V617F gene mutation - Neoplasm (pancreas or colon cancer) - Oral contraceptive use - Polycythemia vera - Essential thrombocytosis - Heparin-induced thrombocytopenia (HIT) - Lupus anticoagulant-antiphospholipid syndrome - Cytomegalovirus(CMV) infection - Extramesenteric venous thromboembolism

(Rutherford's Vascular Surgery and Endovascular Surgery 9th edition, page 1788)

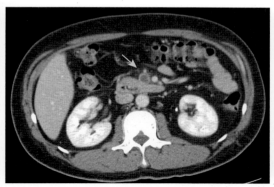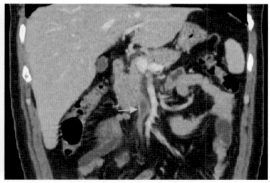

그림 19-1. Typical CT image of acute mesenteric vein thrombosis: (left) an axial view of contrast-enhanced abdominal CT shows distended superior mesenteric vein(SMV, arrow) with vein wall enhancement("Halo" sign); (right) a coronal view of abdominal CT image shows focally distended SMV(arrow) with enhanced SMV wall

있기 때문에 이병에 대해 특별히 관심을 갖고 검사하지 않으면 정확한 진단이 힘들기 때문에 이 질환에 대한 특별한 주의를 기울여야 한다.

정확한 진단이 지연되어 항응고치료가 지연되는 경우에는 장간막 정맥혈전증의 진행으로 인해 장 허혈 혹은 장 경색이 발생할 수 도 있지만 이 같은 경우는 흔치 않다. 급성 장간막 동맥 허혈증에서는 광범위한 장 괴사를 야기하지만 장간막 정맥혈전증으로 인한 소장의 병변은 상대적으로 짧고, 부종, 울혈을 보인다. 심한 경우 장 괴사를 일으킬 수 있고 이 때에는 복막염 증세를 보일 수 있다.

만약 장 괴사 또는 경색의 징후가 명확하고 복막염이 동반되어 있는 경우에는 추가 검사 없이 응급 개복 수술을 시행할 수 있지만 대부분의 급성 장간막 정맥혈전증 환자는 조영 증강 복부 CT 검사(그림 19-1)로 진단이 가능하고 항응고제 치료로 호전되는 것이 보통이다.

발병 초기의 발열은 화농성 정맥염(pylephle-bitis)을 시사할 수 있지만, 급성게실염이나 급성충수돌기염에 동반된 경우를 제외하고는 감염성 혈전증은 매우 드물다. 또한, 이 경우 장간막 정맥혈전증 자체의 증상 및 징후보다는 CT등 영상검사에서 우연히 발견되는 경우가 대부분이다.

급성 장간막 정맥혈전증의 치료

장간막 정맥혈전증 치료에 관한 역사를 보면 Mergenthaler와 Harris는 1967년 췌십이지장 절제술 중 발생한 정맥혈전증에서 성공적인 정맥혈전 제거수술에 대해 보고하였다. Inahara는 1971년 장간막 정맥증이 의심되는 환자에서 최초로 계획된 수술적 혈전 제거술을 보고하면서 장 괴사가 명확한 경우 술자의 임상적 판단에 의해 장 절제를 시행할 수 있지만 가능한 많은 장을 보존하기 위해 노력하였고, 수술 후 항응고치료를 시행하였다고 보고하였다. 수술 시

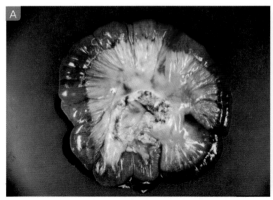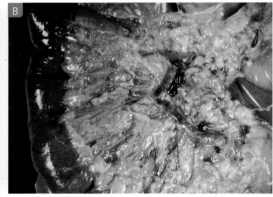

■ 그림 19-2. Specimen of resected bowel in a 64 year old male patient with acute mesenteric venous thrombosis who showed severe metabolic acidosis and clinical deterioration during anticoagulation . **A.** Resected small bowel shows severe venous congestion, **B.** Mesenteric veins filled with thrombus   (사진제공, 김 영욱 교수)

야에서 허혈성 소장의 병변에 가역성이 불명확한 경우에 종종 second look operation이 필요한 경우도 있지만 병변의 경계가 아주 명확한 경우에는 일차 수술에 장절제와 장문합을 시행할 수 있다고 하였다. 그러나 이들이 보고할 당시 급성 장간막 정맥혈전증 환자의 수술적 치료 후 수술 사망률은 40-70%로 매우 높게 보고되었다. 그림 19-2는 급성 장간막 정맥혈전증 환자에서 장절제 수술 후 소견이다.

장간막 정맥혈전증의 원인 및 병태생리에 대한 이해가 깊어지면서 장 허혈을 감소시키고 사망률을 낮추기 위해서는 수술적 치료보다는 적절한 항응고치료 후 사망률을 낮출 수 있었으며, 실제로 현대 임상에서는 장괴사가 의심되는 경우를 제외하고는 장간막 정맥혈전증으로 수술을 시행하는 일이 거의 없어졌다. 실제로 장간막 정맥혈전증의 진단과 동시에 즉각적인 치료 용량의 항응고치료 개시를 통해 사망률을 10-40%로 감소할 수 있었으나, 혈전 제거 수술

자체의 응고 위험성(hypercoagulability)으로 인해 수술 전에 항응고치료를 시행하지 못한 경우에는 수술 중에라도 항응고치료를 시작하는 것을 권장하게 되었다. 이와 같이 수술 전 또는 수술 전후 항응고치료의 중요성에 대한 연구 결과가 발표되고 있지만 수술을 시행한 환자에서 항응고제 치료용량을 사용함으로 이에 따르는 출혈성 합병증의 위험 또한 고려하지 않을 수 없다.

전술한 바와 같이 장간막 정맥혈전증의 주된 치료는 항응고제 치료이다. 비수술적 치료에 관해서 두 개의 대표적 연구가 소개되었다. Brunaud 등은 12년간의 단일기관 연구를 통해 26명의 장간막 정맥혈전증 환자에서 19%의 사망률을 보고하였다. 초기 14명의 환자는 장간막 정맥 혈전제거수술을 시행하였고 나머지 12명의 환자에서는 수술 없이 항응고치료만 시행하였는데, 사망률에 있어서 두 군간 차이가 없음을 보고하면서 비수술적 치료가 수술적 치료에

비교했을 때 적어도 비슷한 효과가 있다고 주장하였다. 또한 수술적 치료를 시행한 12명 가운데 10명에서 절제된 장의 괴사가 점막에만 국한되어 있음을 발견하였으며, 많은 환자에서 수술적 치료와 장 절제를 피할 수 있는 가능성에 대한 의문을 제기하였다.

Zhang 등은 25년간 41명의 급성 장간막 정맥혈전증의 치료에 대한 성적을 보고하면서 항응고치료를 이용한 비수술적 치료를 일차적 치료로 시행하면서 환자의 임상양상의 악화를 유심히 관찰한다면 불필요한 수술적 치료를 피할 수 있음을 강조하였다. 이들 보고에 따르면 조기에 수술적 치료를 시행한 환자군(n=13명)의 사망률은 39%인 반면 항응고치료를 일차적으로 사용한 환자군(n=28명) 에서는 임상적 악화를 보인 32%의 환자에서 선택적으로 수술적 치료를 시행하였지만 사망률은 두 군간 차이가 없었다고 보고하면서, 임상적으로 복막염 징후가 있거나 혈역학적으로 불안정한 일부 환자를 제외한 대부분의 급성 장간막 정맥혈전증 환자에서는 항응고치료 등 비수술적 치료를 우선해야 함을 주장하였다.

전신적 항응고치료와 더불어 혈전용해제(thrombolytic therapy)를 동시에 병행하는 치료에 대한 연구 또한 지속적으로 시행되어 왔다. 혈전용해제를 전신적으로 사용하는 것은 효과에 비해 높은 출혈성 합병증의 위험성 때문에 근자에는 혈전용해제를 상장간막 동맥 혹은 정맥 내로 직접 주입하는 방법을 사용함으로 정맥 혈전 제거를 더 효과적으로 할 수 있다고 보고하고 있다. 하지만 급성 장간막 정맥혈전증에서 이러한 혈전용해제 치료는 혈전증이 진행하여 장 괴사에 이르게 될 수 있는 위험성 때문에 흔히 사용되고 있지는 않는 실정이다. 혈전용해제 치료법을 반대하는 학자들은 상장간막 동맥을 통해 혈전용해제를 주입하더라도 대부분이 다른 부혈관(collaterals)을 통해 빠져 나가서 실제 막혀 있는 정맥 혈전으로 약물이 효과적으로 도달하지 못할 것이라고 주장한다. 하지만 최근 하나의 새로운 방법으로 경피적 접근방법을 통해 간문맥이나 장간막 정맥 내로 카테터를 직접 넣어 혈전용해제를 직접 주입하는 방법이 이용되고 있다. 또 다른 방법으로는 장간막 혈전을 여러 thrombectomy catheter를 사용하여 직접 기계적으로 혈전을 제거하는 방법이 개발되어 있다. Wasselius 등은 이러한 혈관내 시술을 동시 다발적인 접근법으로 확대하여 상장간막 동맥과 경정맥-간문맥을 통해 상장간막 정맥 내로 동시에 혈전용해제 주입 및 카테타를 이용한 기계적 혈전 제거술을 시행하여 우수한 성적을 보고하기도 하였다. 하지만 이러한 적극적인 혈관내 시술을 시행할 때에는 시술 도중 또는 시술 후 환자의 임상양상이 악화되는지 또는 복막염 등의 징후가 나타나는지를 주의 깊게 관찰하는 것이 무엇보다 중요하다. 만약 이같은 소견이 보이면 즉시 개복을 시행하여 괴사된 장절제를 해야만 환자를 구할 수 있다. 이같은 혈전용해 치료법을 항응고치료와 병행할 경우 출혈의 위험이 증가하므로 이에 대한 주의 깊은 관찰이 필요하다. Hollingshead 등은, 혈전용해요법을 통해 75% 환자에서 혈전량 감소를 보이고 85%가 장간막 정맥혈전증의 호전을 보였지만, 60%

의 환자에서 중대 합병증을 경험하였는데 그 가운데 출혈과 관련된 합병증이 가장 흔하였다고 보고하였다.

장간막 정맥혈전증의 치료에서 항응고치료의 기간에 대해서는 연구마다, 그리고 기저 원인, 증상 완화 정도, 출혈 등 항응고치료 자체의 위험성에 따라 다양하게 보고되고 있다. 일반적으로 선천성 또는 후천적 응고 장애가 없는 경우, 항응고치료는 6개월 내지 12개월 동안 지속할 것으로 권장하고 있다. 전신 항응고요법의 출혈 위험성은 낮은 것으로 보고되고 있으나, 재발률은 매우 높은 것으로 알려져 있고, 특히 수술 후 30일 이내에 혈전 부위 또는 장 절제 부위에서 주로 재발하는 것으로 알려져 있다. Rhee 등이 보고한 Mayo 클리닉 연구에 따르면, 적극적인 항응고치료를 시행하였음에도 불구하고 36%의 재발률을 보였으며, 재발 환자의 3/4에서는 동일 입원기간 내 혹은 30일 이내에 재발한 것으로 나타나 회복하여 퇴원을 한 경우에도 수술 후 첫 1-2개월 동안은 항응고치료와 함께 주의 깊은 관찰이 필요함을 주장하였다. 일부 남아있는 정맥혈전이 핵(nidus)으로 작용하기 때문에 혈전이 남아있는 장을 완전히 절제하고 항응고제 치료를 하는것이 장간막 정맥혈전증 재발 방지 측면에서 가장 효과적인 방법이다.

비분획 헤파린(unfractionated heparin, UFH)이나 저분자량 헤파린(low molecular weight heparin, LMWH) 모두 항염증작용을 함께 가지고 있어 장간막 정맥혈전증 치료에 일차적으로 사용할 수 있는 효과적인 약제로 알려져 있다. 최근에 심부정맥혈전증 치료에 흔히 사용하는 NOAC은 장간막 정맥혈전증의 치료에 대해서는 아직도 충분한 연구 결과가 없으므로 추천되지는 않는다.

최근의 여러 많은 연구를 통해 장간막 정맥혈전증의 사망률은 0-23%로 보고 되고 있다. 급성 장간막 정맥혈전증의 치료 알고리즘은 그림 19-3에 도식화 하였다.

만성 장간막 정맥혈전증

만성 장간막 정맥혈전증은 일반적으로 다른 원인으로 시행한 영상 검사에서 우연히 발견되거나 그 합병증(위-식도 정맥류 출혈, 비장 종대, 복수 등)에 의해 발견된다. 혈전증의 범위와 부혈관(collateral vein)의 발달 정도에 따라 다양한 증상 및 임상 양상이 나타날 수 있는데, 급성 장간막 정맥혈전증에서 볼 수 있는 복통 등의 증상이 없다는 것은 만성적 정맥 폐색으로 인해 측부혈관이 서서히 발달하면서 장간막 정맥혈류가 유지되어 왔음을 시사한다.

만성 장간막 정맥혈전증의 치료는 환자의 증상 유무, 개인의 혈전 관련된 위험인자 또는 가족력, 그리고 혈전증의 추정 발생 시기 등을 고려하여 결정하게 된다. 관련 증상이 전혀 없고 혈전증을 유발할 만한 위험인자가 없는 경우에 항응고 약물치료는 정맥류 출혈 등의 위험을 증가시킬 수 있음으로 사용하지 않는 것이 좋다. 한 보고에 의하면, 항응고치료가 만성 장간막 정맥혈전증 환자의 50-80%에서 정맥 혈류의 재개통을 보인다고 하지만 이미 많은 부혈관이 발달되어 있기 때문에 정맥 재개통 여부는 크게

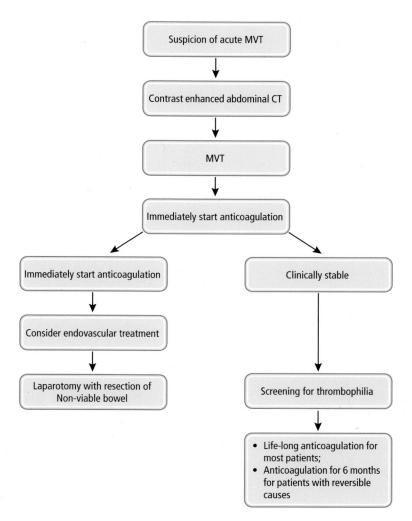

■ 그림 19-3. Management algorithm for patients with acute mesenteric venous thrombosis
(Rutherford's Vascular Surgery 9th Ed.)

중요하지 않다고 본다. 혈전 제거술이나 정맥우 회술 등 수술적인 방법 또한 득보다는 실이 많 으므로 일반적으로 추천되지 않는다. 따라서 이 러한 환자에서 치료의 목적은 동반된 위-식도

정맥류 출혈 자체 또는 그 예방에 있다고 할 수 있다. 만성 장간막 정맥류의 치료는 그림 19-4에 도식화하였다.

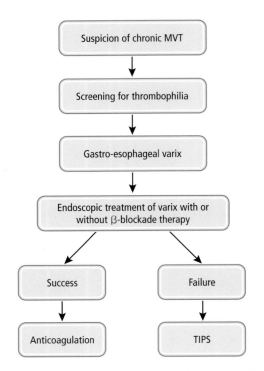

■ 그림 19-4. Management algorithm for patients with chronic mesenteric venous thrombosis

MVT, mesenteric venous thrombosis;
TIPS, trans-internal jugular porto-systemic shunt

기타 다양한 정맥혈전증

간이식 후 문맥 혈전증(portal vein thrombosis)은 전체 간이식 환자의 2% 미만에서 발생한다고 알려져 있다. 만약 혈전에 의해 간이식편의 생존이 위협받는 경우에는 응급으로 수술적 정맥 혈전 제거술을 시행하거나, 경간 정맥내 혈전 제거 시술(transhepatic portal vein thrombectomy)을 시행하기도 한다.

췌십이지장절제술(pacreatoduodenectomy)과 동반하여 정맥 절제 및 문합을 시행한 경우 문합부 혈전증이 발생한 경우에 만약 혈전에 의한 간기능 손상이 매우 심각한 경우에는 혈전제거술을 시행할 수도 있다.

비장절제술 후 남아 있는 비장정맥에 혈전이 발생하는 경우 간문맥에까지 혈전이 파급되는 경우는 매우 드물기 때문에 일반적으로 항응고제 치료 등 비수술적 치료가 권장되고 드물게는 혈관 내 시술을 요할 수도 있다.

요약 🔒

1) 장간막 정맥혈전증은 직접적 정맥 손상, 장간막 정맥 울혈, 혈액 과응고현상에 의해 발생할 수 있다.
2) 급성 장간막 정맥혈전증의 치료에서 진단이 지연되지 않기 위해서 무엇보다 중요한 것은 질환을 특성을 정확히 알고 의심하는 것으로부터 시작된다.
3) 조영증강 복부 CT에서 특징적 소견을 보이는 수가 흔하므로 가장 유용한 진단 방법으로 사용된다.
4) 급성 장간막 정맥혈전증 진단 즉시 전신적 항응고치료를 시작해야만 혈전의 악화에 따른 장 괴사, 복막염, 장 천공 등 심각한 합병증을 예방할 수 있다.
5) 수술적 개복술은 일반적으로 비가역적인 장 허혈의 증상 및 징후가 있거나 영상검사상 명확한 경우 또는 강력히 의심되는 경우에만 시행되고 대부분의 장간막 정맥혈전증 환자에서는 항응고제 치료로 호전된다.
6) 항응고치료는 최소한 6개월 이상 유지하는 것을 권장하고 혈전증의 위험요소가 있는 경우(예, 혈액 과응고 현상) 평생 항응고치료를 유지하는 것이 추천된다.

7) 만성 장간막 정맥혈전증은 동반된 정맥성 고혈압과 관련된 합병증의 치료에 초첨을 맞추게 되며 일부 환자에서는 장기적인 항응고치료를 유지해야 한다.

참고문헌

1. Amitrano L, Guardascione MA, Scaglione M, Pezzullo L, Sangiuliano N, Armellino MF, Manguso F, Margaglione M, Ames PR, Iannaccone L, Grandone E, Romano L, Balzano A. Prognostic factors in noncirrhotic patients with splanchnic vein thromboses. Am J Gastroenterol. 2007 Nov;102(11):2464-70.

2. Ausania F, Jackson R, Tsirlis T, Charnley RM. Portal vein occlusion following pancreatico-duodenectomy and portal vein resection: treatment by percutaneous portal vein stent. Ann R Coll Surg Engl. 2013 May;95(4):299.

3. Brunaud L, Antunes L, Collinet-Adler S, Marchal F, Ayav A, Bresler L, Boissel P. Acute mesenteric venous thrombosis: case for nonoperative management. J Vasc Surg. 2001 Oct;34(4):673-9.

4. Condat B, Pessione F, Helene Denninger M, Hillaire S, Valla D. Recent portal or mesenteric venous thrombosis: increased recognition and frequent recanalization on anticoagulant therapy. Hepatology. 2000 Sep;32(3):466-70.

5. Duffy JP, Hong JC, Farmer DG, Ghobrial RM, Yersiz H, Hiatt JR, Busuttil RW. Vascular complications of orthotopic liver transplantation: experience in more than 4,200 patients. J Am Coll Surg. 2009 May;208(5):896-903; discussion 903-5.

6. Hollingshead M, Burke CT, Mauro MA, Weeks SM, Dixon RG, Jaques PF. Transcatheter thrombolytic therapy for acute mesenteric and portal vein thrombosis. J Vasc Interv Radiol. 2005 May;16(5):651-61.

7. Inahara T. Acute superior mesenteric venous thrombosis: treatment by thrombectomy. Ann Surg. 1971 Dec;174(6):956-61.

8. Itri JN, Heller MT, Tublin ME. Hepatic transplantation: postoperative complications. Abdom Imaging. 2013 Dec;38(6):1300-33.

9. Jona J, Cummins GM Jr, Head HB, Govostis MC. Recurrent primary mesenteric venous thrombosis. JAMA. 1974 Mar 4;227(9):1033-5. PubMed PMID: 4405930.

10. Kanda M, Takeda S, Yamada S, Fujii T, Sugimoto H, Kanazumi N, Nomoto S, Nakao A. Operative treatment of thrombotic occlusion of the portal vein immediately after pancreatectomy with portal vein resection. Pancreas. 2010 Mar;39(2):265-6.

11. Kim HS, Patra A, Khan J, Arepally A, Streiff MB. Transhepatic catheter-directed thrombectomy and thrombolysis of acute superior mesenteric venous thrombosis. J Vasc Interv Radiol. 2005 Dec;16(12):1685-91.

12. Kumar S, Sarr MG, Kamath PS. Mesenteric venous thrombosis. N Engl J Med. 2001 Dec 6;345(23):1683-8.

13. Mergenthaler FW, Harris MN. Superior mesenteric vein thrombosis complicating pancreatoduodenectomy: successful treatment by thrombectomy. Ann Surg. 1968 Jan;167(1):106-11.

14. Naitove A, Weismann RE. Primary mesenteric venous thrombosis. Ann Surg. 1965 Apr;161:516-23.

15. Rhee RY, Gloviczki P, Mendonca CT, Petterson TM, Serry RD, Sarr MG, Johnson CM, Bower TC, Hallett JW Jr, Cherry KJ Jr. Mesenteric venous thrombosis: still a lethal disease in the 1990s. J Vasc Surg. 1994 Nov;20(5):688-97.

16. Singal AK, Kamath PS, Tefferi A. Mesenteric venous thrombosis. Mayo Clin Proc. 2013 Mar;88(3):285-94.

PART V

특이 상황에서 정맥 혈전-색전증의 약물치료

17. Wassélius J, Sonesson B, Elf J, Ahlström M, Malina M, Dias N. Treatment of mesenteric vein thrombosis with transjugular mechanical thrombectomy and subsequent simultaneous arterial and venous thrombolysis. J Vasc Surg Venous Lymphat Disord. 2014 Jul;2(3):320-3.

18. Zhang J, Duan ZQ, Song QB, Luo YW, Xin SJ, Zhang Q. Acute mesenteric venous thrombosis: a better outcome achieved through improved imaging techniques and a changed policy of clinical management. Eur J Vasc Endovasc Surg. 2004 Sep;28(3):329-34.

20
CHAPTER

신기능 및 간기능 이상 환자에서 심부정맥혈전증의 약물치료

Pharmacotherapy of deep vein thrombosis in renal or hepatic function abnormalities

| 양신석 | 삼성서울병원 혈관외과

심부정맥혈전증(deep vein thrombosis, DVT) 환자에서 항응고 치료를 시행할 경우 출혈 위험성이 높은 위험 인자는 여러 연구를 통해 잘 알려져 있다. AT9 (The 9th Edition of the Antithrombotic Guideline) 진료 지침은 동반된 위험 인자의 수에 따라 출혈의 위험도를 분류하였으며 신부전 및 간부전은 모두 중요한 출혈 위험 인자로 분류하고 있다. 따라서 신기능 및 간기능이 저하된 환자에서 항응고 치료는 신중한 약재 선택이 필요하다.

간기능 이상(Hepatic dysfunction)

(1) 병태생리

만성 간질환 환자에서 정맥혈전.색전증(venous thromboembolism, VTE)은 0.5-6.3%의 발생률을 보이며, 간질환은 VTE 발생을 증가시키는 위험인자로 알려져 있다. Søgaard 등은 Dan-ish registry에서 26년간 VTE로 진단된 99,444명의 환자와 496,872명의 대조군 간의 비교 연구에서 일반인에 비해 간질환 환자는 1.7배 높은 VTE 발생의 상대 위험도를 보였으며, 특히 폐색전증(Pulmonary embolism, PE) 보다 DVT를 더 증가시키는 것으로 보고하였다. 또한 간질환은 unprovoked VTE의 경우 2배 이상의 발생 위험도를 보였으며, VTE 발생 후 사망을 증가시키는 위험 인자였음을 보고하였다.

간기능 저하와 응고 기전은 항응고인자와 응고촉진인자의 불균형으로 매우 복잡한 관련성을 갖는다. 만성 간질환에 의한 간기능 저하는 각종 응고인자를 감소시켜 prothrombin time (PT) 및 partial prothrombin time (aPTT)을 연장(prolongation)시키며 따라서 출혈의 위험성이 증가한다. 이는 간기능 저하에 의한 만성 간질환 환자에서 "auto-anticoagulation" 가설의 이론적 배경이 되었다. 하지만 최근의 연구들은

표 20-1. Mechanisms Driving Increased Thrombosis and Bleeding in Liver Disease

	Procoagulant	Anticoagulant
Platelet-vessel wall interaction	↑ von Willebrand factor	↓ Platelet count
	↑ ADAMTS 13	↓ Platelet function
Thrombin generation	↑ Factor VIII	↓ Fibrinogen
	↓ Protein C, Protein S	↓ Factor II, V, VII, IX, X, XI
	↓ Antithrombin	
	↓ TFPI	
Fibrin dissolution	↓ Plasminogen	↓ Tissue-plasminogen activator
	↑ PAI	↓ Plasmin inhibitor

ADAMTS 13, a disintegrin and metalloprotease with thrombospondin type 1 motif 13; PAI, plasminogen activator inhibitor; TAFI, thrombin-activatable fibrinolysis inhibitor; TFPI, tissue factor pathway inhibitor.

이 가설에 반대되는 결과들을 보고하고 있다. 간기능이 저하될 경우 간에서 생성되는 항응고 인자(antithrombin, protein C, protein S)의 감소로 인해 혈전 형성의 위험성이 증가한다. 또한 Von Willebrand 인자의 활성 증가에 의한 혈소판 응집이 증가하고, plasminogen이 감소하여 fibrinolysis가 감소하여 혈전 형성이 촉진된다(표 20-1). 따라서 간기능 저하 환자에서 정맥혈전증의 발생은 항응고기전과 응고촉진기전의 불균형으로 이해하여야 한다(그림 20-1).

(2) 치료

전통적으로 간기능이 저하된 환자에서 VTE의 예방 및 치료를 위해 경구제인 warfarin과 비경구제인 heparin (unfractionated heparin, UFH or low molecular weight heparin, LMWH)을 사용하였다. 하지만 실제 임상에서 출혈의 위험이 높은 간질환 환자에서 좁은 치료 지수(narrow therapeutic index)를 보이는 warfarin을 VTE 예방을 위해 사용하는 것은 쉽지 않다. 최근의 연구 결과는 입원 중인 간경화 환자에서 VTE 예방을 위한 약물치료나 물리치료는 21-25%에서만 시행되었다고 보고하였다. Barclay 등은 재원 중인 간기능 저하 환자에서 heparin (UFH or LMWH)을 이용한 예방적 치료가 VTE 발생을 감소시켰으며, VTE의 위험 인자로 악성 종양, 외상, 수술 및 VTE의 과거력을 보고하였다.

AT9 진료 지침은 VTE 환자에서 warfarin을 이용한 항응고 치료 모니터링 시에 2.0-3.0 INR (prothrombin time)을 권장하고 있다. 하지만 간기능 저하 환자에서 warfarin의 용법에 대한 지침이 없기 때문에 논란이 있다. 대부분의 환자들은 prothrombin time이 연장되어 있지만, 이를 고려하여 낮은 용량의 warfarin을 복용하는 것은 혈전 생성의 위험을 증가시킬 수 있다. 그러나 이들 환자에서 좁은 치료 지수(narrow

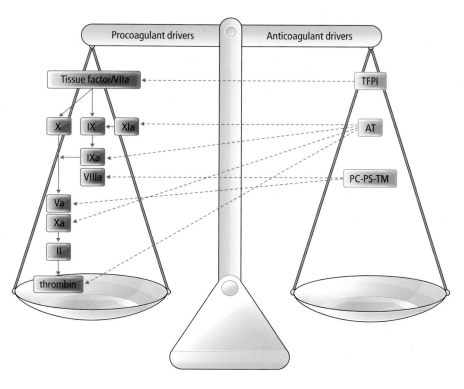

■ 그림 20-1. Coagulation balance. Thrombin generation is driven by procoagulant factors (roman numerals) and contrasted by anticoagulant factors. The balance is robust and stable in the healthy because of normal levels of pro and anticoagulant factors, but is unstable in cirrhosis because of the relative deficiencies of the above drivers. Accordingly, it may tip toward hemorrhage or thrombosis (not uncommon in cirrhosis) depending on the circumstantial risk factors experienced by patients during lifetime

AT, antithrombin; PC, protein C; PS, protein S; TFPI, tissue factor pathway inhibitor; TM, thrombomodulin
(Am J Gastroenterol 2017; 112:274-281; doi:10.1038/ajg.2016.498)

therapeutic index)로 인해 간질환이 없는 VTE 환자에 비해 warfarin 복용 시 출혈의 위험성이 2배 증가한다는 보고가 있으므로 주의를 요한다.

최근의 연구들은 direct oral anticoagulants (DOACs)이 VTE 환자에서 warfarin과 비슷하거나 우월한 치료 결과를 보였으며, 이를 근거로 진료 지침들은 VTE의 치료 약물로 DOACs을 추천하고 있다. 그러나 warfarin과 마찬가지로 간질환 환자에서 DOACs에 대한 연구 결과

가 부족하기 때문에 명확한 진료 지침은 없다. DOACs은 체내에서 25-75%가 간에서 대사되어 배설되기 때문에 간기능에 따라 복용에 주의를 요한다(그림 20-2). 미국 Food and Drug Administration (FDA) 및 유럽의약품기구(Europe Medicines Agency, EMA)는 환자의 간기능을 Child-Pugh Class로 분류하여 DOACs의 복용을 권장하고 있다(표 20-2).

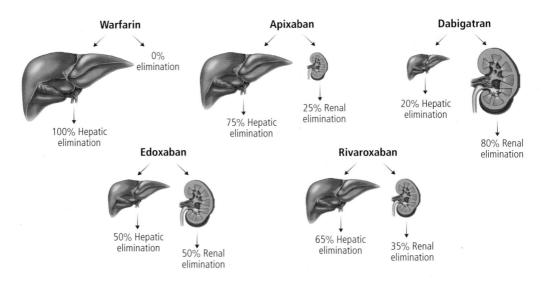

■ 그림 20-2. Pharmacokinetic Characteristics and Primary Routes of Clearance of Oral Anticoagulant Agents Warfarin
(Journal of the American College of Cardiology Volume 71, Issue 19, May 2018 DOI: 10.1016/j.jacc.2018.03.023)

신기능 이상(Renal dysfunction)

(1) 병태생리

만성 신장병(chronic kidney disease, CKD)은 사구체여과율(estimated glomerular filtrated rate, eGFR)에 따라 크게 5단계로 분류한다. 이 중 eGFR이 30min/mL 미만인 환자의 경우 Stage 4의 고도의 사구체 여과율 감소 단계로 신대체요법을 준비하거나 시행이 필요하다.

투석을 시행 중인 CKD 환자는 다양한 형태의 과응고(hypercoagulability) 기전을 보인다. 이들 환자에서 과응고 상태를 반영하는 혈중 prothrombin fragment 및 thrombin-antithrombin 복합체가 상승되어 있고, 이는 혈액 투석 중 circuit의 혈소판 활성화에 의한 혈전 형성과 밀접한 연관성이 있다. 또한 혈중 D-dimer, fibrinogen, von Willebrand factor 가 상승된 반면 protein C, protein S 및 antithrombin III, plasminogen, tissue plasminogen activator는 감소되어 있어 과응고 상태가 촉진된다고 알려져 있다.

투석 중인 만성 신장병 환자들은 관상 동맥 질환 및 말초 동맥 질환 등 죽상경화증에 의한 혈관질환의 동반 빈도가 높다. 이는 죽상경화증에 의해 혈소판 및 과응고 상태가 촉진되고 fibrin 순환이 증가되기 때문에 직접적인 VTE의 위험인자가 된다. 특히 이들 환자에서 투석을 시행하지 않는 환자군과의 비교에서 연령과 성별을 보정(adjust)하였을 때 PE에 의한 환자 사망률이 12배 이상 증가하는 것으로 보고되어 있다. 이같이 CKD 환자에서는 VTE 발병 위험성과 이로 인한 사망률이 높다고 알려져 있다.

표 20-2. Summary of the U.S. FDA and EMA Recommendations for Use of Warfarin and NOACs in Patients with AF or VTE on the Basis of the Severity of Underlying Liver Disease

Oral anti- coagulant agent	Child-Pugh Class	FDA Recommendations	EMA Recommendations
Warfarin	A	Therapeutic INR	Therapeutic INR
	B		
	C		
Apixaban	A	No dose adjustment	Use with caution No dose adjustment
	B	Use with caution No dose adjustment	Use with caution No dose adjustment
	C	Not recommended	Not recommended
Dabigatran	A	No dose adjustment	Not recommended if AST/ ALT ＞ 2x ULN or Liver disease expected to affect survival
	B	Use with caution No dose adjustment	
	C	Not recommended	
Edoxaban	A	No dose adjustment	No dose adjustment
	B	Not recommended	Use with caution, particularly if AST/ALT ＞ 2x ULN or total bilirubin ＞ 1.5x ULN
	C		Not recommended
Rivaroxaban	A	No dose adjustment	No dose adjustment
	B	Not recommended	Not recommended
	C		

AF, atrial fibrillation; ALT, alanine aminotransferase; AST, aspartate aminotransferase; EMA, European Medicines Agency; FDA, Food and Drug Administration; INR, international normalized ratio; NOACs, non- vitamin K-antagonist oral anticoagulant agents; ULN, upper limit of normal; VTE, venous thromboembolism.

(2) 치료

경구용 항응고재 치료가 불가능한 환자에서는 전통적으로 비경구 항응고제인 heparin을 사용하였다. LMWH은 신장에서 대사 되기 때문에 신기능 저하 환자에서 투여할 경우 체내 축적 때문에 출혈성 합병증을 위험을 증가시키므로 사용을 제한하고 있다. 따라서 신기능에 따른 체내 농도에 영향이 적은 UFH이 CKD stage4/5 환자에서 안전한 항응고제이다.

하지만 투여의 용의성을 고려하여 LMWH의 용량을 조절하여 투여할 수도 있다. LMWH 중에서도 Enoxaparin에 대한 많은 연구 결과가 보고되었다. CKD stage5 환자에서 권장되는 enoxaparin 용량은 1 mg/kg once daily이다.

표 20-3. Comparison of unfractionated and low-molecular weight heparins

	Heparin	Enoxaparin
Treatment VTE	Intravenously, based on aPTT (2.5-3.5 base-line 60-120s)	1.5 mg/kg subcutaneously once or 1 mg/kg twice daily
Average molecular weight	15,000 daltons	4,500 daltons
Monitoring	aPTT	Anti-Xa heparin level
Peak onset	Immediate	3 hours
Plasma half-life	1.5 hour	3.5-4.2 hour
Antidote	Protamine	Protamine
Elimination	Hepatic/renal	Renal
Adjust dose for kidney failure	No	Yes
	GFR 30-39mL/min	GFR < 30mL/min
Recommneded LMWH dose	80-90% of licenced dose once daily	UFH or 60% of licenced dose twice daily

LMWH, low-molecular weight heparin; UFH, unfractionated hepairn; VTE, venous thromboembolism

표 20-3은 UFH 과 LMWH을 비교한 표이고, 신기능 저하 환자에서 추천되는 용량을 보여준다 (표 20-3).

Gould 등은 메타분석 결과에서 LMWH 과 UFH 간의 효과와 출혈 위험은 비슷하다고 보고하였다.

신기능 저하 환자에서 항응고제 치료가 필요한 경우 특히 경구 복용이 가능한 환자에서는 warfarin이 오랫동안 사용되어 온 약제이다. Warafin 은 체내에서 전량이 간에서 대사되어 배설되기 때문에 신기능 저하 환자에서 비교적 안전하게 사용할 수 있다(그림 20-2). AT9진료 지침에 의하면 warfarin 투여 시 INR 2-3을 목표로 복용할 것을 권장하고 있다. 그러나 정상 신기능 환자와 비교하여 용량 조절이 필요하다는 보고가 있어 주의가 필요하다.

Limdi 등은 stage 5의 CKD 환자에서 warfarin 용량은 정상 신기능 환자와 비교하여 20% 감량이 필요하다고 보고하였다. 또한 Kleinow 등은 정상 신기능 환자에 비해 신기능 저하가 있는 환자에서 warfarin 복용 후 therapeutic range까지 도달하는 시간이 짧고, 유지 용량도 낮았으며, 잦은 monitoring을 통해 warfarin 용량 변경이 필요하다고 보고하였다. 특히 INR>4의 상태에서 발생하는 출혈 발생 위험도가 신기능 저하 환자에서 4배 이상 높았으며, 이는 CKD stage에 따라 증가하였다.

최근 진료 지침은 stage 4-5 CKD 환자를 배제한 연구 결과가 반영되었다. 따라서 불충분한 연구 결과를 근거로 하여 신기능 저하 환자에서

표 20-4. Recommendations for DOAC use in patients with CKD of European Medicines Agency (EMA) and Food and Drug Administration (FDA)

	CKD　by the estimated GFR, mL/min/1.73 m^2 of BSA)			
	Stage 1-3a (≥ 45)	Stage 3b (30-44)	Stage 4 (15-29)	Stage 5 (< 15)
Food and Drug Administration (FDA)				
Apixaban*	5 mg bid	5 mg bid	5 mg bid	5 mg bid
Dabigatran	150 mg bid	150 mg bid	contraindicated	avoid
Edoxaban	60 mg qd	30 mg qd	30 mg qd	avoid
Rivaroxaban	20 mg qd	20 mg qd	avoid	avoid
European Medicines Agency (EMA)				
Apixaban*	5 mg bid	5 mg bid	5 mg bid	avoid
Dabigatran	150 mg bid	110mb bid	avoid	avoid
Edoxaban	60 mg bid	30 mg bid	30 mg bid	avoid
Rivaroxaban	20 mg qd	20 mg qd	20 mg qd	avoid

CKD, chronic kidney disease; GFR, glomerular filtration rate; BSA, body surface area
*No reference on dosing in renal impairment, 2.5 mg bid if ≥ two of following characteristics: age ≥ 80 years, weight ≤ 60 kg, creatinine ≥ 1.5 mg/dL

도 direct oral anticoagulant (DOAC) 사용 시 유럽(EMA)과 미국(FDA)에서는 신기능 저하 정도에 따라 CKD stage4에서 용량을 감량하여 복용하는 것을 허용하고 있지만 stage5에서는 DOAC 사용을 금하고 있다(표 20-4).

Chan 등은 dabigatran과 ribaroxaban을 표준 용량으로 처방 받은 CKD를 동반한 심방세동 환자에서 출혈의 위험성이 증가함을 보고하였다. 특히 dabigatran의 경우 1/2 용량으로도 출혈의 위험성이 더 높았다. 최근의 연구결과에서는 투석을 시행중인 환자에서 DOACs 용량을 1/2로 낮출 경우 신기능 정상인 피험자에서의 표준 용량과 유사한 약동학적 결과를 보고하였다. 따라서 CKD 환자에서 DOACs의 적정 용량을 결정할 수 있는 연구가 보완되어야 하겠다.

표 20-5에서는 VTE 치료를 목적으로 항응고제 치료를 요하는 환자에서 어떤 상황에 어떤 약재를 선택할 것인가를 정리한 표이다.

표 20-5. Factors That May Influence Which Anticoagulant Is Chosen for Initial and Long-Term Treatment of VTE

Factor	Preferred Anticoagulant	Qualifying Remarks
Cancer	LMWH	More so if: just diagnosed, extensive VTE, metastatic cancer, very symptomatic; vomiting; on cancer chemotherapy.
Parenteral therapy to be avoided	Rivaroxaban; apixaban	VKA, dabigatran, and edoxaban require initial parenteral therapy.
Once daily oral therapy preferred	Rivaroxaban; edoxaban; VKA	
Liver disease and coagulopathy	LMWH	NOACs contraindicated if INR raised because of liver disease; VKA difficult to control and INR may not reflect antithrombotic effect.
Renal disease and creatinine clearance < 30 mL/min	VKA	NOACs and LMWH contraindicated with severe renal impairment. Dosing of NOACs with levels of renal impairment differ with the NOAC and among jurisdictions.
Coronary artery disease	VKA, rivaroxaban, apixaban, edoxaban	Coronary artery events appear to occur more often with dabigatran than with VKA. This has not been seen with the other NOACs, and they have demonstrated efficacy for coronary artery disease. Antiplatelet therapy should be avoided if possible in patients on anticoagulants because of increased bleeding.
Dyspepsia or history of GI bleeding	VKA, apixaban	Dabigatran increased dyspepsia. Dabigatran, rivaroxaban, and edoxaban may be associated with more GI bleeding than VKA.
Poor compliance	VKA	INR monitoring can help to detect problems. However, some patients may be more compliant with a NOAC because it is less complex.
Thrombolytic therapy use	UFH infusion	Greater experience with its use in patients treated with thrombolytic therapy
Reversal agent needed	VKA, UFH	
Pregnancy or pregnancy risk	LMWH	Potential for other agents to cross the placenta
Cost, Coverage, licensing	Varies among regions and with individual circumstances	

요약 🔒

1) 간기능 저하 혹은 신기능 저하는 심부정맥혈전증 발생의 위험인자로 항응고치료 시 약물 선택에 반영되어야 한다.
2) 간기능 저하 환자에서는 비경구 치료는 LMWH, 경구 치료는 warfarin을 사용하여 치료할 것을 권한다.
3) 간기능 저하 환자에서 Child-pugh Class 로 간기능을 평가하여 DOACs을 사용할 수 있다.
4) 신기능 저하 환자에서 비경구 치료는 미분획 헤파린(UFH)으로, 경구 치료는 warfarin으로 치료할 것을 권한다.
5) 신기능 저하 환자에서 CKD stage에 따라 DOACs 용량을 조절하여 사용할 수 있다.

참고문헌

1. Barclay SM, Jeffres MN, Nguyen K, Nguyen T. Evaluation of Pharmacologic Prophylaxis for Venous Thromboembolism in Patients with Chronic Liver Disease. Pharmacotherapy 2013; 33: 375-82.

2. Caldwell SH, Hoffman M, Lisman T, et al. Coagulation disorders and hemostasis in liver disease: Pathophysiology and critical assessment of current management. Hepatology 2006; 44: 1039-46.

3. Chan KE, Edelman ER, Wenger JB, Thadhani RI, Maddux FW. Dabigatran and rivaroxaban use in atrial fibrillation patients on hemodialysis. Circulation 2015; 131: 972-9.

4. Cohen AT, Tapson VF, Bergmann J-F, et al. Venous thromboembolism risk and prophylaxis in the acute hospital care setting (ENDORSE study): a multinational cross-sectional study. Lancet 2008; 371: 387-94.

5. Dabbagh O, Oza A, Prakash S, Sunna R, Saettele TM. Coagulopathy does not protect against venous thromboembolism in hospitalized patients with chronic liver disease. Chest 2010; 137: 1145-9.

6. Efird LM, Mishkin DS, Berlowitz DR, et al. Stratifying the risks of oral anticoagulation in patients with liver disease. Circ Cardiovasc Qual Outcomes 2014; 7: 461-7.

7. Foundation NK. K/DOQI clinical practice guidelines for chronic kidney disease: evaluation, classification, and stratification. Am J Kidney Dis 2002; 39: S1-266.

8. Hughes S, Szeki I, Nash MJ, Thachil J. Anticoagulation in chronic kidney disease patients - The practical aspects. Clin Kidney J 2014; 7: 442-9.

9. Kearon C, Akl EA, Comerota AJ, et al. Antithrombotic Therapy for VTE Disease. Chest 2012; 141: e419S-e496S.

10. Kearon C, Akl EA, Ornelas J, et al. Antithrombotic therapy for VTE disease: CHEST guideline and expert panel report. Chest 2016; 149: 315-52.

11. Kleinow ME, Garwood CL, Clemente JL, Whittaker P. Effect of Chronic Kidney Disease on Warfarin Management in a Pharmacist-Managed Anticoagulation Clinic. J Manag Care Pharm 2011; 17: 523-30.

12. Limdi NA, Beasley TM, Baird MF, et al. Kidney Function Influences Warfarin Responsiveness and Hemorrhagic Complications. J Am Soc Nephrol 2009; 20: 912-21.

13. Lisman T, Bongers TN, Adelmeijer J, et al. Elevated levels of von Willebrand factor in cirrhosis support platelet adhesion despite reduced functional capacity. Hepatology 2006; 44: 53-61.

14. Lo DS, Rabbat CG, Clase CM. Thromboembolism

and anticoagulant management in hemodialysis patients: A practical guide to clinical management. Thromb Res 2006; 118: 385-95.

15. Mavrakanas TA, Samer CF, Nessim SJ, Frisch G, Lipman ML. Apixaban Pharmacokinetics at Steady State in Hemodialysis Patients. J Am Soc Nephrol 2017; 28: 2241-8.

16. MK, Dembitzer AD, Doyle RL, Hastie TJ, Garber AM. Low-molec- ular-weight heparins compared with unfractionated heparin for treatment of acute deep venous thrombosis. A meta-analysis of randomized, controlled trials. Ann Intern Med 1999; 130:800-9.

17. Pinjala RK. Is it safe to consider anticoagulation in cirrhotic patients with venous thromboembolism? AME Med J 2017; 2: 77-77.

18. Prandoni P, Bilora F, Marchiori A, et al. An association between atherosclerosis and venous thrombosis. N Engl J Med 2003; 348: 1435-41.

19. Qamar A, Vaduganathan M, Greenberger NJ, Giugliano RP. Oral Anticoagulation in Patients With Liver Disease. J Am Coll Cardiol 2018; 71: 2162-75.

20. Søgaard KK, Horváth-Puhó E, Grønbæk H, Jepsen P, Vilstrup H, Sørensen HT. Risk of venous thromboembolism in patients with liver disease: A nationwide population-based case-control study. Am J Gastroenterol 2009; 104: 96-101.

21. Tripodi A, Mannucci PM. The Coagulopathy of Chronic Liver Disease. N Engl J Med 2011; 365: 147-56.

21
CHAPTER

종아리 정맥혈전증의 약물치료

Pharmacotherapy of isolated calf vein thrombosis

| 박근명 | 인하대학교 병원 외과, 혈관외과

정의

종아리 정맥혈전증(Isolated calf vein throm-bosis, ICVT; infrapopliteal DVT)은 근위부 심부정맥혈전증(proximal DVT)이나 폐동맥전증(pulmonary embolism, PE)이 없이 장딴지의 가자미근(soleus muscle) 이나 비복근(gastrocnemius muscle) 안의 정맥이나 정강이 정맥(tibial vein), 비골정맥(peroneal vein) 등에 발생하는 혈전증을 말한다. 정강이 정맥이나 비골정맥의 합류 부위는 통상적으로 제외하고 분류하는데, ICVT를 도식화하면 그림 21-1 의 D10-14에 해당한다.

ICVT는 전체 하지 정맥혈전증의 30-50%로 비교적 흔하게 발생하지만, 이에 대한 치료 방침이나 근거에 대해서는 다른 근위부 심부정맥혈전증이나 폐색전증에 비해 연구가 미약한 실정이다.

진단

정맥 듀플렉스 초음파 검사(duplex ultraso-nography, DUS)가 흔히 권고되는 진단방법이지만, 근위부 심부정맥혈전증(Proximal DVT) 에 비해 진단 정확도가 현저히 낮은 것으로 알려져 있다. 2016년 ACCP guideline에서도 ICVT의 진단을 위해서 모든 경우에 DUS 시행을 권고하고 있지는 않다. ICVT가 의심되는 환자에서 DUS에서 ICVT가 발견되지 않더라도 2주일 이내 근위부 심부정맥 DUS 재검사를 통해 심부정맥 혈전증을 진행여부를 확인하여 치료 여부를 결정하도록 권하고 있다.

항응고치료의 적응증

ICVT 환자의 약 15%에서 근위부 심부정맥이나 폐색전증으로 진행할 가능성이 있기 때문

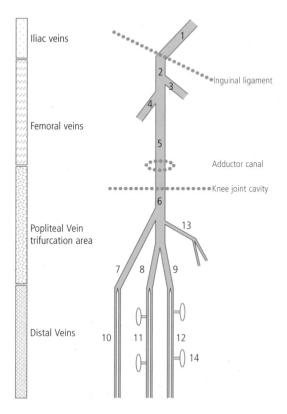

■ 그림 21-1. Schematic representation of leg veins
1, External iliac vein; 2, common femoral vein; 3, greater saphenous vein; 4, profound femoral vein; 5, (superficial) femoral vein; 6, popliteal vein; 7, anterior tibial confluent segment; 8, posterior tibial confluent segment; 9, peroneal confluent segment; 10, anterior tibial veins; 11, posterior tibial veins; 12, peroneal veins; 13, gastrocnemius muscle veins (medial head); 14, soleus muscle veins.
(From Palareti G. How I treat isolated distal deep vein thrombosis (IDDVT). Blood 2014;123:1802-1809.)

에 2016 ACCP guideline에서는 ICVT 환자에서 항응고치료를 시행하거나 주기적인 추적관찰을 시행할 것을 권고하고 있다. 이 권고안에 의하면, 아래 표 21-1처럼 근위부 심부정맥혈전증이

표 21-1. Risk factor for isolated calf DVT extension warranting anticoagulation according to ACCP recommendations 2016

• 특별한 원인 없이 D-dimer 양성이 경우
• 혈전 길이가 5 cm 이상이거나 혈전 직경이 7 mm 이상
• 혈전증이 근위부 정맥(슬와정맥)으로 근접한 경우
• 심부정맥혈전증의 유발요인 없이 발생한 경우(unprovoked DVT)
• 활동성인 암(active cancer)
• 심부정맥혈전증의 과거력
• 입원환자의 경우

Antithrombotic Therapy for VTE Disease: CHEST Guideline and Expert Panel Report. (Chest 2016;149:315-352.)

나 폐색전증으로 진행할 가능성이 높은 ICVT 환자의 경우에는 추적관찰 보다는 항응고제 치료를 권고하였다(표 21-1).

또한, 정강이 정맥(tibial vein), 비골정맥(peroneal vein) 에 비해 근육안의 정맥(soleal sinus, gastrocnemius vein)에 있는 혈전의 경우 근위부 심부정맥혈전증이나 폐색전증으로 진행할 가능성이 높아서 항응고 치료을 권고하였다. 하지만 출혈성 경향이 높은 환자에서는 항응고 치료 보다는 추적관찰을 권고하고 있다.

약제 및 종류 기전

현재 ACCP guideline 에는 acute ICVT 치료에 사용되는 약물과 투약기간은 일반적인 acute DVT 환자에서의 항응고 치료에서와 동일하게 권고하고 있다. 하지만, 현재까지 direct oral anticoagulant (DOAC)에 관한 연구결과는 없으므로 ICVT 환자에서 DOAC 사용에 대한 근거

는 사실상 없는 상태이다. 현재는 2021년까지 Apixaban을 대상으로 하는 Golden Calf trial이 진행중이다.

임상연구 결과

ICVT 환자에서 항응고 치료에 대한 지금까지 발표된 Randonmized trial의 근위부 심부정맥 혈전증이나 폐색전증에 대한 연구에 비해 훨씬 적다. 2016년 발표된 CACATUS trial에는 활동성 암과 정맥혈전증의 과거력 가진 환자 제외한 ICVT 환자에서 저분자량 헤파린을 사용한 환자군에서 폐동맥 색전증과 근위부 심부정맥 혈전증의 예방 효과는 없었으며, 오히려 주요 출혈 합병증이 증가하는 것으로 나타났다. 2016년 단일 기관 코호트 연구에 따르면 ICVT 환자

에서 항응고 치료가 폐동맥 색전증 및 근위부 심부정맥 혈전증으로의 진행을 예방할 수 있는 것으로 보고 하였지만 동시에 출혈성 합병증을 증가하는 것으로 보고 하였다. 2010년 Schewarz 등의 보고에 있어서 10일 간 저분자량 헤파린을 사용하였을 때, 폐동맥 색전증과 근위부 심부정맥혈전증의 예방 효과가 없는 것으로 보고하였다.

2012년에 Martino등이 보고한 메타분석에 의하며 항응고치료를 시행한 ICVT 환자군에서 폐동맥 색전증 및 근위부 심부정맥혈전증의 예방 효과가 있었고 출혈 위험도 증가는 없는 것으로 보고 하였다. 1985년 발표된 Lagerstedt 등의 보고에 의하면 target INR 2-3으로 유지한 warfarin 복용 환자군에서 DVT 재발과 proximal DVT로의 진행이 현저하게 낮았음을 보고 하였

표 21-2. Clinical trials in the management of isolated calf vein thrombosis

Trial Author, year	Anticoagulation group	Study design	DVT or PE OR (95% CI)	Bleeding OR (95%CI)
CACATUS trial Righini et al. 2016	Nadroparin (n=122)	RCT	No SD	4.1(0.4-9.2)*
Utter et al. 2016	Anticoagulation (Warfarin, Nadrparin, Heparin, Rivaroxaban) (n=243)	Single-center Cohort	0.34 (0.14-0.83)	4.35 (1.27-14.9)
Martino et al. 2012	Anticoagulation (Warfarin, Nadrparin, Heparin) (n=505)	Meta-analysis	PE 0.12 (0.02-0.77) DVT 0.29 (0.14-0.62)	No SD
Schewarz et al. 2010	Nadroparin (n=54)	RCT	No SD	No SD

OR, odds ratio; CI, confidence interval; RCT, randomized controlled trial; SD, significant difference
*Absolute risk difference

다. 2001년도 Pinede 등의 의한 보고 의하면 6주 그리고 12주 간의 warfarin을 이용한 항응고 치료 후 DVT 재발과 proximal DVT로의 진행에 대한 예방 효과가 있었고, 출혈 합병증 은 6주 투여군에서 낮았으므로 6주간의 warfarin 치료를 권고하였다. 그러나 이들 포함된 연구들은 대부분 오래된 보고였고, DVT 재발의 진단을 신체검사에 의존하였으므로 신뢰도에 제한이 있고, sample size 가 작다는 등의 한계는 있는 연구였다.

표 21-2는 ICVT 환자의 치료 효과에 관한 연구결과들을 정리한 표이다.

요약 🔓

1) Isolated calf vein thrombosis (ICVT) 는 근위부 심부정맥혈전증이나 폐동 맥전증이 없이 장딴지의 가자미근(soleus muscle) 이나 비복근(gastrocnemius muscle) 안에 정맥이나 정강이 정맥(tibial vein), 비골정맥(peroneal vein) 등에 발생하는 정맥혈전증을 뜻한다.

2) ICVT 치료의 적응증이나 약물에 대해서는 근위부 정맥혈전증의 치료와 비교하여 연구가 부족하고 근거가 취약한 실정이다.

3) 지금의 치료 지침에 따르면 혈전 진행의 위험인자가 있는 경우에는 항응고 치료를 시행하고 위험인자가 없는 환자에서는 2주이내 근위부 정맥 초음파를 시행하여 혈전증의 진행여부를 확인 후 항응고 치료를 시행할 것을 권고하고 있다.

4) ICVT에서 항응고재 치료를 시행할 경우 일반적인 acute DVT 환자와 동일한 항응고제 그리고 동일한 투여기간을 권고하고 있다. 그러나, direct oral antiocoagulant (DOAC)에 대한 근거는 아직도 없는 상태이다.

참고문헌

1. De Martino RR, Wallaert JB, Rossi AP, Zbehlik AJ, Suckow B, Walsh DB. A meta-analysis of anticoagulation for calf deep venous thrombosis. J Vasc Surg 2012;56:228-237 e221; discussion 236-227.

2. https://clinicaltrials.gov/ct2/show/NCT03590743.

3. Kearon C, Akl EA, Ornelas J, Blaivas A, Jimenez D, Bounameaux H, et al. Antithrombotic Therapy for VTE Disease: CHEST Guideline and Expert Panel Report. Chest 2016;149:315-352.

4. Labropoulos N, Webb KM, Kang SS, Mansour MA, Filliung DR, Size GP, et al. Patterns and distribution of isolated calf deep vein thrombosis. J Vasc Surg 1999;30:787-791.

5. Palareti G. How I treat isolated distal deep vein thrombosis (IDDVT). Blood 2014;123:1802-1809.

6. Righini M, Galanaud J-P, Guenneguez H, Brisot D, Diard A, Faisse P, et al. Anticoagulant therapy for symptomatic calf deep vein thrombosis (CACTUS): a randomised, double-blind, placebo-controlled trial. The Lancet Haematology 2016;3:e556-e562.

7. Schwarz T, Buschmann L, Beyer J, Halbritter K, Rastan A, Schellong S. Therapy of isolated calf muscle vein thrombosis: a randomized, controlled study. J Vasc Surg 2010;52:1246-1250.

8. Utter GH, Dhillon TS, Salcedo ES, Shouldice DJ, Reynolds CL, Humphries MD, et al. Therapeutic Anticoagulation for Isolated Calf Deep Vein Thrombosis. JAMA Surg 2016;151:e161770.

PART V

특이 상황에서 정맥 혈전-색전증의 약물치료

22
CHAPTER

항응고치료 금기증 환자에서 심부정맥혈전증의 치료

Management of deep vein thrombosis in patients with contraindication to antithrombotic therapy

| 허선희 | 성균관의대 삼성서울병원 혈관외과

심부정맥혈전증 환자에서 항응고제치료의 목적은 정맥혈전증의 진행(progression)과 폐색전증(pulmonary embolism, PE) 발생을 방지하는 것이다. 항응고제사용은 출혈의 위험을 동반하기 때문에 이 약재의 사용 시에는 출혈의 위험성과 항응고제치료로 얻을 수 있는 이득을 고려한 후 개별 환자에서 항응고제사용 여부를 판단해야 한다.

이 장에서는 출혈의 위험성이 너무 높기 때문에 항응고제를 사용할 수 없는 환자에서 심부정맥혈전증의 치료에 대해 기술하고자 한다.

항응고제사용과 관련한 출혈 위험성 판단 (Risk of bleeding)

2016 ACCP guideline (The antithrombotic guidelines of the 2016 American College of Chest Physicians)에서는 항응고제사용과 관련 한 출혈의 위험성을 아래와 같이 3 그룹으로 나누었으며 그 위험인자(risk factor)는 표 22-1과 같다.

출혈의 위험성을 판단함에 있어서 위험인자

표 22-1. Risk factors for bleeding with anticoagulant therapy and estimated risk of major bleeding according to risk category

Categorization of risk of bleeding	
Low	no bleeding risk factors* 0.8% annualized risk of major bleeding
Moderate	one bleeding risk factor 1.6% annualized risk of major bleeding
High	two or more bleeding risk factors ≥ 6.5% annualized risk of major bleeding

* Risk factors: age > 65 or 75 years, previous bleeding, cancer, metastatic cancer, renal failure, liver failure, thrombocytopenia, previous stroke, diabetes, anemia, antiplatelet therapy, poor anticoagulant control, comorbidity and reduced functional capacity, recent surgery, frequent fall, alcohol abuse, non-steroidal anti-inflammatory drug

가 많을수록 그 위험성이 증가하는 것은 당연하지만 각각의 위험인자의 중증도(severity)를 고려해서 판단해야 하며, 일정 기간이 지난 후에는 위험 인자의 지속 여부를 다시 확인하여 항응고제사용 가능 여부를 재평가하여야 한다.

하대정맥 필터(IVC filter)

(1) 목적 및 적응증

항응고제를 사용할 수 없는 심부정맥혈전증 환자의 경우 폐색전증의 위험성이 상대적으로 높고 이는 사망의 원인이 될 수 있으며 높게는 1년 이내 사망률이 22%까지 보고되고 있다. 하대정맥 필터(IVC filter)란 하대정맥(inferior vena cava) 내에 필터를 삽입하는 것으로 항응고제에 절대적 금기를 가진 환자나 항응고제사용으로 인한 출혈 등의 부작용으로 항응고제를 더 이상 사용할 수 없는 환자에서 치명적인 폐색전증(life-threatening pulmonary embolism)을 예방하기 위한 방법이다. 표 22-2은 하대정맥 필터 사용의 적응증과 금기증을 요약한 표이다.

하대정맥 필터 삽입에 대한 Evidence-Based Guidelines이 권고되어 있으나 여러 그룹에서 하대정맥 필터 삽입의 상대적인 적응증(relative expanded indication)을 근거로 실제 임상에서는 항응고제를 사용하고 있음에도 불구하고 무분별하게 하대정맥 필터를 삽입하고 있어 문제가 되고 있다. 여러 연구 결과에서 항응고제 단독 사용한 그룹과 하대정맥 필터와 항응고제를 동시에 사용한 그룹에서 하대정맥 필터 삽입에 따른 추가적인 이득이 없었음이 보고되어 있으므로 항응고제치료를 시행할 수 있는 환자에게서 무분별하게 하대정맥 필터를 삽입하는 것은 삼가해야 할 것으로 생각된다.

표 22-2. Evidence-based guidelines, Relative expanded indications, and contraindications to vena cava filter placement

Evidence-Based Guidelines
• Documented VTE with contraindication to anticoagulation
• Documented VTE with complications of anticoagulation
• Recurrent PE despite therapeutic anticoagulation
• Documented VTE with inability to achieve therapeutic anticoagulation

Relative Expanded Indications
• Poor compliance with anticoagulation
• Free-floating iliocaval thrombus
• *Renal cell* carcinoma with renal vein extension
• Venous thrombolysis/thromboembolectomy
• Documented VTE and limited cardiopulmonary reserve
• Documented VTE with high risk for anticoagulation complications
• Recurrent PE complicated by pulmonary hypertension
• Documented VTE-cancer patient
• Documented VTE-burn patient
• Documented VTE-pregnancy
• VTE prophylaxis-high-risk surgical patients
• VTE prophylaxis-trauma patients
• VTE prophylaxis-high-risk medical condition

Contraindications
• Chronically occluded vena cava
• Vena cava anomalies
• Inability to access the vena cava
• Vena cava compression
• No location in the vena cava available for placement

PE, Pulmonary embolism; VTE, venous thromboembolism

(Rutherford's vascular surgery and endovascular therapy, 9th edition)

(2) 해부학적 고려사항 및 시술 과정

하대정맥 필터(IVC filter)는 혈전의 생성을 예방하거나 없애는 것이 아니라 정맥혈류내의 혈전을 단순히 포착함으로써 폐색전증을 예방하기 위한 목적으로 만들어졌으며, 하대정맥 벽에 고정되어 필터의 이동(migration)을 방지할 수 있는 미늘(barb)과 필터가 하대정맥의 중심에 잘 위치시켜 혈전을 효과적으로 포착할 수 있도록 고안된 strut로 구성되어 있다. 현재 사용 가능한 하대정맥 필터는 여러 종류가 있으며 이는 크게 permanent type와 retrieval type으로 나눌 수 있고, retrievable type 필터는 나중에 카테타를 이용한 필터 제거를 위해 apical hook을 가지고 있다. 두 가지 유형의 필터 중 선택은 환자가 폐색전증 위험에 노출되는 기간 혹은 항응고제사용이 불가능한 기간에 따라 선택할 수 있다.

하대정맥 필터를 삽입하기 전 반드시 알아야 할 사항은 환자가 정상적인 하대정맥의 해부학적 구조를 가지고 있는지 혹은 하대정맥 및 주변 정맥의 기형을 가지고 있지는 확인할 필요가 있다. 하대정맥 및 주변 정맥의 대표적인 기형은 신정맥 기형(renal vein anomalies), IVC transposition, IVC duplication, IVC agenesis 등이 있다. 하대정맥 필터는 신정맥이 유입되는 부위보다 낮은 쪽의 하대정맥에 필터를 삽입하는 것이 일반적이지만 간혹 하대정맥 내 광범위한 혈전(IVC thrombosis)이 있거나, 신정맥 하방에 삽입한 하대정맥 필터의 위치가 잘못되어 다시 넣어야 하는 경우(malposition of infrarenal IVC filter), 임신 기간 중 IVC filter 삽입이 필요한 경우 등에서는 신정맥 상방의 필터(suprarenal IVC filter) 삽입이 시행되는 경우도 있다.

하대정맥 필터 삽입술은 fluoroscopy를 이용하여 venography를 시행하면서 삽입하는 방법(venographically guided filter placement)이 일반적으로 사용되지만 그 외에도 복부 초음파를 이용하는 방법(Transabdominal Duplex Ultrasound–Guided Filter Placement), 혈관내초음파를 이용하는 방법(Intravascular Ultrasound–Guided Filter Placement) 등이 사용될 수 있으며 이는 환자 개개인의 상태 및 시술자의 선호에 따라 시술방법을 선택 될 수 있다.

(3) 하대정맥 필터삽입술 후 합병증

최근 하대정맥 필터와 관련된 여러가지 합병증 및 부작용이 문제 시 되고 있다. 미국 FDA에서 발표한 보고에 따르면 2005년부터 2010년 사이 총 921개의 하대정맥 필터 삽입술 후 필터 관련 부작용 중 migration이 가장 흔하였고, 그 외에도 embolization, IVC perforation, filter fracture, IVC occlusion 등의 합병증들이 보고되어 있다. 표 22-3은 하대정맥 필터 삽입술 후 발생할 수 있는 합병증을 정리한 표이다.

Retrieval filter의 경우 폐색전증의 위험이 더 이상 없다면 하대정맥 필터를 제거함으로써 필터로 인하여 발생할 수 있는 합병증을 예방할 수 있다. 하대정맥 필터 삽입술을 시술 혹은 지시한 의사는 더 이상 하대정맥 필터가 필요치 않다고 판단되는 환자에서는 하대정맥 필터 제거의 책임감을 가져야 하며, 하대정맥 필터 제거 시에는 먼저 혈관내시술로 필터 제거가 가능

표 22-3. IVC filter related complications

Cause	Complication
Vascular access complication	• Bleeding • Access site thrombosis
Filter complication	• Filter tilt (> 15 degree) (Fig. 1) • Filter migration (≥ 2 cm) • Incomplete opening of the filter
Operator errors	• Filter placement in non-target location • Incorrect orientation of the filter
Post-procedure complication	• Thrombosis • Filter fracture • IVC penetration (Fig. 2)
Filter retrieval complication	• Filter fracture during retrieval • IVC injury

한지 여부와 필터 제거에 따를 수 있는 위험성 및 환자의 건강 상태를 고려하여야 할 것이다. IVC filter tilting이 있는 환자에서는 filter tip이 하대정맥 벽에 붙어서 혈관내시술로 IVC filter 제거가 어려운 경우도 있다(그림 22-1).

간헐적 압박 요법(Intermittent pneumatic compression, IPC)

간헐적 압박 요법은 급성기 심부정맥혈전증의 치료보다는 정맥혈전증 발생을 예방할 목적으로 흔히 사용된다. 특히 뇌내 출혈(intracranial hemorrhage)이나 위장관 출혈 등 항응고제치료

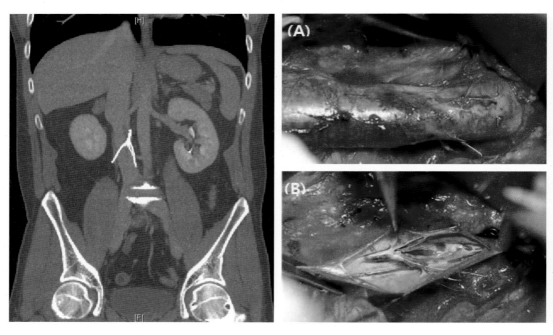

■ 그림 22-1. (Left) Lateral tilting of the IVC filter on a coronal CT Image, (Right, top) penetration (arrow) of filter struts through the IVC wall on the operative finding, and (Right, bottom) an apical hook (arrow) of the tilted IVC filter was embedded in the IVC wall by overlying endothelization which makes an endovascular retrieval of the filter difficult with a snaring catheter (사진제공, 김 영욱 교수)

가 금기인 환자에서 심부정맥혈전증 발생의 예방에 효과가 있다는 많은 연구 결과들이 발표된 바 있고, 최근 거동이 불가한 급성 뇌졸중 환자에서 간헐적 하지압박 요법을 사용한 환자군에서 이를 사용하지 않은 환자군에 비해 증상이 있는 심부정맥혈전증(symptomatic DVT) 발생빈도를 유의하게 낮춘다고 발표하였다(CLOT 3 trial, 6.3% vs 4.6%, P=0.045). 이러한 연구 결과들을 바탕으로 ACCP 가이드 라인에서는 VTE 발생의 고위험군이면서 항응고제치료의 금기인 환자에서 VTE 발생을 예방하기 위해 간헐적 압박 요법을 사용할 것으로 권고하고 있으며 항응고제치료를 할 수 있는 환자에서는 항응고제와 함께 간헐적 압박 요법을 병행하여 사용할 것을 권고하고 있다.

간헐적 압박 요법의 부작용으로는 피부가 약한 고령의 환자에서 피부가 벗겨지거나 상처가 발생할 수 있고, 피부 감염이 있거나 울혈성 심부전증으로 심한 하지부종이 동반된 환자에서는 주의를 요한다. 그리고 종종 peroneal nerve palsy 등이 발생할 수도 있으므로 주의해야 한다. 말초 동맥 폐색으로 하지 허혈(limb ischemia)이 있는 환자에서는 IPC 사용을 피해야 한다.

압박 스타킹(Compression stocking) 착용

압박 스타킹은 종아리에 압박을 가함으로써 하지의 정맥혈류 정체를 막고, 종아리 근육의 펌프 기능을 도와주는 역할을 하는 것으로 심부정맥혈전증 환자의 치료 및 예방에 대한 많은 연구 결과들이 있었다. 심부정맥혈전증의 치료

목적은 크게 두 가지로 나눌 수 있는데, 초기 하지 통증과 부종 그리고 급성 폐색전증(acute PE)으로 인한 사망률을 줄이는 것과 후기의 post thrombotic syndrome (PTS, 혈전 후 증후군)을 줄이는 것이다. 압박 스타킹이 혈전 후 증후군 발생빈도를 줄이는 효과가 있다는 과거의 연구 결과들을 바탕으로 30-40 mmHg 압력의 허벅지 타입의 압박 스타킹이 권고되기도 하였다. 하지만 근래에 발표된 다기관 무작위 대조 시험 연구에서 압박 스타킹을 착용한 환자군은 이를 착용하지 않은 환자군에 비하여 혈전 후 증후군 발생률을 유의하게 감소시키지 않았을 뿐만 아니라 초기 3개월 동안 유의한 통증 감소 효과도 보이지 않았다고 발표하였다. 이 연구 결과를 바탕으로 2016 ACCP 가이드 라인에서는 심부정맥혈전증 환자에서 혈전 후 증후군을 예방하기 위하여 압박 스타킹을 필수적으로(routine use) 착용하는 것을 삼가하도록 변경하였다. 다만 이 권고안은 압박 스타킹 착용이 혈전 후 증후군 발생의 예방 효과가 미미하다는 것을 의미하는 것으로 급성 혹은 만성 심부정맥혈전증 환자에서 부종 등의 증상의 감소시키기 위해 압박 스타킹은 착용하는 것은 여전히 고려할 수 있다고 밝히고 있다.

조기 보행 및 하지 거상(Early ambulation and leg elevation)

과거에는 급성 심부정맥혈전증 환자에게 침상 안정(Bed rest)이 권장되었으나, 최근에는 하지압박 요법(compression)과 조기 보행(early ambulation)이 침상 안정(Bed rest)에 비해 정맥혈전의 파급(propagation)을 줄이고, 통증과 부종을 줄이는데 효과적이라는 연구 결과들이 있었고, 이 연구 결과들을 근거로 최근의 가이드라인에서는 더 이상 급성 심부정맥혈전증 환자에게 침상 안정(Bed rest)이 권고되지는 않는다. 하지거상(leg elevation)은 급성기 환자에서 부종을 감소시키고 통증을 완화하는데 효과가 있으며, 이때 특히 심장보다 높이 다리를 올리는 것이 추천되고 있다.

요약 🔒

1) 심부정맥혈전증 환자의 치료는 항응고제를 사용하여 혈전의 진행(progression)과 폐색전증을 방지하는 것이 주된 치료이다. 그러나 항응고제사용은 출혈의 위험성 때문에 환자 개개인에서 항응고제사용의 이득과 위험을 고려하여 항응고제치료 시행 여부를 결정해야 한다.

2) 뇌내출혈, 위장관출혈 등으로 인해 항응고제를 사용할 수 없는 심부정맥혈전증 환자의 경우 폐색전증 발생의 위험이 상대적으로 높기 때문에 이를 예방하기 위해 하대정맥 필터(IVC filter) 삽입을 할 수 있다.

3) 항응고제 단독 사용한 환자군과 하대정맥 필터 삽입과 항응고제치료를 동시에 시행한 환자군과의 치료 효과 비교에서 하대정맥 필터 삽입과 관련한 추가적인 이득이 없음이 보고되어 있으므로 항응고제치료를 시행하는 환자에서 하대정맥 필터를 삽입하는 것은 피해야 한다.

4) 하대정맥 필터 삽입과 관련한 합병증으로 filter migration, IVC penetration, filter fracture, IVC thrombosis 등의 합병증이 발생할 수 있으므로 항응고제사용 가능성 여부에 대한 재평가 후에 항응고제를 사용할 수 있는 환자에서는 하대정맥 필터 제거를 적극적으로 고려해야 한다.

5) 간헐적 하지압박 요법(intermittent pneumatic compression, IPC)은 항응고제치료가 금기인 환자에서 심부정맥혈전증 예방 목적으로 사용할 수 있다.

6) 심부정맥혈전증 환자에서 혈전 후 증후군(post-thrombotic syndrome, PTS)을 예방하기 위하여 압박 스타킹 착용의 효과는 입증되지 않았기 때문에 모든 환자에서 사용하는 것은 권고되지 않지만, 급성 심부정맥혈전증의 증상의 경감이나 재발 방지를 위하여 사용하는 것은 고려될 수 있다.

7) 압박 요법(compression) 과 조기 보행(early ambulation)이 침상 안정(Bed rest)에 비하여 정맥혈전의 파급(propagation)을 예방하고, 통증과 부종을 줄이는데도 효과적이다.

참고문헌

1. Kearon C, Akl EA, Comerota AJ, Prandoni P, Bounameaux H, Goldhaber SZ, et al. Antithrombotic therapy for VTE disease: Antithrombotic Therapy and Prevention of Thrombosis, 9th ed: American College of Chest Physicians Evidence-Based Clinical Practice Guidelines. Chest 2012;141:e419S-e96S.

2. Kearon C, Akl EA, Ornelas J, Blaivas A, Jimenez D, Bounameaux H, et al. Antithrombotic Therapy for VTE Disease: CHEST Guideline and Expert Panel Report. Chest 2016;149:315-52.

3. Witt DM, Nieuwlaat R, Clark NP, Ansell J, Holbrook A, Skov J, et al. American Society of Hematology 2018 guidelines for management of venous thromboembolism: optimal management of anticoagulation therapy. Blood Adv 2018;2:3257-91.

4. Turner TE, Saeed MJ, Novak E, Brown DL. Association of Inferior Vena Cava Filter Placement for Venous Thromboembolic Disease and a Contraindication to Anticoagulation With 30-Day Mortality. JAMA Netw Open 2018;1:e180452.

5. Young T, Tang H, Hughes R. Vena caval filters for the prevention of pulmonary embolism. Cochrane Database Syst Rev 2010:Cd006212.

6. Stein PD, Matta F, Hull RD. Increasing use of vena cava filters for prevention of pulmonary embolism. Am J Med 2011;124:655-61.

7. Anton N. Sidawy BAP. Rutherford's Vascular Surgery nineth edition ed; 2014.

8. Mismetti P, Laporte S, Pellerin O, Ennezat PV, Couturaud F, Elias A, et al. Effect of a retrievable inferior vena cava filter plus anticoagulation vs anticoagulation alone on risk of recurrent pulmonary embolism: a randomized clinical trial. JAMA 2015;313:1627-35.

9. Kaufman JA, Kinney TB, Streiff MB, Sing RF, Proctor MC, Becker D, et al. Guidelines for the use of retrievable and convertible vena cava filters: report from the Society of Interventional Radiology multidisciplinary consensus conference. J Vasc Interv Radiol 2006;17:449-59.

10. US Food and Drug Administration. Inferior vena cava (IVC) filters: initial communication: risk of adverse events with long term use. Posted online August 9, 2010. https://wayback.archive-it.org/7993/20161022180008/http://www.fda.gov/MedicalDevices/Safety/AlertsandNotices/ucm221676.htm. Accessed May 25, 2017.

11. Grewal S, Chamarthy MR, Kalva SP. Complications of inferior vena cava filters. Cardiovasc Diagn Ther 2016;6:632-41.

12. Morales JP, Li X, Irony TZ, Ibrahim NG, Moynahan M, Cavanaugh KJ, Jr. Decision analysis of retrievable inferior vena cava filters in patients without pulmonary embolism. J Vasc Surg Venous Lymphat Disord 2013;1:376-84.

13. Pavon JM, Adam SS, Razouki ZA, McDuffie JR, Lachiewicz PF, Kosinski AS, et al. Effectiveness of Intermittent Pneumatic Compression Devices for Venous Thromboembolism Prophylaxis in High-Risk Surgical Patients: A Systematic Review. J Arthroplasty 2016;31:524-32.

14. Morris RJ, Woodcock JP. Intermittent pneumatic compression or graduated compression stockings for deep vein thrombosis prophylaxis? A systematic review of direct clinical comparisons. Ann Surg 2010;251:393-6.

15. Cohen AT, Tapson VF, Bergmann JF, Goldhaber SZ, Kakkar AK, Deslandes B, et al. Venous thromboembolism risk and prophylaxis in the acute hospital care setting (ENDORSE study): a multinational cross-sectional study. Lancet 2008;371:387-94.

16. Dennis M, Sandercock P, Reid J, Graham C, Forbes J, Murray G. Effectiveness of intermittent pneumatic compression in reduction of risk of deep vein thrombosis in patients who have had a stroke (CLOTS 3): a multicentre randomised controlled trial. Lancet 2013;382:516-24.

17. Brandjes DP, Buller HR, Heijboer H, Huisman MV,

특이 상황에서 정맥 혈전-색전증의 약물치료

de Rijk M, Jagt H, et al. Randomised trial of effect of compression stockings in patients with symptomatic proximal-vein thrombosis. Lancet 1997;349:759-62.

18. Kahn SR, Shapiro S, Wells PS, Rodger MA, Kovacs MJ, Anderson DR, et al. Compression stockings to prevent post-thrombotic syndrome: a randomised placebo-controlled trial. Lancet 2014;383:880-8.

19. Blattler W, Partsch H. Leg compression and ambula-tion is better than bed rest for the treatment of acute deep venous thrombosis. Int Angiol 2003;22:393-400.

20. Partsch H, Blattler W. Compression and walking versus bed rest in the treatment of proximal deep ve-nous thrombosis with low molecular weight heparin. J Vasc Surg 2000;32:861-9.

23
CHAPTER

임산부에서 급성 정맥혈전색전증의 약물치료

Pharmacotherapy of acute venothromboembolism in pregnant women

| **박의준** | 계명대학교 동산병원 이식혈관외과

Abbreviations and Acronyms

- DVT: deep vein thrombosis
- HIT: heparin induced thrombocytopenia
- INR: international normalized ratio
- IPC: intermittent pneumatic compression
- IVC: inferior vena cava
- LMWH: low molecular weight heparin
- DOAC: direct oral anticoagulant
- PE: pulmonary embolism
- PTS: post-thrombotic syndrome
- UFH: unfractionated heparin
- VKA: vitamin K antagonist
- VTE: venous thromboembolism
- 임부: 임신 중에 있는 여성
- 산부: 출산 중에 있는 여성
- 임산부: 임부와 산부 모두를 일컫는 용어
- 산모: 갓 출산을 한 여성

개요

임신은 그 자체가 혈전증이 발생할 수 있는 위험인자로 여겨진다. 실제로, 임신 중 VTE의 위험은 일반인에 비해 약 2-4배 높다고 알려져 있다. 임신과 관련하여 VTE의 발생이 증가하는 것은 정맥저류와 혈액 과응고상태가 원인으로 생각된다.

임산부에서는 VTE와 관련하여 진단과 항응고제치료를 함에 있어 일반인과 달리 고려할 점이 많다. 임산부에서는 태아의 방사선 노출이란 문제를 고려하여 진단 도구를 사용해야 한다. 임산부에서는 VTE로 진단되어 치료를 할 때도 약제의 효과뿐 아니라, 태아와 산모에 대한 안전성이 고려되어야 하며, 또한 출산 전후 출혈 문제까지 고려해야 하기 때문에 더 많은 주의를 요한다.

임신 중 항응고제치료의 목표는 산모와 태아 모두를 생각해야 한다. 산모에서는 정맥혈전증의 합병증이 발생하지 않도록 해야 하고, 동시에 태아에서는 항응고제 사용에 따른 출혈 및 태아손상이 발생하지 않도록 해야 한다. 임신 중에는 항응고제에 대한 체내 흡수, 분포, 대사 및 배설이 지속적으로 변하기 때문에, 이 문제에 관해서도 부가적인 지식이 필요하다.

약제의 부작용, 처방에 대한 순응도(compliance), 환자 및 산과 의사가 고려하고 있는 출산의 방법 및 시기에 대해서도 충분히 고려하여 처방을 하여야 한다. 마지막으로, 출산 후 모유수유시기에는 어떤 항응고제를 선택하는 것이 바람직한지 고민하여야 한다.

임신과 혈전증

(1) 임신 중 혈전증 위험성

임산부는 출산 시 발생할 수 있는 과다 출혈에 대응하기 위한 준비로 응고항진상태(hypercoagulable state)가 되는데, 응고인자인 VII, VIII, X, vWF, 피브리노겐이 증가하고, protein S는 감소 한다. 응고항진상태는 출산 직후에 정점에 도달하게 되며, 출산 후 8-12주에 정상수준으로 회복된다. 임신 중 혈액응고상태의 변화만 생각한다면, 혈전증 발생 위험이 가장 높은 시기는 출산 직후라고 생각할 수 있지만, 반드시 그런 것은 아니다. VTE는 출산 직후에 가장 높은 빈도로 발생한다. 인공심장판막과 관련된 동맥색전의 위험은 오히려 임신 첫 3개월에 가장 높다.

(2) 출산 과정 중 출혈 위험

출산 과정은 항상 출혈 위험을 안고 있다. 자연분만을 위해 국소마취를 하거나 제왕절개수술을 예상하는 경우에는 출산에 임박해서는 반감기가 긴 항응고제는 중단하고, 반감기가 짧은 약제로 전환하여 항응고 효과는 극대화하지만, 출혈의 위험은 최소화하는 조절이 필요하다. 미국마취통증의학회는 VKA를 사용하는 경우 출산 시 INR을 1.5이하로, LMWH 사용하는 경우에는 적어도 출산 12-24시간 전에 중단할 것을 권고하고 있다.

(3) 임신 중 신장 투과율(glomerular filtration rate, GFR)의 변화

신장 투과율(GFR)은 임신 8주부터 증가하여 임신 2기에 정점에 이르러 출산 직후까지 증가된 상태로 유지된다. 그래서 신장으로 배설되는 약제는 임신 주기에 따라 적극적인 용량 조절이 필요하므로 주의를 요한다.

임산부에서 VTE의 진단

임산부에서는 하지부종이나 통증 또는 흉부통증이나 호흡곤란의 증상이 혈전증과 관련 없이도 흔히 나타날 수 있기 때문에, DVT나 PE를 임상적으로 감별하는 것은 일반인에 비해 용이하지 않다. 임상적으로 DVT가 의심되거나 PE가 의심되는 환자에서 실제 DVT나 PE로 진단되는 경우가 임산부에서는 각각 8%와 5%로 상당히 낮은 것으로 알려져 있다. 일반 환자에서 D-dimer가 DVT나 PE를 배제하는 좋은 검사방법이기는 하지만, 임산부에서는 특이성(specificity)이 낮기 때문에 유용성이 없다.

하지의 정맥혈전증을 진단하는 것은 조영제 및 방사선 노출을 피하기 위해 초음파로 진단하는 것이 가장 좋은 방법이다. 방사선 사용이 필요한 경우에는 태아에 대한 방사선 노출에 대해 세심한 주의를 기울여야 한다. 태아가 위치한 복부에 납차폐를 시행하고 검사를 하고, 방사선 노출시간을 최소화하여야 한다.

임산부에서 항응고제치료

임산부에서 항응고치료를 시작할 때는 항응고치료에 따른 위험과 이득을 고려하여야 한다. 그리고 다음의 두 가지 사항에 대해서도 고려하여야 하는데, 첫째는 임신 기간과 모유수유 기간에 걸쳐서 임산부의 건강뿐만 아니라 태아의 건강까지 함께 고려하여 치료 방법을 결정하여야 하며, 둘째는 많은 여성은 임신을 어떤 질환의 상태라기 보다는 정상적인 생의 한 과정으로 인식한다는 것도 치료과정에서 고려하여야 할 사항이다.

항응고치료로 발생할 수 있는 잠재적인 위험은 산모 출혈, 태아 기형이 있고, 치료에서는 짧지 않은 임신 기간 동안 LMWH을 자가 주사해야 하는 어려움도 있다. 이러한 위험은 항응고치료를 하여 얻게 될 이득(예, 혈전증의 합병증 예방 또는 치료, 기형이 없는 건강한 태아의 출산)에 견주어서 치료의 방법을 결정하여야 한다.

(1) 임산부에서 항응고제치료에 따르는 부작용

산모에서 항응고치료에 따르는 부작용의 발생은 일반인에서와 비슷한 것으로 알려져 있다. 항응고제의 일반적인 부작용으로는 출혈, HIT, 골다공증, 피하출혈, 국소적 알러지, 주사 부위 통증 등이 있다. 항응고제별로 특성과 합병증에

차이가 있기 때문에 여러 약제 각각에 대한 부작용을 이해하고 환자의 상황에 적합한 항응고제를 선택하여 사용하는 것이 필요하다고 생각되어 아래에 각 약제별로 기술한다.

1) UFH

임산부에서 PE의 치료 또는 예방 목적으로 UFH을 사용할 수 있다. 예방 목적의 UFH 사용은 일반적으로 권장량의 UFH를 하루 2-3회 나누어 피하주사하는 방법이 사용된다. 치료목적으로 UFH을 사용하는 경우는 지속적 정맥주입 방법을 사용하고 매 6시간마다 aPTT를 검사해서 aPTT가 목표수준을 유지하도록 주입속도를 조절한다.

임신기간 중에는 헤파린 결합단백(heparin binding protein), 응고인자 VIII, 피브리노겐이 증가하기 때문에 UFH에 대한 aPTT의 반응이 감소할 수 있다. 따라서, 임산부에서는 일반인에 비해 aPTT 목표치를 유지하기 위한 헤파린 투여량이 다소 높을 수 있다. 임산부에서 치료 목표의 aPTT를 유지하기 위해 더 많은 용량의 헤파린을 사용하게 되는 상황에서도 출혈의 위험은 증가하지는 않는 것으로 알려져 있다. 최근 한 연구에서 UFH을 사용하는 임산부에서 출산과 관련한 심각한 출혈의 위험은 약 1%로, 헤파린 또는 와파린을 사용하는 비임산부에서의 출혈과 유사한 빈도임을 보고하였다. 치료용량의 UFH을 피하주사하는 경우 UFH의 효과가 마지막 주사 후 28시간까지 지속될 수 있기 때문에 출산을 앞둔 임산부에서는 권장되지 않는다. 피하주사한 UFH의 효과가 연장되는 이유는 명확

하지 않으며, UFH을 정맥주사 하였을 때는 이 같은 약효 연장 효과는 나타나지 않는다.

여러가지 원인에 의해 임산부에서는 혈소판 감소증이 드물지 않게 나타나기 때문에, 헤파린 사용에 의한 HIT인지 다른 원인으로 인한 혈소판 감소증인지 감별하여야 한다. 서구에서는 일반인에서 헤파린을 사용하는 경우 HIT의 발생률은 약 3%로 알려져 있으나, 우리나라에서는 HIT의 정확한 유병률을 알 수는 없지만 흔히 발견되는 합병증은 아니다.

항응고치료가 지속적으로 필요한 임산부에서 혈소판 감소증이 HIT로 인한 것으로 진단되면, heparinoid 제품인 danaparoid sodium을 사용할 수 있는데 이 약제는 효과적인 항응고제이면서 UFH과 교차반응(cross reaction)이 적고, 태반을 통과하지 않기 때문이다(참고로 danaparoid sodium은 미국에서는 2002년에 의약품 시장에서 철수한 상태며, 국내에도 현재 들어오지 않은 약품이다).

UFH을 장기간 사용하는 경우 골다공증 발생률이 증가한다. 1개월 이상 장기적으로 UFH을 사용하는 환자에서 골다공증으로 인한 척추 골절이 2-3%, 골밀도 감소는 약 30%의 환자에서 발생하는 것으로 보고된다. 고령의 일반 환자에서 UFH을 3-6개월 피하주사하는 경우 골다공증에 따른 골절의 유병률을 15%까지도 보고하고 있으므로 장기간 UHF을 사용할 때는 골다공증의 발생 가능성에 대한 주의를 기울여야 한다.

그 외에도 UFH의 사용과 관련해서 피하출혈, 두드러기성 발진, 제4형 지연성 과민반응,

혈관염 및 이로 인한 피부괴사 등의 부작용에 대해서도 주의를 요한다. 이러한 피부 합병증의 정확한 유병률은 아직까지는 보고된 바가 없다.

2) LMWH

임산부에서 혈전증의 예방이나 치료를 위해서 LMWH이 가장 널리 사용되고 있다. 임산부에서 LMWH이 UFH에 비해 좋다는 명확한 근거는 부족하지만, 일반인에서 LMWH 치료가 UFH에 비해 안전하면서 효과적이라는 여러 연구결과들이 LMWH 사용의 준거가 되는 것으로 생각된다.

여러 후향적 연구나 체계적 문헌고찰에 따르면, LMWH 치료를 받는 임산부에서 심각한 출혈성 합병증 발생 빈도는 높지 않은 것으로 보고되는데 이는 출산 전, 0.43%; 출산 후, 0.94%; 창상 혈종, 0.61%; 그리고 전체 출혈성 합병증, 1.98%로 보고되어 있다.

골다공증과 관련하여서는 LMWH의 사용이 UFH에 비해 골다공증의 발생빈도가 낮게 보고되어 있다. 임산부에서 혈전증 예방 목적의 LMWH 투약군과 위약 투약군에서 골밀도 변화의 차이를 비교한 결과 두군 간 차이가 없다는 보고도 있다. 여러 연구에서 LMWH이 골다공증 문제에 있어서는 더 안전한 것으로 보고하고 있지만, LMWH에서도 골다공증 및 골절의 합병증이 발생한다는 보고들이 있기 때문에 LMWH을 사용하는 환자에서도 골다공증은 간과할 수 없는 합병증이다. LMWH 사용 후 골다공증 발생 환자에서는 골다공증의 다른 위험인자가 있기 때문에 발생하는 것으로 이해되고 있

으나 위험인자가 정확히 무엇인지에 대해서는 밝혀진 바가 없다.

LMWH 사용 후 피부 합병증은 UFH에서와 동일한 합병증들이 나타날 수 있지만, 발생률은 낮으며 증상은 대부분 경미하다. 그렇지만 LMWH 사용 후 합병증이 나타날 때도 HIT에 의한 합병증은 아닌지 고려하여야 한다.

(2) 항응고제 사용과 관련한 태아 합병증

1) VKA

VKA는 태반을 통과하기 때문에 사산, 태아 출혈 또는 태아 기형이라는 중대한 문제를 야기할 수 있다. Chan 등은 인공 심장판막 수술 시행 후 VKA를 복용 중인 산모와 태아에서 발생한 부작용에 대해 1966년에서 1997년까지 보고된 문헌을 체계적으로 고찰하여 VKA의 부작용에 대한 보고를 하였다. 이들은 대상 환자를 (1) 임신 전기간 동안 VKA를 복용한 군 (2) 임신 6-12주에는 UFH로 대체하여 사용한 군 (3) 임신 전기간 동안 UFH을 사용한 군으로 나누어 비교 하였을 때, VKA를 전기간 사용한 군에서, 549명의 신생아 중 6.4% (95% CI, 4.6-8.9%)의 높은 선천성 기형 발병률을 보고하였다. 이후 2000년에서 2009년까지 문헌 고찰을 통한 후속 보고에서도 VKA를 전기간 사용한 군에서 이전 보고보다는 다소 낮지만 3.7% (95% CI, 1.9-4.8%)의 기형아 발병률을 보고하였다.

이들 보고에서 VKA로 인한 기형 중 가장 흔한 것은 중안면 발육부전증(midfacial hypoplasia)과 점성골단(stippled epiphyses)이다. 이는 사지 발육부전으로 이어질 수 있다. 임신 중 VKA를 사용한 산모에서 사지발육부전(limb hypoplasia)이 많게는 30%까지 보고되고 있다. 태아 기형은 주로 임신 첫 3개월에 VKA를 사용한 경우에 발생하였다. 임신 6주가 되기 전에 VKA를 UFH로 대체하면 태아 기형의 위험은 없으며, 이러한 사실은 임신 6주까지는 VKA의 사용이 비교적 안전하다는 것을 의미한다. Chan 등은 VKA를 복용하는 임산부에서 제태기간 6주가 되기 전에 UFH으로 대체하였을 때, 125명의 신생아 출산 중 기형의 발생은 없었다고 보고하였다. 한 유럽의 다기관 연구에서도 마지막 생리주기의 시작일로부터 8주가 되기 전에 VKA를 중단한 경우 235명의 신생아 중 기형의 발생은 없었다고 보고하였다.

VKA는 임신 기간과 상관없이 태아의 중추신경계장애를 일으킬 수 있다. 손상은 dorsal midline dysplasia (agenesis of corpus callosum, Dandy-Walker malformation, midline cerebellar atrophy)와 ventral midline dysplasia (optic atrophy)의 두 가지 형태로 나타날 수 있는데, 발생 빈도가 흔치는 않다.

한 연구에서 VKA를 임신 제2-3기에 사용하는 것은 태아의 성장과 발달에 있어 심각한 장애는 유발하지 않지만, VKA에 노출이 없었던 대조군에 비해서 VKA를 사용한 산모의 아이들에서 어느 정도의 신경발달장애 위험은 있는 것으로 보고하였고(OR,1.7; 95% CI,1.0-3.0), 신경발달장애는 심각하지는 않아서 두 군간 인지평가 결과에는 차이가 없었음을 보고하였다.

태아의 간은 미성숙한 단계로 비타민 K 의

존성 응고인자의 수치가 낮은 상태이기 때문에, 산모에서 VKA의 사용은 유산 또는 태아 출혈이라는 심각한 합병증의 위험을 가지고 있다. 특히, 태아의 혈액응고장애는 출산 중 출혈의 문제를 일으킬 수 있다. 이러한 출산에 따르는 출혈의 위험은 출산 예정일 3주 전부터 UFH 또는 LMWH으로 바꾸거나, 출산에 임박해서 단기간 항응고제를 중단하는 방법 등으로 줄일 수 있다. 일부에서는 임신 38주 경에 2-3일간 짧은 기간 동안 항응고제 사용을 중단한 상태로 제왕절개 수술을 시행하는 것을 권장하기도 한다. 그러나 제왕절개 수술 자체에 따르는 태아의 위험이 있으며, 다른 원인(eg. immune thrombocytopenia purpura)으로 뇌출혈 위험이 높은 태아에서는 이 같은 방법은 권장되지 않는다.

2) UFH / LMWH

UFH은 태반을 통과하지 않기 때문에 태아 출혈 또는 태아기형 발생의 위험은 없지만, 자궁과 태반 사이의 출혈 위험이 있다. 여러 연구를 통해서 UFH 사용은 태아에 대해서는 안전한 것으로 알려져 있다. LMWH도 태아에 비교적 안전한 약제다. LMWH을 투여 중인 산모의 태아에서 혈액 내 anti-Xa의 활성도 검사를 하였을 때 LMWH은 태반을 통과하지 않는 것으로 확인되었다. 또한, LMWH과 태아 출혈 또는 태아 기형과의 발생 관련에 대한 보고는 아직도 없다.

3) DOAC

DOAC의 임상연구에서 임산부는 제외되었기 때문에, 임산부 사용에서의 안전성 여부에 대해서는 별로 알려진 것이 없다. Dabigatran과 rivaroxaban의 경우 동물실험에서 생식기관 독성에 대한 보고가 있다.

4) Aspirin

아스피린은 태반을 통과하는 약제로 동물실험에서는 태아에서 기형 발생의 위험이 증가하는 것으로 알려져 있다. 임신 중 아스피린 사용의 안전성에 대한 연구들이 다수 있으며, 31개의 RCT를 바탕으로 한 메타분석에서 임신 중 아스피린의 사용은 유산, 태아 출혈 또는 성장지연 등이 증가하지 않는 것으로 나타났다. 그렇지만, 이들 31개의 RCT중 8개의 연구에서는 임신 제1기에 아스피린에 노출된 산모에서 gastroschisis의 발생이 약 2배(OR, 2.37; 95% CI, 1.44-3.88) 증가했다는 보고도 있으나, 위험도 측정에 있어서 연구들 간의 이견이 있음은 고려되어야 할 사항이다.

일부 인구기반 연구(population-based study)에서 수정기에 아스피린을 복용하는 것은 유산의 위험을 높인다는 보고가 있으나, 전체 가임 인구군에서 아스피린 복용자의 비율이 낮고, 아스피린의 용량이 불명확하며, 아스피린을 복용 중이던 인구에서도 유산과 연관이 있을 수 있는 다른 의학적 상황의 가능성이 배제되지 않았다는 한계가 있다. 그 후에 시행된 아스피린과 유산의 상관성을 보기 위한 연구에서 임신 제1기나 2기에서 아스피린 투여군과 위약 투여군을 비교하였을 때 아스피린은 유산의 위험을 증가시키지 않는다고 결론을 지었다.

임신을 계획 중인 여성에서 혈전증 예방

혈전증 예방을 위해 VKA를 복용 중인 여성이 임신을 계획하는 경우, 임신과 출산 동안 항응고 예방 치료를 어떻게 할 것인지? 그리고 항응고제 투여에 따르는 부작용 등에 대해서 상담을 거쳐서 시작하여야 한다. 이러한 상담 후에도 환자가 임신을 원하는 경우 태아 손상을 방지하기 위해 다음의 두 가지 방법을 고려할 수 있다.

1. 임신 검사를 자주 시행하고, 임신이 확인되면 VKA를 LMWH 또는 UFH으로 대체하는 방법
2. 임신을 시도할 때부터 VKA를 LWMH 또는 UFH으로 대체하는 방법

첫 번째 방법은 임신 초기 4-6주 까지는 VKA가 안전하다는 추정 하에 고려되는 방법이며, 두 번째 방법은 임신이 언제 될지 모르는 상황에서 UFH이나 LMWH을 장기간 주사제로 사용하여야 한다는 것이 환자에게 부담이 되는 일이다. 그러나 이 방법은 VKA 사용에 따른 초기 유산의 위험을 감소시키는 장점이 있기는 하다.

수유 중인 산모에서 항응고제치료

산모가 사용하는 약제가 모유수유를 통해 신생아에게 영향을 나타내려면, 우선 약제가 모유로 분비되어야 할 뿐 아니라, 신생아의 위장관에서 약제가 신생아의 체내로 흡수되어야 한다. 약제가 모유로 분비되지 않아도 신생아에게 영향을 미치지 않을 것이고, 신생아의 위장에서 흡수되지 않는 경우도 마찬가지다. 지방에 잘 용해되면서 분자량이 작고 단백질과 잘 결합하지 않는 약제는 모유로 잘 분비되면서 신생아 위장관 흡수가 잘 되어 신생아에서 약제의 영향이 나타나게 된다.

(1) VKA

VKA가 모유를 통해 신생아에게 악영향을 미친다는 근거가 별로 없는데도, 임상에서 모유수유 중인 산모에게 VKA를 투여하는 것은 주저된다. Phenindione, anisindione, phenprocoumon 등은 북미에서는 거의 사용되지 않는 VKA로, 이들은 극성이 적고, 지방 용해성이 높아 모유를 통해 분비되는 약제이다. 반면, warfarin은 극성이 있으며, 지방에 용해되지 않고, 단백결합율이 높아 모유를 통한 분비가 없으며, warfarin을 복용 중인 신생아에서 항응고 효과를 나타내지 않는다. 따라서, 출산 후 모유수유중인 산모가 항응고제치료가 필요한 경우, warfarin과 acenocoumarol은 안전하게 사용할 수 있다.

(2) UFH / LMWH

UFH은 분자량이 크고, 강력한 음전하를 띠기 때문에 모유를 통해 분비되지 않으며, 따라서 모유수유중인 산모에서 안전하게 사용될 수 있다.

LMWH의 경우 산모에게 투여된 약제 중 소량이 모유를 통해 분비되는 것으로 알려져 있으나, 태아의 경구로 투여된 LMWH은 생체이용률이 극히 낮아서 임상적인 의미는 없기 때문에, 수유 중인 산모에서도 사용할 수 있다.

(3) Danaparoid sodium

Danaparoid가 모유를 통해 분비되는지에 대한 연구는 많지 않다. Danaparoid를 투여하는 산모를 대상으로 한 증례보고에서 유즙 내 anti-Xa 활성도가 없거나, 매우 낮은 것으로 보고되며, danparoid sodium이 유즙을 통해 분비되더라도 경구로 투여되었을 때 위장관에서 흡수되지 않기 때문에, 모유수유를 받고있는 신생아에서 항응고 효과를 나타내지는 않는다.

(4) Fondaparinux

Fondaparinux 제조사의 설명서에 따르면 fondaparinux는 수유 중인 쥐에서 유즙을 통해 분비되는 것으로 알려져 있으나, 사람에서 모유를 통해 분비되는지에 대한 보고는 없다. Fondaparinux는 음전하를 띈 과당류(oligosaccharide)로, 경구를 통해 투여될 경우 아주 소량만이 위장관에서 흡수된다. 하지만 제조사 권고에 따르면, 모유수유 중인 산모에서 fondaparinux는 주의해서 사용하여야 한다.

(5) DOAC

DOAC은 임상연구에서 모유수유중인 산모는 제외대상이었기 때문에 안전성에 대한 보고는 없다. Rivaroxaban의 제조사 설명서에 따르면 동물실험에서 약제가 유즙으로 분비되는 것으로 되어 있다. Dabigatran과 rivaroxaban 모두 제조사는 모유수유 중인 산모에서는 이들 약제의 사용을 금하고 있다.

(6) Aspirin

Aspirin은 극성물질이며, 지방용해도가 낮고, 혈중 단백과 결합을 잘함에도 불구하고, 산모가 복용할 경우 유즙을 통해 살리실산(salicylate)의 형태로 분비된다. 따라서, 높은 용량의 아스피린을 복용하는 산모가 모유수유를 할 경우 신생아에서 위장장애, 혈소판 기능이상 등의 문제가 발생할 수 있다. 아스피린을 지속적으로 복용하는 산모로부터 모유수유를 받는 신생아에서 대사성 산혈증(metabolic acidosis)을 보고한 증례가 있으며, 이론적으로는 이들 신생아에서는 레이증후군(Reye Syndrome)이 발생할 가능성이 있다. 그러나, 임신 후반기의 저용량 아스피린(< 100 mg/day)의 사용은 신생아의 혈소판 기능에 특별한 문제를 일으키지 않는다. 한 전향적 연구는 아스피린을 복용하는 산모에서 모유수유를 하는 신생아에서 특별한 합병증이 발견되지 않는 것으로 보고하여, 저용량의 아스피린은 모유수유 중인 산모에서도 안전하게 사용할 수 있다.

임산부에서 VTE의 치료

서구에서 PE은 산모 사망의 주요 원인으로 알려져 있으며, 임신과 관련된 VTE는 중요한 문제로 여겨진다. 연구들에 따르면, 임산부에서 VTE의 유병률은 1000분만당 0.6-1.7회로 나타난다. 메타분석에 따르면, 임신에 따른 DVT의 2/3는 출산 전에 발병하는데, 발생의 시기는 임신의 전 기간에 걸쳐 고르게 분포된다고 한다. 반면, PE의 경우 43-60%가 출산 후 4-6주에 발생하는 것으로 되어 있어서 DVT와 PE는 그 발생 시기에 차이를 보인다.

(1) 임신기간 중 VTE의 치료

임신기간 중 VTE의 치료는 태아의 안전성을 고려할 때 VKA에 비해 UFH 또는 LMWH을 사용하는 것이 권고된다. LMWH은 UFH에 비해 생체이용률이 뛰어나며, 혈중 반감기가 길고, 용량의 예측성이 높기 때문에 UFH에 비해 선호된다. 또한, LMWH의 경우 임산부에서 장기간 사용 시 골다공증이나 혈소판 감소증 발생 빈도가 UFH에 비해 낮고, 용법도 UFH과 달리 1일 1회 치료가 가능하여 편리하며, 혈액 검사를 통한 monitoring도 필요하지 않다는 장점이 있다.

여러 연구에서 임신 중 LMWH 치료는 안전한 것으로 보고되고 있으며, VKA에 비해 VTE의 재발에서도 더 효과적이고, 출혈성 합병증도 낮고, PTS (post-thrombotic syndrome) 발생 또한 적은 것으로 알려져 있다(표 23-1).

LMWH을 사용할 때는 체중에 맞추어 용량을 조절하지만 임산부의 체중이 임신 시기에 따라 변하기 때문에 체중 변화를 관찰하면서 투약 용량을 조절하여야 한다. 하루 1회 용량 투여가 환자 순응도가 좋기 때문에 임상에서 선호되고 있으며, 하루 2회 투여는 효과면에서는 차이가 없는 것으로 알려져 있다.

임신 시기에 따라 GFR (glomerular filtration rate)이 변화하는데, 이것에 따라 용량을 조절하여야 하는지에 대해서는 논란이 있다. 일부에서는 주기적으로(1-3개월 마다) LMWH을 투여한 후 4-6시간 뒤에 혈중 anti-Xa level이 목표치(0.6-1.0 units/mL in bid regimen, higher in a once daily regimen)에 도달하는지 확인하여 용량을 조절하여야 한다고 주장한다. 그러나, 용량 조절이 필요한 지에 대해서도 논란이 있을 뿐 아니라, 용량 조절에 따른 유효성과 안전성에 대한 연구가 아직은 부족한 실정이다.

신부전증 환자에서는 LMWH을 사용하지 않는 것이 좋고, UFH을 사용하는 것이 합당하다. UFH은 1) 초기에는 정맥투여 하고 그 후 adjusted-dose UFH bid투여하는 방법과 2) 처음부터 adjusted-dose UFH bid 투여하는 두 가지의 용법이 있다. 피하주사를 하는 경우 UFH용량은 주사 후 6시간에 측정한 aPTT가 치료 목

표 23-1. LMWH versus VKA for treatment of VTE in pregnant women.

Outcomes	No. of participants /follow-up (month)	Relative Effect (95% CI)	Anticipated absolute effects	
			Risk with VKA	Risk difference c LMWH
VTE Recurrence	2496 (7RCTs) /6mo	RR 0.62 (0.46-0.84)	30 VTE/1000	11 fewer VTE/1000
Major Bleeding	2727 (8RCTs) /6mo	RR 0.81 (0.55-1.20)	20 bleeding/1000	4 fewer bleeding/1000
PTS	100 (1RCT) /3mo	RR 0.85 (0.77-0.94)	480 PTS/1000	38 fewer PTS/1000

LMWH=low morelecular heparin; PTS=post-thrombotic synbdrome; VKA=vitamin K antagonist; RCT, randomized controlled trial

표치 범위에 들어가도록 용량을 조절하여야 한다(표 23-1).

　치료 용량(therapeutic dose)의 LMWH이나 UFH으로 항응고치료를 한 이후, 약제의 용량을 줄여서 지속적으로 치료하는 extended therapy에 대해서는 논란이 있다. 일부 연구자들은 임신 전기간 그리고 출산 이후까지 치료 용량의 LMWH 또는 UFH을 사용하여야 한다고 주장하는 반면, 일부에서는 치료의 후기에는 intermediate-dose나 치료 용량의 75%로 유지하는 것을 주장하는 경우도 있다. 후자의 경우 암 환자와 같이 장기간 지속적으로 항응고치료를 하여야 하는 경우에 용량을 감량하여 성공적으로 치료한 경험에 비추어, 장기간 항응고치료를 하여야 하는 임산부에서도 항응고제의 용량을 감량하면, 출혈이나 골다공증 등의 합병증의 위험을 줄일 수 있을 것이라는 주장이다. 아직 용량 감량의 유효성과 안전성에 대한 연구가 이루어진 것은 없다.

　임신과 관련된 VTE에서 적절한 치료 기간에 대한 연구는 없다. 일반인에서 VTE의 경우 최소 3개월 치료를 하여야 하며, 원인이 불명확한 unprovoked DVT는 6개월 치료가 권장된다. 임신으로 인한 VTE의 위험이 일반인에 비해 5-10배가 높고, 임신과 관련된 VTE는 근위부 DVT가 많기 때문에, 임신 전기간에 걸쳐서 항응고제

표 23-2. Anticoagulation regimen definitions

Anticoagulation Regimen	Anticoagulation Dosage
Prophylactic LMWH	Enoxapain 40 mg SC once daily Dalteparin 5000U SC once daily Tinzaparin 4500U SC once daily Nadroparin 2850U SC once daily
Intermediate-dose LMWH	Enoxapain 40 mg SC every 12 hrs Dalteparin 5000U SC every 12 hrs
Adjusted-dose (therapeutic) LMWH	Enoxapain 1 mg/Kg SC every 12 hrs Dalteparin 100U/Kg SC every 12 hrs Dalteparin 200U/Kg SC once daily Tinzaparin 175U/Kg SC once daily Target: anti-Xa level 0.6-1.0U/mL 6hours after last dose in bid; slightly higher level in QD dose
Prophylactic dose UFH	1st trimester, 5,000-7,500U SC every 12 hrs 2nd trimester, 7,500-10,000U SC every 12 hrs 3rd trimester, 10,000U SC every 12 hours, unless the aPTT is elevated
Adjusted-dose (therapeutic) UFH	UFH, 10,000 units or more SC every 12 hours In doses adjusted to target aPTT in the therapeutic range (INR 1.5- 2.5) 6 hours after injection

aPTT, activated partial thromboplastin time; INR, international normalized ratio; LMWH, low-molecular-weight heparin; SC, subcutaneously; UFH, unfractionated heparin; VTE, venous thromboembolism

치료를 할 뿐만 아니라 출산 후 3개월까지 항응고제치료를 할 것이 권장된다(표 23-2).

(2) VTE 치료 중인 환자에서 분만

VTE로 인해 항응고치료를 받고 있는 산모의 분만은 관련 임상의사들이 함께 모여 분만 방법과 시기, 약제의 조절에 대해 결정하는 것이 바람직하다. 여러 가지 방법이 고려될 수 있는데, 분만 방법으로는 자연분만, 유도분만 또는 출산 일정을 정해서 제왕절개술을 시행하는 방법이 있다.

1) 유도분만 또는 제왕절개술

Adjusted-dose의 LMWH 또는 UFH을 피하주사하고 있는 임산부에서 경막외마취(epidural anesthesia) 후 유도분만, 또는 제왕절개를 계획하고 있다면, 항응고제의 효과가 출산까지 지속되지 않도록 하기 위해서 항응고제 투여 용량 혹은 투여 시간을 조절해야 한다. LMWH이든 UFH이든 하루 두 번 주사하고 있는 경우는 척추 마취나 제왕절개 수술 24시간 전에 중단해야 한다. 또한 LMWH을 하루 한 번 주사를 하는 경우는 출산계획일 하루 전에 용량을 50% 감량

표 23-3. Timing of neuraxial anesthesia in relation to pharmacologic anticoagulation

Dosage Regimen	Intrapartum, Elective Procedure	Intrapartum, Urgent/ Emergent Procedure	Postpartum
UFH prophylaxis (7500U SC bid or 10000U SC bid)	Hold dose for 12 hours and assess coagulation status before neuraxial anesthesia	Hold dose for 12 hours and assess coagulation status before neuraxial anesthesia. However, in urgent cases with greater competing risks from general anesthesia, placement of neuraxial anesthesia may be appropriate	Wait at least 1 hour after neuraxial blockade and catheter removal before restarting heparin
UFH adjusted-dose (10000U/dose or 20000U/day)	Hold dose for 24 hours and assess coagulation status before neuraxial anesthesia	If at least 24 hours since last dose and aPTT within normal limits or undetectable anti-Xa, likely low risk for neuraxial blockade	Wait at least 1 hour after neuraxial blockade or catheter removal before restarting heparin
Low-dose LMWH prophylaxis	Wait 12 hours after last dose before neuraxial blockade	Insufficient data to make a recommendation for placement of neuraxial blockade less than 12 hours from last dose of LMWH. In high risk situations in which intervention is needed, risks of general anesthesia may outweigh risks of spinal epidural hematoma	Wait at least 12 hours after neuraxial blockade and at least 4 hours after catheter removal to restart LMWH prophylaxis
LMWH intermediate-dose or adjusted-dose	Wait 24 hours after last dose before neuraxial blockade	If less than 24 hours, insufficient evidence to recommend proceeding with neuraxial blockade	Consider waiting at least 24 hours after neuraxial blockade and at least 4 hours after catheter removal to restart LMWH anticoagulation

LMWH, low-molecular-weight heparin; SC, subcutaneously; UFH, unfractionated heparin; VTE

PART V

특이 상황에서 정맥 혈전-색전증의 약물치료

하여 주사하고, 출산계획일에는 주사를 하지 않아야 한다. 처방 약제와 임상 상황에 따른 약제 조절 방법을 표 23-3에서 정리하였다.

근위부 DVT나 PE등이 있으면서 혈전증 재발의 위험이 높은 임산부의 경우 출산예정일이 다가오면 유도분만 또는 제왕절개를 계획하여, 항응고제를 중단하는 시기를 최소화하면 출혈을 위험과 혈전재발의 위험을 모두 줄일 수 있다.

출산 2주 내에 근위부 DVT나 PE가 있는 혈전증 재발의 위험이 매우 높은 환자의 경우, 출산 예정일 전에 IV UFH을 사용하면서 제왕절개나 근막외마취를 시행하기 4-6시간 전에 IV UFH을 중단하는 방법을 사용할 수 있다. 이들 환자에서는 일시적으로 IVC 필터를 삽입하고 출산 후 제거하는 방법을 선택할 수도 있다.

IVC 필터의 경우, 모든 환자에게 적용하기보다는 적절한 항응고치료를 하였는데도 불구하고 재발성 PE가 있는 고위험 환자에 제한적으로 사용하는 것이 바람직하다.

2) 자연분만

자연분만을 계획하고 있다면 경막외마취는 하지 않는 것이 바람직하다. UFH으로 치료를 받는 임부에서 진통으로 자연분만을 진행하는 경우, aPTT를 측정하여 연장되어 있으면 protamine sulfate를 투여할 수 있다. LMWH을 투여받던 환자에서 출산 후 일반적이지 않은 출혈을 하는 경우도 protamine sulfate를 투여하면 완전하지는 않지만 일부분 약제의 중화효과를 기대할 수 있다.

요약 🔒

1) 일반 환자에서 D-dimer가 DVT나 PE를 배제하는 좋은 검사방법이기는 하지만, 임산부에서는 특이성(specificity)이 낮기 때문에 유용성이 없다.

2) 임산부에서 하지정맥혈전증을 진단하는 것은 조영제 및 방사선 노출을 피하기 위해 초음파로 진단하는 것이 가장 좋은 방법이다.

3) 임산부에서의 VTE 치료는 태아와 산모 양자에 대한 안전성이 고려되어야 하며, 출산 전후 출혈 문제까지 고려해야 하기 때문에 더 많은 주의를 요한다.

4) 임산부에서는 VTE의 치료와 예방을 위해 LMWH을 사용하는 것이 권고된다.

5) VTE로 치료를 받던 환자가 임신을 하는 경우 임신 전 기간에 걸쳐서 VKA보다 LMWH을 사용하는 것이 권고된다.

6) VTE로 장기적인 VKA치료를 받는 환자가 임신을 준비중인 경우, LMWH으로 당장 바꾸는 것 보다는 임신 검사를 자주 시행하여 임신이 확인 된 경우에 LMWH으로 바꾸는 것이 바람직하다.

7) 임산부에서 DOAC (dabigatran, rivaroxaban, apixaban)의 사용은 피하여야 한다.

8) Warfarin, LMWH 또는 UFH을 사용하는 산모가 모유수유를 원하는 경우, 약제를 그대로 사용하며, fondaparinux와 DOAC은 다른 약제로 바꾸어야 한다.

9) 수유중인 산모가 다른 혈관질환의 치료목적으로 저용량의 아스피린을 사용하는 경우, 그대로 사용한다.

10) 임산부에서 급성 VTE가 발생한 경우 adjusted-dose의 LMWH을 피하주사하는 것이 권고된다.

11) 임산부에서 급성 VTE가 발생한 경우 임신 전기간 동안 항응고제를 사용하고 출산 후 최소 6주 이상 사용하도록 권장한다.

12) VKA 사용으로 인한 태아 기형은 주로 임신 첫 3개월에 VKA를 사용한 경우에 발생하며, 임신 6주가 되기 전에 VKA를 UFH 혹은 LMWH으로 대체하면 태아 기형의 위험은 없어진다.

13) LMWH 또는 UFH을 사용하고 있는 임산부가 분만을 계획하는 경우, 분만 24시간 전에 약제를 중단하는 것이 바람직하다.

참고문헌 //

1. Anderson DR, Ginsberg JS, Burrows R, Brill-Edwards P. Subcutaneous heparin therapy during pregnancy: a need for concern at the time of delivery. Thromb Haemost. 1991;65(3):248-250.

2. Bar-Oz B, Bulkowstein M, Benyamini L, et al. Use of antibiotic and analgesic drugs during lactation. Drug Saf. 2003;26(13):925-935.

3. Bates SM, Greer IA, Middeldorp S, Veenstra DL, Prabulos AM, Vandvik PO. VTE, thrombophilia, antithrombotic therapy, and pregnancy: Antithrombotic Therapy and Prevention of Thrombosis, 9th ed: American College of Chest Physicians Evidence-Based Clinical Practice Guidelines. Chest. 2012;141(2 Suppl):e691S-e736S.

4. Bauersachs RM, Dudenhausen J, Faridi A, et al. Risk stratification and heparin prophylaxis to prevent venous thromboembolism in pregnant women. Thromb Haemost. 2007;98(6):1237-1245.

5. Beyth RJ, Quinn LM, Landefeld CS. Prospective evaluation of an index for predicting the risk of major bleeding in outpatients treated with warfarin. Am J

Med. 1998;105(2):91-99.

6. Byrd LM, Shiach CR, Hay CR, Johnston TA. Osteopenic fractures in pregnancy: is low molecular weight heparin (LMWH) implicated? J Obstet Gynaecol. 2008;28(5):539-542.

7. Carlin AJ, Farquharson RG, Quenby SM, Topping J, Fraser WD. Prospective observational study of bone mineral density during pregnancy: low molecular weight heparin versus control. Hum Reprod. 2004;19(5):1211-1214.

8. Chan WS, Anand S, Ginsberg JS. Anticoagulation of pregnant women with mechanical heart valves: a systematic review of the literature. Arch Intern Med. 2000;160(2):191-196.

9. Douketis JD, Ginsberg JS, Burrows RF, Duku EK, Webber CE, Brill-Edwards P. The effects of long-term heparin therapy during pregnancy on bone density. A prospective matched cohort study. Thromb Haemost. 1996;75(2):254-257.

10. Eikelboom JW, Anand SS, Malmberg K, Weitz JI, Ginsberg JS, Yusuf S. Unfractionated heparin and low-molecular-weight heparin in acute coronary syndrome without ST elevation: a meta-analysis. Lancet. 2000;355(9219):1936-1942.

11. Greer IA, Nelson-Piercy C. Low-molecular-weight heparins for thromboprophylaxis and treatment of venous thromboembolism in pregnancy: a systematic review of safety and efficacy. Blood. 2005;106(2):401-407.

12. Hall JG, Pauli RM, Wilson KM. Maternal and fetal sequelae of anticoagulation during pregnancy. Am J Med. 1980;68(1):122-140.

13. Hassouna A AH. Anticoagulation of pregnant women with mechanical heart valves: a systemic review of the literature (2000-2009). J Coagul Disorders. 2010;1(2):81-88.

14. Hunt BJ, Doughty HA, Majumdar G, et al. Thromboprophylaxis with low molecular weight heparin (Fragmin) in high risk pregnancies. Thromb Haemost. 1997;77(1):39-43.

15. Ito S, Blajchman A, Stephenson M, Eliopoulos C, Koren G. Prospective follow-up of adverse reactions in breast-fed infants exposed to maternal medication. American journal of obstetrics and gynecology. 1993;168(5):1393-1399.

16. James AH, Brancazio LR, Price T. Aspirin and reproductive outcomes. Obstet Gynecol Surv. 2008;63(1):49-57.

17. Kozer E, Costei AM, Boskovic R, Nulman I, Nikfar S, Koren G. Effects of aspirin consumption during pregnancy on pregnancy outcomes: meta-analysis. Birth Defects Res B Dev Reprod Toxicol. 2003;68(1):70-84.

18. Lefkou E, Khamashta M, Hampson G, Hunt BJ. Review: Low-molecular-weight heparin-induced osteoporosis and osteoporotic fractures: a myth or an existing entity? Lupus. 2010;19(1):3-12.

19. Lepercq J, Conard J, Borel-Derlon A, et al. Venous thromboembolism during pregnancy: a retrospective study of enoxaparin safety in 624 pregnancies. BJOG. 2001;108(11):1134-1140.

20. McKenna R, Cole ER, Vasan U. Is warfarin sodium contraindicated in the lactating mother? J Pediatr. 1983;103(2):325-327.

21. Monreal M, Lafoz E, Olive A, del Rio L, Vedia C. Comparison of subcutaneous unfractionated heparin with a low molecular weight heparin (Fragmin) in patients with venous thromboembolism and contraindications to coumarin. Thromb Haemost. 1994;71(1):7-11.

22. Pettila V, Leinonen P, Markkola A, Hiilesmaa V, Kaaja R. Postpartum bone mineral density in women treated for thromboprophylaxis with unfractionated heparin or LMW heparin. Thromb Haemost. 2002;87(2):182-186.

23. Prandoni P, Lensing AW, Piccioli A, et al. Recurrent venous thromboembolism and bleeding complications during anticoagulant treatment in patients with

cancer and venous thrombosis. Blood. 2002;100(10):3484-3488.

24. Richter C, Sitzmann J, Lang P, Weitzel H, Huch A, Huch R. Excretion of low molecular weight heparin in human milk. Br J Clin Pharmacol. 2001;52(6):708-710.

25. Rodger MA, Kahn SR, Cranney A, et al. Long-term dalteparin in pregnancy not associated with a decrease in bone mineral density: substudy of a randomized controlled trial. J Thromb Haemost. 2007;5(8):1600-1606.

26. Rosfors S, Noren A, Hjertberg R, Persson L, Lillthors K, Torngren S. A 16-year haemodynamic follow-up of women with pregnancy-related medically treated iliofemoral deep venous thrombosis. Eur J Vasc Endovasc Surg. 2001;22(5):448-455.

27. Sanson BJ, Lensing AW, Prins MH, et al. Safety of low-molecular-weight heparin in pregnancy: a sys-

tematic review. Thromb Haemost. 1999;81(5):668-672.

28. Schaefer C, Hannemann D, Meister R, et al. Vitamin K antagonists and pregnancy outcome. A multi-centre prospective study. Thromb Haemost. 2006;95(6):949-957.

29. van Driel D, Wesseling J, Sauer PJ, van Der Veer E, Touwen BC, Smrkovsky M. In utero exposure to coumarins and cognition at 8 to 14 years old. Pediatrics. 2001;107(1):123-129.

30. warfarin therapy for long-term prevention of recurrent venous thromboembolism. N Engl J Med. 2003;349(7):631-639.

31. Warkentin TE, Levine MN, Hirsh J, et al. Heparin-induced thrombocytopenia in patients treated with low-molecular-weight heparin or unfractionated heparin. N Engl J Med. 1995;332(20):1330-1335.

PART V

특이 상황에서 정맥 혈전−색전증의 약물치료

24
CHAPTER

표재성 혈전정맥염의 약물치료

Pharmacotherapy of superficial thrombophlebitis

| 김향경 | 울산의대 서울아산병원 혈관외과

표재성 혈전정맥염(Superficial thrombophlebitis) 또는 표재성 정맥혈전증(superficial venous thrombosis)은 정맥내혈전 형성과 더불어 정맥벽의 염증이 발생하는 질환이다. 전통적으로 양성 질환으로 간주되었지만, 심부정맥혈전증(deep venous thrombosis, DVT)과 폐색전증(pulmonary embolism, PE) 등의 심각한 합병증과 연관되어 발생할 수도 있다.

대규모 연구에 따르면 표재성 혈전정맥염은 심부정맥혈전증보다 6배나 더 빈번하게 발생하며, 연간 발생률은 0.64 %정도로 보고되었다. 표재성 혈전정맥염은 하지에서 더 흔하게 관찰되며, 이중 60-80 %에서 대복재정맥(great saphenous vein, GSV)에서 발생한다.

표재성 혈전정맥염의 위험 인자는 일반적인 정맥혈전증의 위험 인자와 유사하며 활동성 악성 종양 또는 암 치료, 수술, 장기간의 침상안정(bed rest), 비만, 임신 혹은 경구 피임제 등 홀몬제 투여, 정맥혈전증의 과거력 또는 가족력 및 유전성 혈전증 등과 관련되어 있다. 또한 하지 정맥류가 있는 환자에서도 정맥류의 합병증으로도 흔히 발생한다.

일반적으로 표재성 혈전정맥염의 진단은 만져지는 끈 모양(cord like)의 홍반, 열감, 압통 등을 포함한 특징적인 징후 및 증상을 바탕으로 임상적으로 이루어지는 경우가 많다. 그러나 임상적 특징만으로는 다른 질환과의 감별진단이 어려울 수 있고 실제 침범 범위를 정확히 알 수 없는 경우가 많다. 이중주사초음파(duplex ultrasonography)는 확진을 위해 이용되며 병변의 범위를 평가하거나 추적관찰을 하는 목적으로도 사용된다. 병변이 있는 혈관에서 압박이 되지 않는 저에코(low echogenicity) 부분이 있으면서 혈류가 관찰되지 않을 때 진단 내릴 수 있다.

표재성 혈전정맥염이 정맥류와 연관하여 발생한 경우에는 혈전이 대퇴정맥-복재정맥 접합부를 침범하였는지, 심부정맥을 침범하였는지의 평가가 필요하다. 정맥류와 연관되어 있지 않은 경우에는 기저질환에 대해 조사가 필요할 수 있으며, 정맥혈전증의 발생 위험성이 있는 환자에서는 과응고혈증(hypercoagulability)에 관한 선별검사가 필요할 수 있다.

표재성 혈전정맥염 환자의 약 4 -10%에서 폐색전증(pulmonary embolism, PE)이 동반될 수 있으므로 표재성 혈전정맥염으로 진단받은 경우 호흡곤란, 객혈 등 폐색전증 증상에 대해서도 주의 깊은 관찰이 필요하다.

표재성 혈전정맥염 환자에서 약물치료의 적응증

치료 방법과 치료 적응증에 대하여는 소규모의 연구가 대부분이고 평가항목이나 추적관찰 등이 다소 이질적이어서 표준치료법은 아직 정립되지 않은 상태이다.

정맥내삽관과 관련된 표재성 혈전정맥염에서는 일반적으로 항응고제는 사용하지 않으며 ACCP guideline에 따르면 정맥혈전증의 고위험군 환자나 심부정맥혈전증이 동반된 경우, 길이 5 cm 이상의 표재성 혈전정맥염 환자에서 항응고제 사용을 고려할 수 있다.

약물치료의 목적 및 효과

치료의 일차 목적은 국소 증상을 완화시키고 심부정맥으로의 파급을 막는 것이다.

표재성 혈전정맥염 환자에서 고려할 수 있는 약물치료로는 와파린, 저분자량 헤파린 (LMWH), 소염진통제 등이 있는데 이에 대한 연구 결과는 대상군의 환자수가 적고, 방법론적인 제약 때문에 치료 효과에 대한 뚜렷한 증거를 제시하지는 못하고 있다. The American

표 24-1. Anticoagulants for the treatment of superficial thrombophlebitis

약제명	작용기전	용량&용법	Monitoring 필요성	Contraindication 혹은 주의해야 할 환자	부작용
Fondaparinux	Factor Xa inhibition	예방적용량 혹은 2.5 mg sc (45일간)	없음	출혈위험성이 높은 환자 혹은 수술 전 환자	출혈, 혈소판감소증, 주사부위 국소자극, 간효소치 상승
Enoxaparin	Factor Xa inhibition	40-80 mg sc/day (45days)	없음	출혈위험성이 높은 환자 혹은 수술 전 환자, 기능장애	출혈, 혈소판감소증, 주사부위 국소자극, 간효소치 상승
Dalteparin	Factor Xa inhibition	5,000-10,000units sc/day (45days)	없음	출혈위험성이 높은 환자 혹은 수술 전 환자	출혈, 혈소판감소증, 주사부위 국소자극, 간효소치 상승
Rivaroxaban	Factor Xa inhibition	10 mg/day (45days)	없음	출혈위험성이 높은 환자 혹은 수술 전 환자	출혈, 고혈소판증, 가려움, 발진, 간효소치 상승

College of Chest Physicians (ACCP)의 권고안에 따르면 이전에 항응고제 치료를 받지 않았던 5 cm 이상의 표재성 혈전정맥염 환자에서 fondaprinux 나 LMWH을 예방적 용량으로 45일 간 사용할 것을 권고했으며, 이전에 항응고제 치료를 받았던 표재성 혈전정맥염 환자에서는 fondaprinux 2.5 mg/일 요법을 사용할 것을 권고했다.

약제

표재성 정맥혈전증에 사용하는 항응고제는 fondaparinux, LMWH, DOAC 등이 사용될 수 있으며 용법, 부작용 등은 표 24-1에 정리하였다.

최근 발표된 임상연구결과

CALISTO (Comparison of Arixtra in Lower Limb Superficial Vein Thrombosis with Placebo)

연구에서, 45일간 Fondaparinux 사용군과 위약 사용군의 비교에서 Fondaparinux 사용군에서 증상을 가진 혈전색전증의 발생률이 85%, 표재성 혈전증의 파급(progression)이 92%, 혈전 재발률이 79% 더 낮게 나타났음을 보고하였다. LMWH의 용법을 비교한 연구에서는 증상이 있는 혈전색전증의 발생률은 예방적 용량과 고용량의 LMWH 환자군에서 비슷하게 나타났으나, 정맥혈전의 파급률은 고용량 LMWH 환자군에서 의미있게 감소하였다.

45일간의 fondaparinux와 rivaroxaban치료를 비교한 연구에서는 rivaroxaban을 사용한 군에서 fondaparinux와 유사한 결과를 얻을 수 있었다.

소염진통제는 표재성 혈전정맥염의 국소적인 증상의 해소 목적으로 경험적으로 흔히 처방된다. 소염진통제와 저분자량헤파린을 비교한 연구에서 저분자량 페파린이 소염진통제에 비해 혈전정맥염의 파급을 줄이는 효과는 좋았으나 증상의 완화에 있어서는 유사하다고 하였다(표 24-2).

표 24-2. Studies on the treatment of superficial thrombophlebitis at the end of the study

Study	치료	치료 기간	Absolute event (%)		Relative risk (95%CI)	
			VTE	SVT	VTE	SVT
STENOX [19] (double blind placebo controlled RCT)	Placebo	8-12일	4.5	3.0	-	-
	LMWH(예방용량)		5.5	14.5	1.22(0.38-3.89)	0.44(0.26-0.74)
	LMWH(치료용량)		3.8	15.1	0.85(0.23-3.06)	0.46(0.27-0.77)
	NSAIDs		4.0	15.2	0.91(0.25-3.28)	0.46(0.27-0.78)
CALISTO [15]	Placebo	45일	1.7	5.3	-	-
	Fondaparinux		0.3	0.9	0.16(0.06-0.46)	0.16(0.09-0.29)
SURPRISE [17]	Fondaparinux	45일	0.8	5.5	-	-
	Rivaroxaban		2.5	4.2	3.0(0.61-14.71)	0.77(0.34-1.72)

요약 🔒

1) 이전에 항응고제 치료를 받지 않았던 5 cm 이상의 표재성 혈전정맥염 환자에서는 fondaparinux 나 LMWH을 예방적 용량으로 45일 간 사용한다.

2) 이전에 항응고제 치료를 받았던 표재성 혈전정맥염 환자에서는 fondaprinux 2.5 mg/일 요법으로 치료한다.

3) 기존연구들에서 항응고제 쪽에 배정된 환자에서 주요출혈 합병증을 보고하지 않았기 때문에 향후 합병증에 대한 연구가 더 필요하며 임상적으로 약제들을 사용할 때에는 출혈이나 위장 합병증에 대한 위험성을 감안하여야 한다.

참고문헌

1. Bauersachs RM. Diagnosis and treatment of superficial vein thrombosis. Hamostaseologie 2013; 33: 232-240.

2. Beyer-Westendorf J, Schellong SM, Gerlach H et al. Prevention of thromboembolic complications in patients with superficial-vein thrombosis given rivaroxaban or fondaparinux: the open-label, randomised, non-inferiority SURPRISE phase 3b trial. Lancet Haematol 2017; 4: e105-e113.

3. Bozzato S, Rancan E, Ageno W. Fondaparinux for the treatment of superficial vein thrombosis in the legs: the CALISTO study. Expert Opin Pharmacother 2011; 12: 835-837.

4. Chengelis DL, Bendick PJ, Glover JL et al. Progression of superficial venous thrombosis to deep vein thrombosis. J Vasc Surg 1996; 24: 745-749.

5. Decousus H, Epinat M, Guillot K et al. Superficial vein thrombosis: risk factors, diagnosis, and treatment. Curr Opin Pulm Med 2003; 9: 393-397.

6. Di Nisio M, Wichers IM, Middeldorp S. Treatment for superficial thrombophlebitis of the leg. Cochrane Database of Systematic Reviews 2018; 164.

7. Ellis MH, Fajer S. A current approach to superficial vein thrombosis. Eur J Haematol 2013; 90: 85-88.

8. Frappe P, Buchmuller-Cordier A, Bertoletti L et al. Annual diagnosis rate of superficial vein thrombosis of the lower limbs: the STEPH community-based study. J Thromb Haemost 2014; 12: 831-838.

9. Kearon C, Akl EA, Comerota AJ et al. Antithrombotic therapy for VTE disease: Antithrombotic Therapy and Prevention of Thrombosis, 9th ed: American College of Chest Physicians Evidence-Based Clinical Practice Guidelines. Chest 2012; 141: e419S-e496S.

10. Lensing AW, Prandoni P, Brandjes D et al. Detection of deep-vein thrombosis by real-time B-mode ultrasonography. N Engl J Med 1989; 320: 342-345.

11. Leon L, Giannoukas AD, Dodd D et al. Clinical significance of superficial vein thrombosis. Eur J Vasc Endovasc Surg 2005; 29: 10-17.

12. Lutter KS, Kerr TM, Roedersheimer LR et al. Superficial thrombophlebitis diagnosed by duplex scanning. Surgery 1991; 110: 42-46.

13. Nasr H, Scriven JM. Superficial thrombophlebitis (superficial venous thrombosis). Bmj 2015; 350: h2039.

14. Prandoni P, Tormene D, Pesavento R. High vs. low doses of low-molecular-weight heparin for the treatment of superficial vein thrombosis of the legs: a double-blind, randomized trial. J Thromb Haemost 2005; 3: 1152-1157.

15. Quere I, Leizorovicz A, Galanaud JP et al. Superficial venous thrombosis and compression ultrasound imaging. J Vasc Surg 2012; 56: 1032-1038.e1031.

16. Rathbun SW, Aston CE, Whitsett TL. A randomized trial of dalteparin compared with ibuprofen for the

treatment of superficial thrombophlebitis. J Thromb Haemost 2012; 10: 833-839.

17. Superficial Thrombophlebitis Treated By Enoxaparin Study G. A pilot randomized double-blind comparison of a low-molecular-weight heparin, a nonsteroidal anti-inflammatory agent, and placebo in the treatment of superficial vein thrombosis. Arch Intern Med 2003; 163: 1657-1663.

18. Unno N, Mitsuoka H, Uchiyama T et al. Superficial thrombophlebitis of the lower limbs in patients with varicose veins. Surg Today 2002; 32: 397-401.

19. Wichers IM, Di Nisio M, Buller HR, Middeldorp S. Treatment of superficial vein thrombosis to prevent deep vein thrombosis and pulmonary embolism: a systematic review. Haematologica 2005; 90: 672-677.

20. William D. James TB, Dirk M. Andrews' Diseases of the Skin: clinical Dermatology. Philadelphia: Saunders Elsevier,2006.

PART V 특이 상황에서 정맥 혈전-색전증의 약물치료

25
CHAPTER

만성 하지정맥기능부전 및 혈전 후 증후군의 약물치료

Pharmacotherapy of chronic venous insufficiency and post-thrombotic syndrome

| 노영남 | 계명대학교 의과대학 / 동산병원 이식-혈관외과

하지정맥기능부전을 가진 환자에서 사용되는 약제들은 흔히 VenoActive Drug (VAD, 정맥혈류 개선제)라고 부른다. 그러나 하지정맥류 및 정맥기능부전의 약물치료에 대해서는 아직까지 많은 논란이 있다. 다양한 인자들에 대해 다양한 약제가 개발되어 사용되고 있지만 그 기전이 불분명한 경우가 많고, 그 효과에 대해서도 과학적인 방법으로 검증되지 못한 부분이 많다. 그래서 많은 임상의사들은 이러한 VAD를 처방하면서도 이러한 약제들이 실제로 효과가 있는지, 있다면 그 효과는 얼마나 있는지에 대한 의문을 가지고 있다.

하지정맥기능부전의 치료 목표는 증상 개선, 합병증의 예방, 외형의 개선(미용적 개선) 등이다. 특별한 증상을 발생시키지 않는다면 추가적인 약물치료가 필요 없고, 생활습관 개선을 권고할 수 있으며, 증상이 심한 경우는 침습적인 치료가 권고된다.

혈전 후 증후군(post-thrombotic syndrome)은 발생 원인에 있어서는 일차성 만성정맥기능부전(primary chronic venous insufficiency)과 분명한 차이가 있지만, 그 증상이 유사하고 그 병태 생리에 있어 정맥고혈압(venous hypertension)이 주요한 작용을 한다는 공통점이 있다. 따라서 만성정맥기능부전에서 사용되는 VAD들이 혈전 후 증후군에서도 잠재적인 효용성이 있을 것으로 여겨진다.

VAD에 대한 대부분의 연구들은 만성정맥기능부전을 대상으로 시행되었지만, 혈전 후 증후군을 대상으로 하여 무작위 비교연구를 포함한 연구들이 있고, 여기에서는 VAD들이 혈전 후 증후군에서 불편감과 부종의 감소에 의미 있는 치료 효과를 보였다고 보고하고 있다. 현재까지 VAD 의 혈전 후 증후군에서의 치료 효용성에 대한 증거가 불충분하여 향후 연구를 통해 규명되어야 할 부분이 많다.

표 25-1. Classification of Venoactive Drugs (VAD)

Group	Substance	Origin
Alpha-benzopyrones	Coumarin	Melilot (Melilotus officinalis) Woodruff (Asperula odorata)
Gamma-benzopyrones (flavonoids)	Diosmin Micronized purified flavonoid fraction Rutin and rutosides 0-(β-hydroxyethyl)-rutosides (troxerutin, HR)	Citrus spp. (Sophora japonica) Rutaceae aurantiae Sophora japonica Eucalyptus spp. Fagopyrum esculentum
Saponins	Escin Ruscus extract	Horse chestnut seed extracts (Aesculus hippocastanum L) Butcher's broom (Ruscus aculeatus)
Other plant extracts	Anthocyans Proanthocyanidins (oligomers) Extracts of Ginkgo, heptaminol and troxerutin Total triterpene fraction	Bilberry (Vaccinium myrtillus) Red wine leaves extracts, Maritime pine (Pinus maritimus) Ginkgo biloba Centella asiatica
Synthetic products	Calcium dobesilate Benzaron Naftazon	Synthetic Synthetic Synthetic

Perrin M, Ramelet AA. Pharmacological treatment of primary chronic venous disease: rationale, results and
unanswered questions. (Eur J Vasc Endovasc Surg. 2011;41:117-125)

VAD는 다양한 종류의 약제들이 처방되고 있다. 이들이 정맥수축의 임상적 개선, 부종 및 염증의 감소, 미세순환개선 및 정맥궤양 치유에 미치는 영향에 대한 많은 보고가 있어 왔다. 이러한 VAD들은 증상을 완화시키거나 질병 진행을 지연시킬 목적으로 사용되며 근본적인 치료 방법이라고 말할 수는 없다.

이들 약제들을 그 원료와 작용기전에 따라 분류하면 표 25-1과 같다. 약리학적 및 임상적 특성에 관한 여러 연구에도 불구하고, 이들 약제의 작용기전은 아직도 명확히 밝혀지지는 않고 있다.

정맥혈류 개선제(VAD) 작용기전

이들 VAD들이 하지정맥기능부전의 개선과 관련하여 영향을 미칠 수 있는 기전은 아래와 같다.

1) Venous tone의 변화

대부분의 VAD들은 non-adrenergic pathway를 통해 정맥벽의 긴장(venous tone)을 증가시킨다고 알려진다. Micronized purified flavonoid fraction (MPFF), hydroxyethylrutoside, ruscus extract 등이 대표적인 약제들이다. 그러나 이들

이 venous tone를 증가시키는 정확한 기전은 아직까지 명확히 밝혀지지 않았다.

2) 모세혈관 저항(Capillary resistance) 변화

몇몇 연구들에서 VAD들이 모세혈관 저항(capillary resistance)을 증가시키고, 모세혈관의 투과성(capillary filtration)을 감소시킨다고 보고하였다. MPFF, rutoside, escin, ruscus extract, proanthocyanidine, calcium dobesilate 등에서 이러한 효과가 밝혀졌다. 특히 MPFF는 모세혈관 벽에 백혈구의 흡착(adhesion)을 억제하여 이러한 효과를 가져온다.

3) 임파관 순환(Lymphatic drainage)의 개선

Coumarine은 임파부종의 개선에 효과가 있는 것으로 알려졌다. Coumarine 단독 또는 rutine과의 병합을 통해 임파액의 흐름을 개선시키고, 단백질 용해를 자극하여 고단백 성분의 부종을 감소시킨다고 알려진다. Micronized purified flavonoid fraction (MPFF)은 임파액의 흐름을 증진하고 임파관의 수를 증가시키는 효과가 있다고 보고되었다. Calcium dobesilatem도 임파관의 배액을 촉진시키는 것으로 알려졌다.

4) 출혈-혈액응고 기전의 개선

만성정맥기능부전에서는 출혈-혈액응고 기전의 이상이 발견된다. 이는 정맥기능부전에서 혈장량이 감소하고, 염증반응으로 인해 fibrinogen이 증가하여 혈액의 점도가 증가하는 경향과 관련이 있다. 이에 따라 정맥내적혈구가 응집하게 되면 혈류가 감소하고 적혈구의 산소 운반능 또한 감소하게 된다. VAD들 중 MPFF와 calcium dobesilate는 혈액 점도를 감소시키고, 특히 MPFF는 혈액내적혈구의 이동 속도를 증가시킨다고 보고되었다.

5) 염증반응의 감소

최근의 연구에서 만성정맥기능부전의 진행에서 만성 염증의 역할이 대두되고 있다. 이과 관련하여 MPFF는 동물 실험에서 급성 정맥고혈압 상태에서 항염증 효과를 나타내는 것으로 나타났다. 특히 활성산소, prostaglandin, thromboxane 등과 간은 염증 매개체들의 분비를 감소시키는 것으로 보고되었다.

VAD의 임상적 치료 효과

(1) 만성정맥기능부전의 증상에 대한 VAD치료 효과

위에서 기술한 VAD들의 효과에 대해서 최근까지 시행된 44개의 비교 연구를 분석한 결과를 보면 VAD들은 가려움증을 제외하고는 대부분의 정맥부전과 관련된 증상에서 대조군(위약군)에 비해 의미 있는 효과를 보였다. 특히 Micronized Purified Flavonoid Fraction (MPFF)는 정맥궤양에서 국소 치료에 병행되었을 때 궤양의 치유에 도움이 된다고 나타났다. 이상을 정리하면 표 25-2와 같다. 그러나 이 결과는 다양한 약제들을 모두 VAD로 통합한 결과이며 각각의 연구의 구조가 통일되어 있지 않은 측면이 있다.

표 25-2. Global results of combined analysis for all VADs13

Outcome variable	No patients in the Cochrane review	No in treatment group	No in placebo group	Patients with no symptom (%) in Tx group	Patients with no symptom (%) in placebo group	Test for treatment effect (P value)	Heterogeneity of studies
Edema	1245	626	619	59.4	42.5	5.81 (< .00001)	No
Trophic disorders	705	355	350	33.8	23.7	3.76 (< .0001)	No
Pain	2247	1294	953	63.4	37.0	4.70 (< .00001)	Yes
Cramps	1793	1072	721	67.6	45.5	3.02 (= .003)	Yes
Restless legs	652	329	323	46.2	33.4	2.77 (= .006)	No
Itching	405	206	199	64.6	41.2	0.83 (NS)	Yes
Heaviness	2166	1257	909	59.8	33.1	5.38 (< .00001)	Yes
Swelling	1072	544	528	62.9	38.4	3.86 (< .0001)	Yes
Paresthesia	1456	896	560	71.0	50.7	2.82 (= .005)	Yes
	No. of patients in the meta-analysis.	No in treatment group	No in control group	Patients with no ulcer (%) in Tx group	Patients with no ulcer (%) in control group	Test for overall effect (P value)	Heterogeneity of studies
Venous ulcer at month 6	616	318	298	61.3	47.7	0.03	Yes

Perrin M, Ramelet AA. Pharmacological treatment of primary chronic venous disease: rationale, results and unanswered questions. (Eur J Vasc Endovasc Surg. 2011;41:117-125)

(2) 약제별 작용과 치료효과

1) Micronized Purified Flavonoid Fraction (MPFF/Daflon)

이 약제는 세계적으로 가장 많이 사용되고, 연구되어있는 약제로서 회화나무 추출물로, Hesperidin 형태로 된 Diosmin과 Flavonoid로 구성되어 있다.

국내에 시판되는 약재들 중 베니톨(광동), 프라빈(동성), 플라벤(태극), 플라이드(유니온)정 등이 이 약제에 해당한다. 이 약제의 90%를 구성하는 Diosmin이라는 성분은 식물성분에서 유래된 Hesperidin 으로부터 만들어진다. 연구 결과 MPFF는 venous tone과 contractility를 증가시키고, 미세혈류를 개선시키며, 정맥궤양의 호전, 부종의 감소, 백혈구의 활성화와 염증 매개체의 분비 저하에 기여하는 것으로 드러났다. 최근의 RCT들을 분석한 결과 1,692명의 환자를 포함하는 7개의 연구에서 이 약제의 효과가 나타났고, 특히 하지통증, 무거운 증상, 붓는 느낌, 쥐남, 이상감각, 피부 변화, 발목의 부종에 대해 의미 있는 효과가 입증되었다. Barbe 등에 따르면 다양한 정도의 만성정맥기능부전 환자에서 MPFF 치료가 정맥 확장을 감소시키고, venous tone을 증가시킴이 보고되었고, Ibegbuna 등도 4주간의 MPFF 치료로 venous tone의 측정치가 증가하였다고 한다.

MPFF는 또한 다양한 항염증 작용을 하는 것으로 알려져 있다. 여러 동물 모델에서 MPFF는 혈관벽에 백혈구의 흡착(adhesion)을 감소시켰다. 이에 대한 설명으로 MPFF가 백혈구의 흡착(adhesion)과 활성화(activation)를 유발하는 인자들의 생성을 차단하기 때문인 것으로 보인다. 정맥기능부전 환자에서 MPFF는 60일 가량의 치료 후 단핵구와 호중구의 L-selectin과 CD62-L의 표현을 선택적으로 감소시키는 것으로 나타났다. 정맥고혈압을 유발한 여러 동물 모델 실험에서 MPFF가 염증반응의 감소와 정맥 기능 호전을 보였으며, 정맥기능부전에서 혈관 내막 세포의 활성 감소에도 관여한다고 증명되었다.

부종에 대해서는 200명의 환자를 대상으로 시행된 연구에서 2달간의 치료 후 의미있게 발목 둘레의 감소를 보였고, 정맥류 환자에서 6주간의 치료 후 의미 있게 하지 부피가 감소하였다. 다른 연구에서는 일시적인 정맥 역류 환자에서 MPFF 사용 후 대복재 정맥 직경의 감소가 보고되었고, 하지 부종 환자에서 6주간의 치료 후 모세혈관 투과성 감소, 체중 감소, 주관적 증상의 개선이 보고되기도 하였다. 또한 3개월 치료 후 피부 산소 분압이 증가하고, 피부 이산화탄소 분압은 감소하였으며 정맥부전 증상도 호전되었다는 보고도 있다.

Guilhou 등은 105명의 정맥성궤양 환자들을 대상으로 무작위 맹검 대조 연구(randomized blinded comparative study)를 시행하였는데, 그 결과 통계적인 차이는 없었지만, 2달간의 치료 후 대조군(위약군)은 11.5%에서 완전한 궤양치료가 된데 반해 MPFF 치료군은 26.5%에서 완전한 궤양 치료를 보았다고 보고하였다. 그리고 2개의 비맹검 연구에서는 6개월 MPFF 치료 후 정맥궤양의 치유 비율이 압박치료 단독 군보다 높게 보고되었다.

그 외에도 MPFF 사용군에서 기능적 불편감, 하지 무거움, 통증, 야간 쥐남, 붓기와 화끈거리는 느낌을 객관적인 지표로서 측정하였을 때에 대조군(위약군)과 비교하여 통계적으로 의미 있게 호전되었다. 특히 삶의 질(QOL) 비교에서 5,052명의 증상이 있는 환자들을 대상으로 6개월간 MPFF 치료 시 CIVIQ-20 QOL 점수가 의미 있고 지속적으로 호전되었다. 592명의 C3-C4 환자들을 대상으로 한 무작위 대조 연구에서도 MPFF 치료가 의미 있는 CIVIQ-20 점수의 호전을 보여주었다.

PART V 특이 상황에서 정맥 혈전-색전증의 약물치료

2) Rutoside (Rutin)

Rutoside 또는 Rutin은 Vioflavonoid 계열의 약제로서 항염증 작용을 하고 정맥부전의 증상을 호전시키는 것으로 알려져 있다. 국내 은행잎을 주 원료로 하는 약제들에 hydroxyethylrutoside 형태로 포함되어 있다. 주 성분은 pentahydroxyflavone glycoside인데 이 성분은 염증과 관련된 유전자의 발현을 억제하고, nitric oxide, TNF-α, IL-a, IL-6의 분비를 저해하는 것으로 연구에서 나타났다. 또 다른 연구에서는 Rutoside는 말초혈액의 호중구에서 myeloperoxidase, nitric oxide, TFF-α를 의미 있게 억제하는 것으로 보고되었다. 임상적으로 이 약제는 의미있게 부종을 감소시키고, 하지 부피를 감소시켰으며, 통증과 쥐남 및 무게감, 가려움 증상들을 감소시켰다. 무작위 비교연구를 분석한 결과에서도 이 약제는 부종, 하지부피, 통증, 무게감에 의미 있는 효과를 보여주었다.

3) Calcium Dobesilate

이 약제는 2,5-dihydroxy-benzensulfonate으로 이루어져 있는데, 혈관 보호 효과와 항혈전 작용이 있어 당뇨성 망막병증과 만성 정맥부전에서 사용되고 있다. 특히 혈관 내막 세포에 작용하여 당뇨 환자에서 모세혈관의 투과성을 감소시키고, 혈소판 응집을 억제하며, prostaglandin 생성을 억제하고 혈액 점도를 감소시키는 것으로 보고되었다. 국내에는 다비스(코러스), 도베라(JW신약), 도베린(영풍), 도베민(넥스팜), 도베셀(아주), 레티나(유니메드), 레티움(국제), 메모로(영일), 시원라(넬슨), 독시움(일성)

정 등이 시판되어있다.

세 개의 연구에서 4-8주간의 치료 후 위약군에 비해 하지 부종이 의미있게 호전되었고, 여러 연구들을 종합하여 분석하였을 때 객관적 지표와 주관적 증상 측면에서 모두 치료 효과가 있다고 보고되었다. 단 최근 500명의 만성정맥기능부전 환자 대상 연구에서 3개월 치료 후 위약군에 비해 의미 있는 효과를 보여주지 못했다는 보고가 있어, 이 약제의 효과에 대해서는 향후 추가적인 연구가 필요한 실정이다.

4) Suldodexide

이 약제는 고도로 정제된 glycosaminoglycan 혼합체이고, 80%의 low molecular weight heparin과 20%의 dermatan sulfate로 이루어져 있다. 국내에 생산, 유통되는 제품은 없다. Sulodexide는 혈관내막의 glycocalyx 두께를 회복시키고, 알부민의 모세 혈관 투과성을 감소시킨다고 알려져 있다. Sulodexide는 항염증작용이 있어 호중구의 혈관 내벽에의 흡착(adhesion)을 막아 혈관 내벽을 보호하고 미세순환을 개선시킨다. 최근에는 정맥궤양을 가진 환자의 삼출물에서 IL-2, IL-12, IL-10, VEGF의 분비를 감소시킨다고 보고되었으며, MMP-9, MMP-1, MMP-12 감소를 통해 혈관 구조를 보호하는 효과가 있다는 연구 결과도 있다.

만성정맥기능부전 환자 연구에서 Suldodexide 치료 후, 치료 전에 비해 혈중 MMP-9, IL-6, MCP-1 농도가 감소하였고, 476명의 환자를 대상으로 한 연구에서 60일간의 치료 후 임상적 증상 호전과 함께 말초 정맥압이 통계적으로 의미있게 개선되었다고 보고되었다. 최근의 연구에서도 450명 환자를 대상으로 3개월간 치료하였을 때 객관적 표지들과 주관적 증상, 그리고 삶의 질(QOL)이 모두 의미있게 호전되었다. 정맥궤양에 대해서도 여러 연구가 있었는데, 235명의 정맥궤양 환자를 3개월간 치료하였더니 위약군에 비해 의미있게 궤양의 호전을 보였다고 보고되었다. 3개의 무작위 대조 연구에 대한 최근의 메타분석에 따르면 비록 증거의 level은 낮지만, 정맥궤양의 치료에서 Sulodexide 치료와 국소치료를 병행하였을 때 국소치료 단독보다 상처 치유의 비율이 높다고 결론지었다.

표 25-3. Pharmacological effects of VADs

Venoactive Drug	Pharmacological Action	Clinical Benefit
MPFF/Daflon	• Enhances sympathetic-mediated venous • contractility and calcium sensitivity • Reduces leukocyte adhesion; inhibits • production of leukocyte adhesion molecules • Mitigates venous valve deterioration and reflux • Inhibits production of proinflammatory factors • Increases antioxidant enzyme ratios • Reduces endothelial cell activation; lowers • serum concentrations of ICAM-1, VCAM, VEGF • Increases capillary resistance, reduces • capillary leakage	• Improves venous tone • Reduces leg edema • Improves skin trophic disorders • Improves ulcer healing • Improves CVD symptoms and QOL
Rutosides	• Potent inhibitor of inflammation-related • gene expression • Reduces production of inflammatory cytokines • (NO, TNF-_, IL-1, IL-6) in macrophages • and neutrophils	• Reduces leg edema • Improves CVD symptoms
Calcium dobesilate	• May improve or maintain vascular • endothelium function • Reduces capillary hyperpermeability • Inhibits platelet aggregation • Reduces blood viscosity • Increases NO-synthase activity • Inhibits prostaglandin synthesis	• Reduces leg edema • Improves CVD symptoms
Sulodexide	• Restores GCX integrity • Reduces vascular and capillary permeability • Protects vascular endothelium • Anti-inflammatory, anti-apoptotic (IL-1_, IL-8, • MCP-1, IL-6, TNF-_) • Reduces secretion of MMP-9 from leukocytes	• Reduces peripheral venous pressure • Improves CVD symptoms and QOL • Improves ulcer healing

CVD, chronic venous disease; GCX, glycocalyx; ICAM, intercellular adhesion molecule; IL,interleukin; MCP, monocyte chemoattractant protein; MMP, matrix metalloproteinase; MPFF, micronized purified flavonoid fraction; NO, nitric oxide; QOL, quality of life; TNF, tumor necrosis factor; VCAM, vascular cell adhesion molecule; VEGF, vascular endothelial growth factor.

Mansilha A, Sousa J. Pathophysiological Mechanisms of Chronic Venous Disease and Implications for Venoactive Drug Teherapy. Int J Mol Sci. 2018;19

PART V　특이 상황에서 정맥 혈전-색전증의 약물치료

5) Vitis vinifera extract

Flavonoid로 구성된 procyanidonic oligomer로 혈관벽 구성물질인 collagen, elastin을 보호하고 모세혈관의 거대 분자 구조 변형으로 모세혈관의 과투과성 감소, 저항성 증가의 효과가 있는 것으로 밝혀졌다. 국내 비스비 캡슐(파비스), 안토리브 캡슐(한림), 엔테론 정(한림) 등이 여기에 해당한다. 정맥-림프기능부전과 관련된 증상(하지 중압감, 통증, 하지 불온증상)의 개선 효과가 있으며, 유방암 치료로 인한 림프부종의 보조 요법제로 물리치료에 병용 시 도움이 된다고 알려져 있다.

6) Naftazone

합성물질 중 하나로 혈관 내막 세포의 증식을 증가시키고, 혈소판 응집을 억제하는 효과가 있다. 국내 메디아벤(팜비오) 정이 여기에 해당한다. 정맥 긴장도를 증가시켜 정맥 내 혈액 순환을 돕고 모세 혈관을 안정화시키며 항산화 효과가 있다고 알려져 있다. 현재 정맥 부전에 의한 하지 중압감, 통증, 부종, 야간 종아리 경련, 통증의 개선에 효과가 있다고 알려졌다. 임상적

연구 결과가 다양하지만, 한 연구에서 위약과 비교 시 하지정맥류 환자에서 통계적으로 의미 있는 증상의 호전을 보였다고 보고되었다. 이상 약제들의 작용과 효과를 정리하면 표 25-3과 같다.

(3) VAD의 사용에 대한 권고

아직까지도 VAD들은 강한 증거력을 갖는 대규모의 RCT를 통해 효과가 평가되지는 못하였다. 현재까지 밝혀진 사실들을 바탕으로 만성정맥기능부전 환자에서 VAD의 사용에 대한 recommendation이 제시되었는데 이를 요양하면 표 25-4과 같다.

MPFF와 Rutoside는 통증, 무게감, 쥐남(근육 경련), 부종의 감소에 도움이 된다는 증거가 소규모 단위의 연구와 메타 분석에서 축적되어 있고, 특히 MPFF의 경우 의미있는 대규모의 관찰연구 결과도 있었다. 어느 정도의 중증도 환자가 이러한 치료를 통해 도움을 받을 수 있는지는 불분명하지만, 다양한 연구 결과를 종합하여 볼 때, C_0부터 C_6까지의 모든 환자들, 특히 초기의 환자들에게 MPFF와 Rutoside가 도움이

표 25-4. Tentative recommendations on the use of VADs in chronic venous disease

Indication	VAD	Recommendation for use	Quality of evidence	Class of recommendation
Relief of symptoms associated with CVD in patients C0s to C6s and with CVD-related edema	MPFF	Strong	Moderate	1B
	Rutosides	Strong	Moderate	1B
	Calcium dobesilate	Weak	Moderate	2B
Healing of primary venous ulcer, as an adjunct to compressive and local therapy	MPFF	Strong	Moderate	1B

될 것으로 보인다. 현재까지 이들 약제의 안전성 문제는 제기된 바가 없다.

Calcium dobesilate는 드물지만 이 약제의 사용과 관련하여 백혈구 감소증 보고가 있어, 위험 대비 이득이 불분명하므로 이 약제의 사용은 강하게 추천되지는 않는다.

이전의 여러 가이드라인을 바탕으로 볼 때, 5-10 cm^2 크기의 작은 정맥궤양에서 MPFF는 중등도 수준의 증거를 바탕으로 강하게 추천된다.

요약 🔒

1) 하지정맥류 및 정맥기능부전의 약물치료로서 다양한 인자들에 대해 다양한 약제가 개발되어 사용되고 있다.

2) 만성정맥기능부전에서 사용되는 VAD들이 "혈전 후 증후군"에서도 잠재적인 효용성이 있을 것으로 여겨지나, 현재까지 VAD의 혈전 후 증후군에서의 치료 효용성에 대한 증거가 불충분하여 이는 향후 연구를 통해 규명되어야 할 부분이다.

3) VAD들은 venous tone 증가, 모세혈관 저항성 증가와 투과성 감소, 임파관 순환 개선, 출혈-혈액 응고 기전의 개선, 염증반응의 감소 등의 기전을 통해 효과를 가져온다고 알려진다.

4) Micronized Purified Flavonoid Fraction (MPFF/Daflon)은 세계적으로 가장 많이 사용되고, 연구되어있는 약제로서 다양한 정맥 관련 증상의 호전과 정맥궤양의 치료에 도움이 된다고 밝혀졌다. 국내 베니톨 정이 여기에 해당한다.

5) Rutoside는 항염증 작용을 하고 정맥부전의 증상을 호전시키는 것으로 알려져 있다.

6) Calcium Dobesilate는 혈관 보호 효과와 항혈전 작용이 있어 만성 정맥부전에서 사용되고 있으나, 이 약제의 효과에 대해서는 향후 추가적인 연구가 필요하다.

7) Suldodexide 또한 혈관벽을 보호하고, 모세혈관 투과성을 감소시키며, 미세순환을 개선시킨다고 알려졌다. 정맥궤양에서 국소 치료와 병행 시 효과가 있다고 나타났다.

8) Vitis vinifera extract는 혈관벽 구성물질인 collagen, elastin을 보호하고 모세혈관의 구조를 변형시켜 모세혈관의 과투과성 감소와 저항성 증가를 일으킨다고 밝혀졌다. 국내 엔테론 정이 여기에 해당한다.

9) Naftazone은 대표적인 합성제제로서 혈관 내막 세포의 증식을 증가시키고, 혈소판 응집을 억제하며, 정맥 긴장도를 증가시켜 정맥 내 혈액 순환을 돕고 모세 혈관을 안정화시키며 항산화 효과도 있다고 알려져 있다. 국내 메디아벤 정이 여기에 해당한다.

10) 아직까지도 VAD들은 강한 증거력을 갖는 대규모의 RCT를 통해 효과가 평가되지는 못한 부분들이 많아 이들의 사용에는 임상 의사의 신중한 판단이 필요하며, 양질의 연구를 통해 밝혀져야 할 부분들이 많이 남아있다.

참고문헌 ///

1. de Jongste AB, Jonker JJ, Huisman MV, ten Cate JW, Azar AJ. A double blind three center clinical trial on the short-term efficacy of 0-(beta-hydroxyethyl) -rutosides in patients with post-thrombotic syndrome. Thromb Haemost. 1989;62:826-829.

2. Ippolito E, Belcaro G, Dugall M, et al. Venoruton(R): post thrombotic syndrome. Clinical improvement in venous insufficiency (signs and symptoms) with Venoruton(R). A five-year, open-registry, efficacy study. Panminerva Med. 2011;53:13-19.

3. Prandoni P. Elastic stockings, hydroxyethylrutosides or both for the treatment of post-thrombotic syndrome. Thromb Haemost. 2005;93:183-185.

4. Martinez-Zapata MJ VR, Uriona Tuma SM, Stein AT, Moreno RM, Vargas E, Capella D, Bonfill Cosp X. Phlebotonics for venous insufficiency. Cochrane Database Syst. Rev. 2016:CD003229.

5. Ramelet AA KP, Perrin M. Varicose veins and telangiectasias. Paris: Elsevier. 2004.

6. Martinez MJ BX, Moreno RM, Vargas E, Capella D. Phlebotonics for venous insufficiency. Cochrane Database Syst Rev. 2005:CD003229.

7. Coleridge-Smith P, Lok C, Ramelet AA. Venous leg ulcer: a meta-analysis of adjunctive therapy with micronized purified flavonoid fraction. Eur J Vasc Endovasc Surg. 2005;30:198-208.

8. Perrin M, Ramelet AA. Pharmacological treatment of primary chronic venous disease: rationale, results and unanswered questions. Eur J Vasc Endovasc Surg. 2011;41:117-125.

9. Guyatt G, Gutterman D, Baumann MH, et al. Grading strength of recommendations and quality of evidence in clinical guidelines: report from an american college of chest physicians task force. Chest. 2006;129:174-181.

10. PD CS. Handbook of venous disorders: guidelines of the American venous Forum. 3rd ed. London, UK. Hodder Arnold. 2009:359-365.

VI

PART

수술 전후의 약물치료

Perioperative pharmacotherapy

26
CHAPTER

혈관수술 환자에서 수술 전후 약물치료

Perioperative pharmacotherapy in patients undergoing vascular surgery

| 김영욱 | 성균관의대 강북삼성병원 혈관외과

수술 전후 약물치료의 목적

동맥수술(혹은 시술) 전후에 사용하는 약물치료의 목적은 수술 중 혹은 수술 후 나타날 수 있는 합병증 특히 심. 뇌혈관 합병증 예방이 주 목적이고 이와 함께 치료를 시행한 혈관의 막힘을 예방하기 위한 목적도 있다.

현대의학에서 동맥질환으로 수술 혹은 시술을 요하는 환자는 고령, 다양한 동반질환, 혈관계의 수술 혹은 시술의 과거력, 그리고 이들 병력과 관련하여 이미 여러 가지의 약물을 사용 중인 환자가 많다는 특징을 갖는다.

따라서 수술 전후 약물치료는 수술 전후 환자의 상황을 고려하여 이미 사용하던 약의 감량 혹은 중단, 다른 약재로 변경, 또는 새로운 약재의 추가 사용 등이 여기에 포함된다고 할 수 있다.

수술 전 약물치료(Preoperative drug therapy)

전술한 바와 같이 수술 전후 약물치료의 목적은 환자가 원래 가지고 있던 질환 혹은 수술 관련 합병증의 위험성을 낮추는 것이다. 이를 위하여 수술 전 심장질환, 폐질환, 신기능저하, 당뇨병, 부신기능저하증, 고혈압, 혈액응고이상, 감염증의 위험성, 만성 영양결핍증 등 동반질환 유무에 대한 세심한 병력 수집이 중요하며, 현재 투약 중인 약재, 수술 혹은 시술의 과거력 또는 환자의 몸에 삽입된 의료용 이물질 유무 등에 관한 상세한 정보를 가지고 환자 치료에 임해야 한다.

이 장에서는 혈관질환 환자에서 비교적 흔히 볼 수 있는 동반 질환의 전처치 그리고 수술 혹은 시술과 관련된 약물치료에 초점을 맞추어 기술하고자 하였다.

표 26-1. Meta-analyses results of perioperative β-blocker therapy

Endpoint	No. of trial	RR	95% CI	P
Mortality				
Lancet, 2008 (1)	7	1.27	1.01-1.61	0.044
Heart, 2013 (2)	9	1.27	1.01-1.60	0.04
Non-fatal MI				
Lancet, 2008 (1)	6	0.72	0.59-0.87	0.001
Heart, 2013 (2)	5	0.72	0.61-0.88	0.001
Non-fatal stroke				
Lancet, 2008 (1)	5	2.16	1.23-3.68	0.004
Heart, 2013 (2)	5	2.16	1.00-2.99	0.05

RR, relative risk; CI, confidence interval, MI, myocardial infarction

(1) 수술 전후 β-차단제 사용

β-차단제는 고혈압, 허혈성 심장병(협심증, 급성 심근경색증), 울혈성 심부전증 등의 치료제로 널리 사용되는 약제로서 혈관 질환을 가진 환자에서도 동반 질환의 치료 목적으로 자주 사용되는 약제이다.

수술 전후 β-차단제 사용이 수술 후 급성 심근경색증 발생을 줄일 수 있다는 보고가 있은 후 이에 대한 많은 보고가 뒤를 이었다. Bangalore 등에 의한 meta-analysis에 따르면 수술 전후 β-차단제 사용은 nonfatal myocardiac infarction (MI) 빈도를 35% 감소시키는 반면, 뇌졸중 발생빈도를 2배 증가시키고, all-cause mortality에는 큰 효과는 없었다고 결론지었다. 2013년 발표된 다른 meta-analysis 보고 에서도 이와 유사한 결과를 볼 수 있었다(표 26-1).

이 문제에 관한 가장 큰 전향적 연구인 POISE (PeriOperative ISchemic Evaluation) trial 의 결과에서도 수술 전후 β-차단제 사용은 술후 30일 시점에서 nonfatal myocardial infarction (MI)은 줄일 수 있지만(HR, 0.73; 95% CI, 0.60-0.89), 뇌졸중 빈도를 높이고(HR, 2.17; 95% CI, 1.26-3.74), all-cause mortality를 오히려 30% 증가 시킨다고 보고하였다(HR, 1.33; 95% CI, 1.03-1.74). 이와 같이 β-차단제 사용이 뇌졸중 그리고 사망률을 증가시키는 기전은 수술 후 출혈이나 감염증이 있는 경우 이에 대처하기 위해 인체는 심박출량(cardiac output)을 증가시키기 위해 심박수(heart rate)나 심근수축력(cardiac contractility) 증가를 필요로 하는데 β-차단제가 이를 저해하기 때문인 것으로 설명하고 있다.

그러나 이 POISE trail은 모든 환자에서 고용량의 metoprolol succinate를 사용함으로 저혈압을 야기시킬 수 있으므로 수술 후 뇌졸중 혹은 수술 사망률을 증가시켰다는 지적을 받고 있다.

Cochrane meta-analysis 결과도 수술 전 예방 목적의 β-차단제 사용은 심장 합병증 예방에 뚜렷한 효과를 찾을 수 없었다고 보고하였다.

참고로 β-blocker는 증상이 있는 서맥(symptomatic bradycardia), 2도 혹은 3도 심실전도장애, 심한 심부전증, 저혈당 증상을 감지할 수 없는 당뇨병 환자, 그리고 기관지 천식 등이 있는 환자에서는 사용 금기이므로 주의를 한다. 평소 β-blocker를 사용하던 환자에서 수술 전 이 약재의 중단을 요하는 경우 금단현상(예, rebound tachycardia, hypertension, acute cardiac death 등)을 피하기 위해 서서히 감량하는 것이 중요하다.

(2) 호흡기 합병증 예방

수술 후 호흡기 합병증은 상복부 혹은 흉부 수술 후 더 빈번하게 발생하며, 호흡기 합병증 발생 위험인자로는 고령(> 60세), ASA class II 이상, 만성폐쇄성폐질환(COPD), 흡연, $FEV_1 <$ 1L, 저알부민혈증(hypoalbuminemia), 울혈성 심부전증(congestive heart failure), 비만 등이 있다. 호흡기 합병증을 줄이기 위해서는 금연, respiratory physiotherapy, respiratory muscle training, 영양상태 보강, 수술 후 폐를 확장시키기 위한 여러 가지 방법들이 중요하다.

수술 전 약물치료는 기관지 수축이나 COPD가 있는 환자에서는 inhaled bronchodilator, ß2 inhibitor, anticholinergics가 사용되며, 이 약제들은 적어도 수술 전 5일전부터 사용하는 것이 권장된다.

(3) 고혈압 환자에서의 수술 전후 약물치료

수술 전 수축기 혈압 > 200 mmHg 혹은 이완기 혈압 > 120 mmHg이고, 약물치료로 수시간 내에 조절되지 않는 환자에서는 수술을 연기하는 것이 바람직하다. 통증이 심한 환자는 통증 때문에 일시적으로 혈압이 상승하는 경우도 있을 수 있으므로 진통제를 이용한 통증 치료가 혈압조절에 도움이 될 수도 있다. 이때 사용되는 진통제는 혈류 역학적 변화를 심하게 초래할 수 있는 약재(예, morphine)는 가능한 한 피하는 것이 좋다. 통증 외에도 저체온증(hypothermia) 혹은 뇨관 삽입으로 인한 불편감 등이 혈압상승의 원인이 될 수 있으므로, 이 같은 불편감을 해소시키는 것도 혈압조절의 한 부분이다.

만성혈관질환 환자에서 고혈압 치료는 무슨 약이나 다 사용할 수 있다. Heart Outcomes Prevention (HOPE) trial과 Ongoing Telmisartan Alone and in Combination With Ramipril Global Endpoint (ONTARGET) trial에서는 말초동맥 질환을 포함한 심혈관 고위험군 환자에서 secondary prevention 목적으로 angiotensin converting enzyme (ACE) inhibitor 혹은 angiotensin receptor blocker (ARBs)가 cardiovascular event 발생률을 유의하게 낮출 수 있다고 보고하고 있다.

고혈압 환자에서는 수술 전후 기간 중 평소 집에서 사용하던 고혈압 치료 약재를 그대로 사용하는 것이 일반적이지만 ACE inhibitor 혹은 ARBs는 수술 중 저혈압을 야기할 수 있고 이는 심근경색증이나 허혈성 뇌졸중의 위험을 증가시킬 수 있으므로 이들 약재를 수술 당일 사용하는 것은 가능하면 피해야 한다.

(4) 술전 신기능 보호

동맥질환 환자의 약 1/3에서는 제3기 이상의 만성 신장질환(chronic kidney disease, CKD)을 동반한다고 알려져 있다. 그 이유는 당뇨병, 고혈압, 동맥 경화성 신동맥 질환, 비만, 흡연력, 고지혈증 등을 흔히 동반한 때문이라고 생각된다. 신기능이 저하된 환자에서는 고칼륨혈증(hyperkalemia), 빈혈, 수술 시 혈액 응고장애를 흔히 볼 수 있다. 특히 contrast-induced nephropathy (CIN) 발생 위험성이 높은 것을 감안하여 혈관 조영제를 이용한 혈관내시술(endovascular procedure) 환자에서 각별한 주의를 요한다.

신기능이 저하된 환자에서 CIN 발생을 줄이기 위한 방법으로 1) 가능하다면 혈관 조영제를 사용하는 검사를 피하고, 2) 조영제를 꼭 사용해야 할 상황이라면 조영제 사용량을 최소한으로 줄이고, 3) non-ionic, low-osmolar contrast agent의 사용을 권한다. 그리고 조영제 주입을 전후하여 충분한 수액 공급이 신기능 보호에 중요하다. 그 외 신기능 보호 목적으로 아직도 그 효과에 대한 논란이 있기는 하지만 조영제 주입을 전후하여 N-acetylcysteine (NAC, Mucomyst®) 혹은 sodium bicarbonate 정맥투여를 권하기도 한다. NAC 사용량은 NAC 600 mg IV bolus (followed by 600 mg PO BID for 48 hours after contrast administration) 혹은 NAC 1200 mg IV bolus (followed by 1200 mg PO BID for 48 hours after contrast administration) 방법이 사용되지만, Marzenzi G 등은 1200 mg NAC 사용 후 더 효과적임을 보고하였다.

그러나 최근 혈관조영술을 시행하는 환자를 대상으로 sodium bicarbonate 정맥투여한 환자군과, 5일간의 NAC 경구 투여한 환자군을 double blind prospective study한 결과에 따르면 이들 약재의 사용 후 90일 시점에서 신기능저하 빈도, 투석 치료를 요하는 신합병증 발생빈도, CIN 발생 빈도에서 환자군 간 유의한 차이를 보이지 않았음을 보고하고 있다.

따라서 현재 상황에서 수술 전 신기능 보호 방법으로 인정된 방법은 신독성이 있는 물질을 투여하지 않을 것과 수술 전 충분한 수분 공급 뿐이고, 그 이외 방법들은 수분 공급과 함께 부가적으로 사용할 수 있는 방법으로 아직도 그 효과에 의문이 있는 방법이라 할 수 있다. 따라서 이들 방법은 신기능 손상의 고위험군에서 사용될 수도 있는 것으로 보는 편이 타당하다.

(5) 당뇨병 환자에서 수술 전후 혈당 관리

당뇨병 환자에서는 혈관 수술 후 당뇨병이 없는 환자에 비해 상대적으로 높은 합병증 빈도와 수술 사망률을 보인다는 것은 이미 잘 알려져 있다. 예를 들면 경동맥 수술을 시행한 환자에서 수술 후 고혈당증(hyperglycemia) 자체가 당뇨병 유무와는 무관하게 뇌졸중, 심근경색증, 수술 사망률을 증가시킨다고 보고되고 있다. 따라서 당뇨병이 없는 환자에서도 수술 전후 혈당 조절은 중요하다는 것을 알 수 있다.

수술을 시행하는 환자에서 제시된 정확한 기준 혈당치는 없지만 American Diabetes Association (ADA) 과 Canadian Diabetes Association (CDA)의 권고안에 따르면 ICU 환자에서 권고 혈당치(target blood glucose level)는 140-180

mg/dL; 일반적인 외과, 내과 환자에서는 공복 시 혈당 < 140 mg/dL; random blood sugar level < 180 mg/dL 을 유지할 것을 권장하고 있다. 심장 수술 혹은 외과 수술 후 ICU 입원 환자에서 혈당치 > 180 mg/dL인 환자에서는 외과적 감염, 창상 치유 지연, 입원기간 연장과 연관이 있는 것으로 알려져 있다.

일반적으로 혈관 수술을 요하는 제2형 당뇨병 환자에서 혈당치 조절은 평소 그 환자의 치료방법에 따라 1) 식이요법에 의존하던 환자는 수술 전날 밤 금식과 수액 공급, 고혈당증은 short acting insulin으로 조절하면서 수술을 시행하고, 2) 경구혈당강하제(oral hypoglycemic agent, OHA) 사용하던 환자에서는 수술 전 금식을 시작하는 시점부터 OHA 투약을 중단했다가 수술 후 경구 투여를 시작할 때 다시 사용할 것을 권한다. 이때 발생할 수 있는 고혈당증은 insulin으로 조절하면서 수술을 시행한다.

Metformin에 관한 American Association of Clinical Endocrinologists (AACE) & American College of Endocrinology (ACE), 2016년 권고안에 따르면 수술 직후 경구 섭취가 가능한 minor surgery 환자에서는 수술 당일까지 사용해도 무방하지만, 1) 수술 후 장시간 경구 투여가 어려운 수술을 요하는 환자, 2) 특히 신기능저하가 있는 환자, 그리고 3) 수술 중 혈관 조영제 사용을 요하는 환자에서는 lactic acidosis 발생을 방지하기 위하여 수술 전 금식을 시작하는 시점부터 metformin 투약을 중단하고, 수술 후 경구 투여를 시작할 때부터 다시 사용할 것을 권한다.

Insulin 치료를 받고 있는 환자에서는 당뇨병 전문 의사의 도움을 받아 specific sliding scale 방법 등 각 병원 사정에 따라 시행되는 것이 보통이다. 더 자세한 내용은 이 책의 당뇨병의 약물요법에 관한 기술을 참조하기 바란다.

(6) 부신피질호르몬 장기간 사용한 환자

최근 고령 환자의 증가와 함께 장기적으로 부신피질호르몬을 복용하는 환자에서도 혈관 수술을 요하는 경우가 있다. 정상적인 부신 기능을 가진 환자에서는 수술 시 stress response의 일환으로 부신피질호르몬 분비가 증가되는데 장기적으로 부신피질호르몬을 복용하는 환자에서는 이 같은 정상적인 반응이 나타날 수 없으므로 "adrenal crisis" (acute adrenal insufficiency)가 나타날 수 있다. 실제 adrenal crisis는 임상적으로 생명을 위협하는 무서운 합병증이다. 따라서 수술 전 세심한 병력 청취를 통해 위험이 있는 환자를 미리 색출하여 이 같은 상황에 대비하는 것이 중요하다. 장기적으로 부신피질호르몬을 복용하던 환자에서 수술 전후 stress dose corticosteroid 추가 사용의 필요성에 대한 systemic review의 결론은 1) therapeutic dose의 부신피질호르몬 투여를 받아오던 환자에서는 매일 투여량을 투여하면 추가 용량을 투여할 필요는 없지만 2) hypothalamus-pituitary-adrenal axis 질환으로 physiologic dose의 부신피질호르몬을 장기적으로 투여해 오던 환자에서는 수술 중 hydrocortisone 50 mg을 그리고 수술 후 8시간 마다 hydrocortisone 투여를 2-3일간 사용할 것을 권고하였다.

실제 임상에서 corticosteroid hormone을 장

기적으로 사용하는 환자에서 hypothalamic pituitary axis의 저하를 초래하는 steroid의 용량과 사용기간은 개인차이가 심한 것을 볼 수 있다.

매일 5 mg 미만의 prednisone (4 mg of methyl prednisolone, 0.5 mg of dexamethasone, 20 mg of hydrocortisone)으로 3주 미만 단기간 동안 치료 받았거나, 혹은 10 mg의 prednisone으로 격일로 치료 받은 환자에서는 수술 중 steroid를 추가로 투여를 할 필요가 없고, 수술 시 평소 사용하던 부신피질호르몬 투여량을 유지하면 되지만, 매일 20 mg 이상의 prednisone을 사용하던 환자에서는 수술 중 그리고 수술 후 steroid 추가 사용을 권하고 있다.

과량의 corticosteroid 사용은 수술 환자에서 창상 치유 지연, 혈당치 증가, 감염 위험성 증가를 초래하기 때문에 가능한 한 적은양의 corticosteroid 를 사용할 것을 권한다.

(7) Unfractionated heparin (UFH) 혹은 Lower molecular weight heparin (LMWH) 사용 중인 환자

정맥혈전증 예방 목적의 low dose heparin 피하 주사를 맞고 있는 환자에서는 출혈성 합병증을 막기위해 수술 전 2시간, 그리고 치료 용량(therapeutic dose)의 UFH 정맥 주사 치료중인 환자에서는 수술 전 4-6시간 동안 UFH 투약을 중단한 후 수술을 시행하는 것이 좋다.

정맥혈전증 예방적 목적의 용량(prophylactic dose)의 LMWH을 사용하던 환자에서는 계획 수술 전 12시간 동안 LMWH을 중단하는 것이 권유되며, 치료용량(therapeutic dose)의 LMWH을 사용하던 환자에서는 수술 전 24시간 중단할 것을 권한다.

그리고 술 후 혈전예방 목적으로 LMWH을 사용해야 할 경우(prophylactic dose) 수술 후 12-24시간 후부터 사용 가능하고, full-dose (therapeutic dose) LMWH은 수술 후 2-3일 후부터 사용하기를 권한다. 큰 수술 후 12시간 후에 LMWH을 사용하는 경우에는 용량을 절반으로 줄여서 사용하기도 한다.

Full-dose UFH 정맥주사를 시행하던 환자에서는 지혈이 완전히 된 후 loading dose 없이 헤파린 정맥주사를 재시작 할 수 있다.

(8) 경구용 항응고제 투여 중인 환자

장기적으로 경구용 항응고제(anticoagulant)를 투여하는 환자는 대개 심방세동(atrial fibrillation), 심부정맥혈전증(deep venous thrombosis, DVT), 인공 심장 판막 혹은 intracardiac device를 가진 환자이다. 이들 환자에서 동맥 수술 전 경구용 항응고제중단이 필요한 경우 어떻게 할 것인가? 하는 것은 중요한 문제이다. 왜냐하면 사용하던 항응고제중단으로 인한 혈전 혹은 색전증의 위험성과 수술 기간 중 항응고제사용으로 인한 뇌출혈 혹은 수술 부위 출혈의 위험은 양날의 칼과 같기 때문이다. 특히 심장질환으로 인해 장기적 항응고제치료를 요하는 환자에서 항응고제중단은 혈전이나 색전증의 위험성을 증가시켜 뇌졸중과 같은 심각한 합병증을 야기할 수 있으므로 투약 중단 시에는 신중을 기해야 한다. 따라서 어떤 경우에는 경구용 항응고제중단 후 짧은 기간 동안 혈액응고 효과를 유지하기 위해서 작용기간이 짧은 UFH 혹은 LMWH을 일시적으로 사용하기도 한다. 이것을 "bridging anticoagulation" 이라고 한다.

경구용 항응고제(anticoagulant)를 투여하는 환자를 대상으로 수술 전 해파린을 이용한 bridging anticoagulation 환자군과 bridging anticoagulation을 시행하지 않은 환자군을 비교한 결과를 보면 실제 bridging anticoagulation을 시행하는 환자군에서 출혈성 합병증 발생빈도가 5.4배(major bleeding은 3.6배) 높았고, 혈전 및 색전으로 인한 합병증은 두 환자군간 비슷한 빈도를 보였다고 보고하였다. 이 같은 출혈성 합병증 발생 빈도에 두 군간 뚜렷한 차이가 있음에도 불구하고 수술 전 bridging anticoagulation 시행 필요성 여부를 논의하는 이유는 출혈성 합병증보다 혈전형성으로 인한 합병증은 훨씬 더 무서운 결과를 초래할 수 있기 때문이다.

이 bridging anticoagulation의 필요성에 대한 연구로 2015년에 발표된 BRIDGE trial에 따르면 warfarin을 장기간 투여 중인 심방세동 (atrial fibrillation) 환자에서 계획수술을 하기 전 bridging anticoagulation (with LMWH, 100 IU of Dalteparin/kg of BW)을 시행한 환자군과 위약(placebo)을 투여한 환자군으로 나누어 수술 후 동맥색전증 발생 빈도와 주요 출혈성 합병증 발생 빈도를 비교한 결과 동맥색전증 발생 빈도는 두 군간 유의한 차이가 없었고(0.4% vs 0.3%, P=NS), 출혈성 합병증의 빈도는 가약 투여군에서 낮았음을(1.3% vs 3.2%; p=0.005) 보고하면서 이 논문의 결론은 warfarin을 장기간 투여 중인 환자에서 계획 수술을 하기 전 bridging anti-

coagulation을 하지 않아도 동맥색전증 예방 효과 측면에서 차이가 없었음을 보고하였다. 그러나 이 연구는 대상 환자군에서 mechanical heart valve를 가진 혈전형성 고위험군 환자는 대상에서 제외시켰고, 대부분의 대상 환자가 작은 수술, 시술 혹은 검사를 시행한 환자들을 대상으로 시행된 연구였으므로 이 연구의 결론을 모든 수술 환자에게 적용하기에는 무리가 있다는 지적을 받고 있다.

현시점에서 이 문제에 관해서는 2014 AHA/ACC/HRS Guideline for the Management of Patients With Atrial Fibrillation에 제시된 다음의 3가지를 따르는 것이 타당하다고 생각한다.

1) 출혈 위험이 낮은 수술(표 26-2)에서는 경구용 항응고제 투여를 중단할 필요 없다.

2) 심한 출혈의 위험은 없지만 항응고제 중단으로 혈전 혹은 색전증의 위험성이 높은 환자군(예, mechanical heart valve, recent VTE, recent arterial thromboembolism, atrial fibrillation with CHADS2≥5)에서는 UFH 이나 LMWH을 이용한 bridging anticoagulation을 시행할 것을 권한다(Grade 2C).

반대로 혈전 혹은 색전증의 위험성이 낮은 환자군에서는 bridging anticoagulation을 하지 않고 수술이나 시술을 시행한다. 3) 그 중간의 위험도(intermediate risk)를 가진 환자군에서는 환자의 혈전 혹은 색전증의 위험성과 수술 관련 출혈 위험성을 고려하여 개인별 환자 상황에 따라 처리한다는 원칙이다.

그 이후 발표된 2017 ACC Expert Consensus Decision Pathway (ECDP) on Management of

표 26-2. Procedures Amenable to Uninterrupted Warfarin

- Endoscopy
- Biopsies
- Endovascular interventions
- Percutaneous coronary interventions
- Cardiac electrophysiology studies and ablations
- Cardiac device implantation (pacemakers, defibrillators, loop recorders)
- Cataract surgery
- Dermatologic surgery
- Dental extractions
- Epidural anesthetics and likely other interventional pain management techniques
- Minor noncardiac surgeries
- Total knee arthroplasty
- Arthroscopic surgery

13) Rechenmacher SJ and Fang JC. Bridging Anticoagulation Primum Non Nocere. J Am Coll Cardiol. 2015;66:1392-403

표 26-3. Timing of warfarin stop prior to procedure according to INR

INR	Stop warfarin
1.5-1.9	3-4 days prior to procedure
2.0-3.0	5 days prior to procedure
> 3.0	> 5 days

INR should be rechecked within 24 hours before procedure
(2017 ACC Expert Consensus Decision Pathway on Management of Bleeding in Patients on Oral Anticoagulants: A Report of the American College of Cardiology Task Force on Expert Consensus Decision Pathways)

Bleeding in Patients on Oral Anticoagulants에서도 출혈의 위험이 낮은 수술/시술을 요하는 환자에서는 경구용 항응고제 투약을 중단하지 말고 시술을 시행하고, 만약 경구용 항응고제 투약 중단을 해야한다면 투약 중단 기간은 표 26-3과 같이 중단할 것을 권한다.

또 이 권고안에 따르면 warfarin투여를 하던 환자에서 warfarin 중단을 요하는 경우 bridging anticoagulation의 적응증은 1) warfarin 중단으로 stroke이나 동맥색전증 발생 고위험군(> 10%/년) (예, atrial fibrillation 환자 중 CHA2DS2-VASc score, 7-9 혹은 최근 3개월 이내 ischemic stroke이 있었던 환자), 2) 뇌졸중이나 동맥색전증 과거력이 있는 환자군에서만 수술 전 bridging anticoagulation을 필요로 한다고 기술하였다.

최근 흔히 사용되는 항응고제인 direct oral anticoagulant (DOAC)를 사용하는 환자에서 계획 수술 전 후 항응고제 중단 기간은 정상적인 신기능을 가진 환자에서는 보통 1일 중단으로 충분하다고 하지만 spinal puncture, epidural catheter 삽입 혹은 출혈 위험이 높은 큰 수술, 그리고 신기능이 저하된 환자에서는 48시간 이상의 투약 중단을 권한다. 이때 잔류 항응고 효과를 보기 위해 검사로는 Dabigatran 투여 환자에서는 aPTT, Apixaban이나 Rivaroxaban 투여 환자에서는 PT (prothrombin time) 측정을 권한다. 이들 검사치가 정상치를 보이는 것은 약재의 혈중 농도가 낮아졌음을 뜻한다.

흔치는 않지만 항응고제 사용 환자에서 응급 수술을 요할 경우 항응고 효과를 빨리 없애야 할 경우가 있다. 표 26-4는 다양한 항응고제 별로 빠른 시간 내에 항응고제 효과를 없애기 위해 사용하는 약제를 소개한 표이다.

(9) 항혈소판제(antiplatelet agent)

많은 동맥 수술/시술은 죽상경화증(athero-

표 26-4. Available reversal agents of various oral anticoagulant agents

Anticoagulant / Reversal agent	Vitamin K antagonist / Warfarin	Factor IIa inhibitor / Dabigatran	Factor Xa inhibitor / Apixaban, Edoxaban, Rivaroxaban
1st line agent	4F-PCC	Idarucizumab	4F-PCC
2nd line agent	Plasma	4F-PCC; aPCC	aPCC

4F-PCC, 4-factor prothrombin complex concentrate; aPCC, activated prothrombin complex concentrate
(Tomaselli et al. 2017 ACC ECDP on management of Bleeding in Patients on Oral Anticoagulants. JACC 2017:3042-67)

sclerosis)으로 인한 동맥협착이나 동맥폐색을 치료하는 것이다. 죽상경화증은 전신성 질환이기 때문에 관상동맥이나 뇌동맥 병변을 동반하는 빈도가 상대적으로 높다. 항혈소판제의 사용은 수술 후 심근경색증이나 허혈성 뇌졸중의 예방 효과와 함께 치료를 시행한 혈관의 혈전 형성을 예방하는 효과가 있다는 사실은 이미 잘 알려져 있다. 이 같은 장점과 함께 위출혈, 뇌출혈, 수술부위의 출혈 위험성을 높일 수도 있으므로 이 약재의 적절한 사용 방법에 관해 많은 연구들이 있어왔다. 항혈소판제 사용의 이상적인 목표는 출혈성 합병증을 최소한으로 줄이면서 심. 뇌혈관 합병증 및 치료를 시행한 혈관의 혈전 형성을 최대한 예방하는 것이라 할 수 있다.

이를 위해서 가장 흔히 사용되는 약재는 저용량 aspirin (75-325 mg/day)이며 이에 더하여 추가적으로 clopidogrel, ticlopidine, prasugrel, ticagrelor 등과 같은 항혈소판제가 함께 사용되기도 한다(chapter 29 참조).

Aspirin에 더해 clopidogrel을 함께 사용하는 소위 dual antiplatelet therapy (DAPT)가 강력히 추천되는 경우는 주로 1) 관상동맥질환(unstable angina, NSTEMI, STEMI, recent MI), 2) 최근 발생한 허혈성 뇌졸중(recent ischemic stroke), 3) 증상을 동반한 말초동맥폐색증(symptomatic peripheral artery disease) 환자이다.

동맥수술 환자에서 흔히 볼 수 있는 percutaneous coronary intervention (PCI)을 시행한 과거력이 있는 환자에서는 PCI 시행 후 초기에 dual antiplatelet therapy가 중요 시 되며, 그 사용 기간을 비교적 엄격히 따를 것을 강조하고 있다. 그 이유는 PCI를 시행한 환자에서 계획 수술을 해야 할 경우 수술 전 항혈소판제 투약을 조기에 중단하면 stent thrombosis에 따른 급성 심근경색증 발생의 위험이 높아지기 때문에 정해진 기간 동안 dual antiplatelet 사용을 강조하고 있다.

2016, AHA practice guidelines에 따르면 PCI를 시행한 환자에서는 1) dual antiplatelet therapy를 요하는 기간 동안에는 가능하면 elective surgical procedure는 피하거나 연기하고, 2) 만약 큰 수술을 해야 한다면 수술 전후 기간동안 clopidogrel은 중단하더라도 저용량 aspirin 만은 계속 사용할 것을 권하고 있다.

PCI 시행 시 사용된 stent의 종류에 따라 bare metal stent (BMS)를 삽입한 환자에서는 시술 후 최소한 1개월 이상, drug-eluting stent (DES)를 삽입한 환자에서는 최소한 12개월 이상 dual antiplatelet therapy를 할 것을 권고하고 있다. 표 26-5 는 PCI를 시행한 환자에서 major non-cardiac surgery 전 항혈소판제 중단에 관한 권고사항이다(2016 ACC/AHA guidelines).

일반적으로 수술을 담당하는 외과의사들은 수술 중 혹은 수술 후 출혈성 합병증의 위험 때문에 항혈소판제 사용을 꺼리는 경향이 있다. 그러나 실제 항혈소판제 사용으로 수술 후 출혈성 합병증의 위험은 낮다고 알려져 있다. Neili-povitz 등의 보고에 의하면 수술 전후 aspirin을 계속 사용함으로 수술 사망률은 2.78%에서 2.05%로 낮출 수 있지만, 출혈성 합병증은 약 2.5% 정도만 증가시키는 것으로 보고하였다.

2012 ACCP guideline에서도 심혈관 합병증 고위험군 환자에서는 수술 전후 aspirin은 계속 사용하는 것을 권하고 있으며, 단 clopidogerel과 함께 사용할 경우 심각한 출혈성 부작용의 위험성이 있음을 경고하였다(OR=5.1). 만약 clopidogrel 투약을 중단하려면 수술 전 7-10일(최소 5일)에 중단할 것을 권고하였다. 그리고 clopidogrel은 hepatic cytochrome-450 (CYP-450) 효소에 의해 활성화되는 약이므로 이 효소와 관계되는 약재와 병용할 경우 항응고효과를 감소시킬 수 있으므로 proton pump inhibitor (CYP2C19 inhibitor)와 함께 사용하는 것을 금하고 있다.

(10) Statin

Statin 은 HMG-CoA reductase inhibitor로서 항고지혈증 제재의 한 부류이다. 지금까지 알려

표 26-5. Discontinuation of Antiplatelet Agent Before Major Non-cardiac Surgery in Patients with Coronary Artery Stent

COR	Recommendation before elective major non-cardiac surgery
Class I	Elective non-cardiac surgery should be delayed 30 days after BMS implantation and optimally 6 months after DES implantation
Class I	In patients treated with DAPT (aspirin & clopidogrel) after PCI, continue aspirin if possible and stop clopidogrel preoperatively and restart as soon as possible after surgery
Class IIa	In patients currently taking clopidogrel, consider relative risk of the surgery between continuation or discontinuation of clopidogrel
Class IIb	During clopidogrel therapy after DES implantation, discontinuation of clopidogrel may be considered at 3 months when risk of further delay of surgery is greater than the expected risk of stent thrombosis
Class C	Elective non-cardiac surgery should not be performed within 30 days after BMS implantation or within 3 months after DES implantation if it is required discontinuation of DAPT perioperatively

2016 ACC/AHA guidelines. Circulation. 2016;134:e123-e155

COR, class of recommendation; BMS, bare metal stent; DES, drug eluting stent
DAPT, dual antiplatelet therapy; PCI, percutaneous coronary intervention

진 바에 의하면 statin은 lipid lowering 효과뿐만 아니라 anti-inflammatory, antithrombotic 효과 등 여러 측면에서의 효과가 있다고 알려져 있다. 한 meta-analysis 결과에 따르면 statin은 long-term risk of cardiovascular event를 약 25%정도 줄이는 효과가 있다고 보고되고 있다.

Vascular Quality Initiative (VQI) data를 이용한 연구 결과에서도 혈관 수술을 시행하는 환자에서 항혈소판제나 statin 사용의 효과는 입원 중 심근경색증이나 수술 사망(in-hospital MI/death) 보다는 후기 사망률(late mortality)을 줄이는데 더 효과적이라고 보고하고 있다. ACC/AHA guideline에서도 죽상경화증과 관련된 혈관질환 환자의 수술 전후에 환자가 이 약제들에

큰 부작용을 보이지 않는다면 모든 환자에서 항혈소판제와 statin 사용을 권고하고 있다.

(11) 항생제

혈관 수술 전 후 항생제 사용의 목적은 수술 부위 감염(surgical site infection, SSI) 및 수술 중 사용하는 인공물질 감염증 예방이 주 목적이다. 특별한 감염원이 없는 혈관 수술에서 예방 목적의 항생제(prophylactic antibiotics)는 주로 피부에 상존하는 균인 *Staphylococcus aureus* 혹은 *Streptococcus*에 대한 살균력을 가진 1세대 cephalosporin계 항생제인 cephazolin과 sulbactam 혹은 ampicillin 등이 흔히 사용된다. 이들 항생제 사용 시간은 피부절개 1시간 내에 투여

표 26-6. Perioperative prophylactic antibiotics usage in vascular surgery

Surgical procedure	GOR/ LOE	Recommended antibiotics	Alternative regimen	Administration period	GOR/ LOE	Remarks
Surgery with artificial prosthesis; Abdominal aortic surgery	A / I	Cephazolin	Vancomycin, Clindamycin	24-48h	C / I-III	Elective surgery should be performed after infection control
Surgery with artificial prosthesis; Abdominal aortic surgery (high risk of SSI)	A / I	Cephazolin	Vancomycin, Clindamycin	72h	C / I-III	e.g., emergency surgery in ruptured AAA
Surgery with artificial prosthesis; Leg bypass surgery	A / I	Cephazolin	Vancomycin, Clindamycin	Single dose-24h	A / I	
Peripheral endovascular procedure	C1 / III	Cephazolin	Clindamycin, Vancomycin,	Single dose	C / I-III	
Leg bypass; No use of artificial prosthesis	C1 / III	Cephazolin	Clindamycin, Vancomycin	Single dose (readminstration may be required)	C / I-III	Selective use of antibiotic susceptible to identified microorganism from the local skin lesion

GOR, Grade of recommendation; LOE, Level of evidence ;SSI, Surgical site infection

Japanese Society of Chemotherapy, Japanese Society for Surgical Infection. (Japanese Clinical Practice Guidelines for antimicrobial Prophylaxis in Surgery. Tokyo, 2016, 2016:9-18.)

PART VI 수술 전후의 약물치료

할 것을 권하며 만약 수술시간이 길어지는 경우 수술 중에도 투여해야 한다. 표 26-6은 Japanese Society of Chemotherapy와 Japanese Society for Surgical Infection에서 혈관수술 환자에서 수술 전 후 사용하는 예방적 항생제 사용 지침으로 우리가 참고할 만하다고 생각된다.

인조혈관을 사용하는 환자에서는 수술 부위 감염은 인조혈관 감염으로 진행될 수 있고 이 합병증은 생명을 위협할 수 있는 무서운 합병증 이므로 혈관 수술에서는 수술부위 감염에 대한 특별한 주의를 요한다.

혈관수술 중에서는 특히 extra-anatomic bypass, 재수술(redo surgery), 당뇨병 환자에서 의 혈관 수술, 족부궤양이 있는 critical limb ischemia 환자에서 혈관 수술에서 감염 빈도가 높다. 그리고 고령, 비만, 장기간 부신피질 호르몬 혹은 면역 억제재 사용, 응급 수술, 장시간의 수술 등이 수술부위 감염의 고위험군이므로 이들 환자에서 특별한 주의를 요한다.

당뇨병 환자에서 족부 감염증은 특수한 상황 이므로 이 장에서는 더이상 기술하지는 않지만 일반적으로 carbapenem 혹은 β-lactamase inhibitors 등 광범위 항생제 사용이 흔히 추천된다.

수술 중 사용되는 약물

동맥 수술 중 동맥 차단을 할 때 차단 부위의 근위부 혹은 원위부에 발생할 수 있는 혈관내 혈전 형성을 예방하기 위해 동맥 차단을 하기 직전에 항응고제를 투여한다. 이 같은 목적으로 항응고제를 사용할 때는 주로 unfractionated heparin (UFH)을 정맥주사하며 투여방법은 정해진 용량(fixed dose)인 3,000-5,000units를 한꺼번에 정맥주사하거나 환자의 체중을 감안한 용량 계산(body weight-based dosing scheme)을 하여 100-150 units/kg of BW를 한 번에 투여한 후 항응고효과를 유지하기 위하여 매 45-60분마다 500-1,000 units 혹은 50 units/kg of BW를 추가로 정맥주사하는 방법이 흔히 사용된다.

UFH을 사용할 때 항응고효과를 monitoring 하기 위해 ACT (activated clotting time)측정이 흔히 이용된다. 검사 장비, 시약, 검사 방법에 따라 ACT 측정치는 다소 차이를 보일 수도 있지만 정상치는 80-160초 범위에 있다. 일반적으로 "therapeutic range"는 ACT 180-240초 범위이다. 각 수술 혹은 시술에 따라 ACT target range가 다르다. 예를 들면 관상동맥, 하지동맥 혹은 경동맥 등 작은 크기의 혈관 수술(시술)에서 ACT> 350초인 경우 ischemic event 발생률이 낮다고 한다. 그리고 cardiopulmonary bypass (CPB) 중인 환자에서는 ACT를 더 높게 유지할 것을 권한다.

ACT는 UFH 주입 이외에도 혈액응고 인자 결핍증, 심한 혈소판감소증(thrombocytopenia) 혹은 혈소판 기능장애(platelet dysfunction), 저체온증, hemodilution 등이 있는 환자에서도 ACT가 증가될 수 있으므로 이 같은 상황이 동반되는지를 고려해서 판독해야 한다. 표 26-7은 혈관 시술 혹은 수술 시 추천되는 ACT range이다.

수술 중 사용한 UFH의 reversal에 관해서는 심장 수술이 아닌 혈관 수술 후 protamine sulfate

표 26-7. Target ranges of activated clotting time (ACT) in various vascular procedures

Procedure	Target ACT range (second)
Arterial sheath removal	< 165
Venous sheath removal	< 185
ECMO	160-180
Arterial catheterization	180-200
Vascular surgery	180-200
Angioplasty without intravenous antiplatelet agent (Abciximab)	> 300-350
Angioplasty with intravenous antiplatelet agent (Abciximab)	200-300
Coronary artery bypass grafting (CABG) during cardiopulmonary bypass	> 480

Reference range of ACT is 99 - 130 seconds.

로 heparin reverse 시켜야 하는 경우는 드물고 대개 출혈성이 과량의 UFH투여에 의한 것이 확실하고, 수술 소견상 출혈성이 심하고, 다른 local hemostatic management로 잘 해결되지 않는 경우에만 제한적으로 사용된다.

이때 사용하는 protamine sulfate는 UFH 100units 를 1 mg protamine sulfate가 reverse 시킬 수 있다고 보고, UFH 주입 후 시간 경과를 감안하여 사용해야 한다. Protamine sulfate는 주입 후 5분 이내 효과가 나타나고 사용 시 부작용으로 인해 주의를 요하는 약물이다. 특히 정맥 주입 시 너무 빨리 주사하거나, 과거 이 약제에 노출된 적이 있는 환자, 생선 allergy가 있는 환자 등에서는 anaphylaxis에 의한 서맥(bradycardia), 저혈압, shock, 호흡곤란 등 심각한 부작용을 초래할 위험이 있는 약재이므로 UFH 투여 후 시간 경과를 감안하여 낮은 용량부터 시작하여 아주 서서히 정맥주사하는 것이 중요하며, 주입 후 ACT와 함께 환자의 혈압, 호흡 등을 주의 깊게 monitoring 하는 것이 필수적이다.

동맥수술 후 조기 약물치료(Early postoperative drug therapy)

말초동맥 수술 후 항혈소판제의 효과에 관해서 2015 Cochrane Systemic Review 에 의하면 말초동맥우회로 수술 후 항혈소판제 치료는 placebo 사용군의 비교에서 primary graft patency 유지에 좋은 효과를 보였으며, 이 효과는 vein graft 사용 환자군에서는 나타나지 않았고 prosthetic graft를 사용한 환자군에서 유의하게 나타났음을 보고하였다.

수술 후 다양한 조합의 약재를 이용해 술후 심장, 뇌혈관 합병증예방 및 안전성을 보기 위한 연구가 많이 소개되어 있는데 그 중 중요한 연구 결과를 소개하면 표 26-8과 같다.

이상에서 기술한 말초동맥질환 환자에서

표 26-8. RCT results of various antithrombotic agents in patients with cardiovascular risks

Trial, year	Summary
Aspirin + Warfarin	
WAVE trial, 2007	**Aim:** To access efficacy and safety of additional warfarin to aspirin **Patient:** Patients with PAD **Method:** Compare outcome of MI, stroke, C-V death or severe ischemia of the peripheral or coronary arteries leading to urgent intervention between antiplatelet+oral anticoagulant group Vs antiplatelet alone group **Result:** Combined oral anticoagulant (warfarin) & antiplatelet therapy was NOT more effective than anti-platelet therapy alone in preventing major cardiovascular complications. Combined therapy was associated with an increase in life-threatening bleeding
Dual antiplatelet therapy (Aspirin + Clopidogrel)	
CAPRIE trial, 1996	**Aim:** To assess the relative efficacy of clopidogrel and aspirin in reducing the risk of a composite outcome of ischemic stroke, MI, or vascular death **Patient:** Patients with atherosclerotic vascular disease with recent ischemic stroke, recent MI, or symptomatic PAD **Results:** Long-term administration of clopidogrel is more effective than aspirin in reducing the combined risk of ischemic stroke, MI, or vascular death. The overall safety of clopidogrel is at least as good as that of medium-dose aspirin.
MATCH trial 2004	**Aim:** To assess whether addition of aspirin to clopidogrel could have a greater benefit than clopidogrel alone in prevention of vascular events **Patient:** High-risk patients with recent ischemic stroke, TIA and at least one additional vascular risk factor who were already receiving clopidogrel **Results:** Adding aspirin to clopidogrel increased life-threatening or major bleeding without reducing ischemic vascular event in high-risk patients.
WOEST trial, 2013	**Aim:** To access safety and efficacy of clopidogrel alone compared with clopidogrel plus aspirin in patients taking anticoagulant **Patient:** Adults receiving oral anticoagulants and undergoing PCI **Method:** Compare any bleeding episode within 1 year of PCI between clopidogrel+anticoagulant (double therapy) Vs clopidogrel+ aspirin+ anticoagulant (triple therapy) **Result:** Use of clopiogrel without aspirin was associated with a significant reduction in bleeding complications and no increase in the rate of thrombotic events
CASPAR trial, 2010	**Aim:** To determine dual antiplatelet therapy (clopidogrel+ aspirin) is superior to aspirin alone in patients undergoing below-knee bypass grafting. **Patient:** Patients undergoing unilateral, below-knee bypass graft for atherosclerotic peripheral arterial disease (PAD) **Method:** Compare index-graft occlusion or revascularization, above-ankle amputation of the affected limb, or death and severe bleeding between aspirin+ clopidogrel (dual antiplatelet) Vs aspirin+ placebo (aspirin alone) **Result:** Combination of clopidogrel plus aspirin did not improve limb or systemic outcomes. Subgroup analysis suggests that dual antiplatelet therapy confers benefit in patients receiving prosthetic graft without major bleeding risk.

Aspirin+Rivaroxavan	
COMPASS trial, 2017	**Aim:** To access efficacy and safety of additional rivaroxaban to aspirin **Patient:** patients with stable atherosclerotic vascular disease **Endpoint:** cardiovascular death, stroke, or nonfatal MI **Method:** Compare composite of C-V death, stroke, or nonfatal MI between a) Rivaroxaban 2.5 mg bid with aspirin, b) Rivaroxaban 5 mg bid alone; and c) Aspirin alone **Results:** Major bleeding rate was significantly higher in the rivaroxaban+aspirin arm than in the aspirin alone group. Major bleeding rate was significantly higher in the rivaroxaban only arm compared to aspirin alone. All-cause mortality with the rivaroxaban+aspirin combination was reduced by 0.7% compared to aspiring alone
VOYAGER-PAD trial, 2020	**Aim:** To access efficacy and safety of additional rivaroxaban to aspirin **Patient:** Moderate to severe symptomatic lower extremity atherosclerotic PAD, After successful revascularization of symptomatic leg artery disease with the last 10 days **Method:** Compare efficacy and safety of rivaroxaban addition to aspirin to reduce major thrombotic event (MI, ischemic stroke, C-V death, acute limb ischemia, major amputation) between aspirin+rivaroxaban Vs. aspirin+placebo **Results:** Adding low-dose rivaroxaban significantly reduced the spectrum of complications (acute limb ischemia, major vascular amputation, heart attack and stroke) after peripheral artery intervention

PAD, peripheral artery disease; MI, myocardial infarction; C-V, cardiovascular; PCI, percutaneous coronary intervention; TIA, transient ischemic attack

antithrombotic therapy를 종합하면 표 26-9 와 같이 요약할 수 있다.

위의 혈관수술 후 처치에서 다른 수술과 다소 다른 면이 있는 수술은 경동맥 재건술(예, carotid endarterectomy (CEA), carotid artery stenting (CAS), ascending aorta-to-carotid bypass 등)이라고 생각된다.

CEA 혹은 CAS는 죽상경화증에 의한 경동맥 협착증 환자에서 뇌졸중(stroke)을 예방하는 수술/시술이다. 이 수술은 수술 후 심장 합병증에 더해서 뇌졸중의 위험이 다른 수술에 비하여 상대적으로 높다는 특징이 있다. 따라서 CEA 혹은 CAS 시행한 환자에서는 뇌졸중 예방을 위한 대비가 필요하다.

CEA 혹은 CAS 후 조기에 나타날 수 있는 뇌졸중은 크게 허혈성 뇌졸중(ischemic stroke)과 출혈성 뇌졸중(hemorrhagic stroke)으로 분류할 수 있다. 허혈성 뇌졸중은 심장에서 뇌동맥까지 어느 한 부위에서 발생한 부스러기가 뇌동맥을 막아서 나타날 수 있지만 경동맥 수술 환자에서는 주로 경동맥 수술 부위에서 발생한 혈전, 잔여 죽종 부스러기(residual plaque debris), 경동맥 박리증(dissection), 혹은 혈관 내 공기 유입 등으로 인한 뇌동맥색전증이 가장 흔한 원인이다. 일반적으로 출혈성 뇌졸중의 가장 빈번한 원인은 조절되지 않는 심한 고혈압으로 인한 뇌내출혈(intracerebral hemorrhage, ICH)로 알려져 있지만 CEA/CAS를 시행한 환자에서는 다른 원인으로 뇌출혈이 나타날 수 있다. 뇌동맥색전증으로 인한 뇌경색이 있었던 부위에 CEA/CAS로

표 26-9. Recommendations on antithrombotic therapy in patients with peripheral arterial diseases (2017 ESC Guidelines)

Recommendations	Class	Level
Carotid artery disease		
In patients with symptomatic carotid stenosis, long-term SAPT is recommended	I	A
DAPT with aspirin and clopidogrel is recommended for at least 1 month after CAS	I	B
In patients with asymptomatic > 50% carotid artery stenosis, long-term antiplatelet therapy (commonly low-dose aspirin) should be considered when the bleeding risk is low. (except patients with an indication for long-term OAC)	IIa	C
Lower extremities artery disease		
Long-term SAPT is recommended in symptomatic patients	I	A
Long-term SAPT is recommended in all patients who have undergone revascularization	I	C
SAPT is recommended after infra-inguinal bypass surgery	I	A
In patients requiring antiplatelet therapy, clopidogrel may be preferred over aspirin.	IIb	B
Vitamin K antagonists may be considered after autologous vein infra-inguinal bypass	IIb	B
DAPT with aspirin and clopidogrel for at least 1 month should be considered after infra-inguinal stent implantation	IIa	C
DAPT with aspirin and clopidogrel may be considered in below-the-knee bypass with a prosthetic graft	IIb	B
Because of a lack of proven benefit, antiplatelet therapy is not routinely indicated in patients with isolated asymptomatic LEAD	III	A
Antithrombotic therapy for PADs patients requiring oral anticoagulant (OAC)		
In patients with PADs and AF, OAC: - is recommended when CHA2DS2-VASc score ≥2A - should be considered in all other patients	I IIa	A B
In patients with PADs who have an indication for OAC (e.g. AF or mechanical prosthetic valve), oral anticoagulants alone should be considered	IIa	B
After endovascular revascularization, aspirin or clopidogrel should be considered in addition to OAC for at least 1month if the bleeding risk is low compared with the risk of stent/graft occlusion	IIa	C
After endovascular revascularization, OAC alone should be considered if the bleeding risk is high compared with the risk of stent/graft occlusion	IIa	C
OAC and SAPT may be considered beyond 1 month in high ischemic risk patients or when there is another firm indication for long-term SAPT	IIb	C

Class, Class of recommendation; Level, level of evidence
AF, atrial fibrillation; CAS, carotid artery stenosis; CHA2DS2-VASc, Congestive heart failure, Hypertension, Age ≥75 (2 points), Diabetes mellitus, Stroke or TIA (2 points), Vascular disease, Age 65-74 years, Sex category;DAPT, dual antiplatelet therapy; LEAD, lower extremity artery disease; OAC, oral anticoagulation; PADs, peripheral arterial diseases; SAPT, single antiplatelet therapy; CHA2DS2-VASc score is calculated as follows: congestive heart failure history (1 point), hypertension (1 point), age 〉 75 years (2 points), diabetes mellitus (1 point), stroke or TIA or arterial thromboembolic history (1 point), vascular disease history (1 point), age 65-74 years (1 point), sex category (1 point if female).

인해 혈류량이 갑자기 증가하는 경우 뇌내 출혈이 생길 수도 있다("hemorrhagic conversion"). 그리고 cerebral hyperperfusion syndrome이라는 특이한 합병증에 의해서도 나타날 수 있다. Cerebral hyperperfusion syndrome은 경동맥협착으로 인해 뇌조직에 허혈이 생기면 뇌혈관은 자가조절(autoregulation) 기전에 의해 심한 혈관 확장을 보인다. 이 상태에서 수술 후 뇌혈류가 갑자기 증가되면 뇌혈관 수축이 되어야 하는데 autoregulation failure로 뇌동맥 수축이 되지 않을 경우 뇌세포 부종이 발생할 수 있고, 이 같은 상황이 고혈압과 함께 동반되면 출혈성 뇌졸중을 유발할 수 있다. 따라서 cerebral hyperperfusion syndrome이 의심되는 환자에서 혈압조절 목적으로 사용하는 혈압강하제는 가능하면 뇌혈관 확장을 시키는 약재(예, nitrates, calcium channel blocker etc)는 피하는 것이 좋다. 이 목적으로 흔히 사용하는 일차적으로 쓰이는 약은 Labetalol 정맥주사이다.

또 경동맥 분기부에는 baroreceptor라는 혈압을 감지하는 senor가 위치하므로 CEA 혹은 CAS 시행 시 baroreceptor 부위의 denervation 혹은 물리적 손상은 수술 직후 혈역학적 불안정성(hemodynamic instability)인 서맥, 저혈압 혹

표 26-10. Clinical Guideline for the Management of Post-Carotid endarterectomy(CEA) Hypertension

BP lability	- Common in the first 12-24 hours postoperative period - Require BP monitoring with arterial line: - Continuously for first 4 hours, every 30 min for 4 hours and then every 1 hour for 4 hours
Access other cause hypertension	Pain, discomfort IV line, urinary retention, etc
SBP goal	SBP to be maintained as specified by anesthesiologist: usually < 140 -150 mmHg

If patient able to swallow	Start oral antihypertensive:
	    1st line: Amlodipine 5 mg od (long acting CCB) or Lisinopril 2.5 mg od if age < 55y and
	        renal function allows.
	    2nd line: Add either CCB or ACE inhibitor
	    3rd line: Add diuretic Bendroflumethiazide 2.5 mg od
	    4th line: Add β-Blocker Atenolol 25 mg od or α-blocker Doxazocin 1 mg od

If patient unable to swallow	Start intravenous antihypertensive agent
	    1st line, Labetalol (100 mg in 20mls of normal aline)
	    2nd line, Isoket (25 mg in 50mls normal saline) in case
	        of bronchial asthma, CHF or heart block),

If patient has symptoms of severe headache or seizure and uncontrolled hypertension	- ICU care with BP & neurologic monitoring - BP control with iv labetolol or isoket - Seizure control with phenytoin - Consider use of dexamethasone 8 mg iv - Brain CT to rule out ICH - Contact neurologist

SBP, systolic blood pressure; CCB, calcium channel blocker; ACE, angiotensin converting enzyme; CHF, congestive heart failure; ICBP, blood pressure; ICH, intracerebral hemorrhage

은 고혈압을 보일 수 있다. 따라서 이 같은 현상에 대한 대비를 미리 해두는 것이 중요하고, 특히 혈압조절, seizure에 대한 대비(anticonvulsant), 서맥에 대해서도 미리 대비해야 한다. 특히 CEA나 CAS 후 혈압 조절은 다른 수술에 비해 중요한 처치의 하나이다.

표 26-10은 CEA 혹은 CAS 후 고혈압 치료에 대한 Ross Naylor 등이 제시한 guideline이다.

요약 🔒

1) 동맥수술(혹은 시술) 전후에 사용하는 약물치료의 목적은 수술 중 혹은 수술 후 나타날 수 있는 합병증 특히 심. 뇌혈관 합병증 예방이 주목적이고 이와 함께 치료한 혈관의 개통을 유지하기 위함이다.

2) 항혈소판재나 statin 사용의 효과는 입원 중 심근경색증이나 수술 사망(in-hospital MI/death) 보다는 후기 사망률(late mortality)을 줄이는데 더 효과적이다.

3) 죽상경화증과 관련된 혈관질환 환자의 수술 전 후 환자가 이 약제들에 큰 부작용을 보이지 않는 한 모든 환자에서 항혈소판재와 statin 사용을 권고하고 있다.

4) 수술 기간 중 고혈압 치료 약제는 평소 집에서 사용하던 약제를 수술 전후 기간 중 사용하는 것이 일반적이지만 angiotensin converting enzyme (ACE) 혹은 angiotensin receptor blocker (ARBs)는 수술 중 저혈압과 이에 따른 심근경색증, 허혈성 뇌졸중의 위험을 고려하여 피하는 것이 좋다.

5) Warfarin을 투여하던 환자에서 warfarin을 중단하고 하고 bridging anticoagulation의 적응은 warfarin 중단으로 stroke이나 동맥색전증 발생 고위험군에서만 bridging anticoagulation을 필요로 하고 thrombotic risk가 낮은 환자군에서는 warfarin 투약을 단기간 중단한 후 bridging anticoagulation 없이 수술을 시행한다.

6) 정맥혈전증 예방 목적의 저용량 해파린(low dose heparin) 피하 주사를 맞고 있는 환자는 수술 전 2시간, full-dose UFH 정맥 주사 치료중인 환자에서는 수술 전 4-6시간 동안 UFH 투약을 중단 하는 것이 바람직하고, 예방 목적의 용량(prophylactic dose)의 LMWH을 사용하던 환자에서는 수술 전 12시간, 치료용량(therapeutic dose) LMWH을 사용하던 환자에서는 수술 전 24시간 동안 LMWH를 중단할 것을 권한다.

7) Percutaneous coronary intervention (PCI)를 시행한 환자에서 dual antiplatelet therapy (DAPT)를 요하는 기간 동안에는 가능하면 elective surgical procedure는 피하거나 연기하고, 만약 major 수술을 해야 한다면 수술 전, 후 기간 동안 clopidogrel은 중단하드라도 aspirin은 계속 사용할 것을 권하고 있다.

8) PCI 시행 시 사용된 stent의 종류에 따라 bare metal stent (BMS)를 삽입한 환자에서는 시술 후 최소한 1개월, drug-eluting stent (DES)를 삽입한 환자에서는 최소한 12개월 이상 DAPT를 시행할 것을 권한다.

9) 신기능이 저하된 환자에서 contrast-induced nephropathy (CIN) 발생을 줄이기 위한 방법으로 가능하면 혈관 조영제를 사용하는 검사를 피하고, 조영제를 꼭 사용해야 할 상황이라면 조영제 사용량을 최소한으로 줄이고, non-ionic, low osmolar contrast agent의 사용을 권한다.

10) 혈관 수술 시 예방적 항생제 사용은 *staphylococcus aureus* 혹은 *streptococcus*에 효과적인 제1세대 cepaholosporin, vancomycin 혹은 clinidamycin 등이 추천된다.

11) DAPT가 강력히 추천되는 경우는 주로 관상동맥질환, 최근 발생한 허혈성 뇌졸중, 증상을 동반한 말초동맥 폐색증 환자이다.

12) 일반적으로 하지동맥 우회로술 후 single antiplatelet therapy (SAPT)를 권하고, Below-knee prosthetic bypass 혹은 하지동맥 stenting을 시행한 환자에서는 적어도 1개월 이상의 DAPT 사용을 권한다.

13) 경동맥 협착증 환자에서는 CEA 후에는 SAPT를 CAS 후에는 DAPT를 사용할 것을 권한다.

14) CEA 혹은 CAS 시행 후 hemodynamic instability의 소견(서맥, 저혈압 혹은 고혈압)이 나타날 수 있으므로 이에 미리 대비해야 하고, cerebral hyperperfusion syndrome 발생 시에는 특히 고혈압 치료가 중요하며 이때 가장 흔히 쓰이는 1차 약재는 Labetalol 정맥 주사이다.

15) Cerebral hyperperfusion syndrome이 의심되는 환자에서 혈압조절 목적으로 사용하는 혈압 강하제는 가능하면 뇌혈관 확장을 시키는 약재(예, nitrates, calcium channel blocker etc)는 피하는 것이 좋다.

참고문헌

1. Aboyans V, Ricco JB, Bartelink MLEL et al. 2017 ESC Guidelines on the Diagnosis and Treatment of Peripheral Arterial Diseases, in collaboration with the European Society for Vascular Surgery (ESVS): Document covering atherosclerotic disease of extracranial carotid and vertebral, mesenteric, renal, upper and lower extremity arteries. Euro Heart J. 2018, 39:763-816

2. Bangalore S, Wetter J, Pranesh S, Sawhney S, Gluud C, Messerli PFH. Perioperative β - blockers in patients having non-cardiac surgery: a meta-analysis, Lancet 2008;372:1962-76Perioperative

3. Belch et al. The CASPAR Writing Committee. Results of the randomized, placebo-controlled clopidogrel and acetylsalicylic acid in bypass surgery for peripheral arterial disease (CASPAR) trial. J Vasc Surg 2010;52:825-33

4. Bouri S, Shun-Shin MJ, Cole GD, Mayet J, Francis DP. Meta-analysis of secure randomized controlled trials of β -blockade to prevent perioperative death in non-cardiac surgery. Heart 2014;100:456–464

5. CAPRIE Steering Committee. A randomised, blinded, trial of clopidogrel versus aspirin in patients at risk of ischaemic events (CAPRIE). Lancet 1996; 348: 1329–39

6. Clinical Guideline for the Management of Post-Carotid Endarterectomy (CEA) Hypertension, Clinical Guideline Template, 2016

7. ClinicalTrials.com Identifier: NCT02504216.

8. (https://clinicaltrials.gov/ct2/show/NCT02504216)

9. Devereaux PJ, et al and POISE study group. Effects of extended-release metoprolol succinate in patients undergoing non-cardiac surgery (POISE trial): a randomised controlled trial. Lancet 2008;371:1839–47

10. Dörffler-Melly J, Buller H, Pooman MM, Prins MH. Antiplatelet agents for preventing thrombosis after peripheral arterial bypass surgery. Cochrane Data-

PART VI 수술 전후의 약물치료

base Syst review. 2015. 19;(2)

11. Douketis JD et al. BRIDGE investigators. Perioperative Bridging Anticoagulation in Patients with Atrial fibrillation. N Engl J Med 2015;373:823-33

12. Goff DC, Lioyd-Jons DM, Bennett G et al. ACC/AHA Guideline on the assessment of cardiovascular risks. Circulation 2014. 23;129;S46-8

13. Guyatt GH, Akl EA, Crowther M, Gutterman DD, Schünemann H J, Executive summary: Antithrombotic Therapy and Prevention of Thrombosis, 9th ed: American College of Chest Physicians Evidence-Based Clinical Practice Guidelines. American College of Chest Physicians Evidence-Based Clinical Practice Guidelines. CHEST 2012;141(Suppl):7S－47S

14. H. C. Diener et al. MATCH investigators. Aspirin and clopidogrel compared with clopidogrel alone after recent ischaemic stroke or transient ischaemic attack in high-risk patients (MATCH): randomised, double-blind, placebo-controlled trial. Lancet 2004; 364: 331－37

15. H. C. Diener et al. The Prevention Regimen for Effectively Avoiding Second Strokes(PRoFESS) Study Group. Aspirin and Extended-Release Dipyridamole versus Clopidogrel for Recurrent Stroke. N Engl J Med 2008;359:1238-51

16. Handelsman Y, Henry RR, Bloomgarden ZT, Dagogo-Jack S, DeFronzo RA, Einhorn D, Ferrannini E, Fonseca VA, Garber AJ, Grunberger G, LeRoith D, Umpierrez GE, Weir MR American Association of Clinical Endocrinologists and American Colldge of Endocrinology Position Statement on the Association of SGLT-2 Inhibitors and Diabetic Ketoacidosis. Endocr Pract. 2016;22:753-62

17. J.W. Eikelboom et al. A complete list of the Cardiovascular Outcomes for People Using Anticoagulation Strategies (COMPASS) Investigators. Rivaroxaban with or without Aspirin in Stable Cardiovascular Disease. N Engl J Med 2017;377:1319-30.

18. Japanese Society of Chemotherapy, Japanese Society for Surgical Infection. Japanese Clinical Practice Guidelines for antimicrobial Prophylaxis in Surgery. Tokyo, 2016, 2016:9-18. (in Japanese)

19. Levine GN, Bate ER, Bittl JA et al. 2016 ACC/AHA guidelines focused update on duration of dual antiplatelet therapy in aptients with coronary artery disease. Circulation. 2016;134:e123－e155

20. Marik PE & Varon J. Requirement of Perioperative Stress Doses of CorticosteroidsA Systematic Review of the Literature. Arch Surg 2008;143:1222-26

21. Marzenzi G, Assanelli E, Marana I, et al. N-Acetylcysteine and Contrast Induced Nephropathy in Primary Angioplasty. N Engl J Med.2006;354:2773-82

22. Mihaylova B, Emberson J, Blackwel L, et al. Cholesterol Treatment Trialists (CTT) collaborators. The eddects of lowering LDL cholesterol with statin therapy in people at low risk of vascular disease: metaanalysis of individual data from 27 randomized trials. Lancet 2012;380:581-90

23. Neilipovitz DT, Bryson GL, Nichol G. The effect of perioperative aspirin therapy in peripheral vascular disease: a decision analysis. Anesth Analg 2001;93:573-80

24. Rechenmacher SJ and Fang JC. Bridging Anticoagulation Primum Non Nocere. J Am Coll Cardiol. 2015;66:1392－403

25. Roshanov PS, Rochwerg B, Patel A et al. Withholding versus continuing angiotensin converting enzyme inhibitors or angiotensin II receptor blockers before noncardiac surgery: an analysis of the vascular events in noncardiac surgery patients Cohort evaluation Prospective Cohort. Anesthsiology. 126:16-27, 2017

26. S. Anand et al. Warfarin Antiplatelet Vascular Evaluation (WAVE) trial investigators. Oral Anticoagulant and Antiplatelet Therapy and Peripheral Arterial Disease. N Engl J Med 2007;357:217-27

27. Siegal D, Yudin J, Kaatz S, Douketis JD, Lim W, Spyropoulos AC, Periprocedural Heparin Bridging in

Patients Receiving Vitamin K Antagonists Systematic Review and Meta-Analysis of Bleeding and Thromboembolic Rates Circulation 2012;126;1630-39

28. Tomaselli et al. 2017 ACC ECDP on management of Bleeding in Patients on Oral Anticoagulants. JACC 2017;3042-67

29. Tomaselli GF, Mahaffey KW, Cuker A et al. 2017 ACC Expert Consensus Decision Pathway on Management of Bleeding in Patients on Oral Anticoagulants: A Report of the American College of Cardiology Task Force on Expert Consensus Decision Pathways) . J Am Coll Cardiol. 2017;70;3042 – 67

30. W J M Dewilde et al. The What is the Optimal antiplatElet and anticoagulant therapy in patients with oral anticoagulation and coronary StenTing (WOEST) study investigators. Use of clopidogrel with or without aspirin in patients taking oral anticoagulant therapy and undergoing percutaneous coronary intervention: an open-label, randomised, controlled trial. Lancet 2013; 381: 1107 – 15

31. Weisbord SD, Gallagher M, Jneid H, et al. Outcomes after Angiography with Sodium Bicarbonate and Acetylcysteine. N Engl J Med. 2018;378;603 – 14

32. 31.Yusuf S, Sleight P, Pogue J, Bosch J, Davies R, Dagenais G. Effects of an angiotensin-converting-enzyme inhibitor, ramipril, on cardiovascular events in high-risk patients. The Heart Outcomes Prevention Evaluation Study Investigators. N Engl J Med 2000;342;145 – 53

33. Yusuf S, Teo KK, Pogue J, Dyal L, Copland I, Schumacher H, Dagenais G, Sleight P, Anderson C. Telmisartan, ramipril, or both in patients at high risk for vascular events. N Engl J Med 2008;358;1547 – 59

27
CHAPTER

수술 후 부정맥의 약물치료

Pharmacotherapy of postoperative arrhythmia

| 박경민 | 성균관의대 삼성서울병원 순환기내과

수술 후 부정맥의 빈도, 종류 및 기전

(1) 빈도

수술 후 부정맥의 종류는 수술 종류와 수술 후 cardiac monitoring의 정도에 따라 다양하지만 non-cardiothoracic surgery에서 4-20% 정도로 보고되고 있다. 큰 수술일수록 수술 후 부정맥의 빈도가 높다고 보고되는데 근위부 혈관수술을 포함한 두 개의 코호트 결과에 따르면 주요 혈관수술 후 심방세동의 빈도가 10-20%에 이른다.

(2) 종류

대부분의 수술 후 부정맥은 상심실(supra-ventricular) 기원이 가장 흔하며 단독으로는 심방세동이 가장 흔하여 약 4%를 차지한다(그림 27-1). 심실성 부정맥은 드문 것으로 되어 있으나 심실성 부정맥 발생 빈도를 보고한 데이터가 매우 적어 해석에 주의를 요한다.

(3) 기전

수술 및 마취 과정은 교감신경계와 호르몬 활성을 촉진시킬 뿐 아니라 염증 반응을 야기할 수 있다. 염증 반응은 심방세동을 포함한 수술 후 부정맥 발생에 영향을 주는 것으로 생각되며 염증반응이 최대치를 보이는 수술 후 첫 4일동안 부정맥 발생 빈도가 높은 것으로 알려져 있다. 체외 순환기의 사용 또한 전신 염증 반응에 영향을 주어 부정맥 발생에 영향을 줄 수 있으며 이러한 염증 반응의 정도는 수술의 범위와 정도에 비례한다.

그 외에도 여러 기전들이 작용하는데 흉부 대동맥 수술의 경우 대동맥의 fat pad 일부를 제거하게 되므로 교감신경 톤의 감소를 가져와 수술 후 부정맥 발생에 영향을 주는 것으로 알려져 있다. 또한 많은 연구들에서 부정맥과 패혈

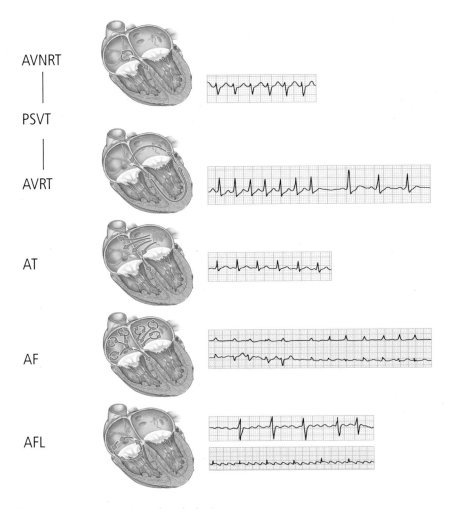

■ 그림 27-1. Types of supraventricular tachyarrhythmias.
AVNRT, atrioventricular nodal reentrant tachycardia; AVRT, atrioventricular reentrant tachycardia; PSVT, paroxysmal supraventricular tachycardia; AT, atrial tachycardia; AF, atrial fibrillation; AFL, atrial flutter.

증 간의 관련성에 대해 보고한 바가 있으며 20-30%의 수술 후 부정맥 환자들에서 기저패혈증을 보였으며 가장 흔한 원인은 하부기도감염이었다. 일부에서 전해질 불균형과 같은 metabolic derangement가 원인이 될 수 있으나 단독 원인보다는 부정맥 발생에 기여하는 인자로 작용하는 경우가 흔하다.

약물치료의 적응증

수술 후 발생하는 부정맥은 수술 후 입원기간과 사망률에 영향을 줄 수 있는 것으로 알려져 있지만, 중요한 점은 부정맥 자체가 사망의 원인이 되는 경우는 드물며 대부분의 환자는 부정맥을 야기하는 기저 원인에 의해 사망한다는 점이다. 대개 non-cardiothoracic surgery 환자에서 부정맥은 self-limiting한 것으로 알려져 있고 20-30% 환자에서는 치료가 필요하지 않다.

심장 수술과 달리 그 이외의 수술에서 부정맥이 갖는 임상적 의의는 다소 약하고 부정맥 자체보다는 이를 야기하는 기저 원인이나 동반된 다른 질환에 대한 고려가 훨씬 중요하다. 또한 전해질 불균형과 같은 부정맥 발생에 기여하는 인자에 대한 교정이 같이 이루어져야 한다. 혈역학적 불안정성을 동반한 빈맥형 부정맥(tachyarrhythmia) 경우 심율동전환술(cardioversion) 이루어져야 하지만 혈역학적으로 안정적인 상심실성 부정맥의 경우 즉각적인 조치가 필요한 경우는 많지 않으며 장기적 치료의 경우 부정맥 전문가에게 의뢰하는 것이 적절하다.

약물치료의 목적 및 효과

수술 후 부정맥에 대한 약물치료를 고려할 수 있는 경우로, 증상을 동반한 상심실성 빈맥에서 맥박수를 조절하거나 정상 리듬으로 회복시키기 위한 치료, 서맥에서 맥박수를 증가시킬 목적으로 사용하는 약물치료(antiarrhythmic drugs) 로 크게 나누어 볼 수 있다.

상심실성 빈맥 중 돌연한 시작과 종료 및 narrow QRS의 규칙적인 빈맥을 특징으로 하는 발작성 상심실성 빈맥(paroxysmal supraventricular tachycardia, PSVT)은 탈수 등 전부하의 감소, 동반된 기저 심장질환, 매우 빠른 박동수 등을 보이는 경우를 제외하면 혈역학적으로 문제를 일으키는 경우가 드물다. 이러한 종류의 부정맥은 증상을 동반하거나 빈맥이 지속되는 경우 아데노신을 투여하여 부정맥의 종료를 기대해 볼 수 있다. 발작성 상심실성 빈맥과 달리 심방세동, 조동 및 심방빈맥의 경우 아데노신 투여에 의해 종료되는 경우는 매우 드물다. 이러한 부정맥의 치료로는 빠른 심실 박동수를 조절하기 위한 rate control 방법과 정상 맥박으로 돌리기 위한 rhythm control로 나누어 볼 수 있다. 두 방법 중 어떠한 방법이 장기적 예후에 우수한 지에 대해서는 아직 정립된 바가 없으나 술 후 초기의 교감신경계 항진, 염증 반응 등이 rhythm control의 효과를 떨어뜨릴 수 있고 혈역학적 불안정성을 동반하는 경우가 드문 점을 감안할 때 적절한 심실 박동수를 유지하기 위한 rate control 방법이 우선 시도될 수 있다. 다만, rate control을 시도할 때 통증, 탈수, 빈혈, 발열 및 감염 등과 같이 생리학적인 심박수 증가 반응을 일으키는 상황 등을 고려하지 않고 심박수만을 조절하려고 시도할 경우 혈압 저하 등을 유발할 수 있다. 따라서 부정맥 자체에 대한 치료보다는 이를 야기하는 기저 원인이나 동반된 다른 질환에 대한 고려가 훨씬 중요하다 하겠다.

서맥의 경우 종류와 원인, 동반된 증상 여부에 따라 치료가 달라지나 혈역학적 불안정성이 치료에 중요한 지침이 된다. 고칼륨혈증 및 대사성산증과 같이 서맥을 유발할 원인에 대한 평가 및 치료가 중요하며 증상이나 혈역학적 불안정성을 동반한 서맥시 atropine을 투여할 수 있다. 하지만 원인 교정이 되지 않거나 방실차단 등의 서맥형 부정맥에서는 효과가 일시적이거나 없을 수 있으며, 필요 시 임시 박동기 삽입을 고려할 수 있다.

상기에 언급한 치료 중 급성 조절을 위해 사

용할 수 있는 약제들 중 급성기에 사용할 수 있
는 주사약제들의 효과와 투여 방법, 금기 등을

표 27-1. Antiarrhythmic drugs: types, usage and precautions

약제명	사용목적	용량 및 용법	Contraindication 혹은 약물 사용 시 주의해야 할 환자	약물치료의 부작용 및 부작용의 치료
Adenosine	발작성 상심실성 빈맥의 종료를 위해 주로 사용	Initial 6 mg 를 IV bolus로 1-2초 내에 투여하되 속효성이라 약효가 수초 내에 사라지므로 투여 후 즉시 normal saline 등으로 flushing이 필요 → 반응이 없을 경우 12 mg 를 2회 정도 추가해 투여할 수 있음	방실차단 환자, 아데노신 과민반응 기왕력이 있는 환자, WPW syndrome 환자에서 상심실성 심방세동이 동반된 경우	호흡곤란, 무수축, 심실빈맥, 심방세동 등을 야기할 수 있음
Diltiazem	심방세동을 포함한 상심실성 빈맥에서 맥박수 조절을 위해 사용	15-25 mg IV bolus 투여, 필요에 따라 추가 투여가 가능	베타차단제와 같이 맥박수 감소를 일으키는 약제와 동반 사용 시 유의, 좌심실구혈율의 감소와 동반된 급성심부전 환자	서맥, 저혈압
Verapamil	심방세동을 포함한 상심실성 빈맥에서 맥박수 조절을 위해 사용	2.5-10 mg IV bolus 투여, 필요에 따라 추가 투여가 가능	베타차단제와 같이 맥박수 감소를 일으키는 약제와 동반 사용 시 유의, 좌심실구혈율의 감소가 동반된 급성심부전 환자	서맥, 저혈압
Digoxin	심방세동을 포함한 상심실성 빈맥에서 맥박수 조절을 위해 사용하며 혈압 감소의 효과가 적음	0.5 mg IV bolus 투여 후 0.75-1.5 mg를 24시간에 걸쳐 나누어 투여	혈장내농도 증가 시 사망 등을 일으킬 수 있으므로 투여 전 신기능에 대한 평가가 필요하며 WPW syndrome 환자에서 심방세동이 동반된 경우 금기	부정맥 유발로 인한 심부전 악화를 일으킬 수 있으며 특히 저칼륨혈증 환자에서 주의를 요함
Amiodarone	심방세동에서 맥박수 조절이나 정상 박동 회복을 위해 사용할 수 있음	300 mg 를 250 cc 5% dextrose solution 에 섞어 30-60분에 거쳐 정주 (loading dose) → 추가 사용이 필요하면 900 mg 를 500-1000 ml 에 희석하여 24시간에 거쳐 투여할 수 있음	발현이 느리고 향후 축적 시 배설이 느려 약을 중단하더라도 효과가 지속될 수 있음	저혈압, 서맥, QT 간격증가, 장기간 사용시 폐 독성, 갑상선기능 이상
Atropine	증상을 동반한 서맥에서 심박수 증가 목적으로 사용할 수 있음	1 mg bolus 를 투여할 수 있으며 필요에 따라 추가 투여가 가능	과민반응 환자에서 금기, 기저 심혈관 질환이나 천식, 만성폐쇄성폐질환 환자들에서는 주의가 필요함	후두경련, 무수축, 심실 및 심방세동, 서맥, 호흡부전

표 27-1로 정리하였다. 부작용의 경우 비교적 흔하거나 드물지만 발생 시 심각한 합병증 위주로 정리되어 있다.

Antiarrhythmic drugs: types, usage and precautions

부정맥에 사용하는 약재의 종류, 사용목적, 용법, 투약 시 주의 사항, 금기증 그리고 약물 부작용을 아래 표 27-1에 정리하였다.

요약 🔒

1) 수술 후 부정맥의 빈도는 수술의 종류와 수술 후 감시 방법에 따라 차이가 있으나 4-20% 정도로 보고되며 가장 흔한 종류는 심방세동이다.
2) 대개의 수술 이후 부정맥은 self-limiting 하여 치료를 요하지 않으며 부정맥을 유발하는 기저 질환 및 동반된 상황에 대한 평가와 조절이 중요하다.
3) 혈역학적으로 불안정한 빈맥성 부정맥이 발생한 경우 심율동전환술(cardioversion)이 필요할 수 있으며 그 외에 약물치료가 필요한 경우로 상심실성 빈맥에서 빠른 심실 반응의 조절, 정상 박동으로의 회복, 서맥에서 박동수 조절을 위한 경우 등이 있다.

참고문헌 ///

1. Allendorf JD, Bessler M, Whelan RL, Trokel M, Laird DA, Terry MB, Treat MR. Postoperative immune function varies inversely with the degree of surgical trauma in a murine model. Surg Endosc 1997; 11:427-430.

2. Arimoto T, Watanabe T, Nitobe J, Iwayama T, Kutsuzawa D, Miyamoto T, Miyashita T, et al. Difference of clinical course after catheter ablation of atrioventricular nodal reentrant tachycardia between younger and older patients: atrial vulnerability predicts new onset of atrial fibrillation. Intern Med 2011; 50:1649-1655.

3. Bender JS. Supraventricular tachyarrhythmias in the surgical intensive care unit: an under-recognized event. Am Surg 1996; 62:73-75.

4. Brathwaite D, Weissman C. The new onset of atrial arrhythmias following major noncardiothoracic surgery is associated with increased mortality. Chest 1998; 114:462-468.

5. Bruins P, te Velthuis H, Yazdanbakhsh AP, Jansen PG, van Hardevelt FW, de Beaumont EM, Wildevuur CR, et al. Activation of the complement system during and after cardiopulmonary bypass surgery: postsurgery activation involves C-reactive protein and is associated with postoperative arrhythmia. Circulation 1997; 96:3542-3548.

6. Goldman L. Supraventricular tachyarrhythmias in hospitalized adults after surgery. Clinical correlates in patients over 40 years of age after major noncardiac surgery. Chest 1978; 73:450-454.

7. Kirchhof P, Benussi S, Kotecha D, Ahlsson A, Atar D, Casadei B, Castella M, et al. 2016 ESC Guidelines for the management of atrial fibrillation developed in collaboration with EACTS. Europace 2016; 18:1609-1678.

8. Perzanowski C, Gandhi S, Pai RG. Incidence and predictors of atrial fibrillation after aortic repairs. Am J Cardiol 2004; 93:928-930.

9. Valentine RJ, Rosen SF, Cigarroa JE, Jackson MR, Modrall JG, Clagett GP. The clinical course of new-onset atrial fibrillation after elective aortic operations. J Am Coll Surg 2001; 193:499-504.

10. Walsh SR, Tang T, Wijewardena C, Yarham SI, Boyle JR, Gaunt ME. Postoperative arrhythmias in general surgical patients. Ann R Coll Surg Engl 2007; 89:91-95.

28
CHAPTER

항응고치료 환자의 수술 전후 관리

Perioperative management of patients receiving anticoagulants

| 박승정 | 성균관의대 삼성서울병원 순환기내과

항응고제를 복용 중인 환자에서 수술이나 침습적인 시술을 해야 하는 경우는 점차 늘어나고 있다. 항응고제를 중단하면 혈전색전증(thromboembolism)의 위험성이 증가하는 반면, 항응고제의 효과가 남아 있는 상태에서 수술/시술을 진행하는 경우에는 출혈의 위험이 증가된다. 따라서, 출혈과 혈전색전증의 위험을 최소화하면서 수술/시술을 진행하는 것은 어렵고도 중요한 과제이며, 환자 및 시술의 출혈 위험도, 혈전색전증 위험도, 사용 중인 항응고제 및 병용 약물 등 여러가지 요인을 종합적으로 고려해야 한다(그림 28-1).

혈전색전 위험성

혈전색전증의 위험성을 증가시키는 심방세동(atrial fibrillation, AF), 인공 심장판막(pros-thetic heart valves) 수술력, 정맥 또는 동맥 혈전색전증의 최근 병력 등이 있었는지 확인이 필요하다.

(1) 심방세동

심방세동은 가장 흔한 지속성 부정맥으로 급격히 발생률과 유병률이 증가하고 있다. 심방세동 환자의 혈전색전 위험성을 평가하기 위하여 CHA2DS2-VASc score가 가장 흔하게 사용된다(표 28-1). Direct oral anticoagulant (DOAC)와 와파린을 비교한 최근의 주요 무작위 연구에 등록된 환자의 약 1/4-1/3에서 수술/시술을 받게 되었는데 혈전색전증의 발생률은 약 1% 전후로 DOAC과 와파린 군간에 유의한 차이는 없었다. 한편, 응급수술이 예정된 수술보다 3-4배 높았다.

Patient's Bleeding Risk
HAS-BLED score, INR level
Medications: Warfarin vs. DOAC
other medications
(표 28-7)

Patient's thromboembolic Risk
Mechanical valve (valve type/location)
Atrial fibrillation (CHA2DS2-VASc score)
Prior thromboembolism
(표 28-1 & 2)

**Procedure-related
Bleeding Risk**
High-risk vs. Low-risk
Emergent vs. Elective
(표 28-3 & 6)

Weigh *Bleeding Risk* against *Thromboembolic Risk*
  − Possible to delay procedure?
  − Possible to stop NSAID, anti-platelet agents, etc.?
  − Interrupt vs. Continue anticoagulant?
  − When to stop anticoagulant? (표 28-5)
  − Whether to Bridge or Not? (표 28-2)
  − LMW heparin vs. Unfractionated heparin?

Resumption of Anticoagulation
  When & How to restart anticoagulant (표 28-5)

그림 28-1. Periprocedural consideration for patients receiving anticoagulants

표 28-1. CHA2DS2-VASc score and risk of stroke

CHA2DS2-VASc score		Adjusted stroke rate according to CHA2DS2-VASc score	
Risk factors	Points	CHA2DS2-VASc score	Stroke and thromboembolism rate at 1-year follow-up (%)
Congestive heart failure	+1	0	0.78
Hypertension	+1	1	2.01
Age ≥75	+2	2	3.71
Diabetes mellitus	+1	3	5.92
Stroke, TIA or thromboembolism	+2	4	9.27
Vascular disease*	+1	5	15.26
Age 65-74	+1	6	19.74
Sex (female)	+1	7	21.50
		8	22.38
		9	23.64

* Vascular disease includes myocardial infarction, peripheral artery disease, and aortic plaque.

(2) 인공 심장판막

인공 심장판막을 갖고 있는 환자에서는 인공판막의 종류, 위치, 개수 및 혈전색전증의 다른 위험 요인을 함께 고려해야 한다. 수술 전날 INR 검사를 하여 1.5-1.9로 측정될 경우에 경구 Vitamin K를 소량(1-2.5 mg) 투여하면 대체로 수술 당일 INR을 1.4 이하로 낮출 수 있다. 하지만, 고용량의 Vitamin K 투여는 피하는 것이 좋다. 특히, 금속판막이나 조직판막으로 승모판막 치환술을 시행한 후, 첫 3개월 동안은 혈전색전증 위험이 매우 높으므로 이 기간 동안에는 가급적 수술을 피하는 것이 좋겠다. 한편, 승모판막이나 대동맥판막 치환술에 조직판막을 사용한 경우라도 첫 3개월 동안에는 항응고치료가 필요하겠다. 출혈위험이 적은 수술/시술인 경우에는 INR이 2-3 범위에서는 와파린을 중단하지 않고 수술/시술을 할 수 있겠으나, 출혈위험이 높을 것으로 예상되는 경우에는 와파린을 중단하고, 그 기간동안 브리지 항응고치료(bridging anticoagulation)를 고려해야한다.

(3) 혈전색전증의 최근 병력

최근 혈전색전증이 있었던 경우 재발의 위험은 초기(대체로 3개월)에 높고 시간이 경과할수록 줄어든다. 항응고치료를 하지 않으면 첫 한 달간 재발률이 50%나 되지만, 한 달간 항응고치료를 하면 재발률이 10%, 3개월 동안 하면 5%까지 감소하게 된다. 따라서 응급이 아닌 경우에는 수술을 미루어 재발의 위험을 줄일 수 있으나, 응급인 경우에는 브리지 항응고치료를 통하여 항응고치료가 중단되는 기간을 최소화할 수 있다.

표 28-2. Risk of periprocedural thromboembolism

	Mechanical heart valve	Atrial fibrillation (AF)	VTE
Very high thrombotic risk	Any MV prosthesis Caged-ball/tilting AV prosthesis Recent stroke/TIA (< 6m)	Rheumatic valve disease CHA2DS2-VASc score ≥6 (or CHADS2 score of 5-6) Recent stroke/TIA (< 3m)	Recent VTE (< 3m), Severe thrombophilia (protein C/protein S/ AT deficiency; antiphospholipid antibodies; etc.)
High thrombotic risk	Bileaflet AV prosthesis & ≥ 1 of risk factors: CHF Hypertension, Age > 75, Diabetes, Stroke/TIA history, AF (CHADS-AF)	CHA2DS2-VASc score 4-5 (or CHADS2 score of 3-4)	VTE (past 3-12 m) Nonsevere thrombophilia (e.g., heterozygous factor V Leiden or prothrombin gene mutation) Recurrent VTE Active cancer (treated < 6m or palliative)
Moderate thrombotic risk	Bileaflet AV prosthesis without AF & no other risk factors for stroke	CHA2DS2-VASc score 2-3 (CHADS2 score 0-2) & no prior stroke/TIA	VTE 〉 12m & no other risk factors

AT, antithrombin; AV, aortic valve; MV, mitral valve; VTE, venous thromboembolism; CHADS2: congestive heart failure, hypertension, age ≥75 years, diabetes mellitus, and stroke or transient ischemic attack; CHA2DS2-VASc: refer to 표 28-1.

PART VI 수술 전후의 약물치료

표 28-3. Risk of bleeding depending on the types of procedure

High bleeding risk procedure (2-day risk of major bleeding 2 to 4%)	Low bleeding risk procedure (2-day risk of major bleeding 0 to 2%)
Heart valve replacement	Cataract and noncataract eye surgery
Coronary artery bypass	Tooth extractions
Vascular and general surgery	Bronchoscopy with or without biopsy
Abdominal aortic aneurysm repair	Axillary node dissection
Kidney biopsy	Central venous catheter removal
Endoscopically guided fine-needle aspiration	Noncoronary angiography
Neurosurgical/urologic/head and neck/abdominal/breast cancer surgery	Gastrointestinal endoscopy ± biopsy, enteroscopy, biliary/pancreatic stent without sphincterotomy, endosonography without fine-needle aspiration
Polypectomy, variceal treatment, biliary sphincterectomy, pneumatic dilatation	Cutaneous and bladder/prostate/thyroid/breast/lymph node biopsies
Transurethral prostate resection	Cholecystectomy
Hip replacement	Carpal tunnel repair
Knee replacement	Abdominal hernia repair
Foot/hand/shoulder surgery	Abdominal hysterectomy
Laminectomy	Hemorrhoidal surgery
	Hydrocele repair
	Dilatation and curettage
	Pacemaker, ICD insertion and electrophysiologic study

(4) 기타 요인

이외에도 혈전/색전 성향을 높이는 유전성 질환, 악성종양, 임신, 적혈구 증다증 등과 같은 다양한 기저질환을 고려해야 하며, 개별화된 신중한 접근이 필요하겠다. 인공 심장판막, 심방세동, 혈전색전증 병력에 따른 혈전색전증 발생 위험도를 표 28-2에 요약하였다.

출혈 위험성

출혈 위험성은 수술/시술의 종류, 환자들의 동반질환 및 복용 약물에 영향을 받는다.

(1) 수술/시술에 따른 출혈 위험도

중대한 출혈(major bleeding)은 치명적인 출혈, 주요 기관 출혈(e.g. intracranial, pericardial, retroperitoneal), 수술적 치료가 필요한 출혈, 혈색소가 2이상 감소하는 출혈, packed RBC를 2 unit이상 수혈해야 하는 출혈, 임상적으로 분명한 수술부위 출혈 등을 의미한다. 이에 반해, 임상적으로 연관되나 중대하지 않은 출혈(clinically relevant non-major bleeding)은 major bleeding에 해당하지는 않지만 약물치료와 관련이 있거나, 예고없이 의료진을 찾게 되거나, 약물치료를 중단하게 되거나, 일상생활에 불편이나 장애

표 28-4. HAS-BLED Score

	Score
Hypertension (systolic blood pressure 〉 160 mmHg)	1
Abnormal renal and liver function (1 point each) ; chronic dialysis, renal transplantation, or serum Cr $\geq$ 2.3 mg/dL ; chronic hepatic disease (e.g., cirrhosis), significant hepatic derangement (bilirubin 〉 x 2 upper normal limit, in association with AST/ALT/ALP 〉 x 3 upper limit normal	1 or 2
Stroke (previous history of stroke)	1
Bleeding tendency/predisposition ; history of bleeding or predisposition (anemia)	1
Labile INRs (if on warfarin) ; unstable/high INRs or time in therapeutic range 〈 60%	1
Elderly (eg, age 〉 65 y)	1
Drugs or alcohol (1 point each) ; concomitant antiplatelets, NSAID, or steroid	1 or 2
Bleeding risk according to HAS-BLED score	
0 points	1.13 bleeds per 100 patient-years
1 point	1.02 bleeds per 100 patient-years
2 points	1.88 bleeds per 100 patient-years
3 points	3.74 bleeds per 100 patient-years
4 points	8.70 bleeds per 100 patient-years
5~9 points	Insufficient data

를 초래하는 출혈을 말한다(표 28-3).

(2) 환자요인에 따른 출혈위험도

환자요인에 따른 출혈위험도 평가에 HAS-BLED score(표 28-4)는 항응고제 치료를 받는 심방세동환자에서 1년동안 중요출혈이 발생할 수 있는 위험성을 점수로 표시한 것으로 가장 흔히 사용된다. 점수가 3점 이상이면 출혈위험도가 증가함을 의미하지만, 항응고제 처방의 금기를 의미하지는 않으며 출혈위험에 주의하면서 정기적인 검사가 필요함을 의미한다.

(3) 복용약물

NSAID계열의 진통소염제, 스테로이드, 항혈소판 제제 복용도 출혈위험을 높이게 되며, 필수가 아닌 약물들은 가능하다면 최소한 반감기의 4-5배에 해당하는 기간 동안 중단하고 수술을 하는 것이 출혈의 위험을 줄일 수 있겠다.

PART VI

수술 전후의 약물치료

항응고제 중단

출혈위험이 높은 경우에는 항응고제를 수술 전에 중단해야 한다. 항응고제 중단 시에 혈전 색전증의 위험이 일시적으로 증가된 경우(예를 들어 최근의 심부정맥혈전증)에는 수술을 몇 주 미루는 것도 고려할 수 있다. 반면에 수술을 미루기 힘든 경우에는 브리지 항응고치료를 고려해야 할 수 있다. 한편, 항응고치료를 중단하지 말고 지속하는 것이 선호되는 경우도 있다.

(1) 지속적인 항응고치료가 선호되는 경우

1) 치과 시술

ARISTOTLE 연구 결과를 보면 출혈위험도는 1%정도로 낮았다.

2) 경피적 시술

피부 조직검사, 골수 검사 등

3) 삽입형 심장 기기(cardiac implantable electronic device, CIED) 시술

인공심장박동기 및 제세동기 삽입술 시에, 항응고치료를 지속하는 것에 비해 헤파린을 이용하여 브리지 항응고치료를 하는 경우가 혈전 색전증 예방에 유리한 점이 없으면서 오히려 출혈 위험도만 증가시키게 된다.

4) 관상동맥 조영술/성형술, 전극도자 절제술

(2) 항응고제 중단 및 재개 시기

1) 와파린

와파린의 반감기(36-42시간)를 고려하여, 대체로 침습적인 시술 전 4-6일 동안 중단하고 INR을 1.4 이하로 낮추는 것이 일반적이다. 출혈 위험이 높거나 신경외과적 수술인 경우는 INR이 정상범위로 떨어진 후에 하는 것이 안전하다. 응급인 경우에는 역전제(reverse agent) 사용을 고려할 수 있다. 일반적으로 수술 후 12-24시간이 지나면 와파린 치료를 다시 시작할 수 있다. 와파린을 다시 재개하여 INR이 2-3으로 오를 때까지 약 4일 정도 소모되므로 수술 전후에 INR이 2미만으로 감소하는 기간이 8일 이상 길어질 수 있으므로 혈전위험성이 높은 환자에서는 브리지 항응고치료가 필요할 수 있다.

2) Direct oral anticoagulant (DOAC)

수술 전 DOAC 중단 시기는 신기능에 따라

표 28-5. Discontinuation and Resumption of DOAC

		Last intake of DOAC before elective surgical procedure					Resumption after procedure
	Risk	CrCl≥80 mL/min	CrCl 50-80 mL/min	CrCl 30-50 mL/min	CrCl 15-30 mL/min	CrCl < 15 mL/min	
Dabigatran	Low	≥ 24h	≥ 36h	≥ 48h	Not indicated		24h
	High	≥ 24h	≥ 72h	≥ 96h	Not indicated		48-72hr
Apixaban Edoxaban Rivaroxaban	Low	≥ 24h	≥ 24h	≥ 24h	≥ 36h	Not indicated	24h
	High	≥ 48h	≥ 48h	≥ 48h	≥ 48h	Not indicated	48-72hr

약간 차이가 있을 수 있다(표 28-5). DOAC은 복용 2시간 정도되면 효과가 충분히 발현되기 시작하므로 대부분의 경우 브리지 항응고치료가 필요하지 않다.

브리지 항응고치료

(1) 브리지 항응고치료를 고려해야 하는 임상 상황

주로 와파린을 사용하고 있으면서 혈전 위험성이 높은 환자(표 28-2)에서 procedure 전 후로 항응고치료 중단 기간이 길어질 때 필요하게 된다.

(2) 브리지 항응고치료가 필요 없는 경우

심방세동으로 항응고치료를 받는 경우 혈전/색전증의 위험도가 높지 않으면(표 28-2) 브리지 항응고치료를 피하는 것이 좋겠다. 브리지 항응고치료가 혈전 색전증을 낮추지 못하고 출혈위험도만 높이기 때문이다.

(3) 브리지 항응고치료 방법
1) 브리지 항응고치료제

작용 시간이 짧은 Low molecular weight heparin (LMWH)이나 unfractionated heparin을 사용한다. 신부전이나 투석환자에서는 용량 조절이 필요 없는 unfractionated heparin이 사용하기 편하다. DOAC을 브리지 항응고치료제로 사용하기도 하지만 임상 데이터가 많지 않아 권고되지 않는다.

2) 용량

출혈위험이 높지 않고 혈전색전증의 위험이 높은 경우에는 enoxaparin 1 mg/kg SC q12hr, dalteparin 100 units/kg SC q12hr이 일반적으로 사용된다. 하지만, 출혈위험이 높을 경우에는 용량을 줄여서(enoxaparin 40 mg SC q12hr, dalteparin 500 units SC q12hr) 사용할 수 있다.

3) 시술/수술 전 브리지 항응고치료

와파린의 반감기와 INR이 2미만으로 감소하게 되는 예상 시점을 고려하여 브리지 항응고치료를 시작하게 된다(일반적으로 시술/수술 3일 전). 그리고, LMWH의 반감기(4h)를 고려하여 반감기의 5배가 지난 시점(대체로, 시술/수술 24시간 전)에 중단한다. 한편, unfractionated heparin(반감기가 약 45분)은 시술/수술 4-5시간 전에 중단하게 된다.

4) 시술/수술 후 브리지 항응고치료

출혈 위험도가 낮은 경우에는 24시간, 높은 경우에는 48-72시간까지 브리지 항응고치료를 미루는 것이 출혈 예방에 좋다. 헤파린과 와파린을 같은 날 시작하게 되고 INR이 목표 수준으로 오르면 헤파린을 중단하게 된다.

응급 시술의 경우

응급 시술/수술을 앞두고 항응고치료 효과를 줄이는 역전제(reversal agents) 사용이 필요할 수 있다(표 28-6, 7).

PART VI

수술 전후의 약물치료

표 28-6. Reversal agents of anticoagulants

	Target of anticoagulant	Reversal agents	Mechanism of reversal agent	Dose of reversal agent	Action of reversal agents
Warfarin	II, VII, IX, X	Vitamin K, FFP	Replacement		
Dabigatran	Thrombin	Idarucizumab	Ab fragment	2x2.5 g IV. Boluses within 15 min apart	Onset: < 10min, Duration: 24hr
Rivaroxaban	Factor Xa	Andexanet alfa	Recombinant truncated factor Xa	800 mg bolus & 2h infusion of 8 mg/min (last rivaroxaban < 7h); 400 mg bolus & 2hr infusion of 4 mg/min (other cases)	Onset: < 10min, Duration: 2hr
Apixaban					
Edoxaban					

표 28-7. Management of warfarin-associated bleeding and/or high INR

Clinical setting	2018 ASH guideline	2012 ACCP guideline
Serious or life-threatening bleeding (Any INR)	Hold warfarin Vitamin K (intravenous) 4-factor PCC	Hold warfarin Vitamin K (intravenous) 4-factor PCC
No bleeding & INR 〉 10	(No recommendations given)	Hold warfarin Vitamin K (oral)
No bleeding & INR 4.5-10	Hold warfarin No vitamin K	Hold warfarin Vitamin K (low dose, oral) is optional

Vitamin K, oral dose usually 2.5-5 mg, SubQ, IV: Initial: 2.5-10 mg (rarely up to 25 to 50 mg). Measure INR after 6-8 hours. ASH, American Society of Hematology; ACCP, American College of Chest Physicians; PCC, prothrombin complex concentrate; FFP, fresh frozen plasma. FFP (approximately 10 mL/kg, depending on INR) can be used as an alternative if PCC is not available.

척추, 경막외 마취

척추 또는 경막외 마취(spinal or epidural anesthesia)는 항응고치료를 받는 환자에서는 피해야 한다. 꼭 척추 또는 경막외 마취를 해야 하는 경우에는 LMWH을 마지막 투여하고 24시간이 지난 후에 카테터를 삽입한다. Enoxaparin 1 mg/kg 또는 40 mg q12hr의 용량을 사용하거나 40 mg qd로 다소 감량할 수 있다. 수술 후 마취 카테터를 제거하고 나서 최소 24시간이 경과한 후에 LMWH을 재개하는 것이 안전하겠다.

요약 🔒

1) 항응고치료가 필요한 환자가 수술/시술이 필요한 경우, 항응고치료를 중단하면 혈전/색전증의 위험도가 상승하는 반면, 지속하면 출혈의 위험도가 증가하게 된다. 따라서, 환자, 항응고제, 시술의 특성을 모두 고려한 종합적인 관리가 필요하다.

2) 환자의 혈전색전 위험성과 출혈 위험성을 함께 고려해야 한다. 혈전색전증 위험을 높이는 인자로는 심방세동, 인공 심장판막, 최근 3개월 이내의 혈전색전증 병력이 있다. 심방세동의 경우 CHA2DS2-VASc score, HAS-BLED score가 각각 혈전색전증 및 출혈위험도 평가에 도움이 된다. 인공 판막의 경우 특히 대동맥 및 승모판막에 금속 판막이 있는 경우 뇌경색의 위험도가 증가한다. 따라서, 이들 환자에서는 수술 전 와파린 중단 기간동안 브리지 항응고치료를 고려해야 한다. 최근에 발생한 혈전 색전증의 경우에는 시간이 지날수록 재발률이 감소하므로 수술을 미루는 것이 재발 예방에 도움이 될 수 있다.

3) 인공심장 박동기 삽입술이나 전극도자절세술의 경우에는 브리지 항응고치료가 오히려 출혈위험성만 높이게 되므로 항응고치료를 중단하지 않고 시술을 하는 것을 고려할 수 있다.

4) 약제의 반감기와 출혈 위험도를 고려하여 항응고제 중단 시기를 결정한다.

5) 브리지 항응고치료는 혈전색전증의 위험도가 매우 높은 환자에서 와파린은 중단해야 하는 기간이 길어질 경우에 고려해야 한다. 반감기가 짧은 헤파린을 사용하며, 아직 DOAC은 추천되지 않는다.

6) 응급 시술/수술이 필요하거나 출혈이 심할 경우에 역전제(reversal agents)를 사용할 수 있다. 역전제로는 와파린에 Vitamin K, FFP, dabigatran에 idarucizumab, factor Xa억제제에 andexanet alfa가 있다.

참고문헌

1. Douketis JD, Spyropoulos AC, Spencer FA, et al. Perioperative management of antithrombotic therapy: Antithrombotic Therapy and Prevention of Thrombosis, 9th ed: American College of Chest Physicians Evidence-Based Clinical Practice Guidelines. Chest 2012; 141(2 Suppl):e326S.

2. Lee SR, Choi EK, Han KD, Cha MJ, et al. Trends in the incidence and prevalence of atrial fibrillation and estimated thromboembolic risk using the CHA2DS2-VASc score in the entire Korean population. Int J Cardiol. 2017 Jun 1;236:226-231.

3. Healey JS, Eikelboom J, Douketis J, et al. Periprocedural bleeding and thromboembolic events with dabigatran compared with warfarin: results from the Randomized Evaluation of Long-Term Anticoagulation Therapy (RE-LY) randomized trial. Circulation. 2012;126:343-358

4. Sherwood MW, Douketis JD, Patel MR, et al. Outcomes of temporary interruption of rivaroxaban compared with warfarin in patients with nonvalvular atrial fibrillation: results from the rivaroxaban once daily, oral, direct factor Xa inhibition compared with vitamin K antagonism for prevention of stroke and embolism trial in atrial fibrillation (ROCKET AF). Circulation. 2014;129:1850-1859

5. Garcia D, Alexander JH, Wallentin L, et al. Management and clinical outcomes in patients treated with apixaban vs warfarin undergoing procedures. Blood. 2014;124:3692-8.

6. Kearon C, Hirsh J. Management of anticoagulation before and after elective surgery. N Engl J Med.

1997;336;1506.

7. Research Committee of the British Thoracic Society. Optimum duration of anticoagulation for deep-vein thrombosis and pulmonary embolism. Research Committee of the British Thoracic Society. Lancet. 1992;340;873.

8. Douketis JD, Spyropoulos AC, Spencer FA, et al. Perioperative management of antithrombotic therapy: Antithrombotic Therapy and Prevention of Thrombosis, 9th ed: American College of Chest Physicians Evidence-Based Clinical Practice Guidelines. Chest. 2012;141(2 Suppl):e326S-e350S.

9. Spyropoulos AC, Douketis JD. How I treat anticoagulated patients undergoing an elective procedure or surgery. Blood. 2012;120:2954-62.

10. Camm, AJ, Lip GY, De Caterina R, et al. 2012 focused update of the ESC Guidelines for the management of atrial fibrillation: An update of the 2010 ESC Guidelines for the management of atrial fibrillation. Eur Heart J. 2012;33;2719-47.

11. Birnie DH, Healey JS, Wells GA, et al. Pacemaker or defibrillator surgery without interruption of anticoagulation. N Engl J Med. 2013;368;2084.

12. Shahi V, Brinjikji W, Murad MH, et al. Safety of Uninterrupted Warfarin Therapy in Patients Undergoing Cardiovascular Endovascular Procedures: A Systematic Review and Meta-Analysis. Radiology. 2016;278;383-94.

13. Heidbuchel H, Verhamme P, Alings M et al. Updated European Heart Rhythm Association Practical Guide on the use of non-vitamin K antagonist anticoagulants in patients with non-valvular atrial fibrillation. Europace. 2015;17;1467-507.

14. Siegal D, Yudin J, Kaatz S, et al. Periprocedural heparin bridging in patients receiving vitamin K antagonists: systematic review and meta-analysis of bleeding and thromboembolic rates. Circulation. 2012;126;1630-9.

15. Niessner A, Tamargo J, Morais J, et al. Reversal strategies for non-vitamin K antagonist oral anticoagulants: a critical appraisal of available evidence and recommendations for clinical management-a joint position paper of the European Society of Cardiology Working Group on Cardiovascular Pharmacotherapy and European Society of Cardiology Working Group on Thrombosis. Eur Heart J. 2017;38;1710-1716.

16. Witt DM, Nieuwlaat R, Clark NP, et al. Blood Adv. American Society of Hematology 2018 guidelines for management of venous thromboembolism: optimal management of anticoagulation therapy. Blood Adv.2018;2;3257-3291.

기타 상황에서의 약물치료

Pharmacotherapy of miscellaneous conditions

Chapter 29
소아 환자의 항응고 약물치료
Pharmacotherapy of anticoagulation in pediatric patients

29
CHAPTER

소아 환자의 항응고 약물치료

Pharmacotherapy of anticoagulation in pediatric patients

| 강이석 | 성균관의대 삼성서울병원 소아청소년과

소아 및 신생아 수술과 침습적인 혈관 시술 및 기구 사용의 증가 및 생존율 증가, 암 환자 치료 성적의 향상, 중환자 관리의 발전, 이에 따른 중심정맥관 사용 증가 등으로 인하여 소아 연령에서도 혈전의 발생이 증가하고 있다. 소아에서, 특히 신생아나 영아에서 항응고제를 사용할 때는 단순히 용량 조절, 투약 관리 및 관찰 검사의 어려움 외에도 연령에 따른 지혈 체계의 정상 발달, 약물에 대한 생리학적 및 약물 동력학적 반응 차이, 치료 효과 및 위험도의 차이, 유전적 요소 등을 고려해야 한다. 특히 신생아에서는 약물 대사의 차이와 뇌실내출혈의 위험 증가로 인하여 혈전 예방 치료의 위험-이익 균형이 성인과 다를 수 있다. 더욱이 소아에서는 치료의 지침이 될 수 있는 무작위 대조 연구가 거의 없어서 많은 경우에 성인을 대상으로 한 연구나 소규모의 후향적 연구를 바탕으로 치료 방침을 결정하게 된다.

이번 단락에서는 소아에서 주로 발생하는 질환 혹은 상황에서의 항응고제 사용, 각 상황에서 항응고제를 사용할 때 소아에서 특히 고려해야 할 점 등에 대하여 언급한다.

소아에서 정맥혈전색전증(Venous thromboembolism, VTE)

소아 연령에서 VTE빈도는 1세 미만의 영아에서 가장 높고 청소년기에 두 번째로 흔하다.

소아에서 발생하는 정맥혈전색전증으로는 성인에서 흔히 보는 사지의 심부 정맥혈전증(deep venous thrombosis, DVT)이나 폐색전증(pulmonary embolism) 외에도 간문맥혈전증(portal vein thrombosis), 신정맥혈전증(renal vein thrombosis), 뇌정맥동혈전증(cerebral sinovenous thrombosis), 내경정맥혈전증(internal jugular vein thrombosis) 및 전격자색반(purpura fulminans) 등을 들 수 있다.

소아의 VTE는 발생 빈도뿐 아니라 원인도 성인과 다른 경우가 많다.

소아에서 정맥혈전색전증의 원인 및 위험 요소

(1) 치료 목적

출혈 위험을 최소화하면서 혈전 용해를 돕고, 이로 인한 합병증을 막으며 혈전의 증가나 재발을 방지한다.

(2) 원인/배경

소아 정맥혈전색전(venous thromboembolism, VTE)은 성인과는 달리 대부분 기저질환으로 패혈증, 암, 선천성 심질환, 혹은 중심 정맥 도관 삽입 같은 시술 후 이차성으로 발생하며 가장 흔한 위험인자는 중심 정맥 도관이다(표 29-1).

표 29-1. Clinical characteristics associated with increased venous thromboembolism (VTE) risk in children (Newall F, 2018)

- Anticipated hospitalization > 72 h[*][†]
- Cancer (active, not in remission)[†]
- Central venous catheter presence[*][†]
- Estrogen therapy started within the last 1 month
- Inflammatory disease (newly diagnosed, poorly controlled, or flaring)
- Intensive care unit admission[*]
- Mechanical ventilation[*]
- Mobility decreased from baseline (Braden Q-score < 2)[†]
- Obesity (body mass index, BMI > 99th percentile for age)
- Postpubertal age
- Severe dehydration, requiring intervention[†]
- Surgery > 90 min within last 14 days[†]
- Systemic or severe local infection (positive sputum/blood culture or viral test result, or empirical antibiotics)[†]
- Trauma as admitting diagnosis

[*] Risk factors identified by a recent meta-analysis of the pediatric healthcare-associated VTE literature (Mahajerin A, 2015).
[†] Risk factors defined in a recent publication from the ISTH Pediatric SSC (Branchford BR, 2017).

표 29-2. Suggested thrombo-prophylactic Interventions by VTE Risk Category (Newall F, 2018)

Bleeding risk \ Thrombus risk	VTE low (0-1 risk factors)*	VTE medium (2 risk factors)*	VTE high (3 risk factors)*
Bleed low (unlikely to bleed)	Early mobilization	Early mobilization Mechanical prophylaxis	Early mobilization Mechanical prophylaxis Pharmacological
Bleed medium (moderate bleeding potential)	Early mobilization	Early mobilization Mechanical prophylaxis	Early mobilization Mechanical prophylaxis ± Pharmacological
Bleed high (current bleeding or high bleeding potential)	Early mobilization	Early mobilization Mechanical prophylaxis	Early mobilization Mechanical prophylaxis

* Defined by number of risk factors from 표 29-1.

소아에서 정맥혈전 예방

소아 환자에서의 정맥혈전증의 원인, 발생 부위 등이 성인에서와 다르고, 성인에서 만큼 흔치 않기 때문에 예방법에 대한 충분한 evidence를 찾기는 어렵다.

표 29-2는 정맥혈전증 발생 위험도와 출혈 위험도를 함께 고려하여 소아환자에서 정맥혈전증 예방법을 소개하고 있다.

소아에서 정맥혈전색전증 치료

(1) 일반적 치료 원칙

1. 중심 정맥 도관과 관련된 경우에는 도관을 제거한다.
2. 중심 정맥 도관과 관련되어 있거나 가족력이 없고 명백한 원인이 있는 작은 혈전인 경우에는 혈전 질환에 대한 혈액 검사는 필요하지 않을 수 있다. 뚜렷한 원인이 없는 심한 혈전 혹은 가족력이 있는 경우에는 혈전 질환에 대한 검사가 필요하다.
3. Doppler ultrasound 검사로 정도와 혈류 장애 여부를 확인한다.
4. 사지의 부종, 열, 색 변화 등을 관찰해야 한다.
5. 신 정맥혈전의 경우에는 신기능, 혈압을 확인한다.
6. 혈전 정도, 부위, 장기 문제 정도에 따라 항혈전제 치료를 시행한다.

소아에서 항응고제 요법

소아에서 사용하는 항응고제는 unfraction-

표 29-3. Advantages & disadvantages of the three commonest anticoagulants used in children

	Unfractionated heparin	Low molecular weight heparin	Warfarin
Advantage	• Rapid onset/offset • Titratable • Reversible	• More reliable weight adjusted dosing • Predictable pharmacokinetics • Reduced monitoring requirements • Relatively quick onset of action (hours)	• Oral medication • Suitable for long term use (years) • Can be reversed quickly if required.
Disadvantage	• Inter & intra individual dose variation • Requires IV access • Requires frequent monitoring • Reduced elimination in renal impairment	• Subcutaneous injections • Reduced elimination in renal impairment • Difficult to reverse once given	• Affected by diet, intercurrent infection, other drugs etc. • Slow onset & offset
Ideal use	• Short term anticoagulant for children for children who have significant bleeding risk or peri-invasive procedures where titratability & rapid onset/offset improve safety	• Short to moderate term anticoagulation in either inpatient or outpatient setting	• Moderate to long term anticoagulation in compliant patients

(Hepponstall, et al. 2017)

표 29-4. Monitoring during Anticoagulation

Test	Advantages	Disadvantages
ACT	• Inexpensive • Whole blood test • POC	• Measures end point of the clotting cascade, but does not solely measure UFH effect
aPTT	• Acceptable test to titrate UFH and DTI • Plasma based test • POC now available	• High degree of inter- and intra-patient variability especially in infants • Level may plateau when used to titrate DTI underestimating anticoagulant effect • Less reliable in critical illness
Anti-Xa	• Specific measure of the effect of UFH • Better association with UFH dose • Plasma based test • POC available (not as widely used)	• Elevated plasma-free hemoglobin and hyperbilirubinemia will underestimate UFH activity by anti-Xa
TEG/ROTEM	• Provides information about clot strength and fibrinolysis • Whole blood test • POC	• Limited availability

* POC, point of care; TEG, thromboelastography; ROTEM, rotational thromboelastometry.
(Ryerson LM & Lequier LL, 2016)

ated heparin (UFH), low molecular weight heparin (LMWH), warfarin 정도이다. Direct oral anticoagulants는 특성상 여러 장점이 있으나 아직 소아에서 일반적으로 사용되지는 않고 있다.

항응고제 선택은 질환 상태, 부작용 위험도, 약물 상호 작용, 치료 순응도, 약물치료 기간 및 환자/보호자의 선호도 등을 고려하여 선택한다.

일반적으로 급성기에는 UFH 혹은 LMWH을 사용하고 이후에는 LMWH 혹은 Warfarin을 사용한다(표 29-3, 4).

Unfractionated heparin (UFH)

소아기에는 연령에 따라 체중당 사용 용량이 달라진다.

(1) 예방

대부분 10 units/kg/hour 정도를 사용하지만 효과와 안정성이 검증된 바는 없다.

(2) 치료 용량

1) Bolus dose in children 75-100 units/kg (Andrew M, 1994).

2) 유지 용량

신생아기-재태 연령 2개월: 28 units/kg/hour

• 1세 이후: 20 units/kg/hour

• 소아기: 18 units/kg/hour

(3) Monitoring

안정된 경우라도 하루 한 번은 aPTT 혹은 anti-Xa 검사, 간헐적인 CBC

(4) 부작용/합병증

- 출혈, 드물게 골다공증, heparin induced thrombocytopenia (HIT)
- HIT는 성인에 비하여 소아에서 드물다. HIT 발생하면 heparin 중단하고 필요하면 argatroban or bivalirudin 등의 새로운 항응고제를 사용할 수 있다.

Low molecular weight heparin (LMWH)

(1) 초기 용량 – Enoxaparin 기준

연령	초기 용량
3개월 미만	1.5-1.7 mg/kg/dose SC every 12 hours
3개월 - 2세	1.0-1.2 mg/kg/dose SC every 12 hours
2세 이상	1 mg/kg/dose SC every 12 hours

(2) Monitoring

- 피하 주사 후 4-6시간 검체에서 anti-Xa activity 0.5-1.0 units/mL 혹은 피하 주사 후 2-6시간 검체에서 0.5-0.8 units/mL 로 유지(Grade 2C#)
- 출혈 위험이 높은 경우에는 0.4-0.6 unit/mL 를 유지한다.
- 치료 시작하고 수 일 내 anti-Xa activity 검사, 안정되면 일주 정도 후 다시, 이후 1-2주 간격으로 검사

(3) 합병증

UFH 보다 적고 합병증은 주로 신생아에서 발생

Warfarin

(1) 용량

1. 항응고제가 치료 농도에 이를 때까지 3-5일 정도는 heparin 사용이 권장된다.
2. 소아에서는 대개 초기 용량 0.1 mg/kg (최대 0.2 mg/kg, 최대 loading dose 5 mg)으로 시작하여 PT INR 검사하면서 용량 조절한다. 고용량의 loading dose를 사용할 때는 PT INR을 자주(대개 매일) 확인한다.
3. 소아에서 PT INR level 2.0-3.0을 유지하는 평균 warfarin 용량은 신생아에서 0.33 mg/kg, 소아에서는 0.09 mg/kg 정도로 보고된 바 있다.
4. 수술 직후 잘 먹지 못하는 상태, 항생제, 스테로이드, 항부정맥 약물 등은 PT INR 빠르게 올릴 수 있다는 점을 고려해야 한다.

(2) 약물 및 음식과 상호 작용

Warfarin은 각종 약물 및 음식과 상호 작용이 흔하므로 주의가 필요하고 자주 PT INR monitoring 한다. 대략 일 년 이상 warfarin 사용이 필요한 경우에는 가정용 PT monitoring 기계를 갖추면 편리하다.

1. 분유에 비해 모유는 Vitamin K 농도가 낮으므로 모유 먹는 아기는 warfarin에 매우 민감하다.
2. 평소에 과일이나 채소를 잘 먹지 않는 소아는 Vitamin K가 들어있는 과일을 자주 먹게 되면 PT INR 상승하므로 확인 필요하다.
3. 학생들은 학기 중 급식을 먹을 때와 방학 중 집에서 식사할 때 차이가 있을 수 있다.

4. 소화기 질환이나 잘 먹지 못하는 상태, 혹은 식사 양상이 변하는 경우에도 주의가 필요하다.

5. 새로운 약물 사용할 때는 warfarin과의 상호작용이 있는지 확인해야 한다.

(3) 목표 PT INR

항응고제를 사용할 때 목표 PT INR 값은 질환이나 환자에 따라 다를 수 있으나 대략 아래와 같다.

표 29-5. Target PT INR according to various condition

• A-fibrillation	2.0-3.0
• dilated cardiomyopathy	2.0-3.0
• DVT/PE	2.0-3.0
(deep venous thrombosis / pulmonary embolism)	
• Fontan	2.0-2.5
• Kawasaki disease	2.0-3.0
• Prosthetic aortic valve	2.0-3.0
• Prosthetic mitral valve	2.5-3.5
• Pulmonary hypertension	1.5-2.5

두 가지 이상의 항응고제 사용 대상 문제를 가진 경우 혹은 항응고제 사용 중에 혈전-색전이 발생한 경우에는 두 대상 범주 중 높은 쪽을 기준으로 하거나 한 쪽 범주의 최대치에 0.5를 더한 값을 목표값으로 한다.

혈전용해제 및 혈전제거 수술

1. 항응고제 만으로도 VTE 치료에 효과적인 경우가 많지만 보다 신속한 혈전용해가 필요하거나 항응고제에 반응이 없을 때는 혈전용해제를 사용하기도 한다.

2. 혈전용해제는 높은 출혈 위험성 때문에 신생아에서는 생명이 위험하거나 심각한 장기 손상 혹은 사지 보존을 위협하는 혈전 상황에서만 사용한다.

3. 소아에서 혈전용해제를 사용할 경우에는 tissue plasminogen activator를 다른 약제보다 우선적으로 고려하고, 치료 시작 전에 plasminogen (FFP) 사용하는 것이 권장된다. (Grade 2C#)

4. 혈전제거 수술은 생명이 위험하거나 심각한 장기 손상 혹은 사지 보존을 위협하는 혈전 상황에서 혈전용해제를 사용할 수 없는 경우에 고려할 수 있다.

Tissue-type Plasminogen Activator (t-PA)

(1) 대상

소아 특히 신생아에서는 혈전으로 인하여 생명이 위험하거나 사지, 장기 손상이 우려될 때만 사용한다.

- Bilateral renal vein thrombosis with impending renal failure
- Arterial thrombosis with impending loss of limb (femoral, iliac, axillary arterial thrombosis)
- Extensive aortic or vena caval thrombosis
- Intracardiac thrombosis compromising systemic or pulmonary circulation

(2) 금기 사항

1) 절대적 금기 사항

1. active bleeding at any site
2. any general surgery in the past 10 days or neurosurgery in the last 3 weeks

2) 상대적 금기 사항

1. thrombocytopenia
   ($< 50,000 - 75,000 \times 10^9$/L)
2. low fibrinogen concentration
   (< 100 mg/dL)
3. preterm < 32 weeks

급성 DVT 때는 일반적인 항응고제 치료에 비해 출혈 위험이 높으므로 혈전용해 치료가 권장되지 않는다. 반면 DVT 증상이 4주 이상 된 경우에는 organized thrombus가 용해될 가능성 떨어진다.

(3) t-PA 사용 전 확인할 사항

1. 금기 사항이 있는지 확인
2. CBC, fibrinogen: CBC는 6-12시간 간격으로 확인하여 출혈 여부 판단한다.
3. 혈액형 확인 및 cross match sample 준비, 필요한 혈액 제제 준비 가능한지 확인
4. 신생아나 영아는 brain ultrasound 시행
5. Doppler ultrasound로 정맥혈전의 정도 확인: 치료 이후 24시간 간격으로 확인
6. 적절한 정맥 혈관 확보
7. t-PA 치료 시작 3시간 전에는 heparin 중단
8. t-PA가 활성화시킬 수 있는 plasmin을 제공하기 위하여 적어도 치료 30분 전에는 FFP 10-20 mL/kg 준다.
9. Plasminogen level 확인하여 초기의 절반 이

하이면 FFP 준다.

(4) 주입 방법

Systemic infusion or local infusion (catheter-directed thrombolysis, CDT) 두 가지 주입방법이 있다.

CDT는 혈전내약물 농도가 높아서 더 적은 용량의 혈전용해제를 사용할 수 있다는 장점이 있으나, 혈관 조작으로 인한 혈관 내피 손상의 위험이 있으므로 특히 신생아나 소아에서 주의가 필요하다.

(5) 용량

소아에서 고용량과 저용량 요법에 대한 적절한 연구는 없으나 증례 보고 등에서는 출혈 위험이 적은 저용량 요법을 선호한다.

1) 저용량 요법

- 영아 및 소아 0.03-0.1 mg/kg/h (최대 2 mg/h), 신생아 0.06-0.1 mg/kg/h for 24-96 h

2) 고용량 요법:

- 0.5-0.6 mg/kg/h for 6 h, 초음파로 확인하여 recanalization 되지 않으면 t-PA를 24시간 후에 두 번째 6시간 치료할 수 있다.

항혈소판 치료

아스피린과 같은 혈소판 기능 억제제는 정맥 혈전 보다는 동맥 혈전증에서 효과가 있다. 소아에서 항혈소판 효과를 위하여 아스피린을 사용하는 경우는 가와사키병 회복기 혹은 관상동

맥류를 가진 가와사키병 환자, 심방 중격 결손을 기구로 막은 경우 등이 있고, 3-5 mg/kg/day를 사용한다.

예방적 항응고 요법

1) 혈전 위험이 높은 경우에는 UFH 10 units/kg/hour 혹은 enoxaparin 0.75 mg/kg (연령 두 달 이하) or 0.5 mg/kg (max 30 mg, 연령 두 달 이상)을 12시간 간격으로 사용하지만 효과와 안정성이 검증된 바는 없다.

2) 중심 정맥 도관을 가진 신생아에서는 UFH 0.5 units/kg/hour (Grade 1A, ACCP guideline 2012) 정맥 주사하거나 간헐적으로 국소적 혈전 용해를 할 수 있다(Grade 2C).

3) 제대 동맥 도관을 가진 신생아에서는 낮은 위치(L3-L4)보다는 높은 위치(횡격막 위, T6-T9)가 권장된다(Grade 2B).
제대 동맥 도관을 통하여 소량의 UFH (heparin concentration of 0.25-1 unit/mL, total heparin dose of 25-200 units/kg/day) 주사가 권장된다(Grade 2A).

중심 정맥 도관(Central venous catheter)과 관련된 VTE/DVT

1) 확인된 VTE와 관련된 central venous catheter (CVC)는 항응고제 치료 3-5일 후에(Grade 2C) 제거한다(Grade 1B). 중심 정맥 도관을 제거할 수 없는 경우에는 예방 목적의 warfarin or LMWH을 적어도 3개월 혹은 그 이상 CVC 제거할 때까지 사용한다.

2) 예방 용량의 약물 사용 중에도 재발하는 경우에는 경우에는 CVC 제거하고 적어도 3개월 치료 용량을 사용한다(Grade 2C).

3) VTE 가진 소아에서 혈전 용해 치료는 생명이 위험하거나 사지 보존이 어려운 경우에만 시행한다(Grade 2C).

4) 소아에서 혈전 제거 수술/시술은 생명이 위험한 경우에만 시행하고 항응고제를 같이 사용한다(Grade 2C).

5) 하지 정맥의 VTE 있는 체중 10 kg 이상 소아에서 항응고제 사용 금기인 경우에는 제거 가능한 하대정맥 필터를 삽입하고(Grade 2C) 필터 바스켓에 혈전이 없거나 항응고제를 사용할 수 있게 된 경우에는 바로 필터를 제거하고 항응고제를 사용한다.

6) 중심 정맥 도관의 개방성을 유지하기 위하여 normal saline or UFH을 지속 주사하거나 intermittent local thrombolysis 시행할 수 있다(Grade 2C).
중심 정맥 도관이 막힌 경우에는 tissue plasminogen activator or recombinant urokinase를 사용할 수 있다. 적어도 30분 이상 중심 정맥 도관에 local thrombolytic instillation 한 후에도 도관 개방이 회복되지 않으면 한 차례 더 시도할 수 있다. 두 번 주입 후에도 여전히 도관 개방이 회복되지 않으면 영상 확인한다(Grade 2C).

7) 단기 혹은 중기로 중심 정맥 도관을 사용하는 소아에서는 정례적으로 systemic thromboprophylaxis를 하지는 않으며(Grade 1B)

장기적으로 가정용 정맥 영양 공급을 받는 소아에서는 예방 용량의 warfarin을 사용한다(Grade 2C).

신생아 및 소아에서 동맥 도관 관련 문제

1) 동맥 도관으로 UFH을 0.5 units/mL at 1 mL/h 속도로 지속 주사한다(Grade 1A).
2) 동맥 도관과 관련된 혈전-색전이 있는 경우에는 즉시 도관 제거한다(Grade 2B). 증상이 있는 경우에는 a) UFH anticoagulation with or without thrombolysis 혹은 b) surgical thrombectomy and microvascular repair 후 heparin 치료(사지 혹은 장기에 손상이 임박한 상태이지만 혈전 용해 치료가 불가능할 때)를 시행한다.

소아에서 심부정맥혈전증(Deep venous thrombosis, DVT) 및 폐색전증(Pulmonary embolism)

1) 처음 venous thrombo-embolism (VTE)를 겪은 소아에서는 항응고제(UFH or LMWH)를 사용한다(Grade 1B). 경구용 항응고제는 제1병일에 시작하고 UFH or LMWH은 6병일 이후 혹은 PT INR 2.0 이상일 때 중단한다(Grade 1B). 특발성 VTE 소아에서는 항응고제를 6-12개월 사용한다(Grade 2C). 특별한 VTE 소아에서 VTE 재발하는 경우에는 평생 항응고제를 사용한다(Grade 1A).

2) 특정한 원인이 있어서 이차적으로 VTE가 발생한 소아에서 위험 요소가 제거된 경우에는 항응고제를 3개월 정도 사용한다. 위험 요소가 여전히 있으나 제거 가능한 경우에는 위험 요소가 제거될 때까지 항응고제를 사용한다(Grade 2C).
3) 악성 종양이나 antiphospholipid antibody가 진 소아 환자에서 DVT는 일반 소아 환자의 치료 원칙에 따른다.

신생아에서의 신정맥혈전증(Renal vein thrombosis)

(1) 임상 양상
- 신생아에서 특별한 이유 없이 발행하는 혈전-색전증 중 가장 흔함.
- 당뇨병 산모의 아기에서 위험도 증가하고 신생아기 이후에는 신증후군이 신정맥혈전증의 주 위험 요소.
- 임상적으로 혈뇨, 복부 종괴, 혈소판 감소증, 양측성인 경우 신부전.

(2) 치료
단측성 신정맥혈전이 있으나 신기능에 문제가 없고 하대 정맥으로 연장되지 않는 경우에는 주기적으로 더 커지지 않는지 확인하면서 보조적 치료를 하거나 항응고 치료를 하기도 한다. 항응고 치료는 6주에서 3개월 정도 시행한다.

양측성 신정맥혈전으로 인하여 신기능 저하가 있는 경우에는 항응고 치료(UFH or LMWH)를 하거나 혈전 용해제를 사용한 후 항

PART VII 기타 상황에서의 약물치료

응고 치료를 고려할 수 있다(Grade 2C).

뇌정맥동혈전증(Cerebral sinovenous thrombosis)

(1) 임상 양상
- 신생아에서는 흔히 경련으로 발현, 이후 소아에서는 심한 두통, 시력 장애, 구토, 경련 혹은 국소 증상
- 시신경 유두 부종과 외전 신경 마비(abducens palsy)
- 일부에서 혈전증의 원인이 될 수 있는 부비동염이나 유양돌기염 동반

(2) 치료

1) 신생아
1. 뚜렷한 두개내출혈이 없으면 급성기에 UFH or LMWH 사용하고 이후 LMWH 사용, 전체 6주-3개월
2. 의미있는 두개내출혈이 있으면 항응고제를 사용하거나 치료 없이 5-7일 후 영상 추적하다가 혈전이 진행하는 경우에 항응고제를 사용할 수 있다(Grade 2C).

2) 소아
1. 뚜렷한 두개내출혈이 없으면 급성기에 UFH or LMWH 사용하고 이후 LMWH or warfarin을 적어도 3개월 사용(Grade 1B). 3개월 이후에도 뇌정맥동 막혀있거나 증상 지속되면 항응고제 3개월 추가 사용 고려(Grade

2C).
2. 의미있는 두개내출혈이 있으면 조심스럽게 항응고제를 사용하거나 치료 없이 5-7일 후 영상 추적하다가 혈전이 진행하는 경우에 항응고제를 사용할 수 있다(Grade 2C).
3. 뇌정맥동혈전증이 있고 재발의 위험 요소(신증후군, asparaginase 치료 등)가 있는 경우에는 예방적 항응고제사용을 고려할 수 있다(Grade 2C).
4. 혈전용해제나 수술적 혈전 제거 등은 심한 뇌정맥동이 있고 초기 UFH 치료에 반응이 없는 경우에만 고려한다(Grade 2C).

동맥의 허혈성 뇌졸증(Arterial ischemic stroke)

(1) 신생아
1) 현재 심장 원인의 색전이 확인된 바 없고 처음 발생한 arterial ischemic stroke (AIS)인 경우에는 보조적 치료하면서 관찰(Grade 2C)
2) 신생아에서 처음 발생한 AIS이라고 하더라도 심장 원인의 색전이 확인되면 UFH or LMWH 을 사용(Grade 2C)
3) AIS이 재발하는 경우에는 항응고제 혹은 아스피린을 사용(Grade 2C)

(2) 소아
1) 급성 AIS이 발생한 소아에서는 대동맥박리나 색전 원인이 배제될 때까지 UFH or LMWH or aspirin을 초기 치료로 사용한다(Grade 1C).

2) 대동맥박리나 심장 원인의 색전이 확인된 경우에는 예방적 아스피린을 최소 2년간 사용한다(Grade 2C).

3) 아스피린 복용 중에 AIS이나 transient ischemic attack 발생하면 clopidogrel이나 항응고제(LMWH or warfarin)로 바꾼다(Grade 2C).

4) AIS 소아에서 특별한 연구 목적이 아니라면 혈전용해제나 물리적인 혈전 제거는 권장되지 않는다(Grade 1C).

5) 심장 원인의 색전이 확인된 경우에는 항응고제(LMWH or warfarin)를 적어도 3개월 사용한다(Grade 2C). (난원공 개존 같은 심장 내 우-좌 단락에 의한 AIS인 경우에는 우-좌 단락을 수술 혹은 시술로 막는다(Grade 2C).

6) 모야모야병 이외의 혈관 이상에 의한 급성 AIS 소아에서는 초기 치료로 UFH or LMWH or aspirin을 적어도 3개월 사용한다(Grade 1C). 이후 항혈전 치료를 지속할지 여부는 뇌혈관 영상 검사를 추적하면서 결정한다.

7) 모야모야병에 의한 급성 AIS 소아에서는 아스피린을 사용한다(Grade 2C).

가와사키병 환자에서의 항응고제 치료

(1) 급성기

- 중등도(30-50 mg/kg/day) 혹은 고용량(80-100 mg/kg/day)의 아스피린을 발열 소실 시까지 사용한다(Class IIa).
- 이후에는 관상동맥 이상이 없는 경우에 저용량(3-5 mg/kg/day)의 아스피린을 발열 시작

부터 4-6주 사용한다(Class I).
- 관상동맥류가 빠르게 커지거나 거대 관상동맥류(≥8 mm or Z score ≥10)가 있는 경우에는 저용량의 아스피린 외에 LMWH or warfarin (PT INR 2.0-3.0)을 추가하여 사용한다 (Class IIa).
- 거대 관상동맥류처럼 혈전 위험이 높은 경우에는 아스피린 외에 또 다른 항혈소판제와 warfarin or LMWH을 같이 사용하는 "triple therapy"를 고려할 수 있다(Class IIb).

(2) 관상동맥혈전 치료

- 혈전으로 인하여 관상동맥이 막힐 위험이 있는 경우에는 저용량의 아스피린과 저용량의 heparin 외에 혈전용해제를 사용해야 한다. 환자가 충분히 크면 심도자를 통하여 물리적인 방법의 관상동맥 혈류 복원을 시행한다. (Class I)
- 상당한 혈전이 있고 관상동맥이 막힐 위험이 높은 경우에는 혈전 용해제 용량을 줄이면서 abciximab 사용 고려

(3) 관상동맥류 있는 가와사키병 환자의 장기 혈전 예방 치료

1) 작은 관상동맥류(Z score < 5)

- 저용량의 아스피린 사용하고(Class I), 대체 약제로 clopidogrel (0.2-1.0 mg/kg/d)을 쓸 수 있다(Class IIa).
- 추적 진료 중 관상동맥류 소실되면 아스피린 중단하는 것이 합리적이지만 저용량을 계속

사용할 수도 있다(Class IIb).

2) 증등도의 관상동맥류(Z score ≥ 5 to < 10, 크기 < 8 mm)

1. 저용량의 아스피린 사용하고(Class I), 대체 약제로 clopidogrel을 쓸 수 있다(Class IIa). 관상동맥 양상에 따라(표 29-5 참고) 추가적인 혈전 방지를 고려할 수 있다(Class IIb). 아스피린과 clopidogrel 등 두 종류의 항혈소판제 사용을 고려할 수 있으나(Class IIb), 항응고제는 사용하지 않는다.

2. 중등도의 관상동맥류가 작은 관상동맥류로 줄어든 경우에는 같은 원칙으로 혈전 방지 치료를 한다. 관상동맥 양상에 따라 추가적인 혈전 방지 치료를 하거나 중단할 수 있다(Class IIb).

3. 추적 검사 중 관상동맥류가 없어진 경우 저용량의 아스피린을 계속 사용하는 것은 합리적이고(Class IIa), 대체 약제로 clopidogrel을 쓸 수 있다(Class IIa). 심근 허혈이 유발되는 경우가 아니라면 두 종류 항혈소판제 사용은 권장되지 않으며(Class IIb), 항응고제는 사용하지 않는다.

3) 거대관상동맥류(Z score ≥ 10, 크기 ≥ 8 mm)

1. 저용량의 아스피린 사용하고(Class I), 대체 약제로 clopidogrel을 쓸 수 있다(Class IIa). Warfarin (PT INR 2-3) 혹은 LMWH (anti-factor Xa levels of 0.5 to 1.0 U/mL) 사용하는 것은 합리적이다(Class IIa) 관상동맥류 심하거나 관상동맥 혈전 병력

이 있는 경우에는 아스피린 + Warfarin or LMWH + clopidogrel 같은 세 가지 약제를 고려할 수 있다(Class IIb).

2. 추적 검사 중 중등도의 관상동맥류로 줄어든 경우 저용량의 아스피린 사용하고(Class I), 대체 약제로 clopidogrel을 쓸 수 있다(Class IIa). 항응고제는 사용하지 않으며 warfarin / LMWH 중단하면서 두 종류 항혈소판제 치료로 바꾸는 것은 합리적이다(Class IIa). 관상동맥 양상에 따라 혈전 방지 치료를 조정할 수 있다.

3. 추적 검사 중 작은 관상동맥류로 줄어든 경우 저용량의 아스피린 사용하고(Class I), 대체 약제로 clopidogrel을 쓸 수 있다(Class IIa). 항응고제나 두 종류 항혈소판제를 사용하지는 않는다. 관상동맥 양상에 따라 혈전 방지 치료를 조

표 29-6. Additional clinical features that may increase the long-term risk of myocardial ischemia

- Greater length and distal location of aneurysms that increase the risk of flow stasis
- Greater total number of aneurysms
- Greater number of branches affected
- Presence of luminal irregularities
- Abnormal characterization of the vessel wall (calcification, luminal myofibroblastic proliferation)
- Presence of functional abnormalities (impaired vasodilation, impaired flow reserve)
- Absence or poor quality of collateral vessels
- Previous revascularization performed
- Previous coronary artery thrombosis
- Previous myocardial infarction
- Presence of ventricular dysfunction

(McCrindle BW, 2017)

정할 수 있다.

4. 추적 검사 중 관상동맥류가 없어진 경우 저용량의 아스피린을 계속 사용하는 것은 합리적이고(Class IIa), 대체 약제로 clopidogrel을 쓸 수 있다(Class IIa).

항응고제나 두 종류 항혈소판제를 사용하지는 않는다.

관상동맥 양상에 따라 혈전 방지 치료를 조정할 수 있다.

선천성 심장병 환자에서의 항응고 치료

(1) 심도자 검사/시술

1. 동맥을 통하여 심도자 검사/시술 받는 신생아/소아에서는 UFH 75-100 units/kg를 한번에 준다(Grade 1A/B).

검사/시술이 길어지면 추가적인 용량의 UFH을 사용한다(Grade 2B).

2. 대퇴동맥혈전이 있는 경우에는 초기에 UFH을 정맥주사하고(Grade 1B), 이어서 LMWH or UFH을 5-7일 치료 용량으로 사용한다(Grade 2C).

3. 초기 치료에 반응이 없고 사지 보존이 어렵거나 장기 손상의 위험이 있는 신생아나 소아에서 금기 사항이 없는 한 혈전용해제를 사용한다. 사지 보존이 어렵거나 장기 손상의 위험이 있는 상황에서 혈전용해제를 사용할 수 없다면 UFH만 사용하기보다는 수술적 치료를 고려한다(Grade 1C).

4. Stent 삽입 후에는 UFH 사용한다(Grade 2C).

선천성 심장병 수술/시술 관련 항응고 치료

(1) Modified Blalock-Taussig shunt 받은 신생아/소아에서 수술 중 UFH 사용하고 수술 후 출혈 문제 없으면 대부분 저용량의 아스피린을 다음 수술 시까지 사용한다. 때로는 약물 사용하지 않기도 하지만(Grade 2C#) 한 전향적 다기관 연구에서 아스피린은 혈전을 줄이는데 도움된다고 보고된 바 있다.

1) 아스피린 시작 시기는 센터마다 다르고 일부에서는 수술장에서 직장으로 아스피린을 주입하기도 한다. 이 때는 신생아의 경우 20-40 mg 혹은 5 mg/kg를 사용한다.

2) 단락 혈전의 위험 요소(신생아, 폐혈관 저항이 높은 경우, 작은 단락(< 3.5 mm), 이전 혈전 병력, 단락 혹은 동맥관에 대하여 stenting 한 경우 등)가 있는 경우에는 보다 적극적인 예방을 고려한다.

수술 후 48시간 정도까지 UFH 사용하며 이 때는 출혈 위험에 주의해야 한다.

Bolus 없이 저용량의 UFH (10-20 units/kg/hour)을 지속 주입하거나 50-100 units/kg bolus 주사 후 저용량 지속주입 하기도 한다.

3) 혈전 위험이 지속되는 경우에는 저용량의 아스피린 외에 LMWH을 추가로 사용하거나 아스피린 대신 clopidogrel 사용을 고려할 수 있다. 일반적으로 아스피린에 clopidogrel을 추가하는 것은 도움이 되지 않는다.

(2) Bidirectional cavopulmonary shunt (BCPS) 받은 환자는 수술 후 대부분 저용량의 아스

피린을 Fontan 수술 전까지 사용한다.

1) 혈전 위험이 높은 경우에는 heparin 사용을 고려한다.

2) 혈전 위험이 지속되는 경우에는 저용량의 아스피린 외에 LMWH을 추가로 사용하거나 아스피린 대신 clopidogrel 사용을 고려할 수 있다.

3) 상지 심부 정맥 도관 삽입은 가능한 피하도록 한다.

(3) Fontan procedure (폰탄 수술)을 받은 환자는 일반적으로 warfarin 혹은 LMWH을 3-12개월 사용하고 이후에는 아스피린 혹은 warfarin을 사용한다.

1) 혈전 위험이 높은 환자들은 warfarin을 장기적으로 사용할 수 있다.

2) 혈전 고위험군: 단백 소실성 장병증, 지속적인 늑막삼출, 장기적인 활동 제한, 심실기능 저하, 부정맥, 응고를 유발하는 이물질의 존재, fenestration의 존재, Kawashima 시술, 혈전 발현 경향, 심장 내 혈전 혹은 혈전-색전 병력 등

수술 직후 급성기 체-폐동맥 단락 내 혈전 (Systemic-pulmonary shunt thrombosis) 치료

(1) Shunt 내 혈전은 shunt failure의 가장 흔한 원인이며 흔히 출혈, 늑막 삼출, 감염 등에 의한 hypovolemia와 관련이 있다.

(2) 저산소증, 때로는 심박출 감소 소견 보임

(3) 단락 내 급설 혈전은 즉각적인 치료가 필요하다.

1) Systemic anticoagulation: UFH bolus IV (50-100 U/kg) 후 level 확인하면서 지속 주입을 고려한다.

2) 단락을 통한 혈류량을 증가시키기 위하여 혈압을 올린다.

3) 산조 소모를 최소화, 공급을 최대화 하기 위하여 기관 삽관하고 인공호흡기 치료하며 neuromuscular blocker 사용한다.

4) 상황에 따라 심도자를 통한 치료, manual shunt manipulation, 수술적 shunt revision, ECMO를 고려한다.

인공 판막을 가진 소아에서의 항응고제 사용

항응고제 사용은 인공 판막의 종류, 판막 위치, 위험 요소 유무에 따라 달라진다

(1) 기계식 판막을 가진 경우에는 초기에 UFH 사용하고 나중에 warfarin으로 바꾼다

1) 기계식 대동맥 판막이 있으면 PT INR 2.0-3.0으로 유지한다. 위험 요소가 없고 6개월 이상 지난 경우에는 판막 종류에 따라 더 낮게 유지하거나 아스피린과 clopidogrel을 사용할 수도 있다.

2) 기계식 승모 판막(mechanical mitral valve)이 있으면 PT INR 2.5-3.5를 유지한다.

(2) 대동맥 판막 혹은 승모 판막에 조직 판막을 가진 경우에는 위험 요소가 없는 경우에는 아스피린 사용하고, 위험 요소가 있는 경우에는 warfarin을 사용하여 PT INR 2.0-3.0으

로 유지한다.

(3) 폐동맥 판막에 조직 판막을 가진 경우에는 항응고제를 사용하지 않아도 된다.

(4) 삼첨 판막(tricuspid valve)에 조직 판막을 가진 경우에는 저용량 아스피린을 사용한다. 우심실 기능이 저하되어 있거나 다른 위험 요소가 있으면 항응고제를 사용하여 PT INR 2.0-3.0으로 유지한다.

그 외 심장 질환에서의 항응고제 사용

(1) 확장성 심근증 환자는 적어도 심장 이식 등록할 상황에서 혹은 그 이전에 항응고제를 사용한다(Grade 2C).

(2) Ventricular assist device (VAD) 사용 중인 소아는 기구 삽입 후 8-48 시간 사이에는 UHF를 사용한다.

1) VAD 넣고 72 시간 이내에 항혈소판제를 추가한다.

2) VAD 삽입 후 상태 안정되면 UFH을 LMWH or warfarin (target INR 3.0 range, 2.5-3.5)로 바꾸어 심장 이식 혹은 VAD 제거 시까지 사용한다(Grade 2C).

(3) 특발성 폐동맥 고혈압 때는 다른 약물치료 시작과 같이 항응고제를 사용한다.

참고문헌 //

1. Andrew M, et al. Heparin therapy in pediatric patients: a prospective cohort study. Pediatr Res. 1994; 35: 78-83.

2. Betensky M, et al. How We Manage Pediatric Deep Venous Thrombosis. Semin Intervent Radiol. 2017; 34:35-49

3. Biss T, et al. Warfarin dose prediction in children using pharmacogenetics information. Br J Haematol 2012; 159: 106-9.

4. Branchford BR, et al. Risk factors for in-hospital venous thromboembolism in children: a case-control study employing diagnostic validation. Haematologica. 2012;97:509-15.

5. Guideline on the investigation, management and prevention of venous thrombosis in children. British Journal of Haematology. 2011;154: 196-20

6. Hepponstall M, et al. Anticoagulation therapy in neonates, children and adolescents. Blood Cells, Molecules and Diseases. 2017;67:41-47

7. Mahajerin A, et al. Hospital-associated venous thromboembolism in pediatrics: a systematic review and meta-analysis of risk factors and risk-assessment models. Haematologica. 2015;100(8):1045-50

8. McCrindle BW, et al.; American Heart Association Rheumatic Fever, Endocarditis, and Kawasaki Disease Committee of the Council on Cardiovascular Disease in the Young; Council on Cardiovascular and Stroke Nursing; Council on Cardiovascular Surgery and Anesthesia; and Council on Epidemiology and Prevention. Diagnosis, Treatment, and Long-Term Management of Kawasaki Disease: A Scientific Statement for Health Professionals From the American Heart Association. Circulation. 2017;135(17): e927-e999.

9. Monagle P, et al. A multicenter, randomized trial comparing heparin/warfarin and acetylsalicylic acid as primary thromboprophylaxis for 2 years after the Fontan procedure in children. J Am Coll Cardiol 2011;58: 645-51.

10. Monagle P, et al. Antithrombotic therapy in neonates and children: antithrombotic therapy and prevention of thrombosis, 9th ed: American College of Chest Physicians Evidence-Based Clinical Practice Guidelines. Chest 2012;141 (2 Suppl):e737S-801S.

11. Newall F, et al. Anticoagulant prophylaxis and therapy in children: current challenges and emerging issues. Journal of Thrombosis and Haemostasis 2018;16:196-208

12. Raffini L, et al. Dramatic increase in venous thromboembolism in children's hospitals in the United States from 2001 to 2007. Pediatrics. 2009;124:1001-8.

13. Raffini LJ, Scott JP. Thrombotic disorders in children. In: Kliegman RM, Stanton BF, St Geme JW, Schor N, editors. Nelson textbook of pediatrics. 20th ed. Philadelphia: Elsevier, 2016;2394-97

14. Thom KE, et al. Anticoagulation in Children Undergoing Cardiac Surgery. Semin Thromb Hemost. 2011;37:826-833

VIII
PART

부록

임산부에서 심혈관계 약물치료
Cardiovascular pharmacotherapy in pregnant women

부록

임산부에서 심혈관계 약물치료

Cardiovascular pharmacotherapy in pregnant women

| 박성지 | 성균관의대 삼성서울병원 순환기내과

1. Antiplatelet agent

표 1. Antiplatelet agent and safety data

Class	약제명	Former FDA category*	Placenta permeable	Transfer to breast milk	Pre-clinical/clinical safety data
	Acetylsalicylic acid (low dose)	B	Yes	Well tolerated	No teratogenic effects
	Clopidogrel	B	Unknown	Yes (secreted in rat milk)	No adequate human data
	Ticlopidine	C	Unknown	Yes (in rats)	Inadequate human data
	Ticagrelor	-	Unknown	Yes (excretion shown in rat milk)	Inadequate human data
	Prasugrel	-	Unknown	Yes (in rats)	Inadequate human data

2. Anticoagulant

표 2. Anticoagulant and safety data

Class	약제명	Former FDA category*	Placenta permeable	Transfer to breast milk	Pre-clinical/clinical safety data
VKA	Warfarin	D	Yes	Yes	Coumarin embryopathy, bleeding
	Heparin (LMWH)	B	No	No	
	Heparin (unfractionated)	B	No	No	
	Fondaparinux	-	Yes	Yes (in rats)	Inadequate human data
DOAC	Dabigatran	-	Transplacental passage in ex vivo studies of placentral transfer	Unknown	No human data
	Rivaroxaban	-	Yes	Yes (data from animals)	Inadequate human data : contraindicated
	Apixaban	-	Transplacental passage in ex vivo studies of placentral transfer	Yes (in rats)	No human data: not recommended
	Edoxaban	-	Unknown	Yes (animal study)	Contraindicated

2.1 금속판막 환자의 임신 기간 중 항응고제의 사용

2.1.1 고용량 와파린(>5 mg /day)을 복용하는 금속판막 임산부(그림 1)

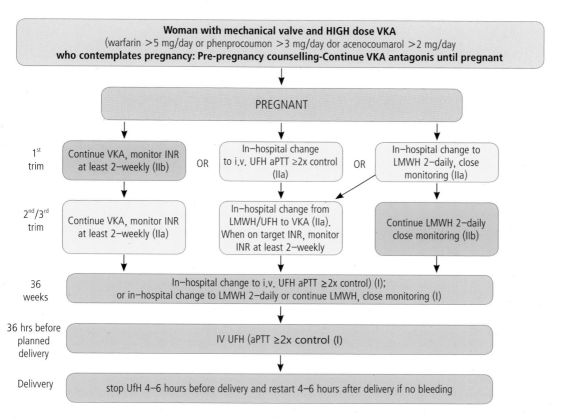

■ 그림 1. Flowchart on anticoagulation in mechanical valves and high-dose VKA (>5 mg /day)

European Heart Journal 2018;39:3165-3241

2.1.2 저용량 와파린(< 5 mg /day)을 복용하는 금속판막 임산부(그림 2)

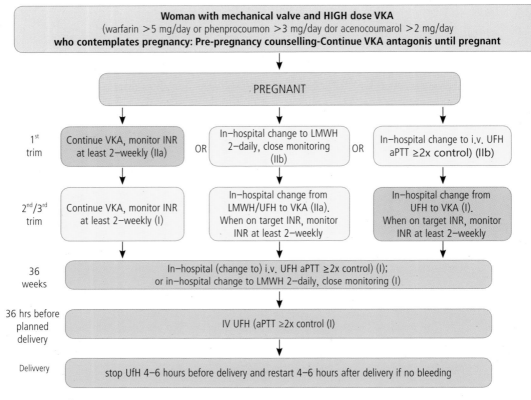

■ 그림 2. Flowchart on anticoagulation in mechanical valves and low-dose VKA (<5mg /day)

2.2 혈전용해제(Thrombolytics)

● 혈전용해제는 임신과 peripartum 동안 상대적으로 금기로 간주되며 심각한 저혈압이나 쇼크를 가진 고위험 환자에서만 사용해야한다.

● 용법: UFH의 loading dose는 생략하고 18 U/kg/h 속도로 infusion 시작하고 aPTT에 따라 용량을 조정함. 환자 안정 이후 UFH은 LMWH으로 변경함.

● 각각 약제의 안정성 데이터는 Table 2 참고

3. 항고혈압약제(Antihypertensive agents)

● 권고약제: Methyldopa (Level B), labetalol (Level C), calcium antagonists (Level C)

3.1   베타차단제(Beta-adrenergic blocking agents)

● 베타차단제는 일반적으로 임신 중에는 안전하지만 태아성장제한 속도 및 저혈당 증가 속도와 관련 될 수 있음
  ○ Beta-1-selective drugs: 자궁수축과 말초혈관확장에 미치는 영향과 태아성장제한도 제일 경미하여 권고약제임(metoprolol, bisoprolol)
  ○ Unselective beta-blockers: 태아성장제한위험도가 높아서 사용하지 않는 것이 좋음(atenolol)
  ○ alpha/beta-blockers:
    □ labetalol – 임신 중 고혈압치료제
    □ carvedilol- 태아 성장 지연과는 관련성이 없음

3.2   레닌-안지오텐신-알도스체테론 차단제(Renin–angiotensin–aldosterone system inhibitors): ACE inhibitors, ARBs, ARNIs, aldosterone antagonists

3.2.1. 안지오텐신전환효소억제제(ACE inhibitors) , 안지오텐신수용체차단제(ARBs), ARNIs

● 임신 중 복용 시 기형발생가능성(teratogenic)이 있어서 임신 기간동안 금기임
● 심부전 치료제로 최근 사용되는 ARNIs (sacubitril/valsartan)의 경우 ARBs를 포함하고 있어서 동일하게 금기임

3.2.2. 알도스테론 길항제(aldosterone antagonists)

● Spironolactone은 임신 중 권장되지 않음
● Eplerenone은 동물연구에서 고용량 투여 시 post-implantation losses와 관련이 있으며 명확하게 필요한 경우에만 임신 시 사용해야 함

3.3   칼슘채널 길항제(Calcium channel blockers, CCBS)

● CCBs: 선천성 기형 발생률 증가와 관련이 없음
  ○ Diltiazem: 동물연구에서 teratogenic하고 인간의 제한된 데이터만 존재. 태아의 잠재적 위험을 정당화할 수 있는 가능성이 있는 경우에만 임신 중에 사용하는 것이 좋음
  ○ Verapamil: 임신 기간 동안 상당히 안전하다고 생각되며 임신부의 특발성 지속성 VT의 치료 및 AF의 속도 조절을 위한 2 차 약제로 추천

PART VIII

부록

표 3. Antihypertensive agents and safety data

Class	약제명	Former FDA category	Placenta permeable	Transfer to breast milk (fetal dose)	Pre-clinical/clinical safety data
ACE inhibitors	ACE inhibitors	D	Yes	Yes	Contraindicated
ARBs	ARBs	D	Yes	Yes	Contraindicated
Aldosterone antagonist	Spironolactone	D	Yes	Yes	Antiandrogenic effects, oral clefts (first trimester) • inadequate human data
Angiotensin receptor neprilysin inhibitor (ARNI)	Sacubitril/valsartan	-	Unknown	Yes	Contraindicated
Beta-blocker	Atenolol	D	Yes	Yes	Hypospadias (first trimester), birth defects, low birth weight, bradycardia and hypoglycemia in fetus (second and third trimesters)
	Bisoprolol	C	Yes	Yes	Fetal bradycardia and hypoglycemia
	Carvedilol	C	Yes	Yes	No adequate human data • bradycardia and hypoglycemia in fetus • use only if potential benefit outweighs potential risk
	Labetalol	C	Yes	Yes	
	Metoprolol	C	Yes	Yes	Bradycardia and hypoglycemia in fetus
	Propranolol	C	Yes	Yes	Bradycardia and hypoglycemia in fetus

Calcium channel blocker	Diltiazem	C	No	Yes	possible teratogenic effects • use only when benefit outweighs risk
	Nifedipine	C	No	Yes	clinical studies: first trimester: effects
	Verapamil oral	C	Yes	Yes	Well-tolerated
	Verapamil IV	C	Yes	Yes	IV use is associated with a greater risk of hypo-tension and subsequent fetal hypoperfusion

표 4. Hypertensive Medications for Use during Pregnancy

Drug	Route	Dose	Activity	Action	Side Effects
First-line agent					
Methylodopa (B)	PO	0.25-1.5 g twice per day	3-5 d	False neurotransmitter	orthostasis, sleepiness
Second-line agent					
Labetalol (C)	PO/IV	200-1200 mg/d 2 or 3 times per day in divided doses 20-40 mg IV every 30 min as needed	2-4 h/5 min	Nonselective β-blockade	Tremulousness, headache
Nifedipine (C)	PO	30-120 mg/d	30 min	Calcium channel blocker	Edema, orthostasis, dizziness
Hydralazine (C)	PO/IV	50-300 mg/d 2 or 3 times per day 10 mg IV every 2 h as needed	1-2 h/20-30 min	Direct vasodilator	Lupus-like syndrome with chronic use
HCTZ (C)	PO	12.5-25 mg daily	3-5 d	Diuretic	
Selective β-blockers (C)	PO	Varible	1-2 wk	Selective β-blocker	generally safe, bradycardia, may decrease uteroplacental perfusion, neonatal hyoglycemia at higher doses
Metoprolol (C)	PO/IV	25-150 mg daily	3-5 d	Selective β-blocker	Bradycardia

Emergency Medications IV labetalol as noted above IV hydralazine as noted above Nifedipine (C) as noted above					
Diazoxide (C)	IV	30-50 mg IV every 5-15 min	2-4 min	Direct vasodilator	Hypotension, hypoglycemia
Nitroprusside (C or D)	IV	0.25-5 μg/kg/min	1-2 min	Direct vasodilator	Hypotension, cyanide toxicity if used > 4 h

IV, intravenous; PO, by mouth; HCTz, hydrochlorothiazide.

4. Lipid-lowering agents

스타틴은 무해성이 입증되지 않아 임신 중이거나 모유 수유 중에 처방불가

표 5. Lipid-lowering agents and safety data

Class	약제명	Former FDA category	Placenta permeable	Transfer to breast milk (fetal dose)	Pre-clinical/clinical safety data
Lipid-lowering agents	Cholestyramine	C	Unknown	Yes	May impair absorption of fat-soluble vitamins
	Evolucumab (Monoclonal antibody)	-	Yes	Unknown	Inadequate human data • not recommended
	Ezetimibe	-	Yes	Unknown	Inadequate human data • use only when benefit outweighs risk
	Fenofibrate	C	Yes	Yes	Inadequate human data • use only when benefit outweighs risk
	Gemfibrozil	C	Yes	Unknown	Inadequate human data
	Statins	X	Yes	Unknown	Congenital anomalies

5. 모유수유 시 금기약물

● 각 약제 별 표 참고

표 6. Hypertensive compatible with breast feeding

Enalapril/Captopril (caution if patient is planning another pregnancy)
Diltiazem
Hydralazine
Hydrochlorothiazide
Labetalol
Methyldopa
Minoxidil
Nadolol
Nifedipine
Oxprenolol
Propranolol
Spironolactone
Timolol
Verapamil

*FDA category

- Category A: 임부를 대상으로 실시된 임상연구에서 first trimester시 태아에 대한 위험성이 증명되지 않은 경우(later trimesters 시 위험성에 대해서는 증거가 없다)
- Category B: 동물실험에서는 태아에 대한 위험을 보였으나 사람에서는 위험을 보이지 않은 경우, 또는 인체에 대한 적절한 임상연구가 시행되지 않았으며 동물에서도 위험성이 증명되지 않은 경우. 즉 인체태아에 대한 위험성의 증거가 없는 경우
- Category C: 사람에 대한 연구결과가 없으며 동물실험이 위험성을 보이거나 보이지 않은 경우. 그러나 잠재적 위험성에도 불구하고, 약물사용의 유익성이 약물사용을 정당화할 수도 있는 경우. 즉 위험성을 완전히 배제할 수 없는 경우
- Category D: 임상자료나 시판 후 자료에서 태아에 대한 위험성을 보인 경우. 그럼에도 불구하고, 약물사용의 유익성이 잠재적 위험성을 상회하므로 생명을 위협하는 상황이나 중증 질환에 사용이 필요한 경우 보다 안전한 약물을 사용할 수 없거나 보다 안전한 약물이 효과가 없다면 사용할 수도 있는 경우
- Category X: 동물이나 사람에 대한 연구 또는 임상시험이나 시판 후 보고에서 태아에 대한 위험성이 환자에 대한 어떤 유익성보다 명백히 상회하는 경우로써 임신 중에는 투여 금기인 경우

참고문헌 ///

1. Regitz-Zagrosek V, Roos-Hesselink JW, Bauersachs J, Blomström-Lundqvist C, Cífková R, De Bonis M, Iung B, Johnson MR, Kintscher U, Kranke P, Lang IM, Morais J, Pieper PG, Presbitero P, Price S, Rosano GMC, Seeland U, Simoncini T, Swan L, Warnes CA; ESC Scientific Document Group . 2018 ESC Guidelines for the management of cardiovascular diseases during pregnancy. Eur Heart J. 2018 Sep 7;39(34):3165-3241.

2. Frishman WH, Elkayam U, Aronow WS. Cardiovascular drugs in pregnancy. Cardiol Clin. 2012 Aug;30(3):463-91.

3. Yoder SR, Thornburg LL, Bisognano JD. Hypertension in pregnancy and women of childbearing age. Am J Med. 2009 Oct;122(10):890-5.

INDEX